NURSINGRAPHICUS
ナーシング・グラフィカ

人体の構造と機能①

解剖生理学

メディカ出版

 の使い方

紙面に掲載のQRコード®をスマートフォンやタブレット端末で読み込むと，動画が視聴できます．

1 スマートフォンやタブレット端末のカメラアプリまたはQRコード読み取り専用アプリなどで，QRコードを読み込みます．

※読み込みにくい場合は，ピントが合う位置でカメラを固定し，QRコードをズームで拡大して読み取ってください．

2 動画が再生されます．

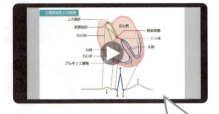

視聴覚面から学びをサポート！
本文と関連付けて学習できます．

理解を深める活用方法

● 事前学習として，動画で予習や実際の様子をイメージしておくことで，講義・演習・臨地実習前の不安軽減，知識の整理に役立ちます．
● 看護の技術が見て学べるので，手順やポイントが具体的に理解でき，講義・演習の予習・復習にピッタリです．
● 手術室や訪問看護の様子など，見る機会が少ない臨床現場の実際が学べます．

より詳しく動画で紹介！

※QRコード®は株式会社デンソーの登録商標です． ※iOS17／iPad OS17／Android 14で動作確認済み．
※コンテンツの提供期間は，奥付にある最新の発行年月日から4年間です．

動画やQRコードに関するお問い合わせは下記メールまたは右記QRコードからアクセスください．
Mail：ar_committee@medica.co.jp

LINE公式アカウント LINE で
看護学生のための
お役立ち情報をゲット！

友だち追加で「検査値一覧」壁紙画像プレゼント！

看護にまつわる＆国家試験の最新耳より情報を配信

 さらに！

「メディカまなびID」をお持ちの方は，アカウント連携を行うことで，**模擬試験**『**メディカコンクール**』と **BeNs.** に関連したお役立ち情報が届きます！

※プレゼント，配信内容等は予告なく変更する場合があります．ご了承ください．

第5版 はじめに

　本書はこのたび，内容を一新しました．目指したのは，デジタル・ネイティブに刺さる教科書です．イラスト・図版を大幅に増やし，看護師国家試験問題も意識しながら，各章の冒頭には「これだけ見れば」重要事項が押さえられるという内容を，解剖と機能面からまとめています．ストリーミング音楽配信を利用するZ世代は，冒頭の数秒で聴き続けるかを決めるため，最初からサビをもってくるという最近の楽曲の手法をとりました．また，本文は電子メールよりもLINE®を用いる学生にも読みやすい簡潔な文章にしました．SNSを用いて学習したり，授業動画や映画・ドラマまで倍速視聴している学生にも読み進めやすいページ構成となっています．コラムには，ほかの領域との関連が浮かび上がり，解剖生理学への興味が深まるトリビアが満載です．

　さらに，今回新たに「解剖生理学が臨床につながる！」ページを各章末に加えました．解剖生理学の知識が臨床でどのように役立つのかを理解でき，また，病気だけでなく，食べる，動くといった生活動作の視点でとらえ，看護実践に生かせる内容となっています．このような大幅改訂を行ったのは，膨大な領域をカバーすることが求められる看護教育課程の中で，少しでも楽しく専門領域を学んでほしい，看護師という専門職になる勉強が始まったのだと，学生に感じてほしいと考えたからです．

　私は医師の立場で，今回の編集に参加しました．依頼を受ける前の年に家族の入院を経験したのですが，改めて病棟で勤務する看護師の皆様の守備範囲の広さに圧倒されました．患者や家族が不安にならないような言葉掛けから，食事，入浴，排泄補助や清拭といった生活面のケア，身体状況の確認と評価，患者の訴えへの対応，配薬や検査・処置の実施など，その業務は多岐にわたります．勤務する部署が異なれば，さらに異なる領域で専門的な役割が求められるでしょう．それに対応する知識と技術の基礎を3〜4年間で学ぶというのは，相当に大変なことだと想像します．せめて楽しく，効率良く学んでもらいたいという思いが，今回の改訂版の制作につながりました．

　執筆者は，臨床経験が豊富で，教育に熱心に取り組んでいる看護教員ならびに，看護師とのコラボレーションの重要性を痛感し，看護教育を応援したいと考えている医師たちです．コンテンツとデリバリーの両方を意識して制作した本書を，ぜひご活用ください．

編者を代表して
順天堂大学大学院医学研究科医学教育学教授
武田裕子

第1版〜第4版 はじめに

　名は体を表すといいます．「解剖学」と「生理学」とに区別して各々を独立させる考えと，「解剖生理学」と一体化する考えは，根本的に異なります．

　医師である私は，前者の考えに基づく教育を受けました．その際感じた疑問点は，医学部卒業直後から関わるようになった看護学生への教育の場で，より深刻な問題となりました．卒業後すぐに従事した臨床の現場で役立つ知識は，解剖学と生理学を統合したものでした．しかしどのように統合し教えればよいかがわからなかったのです．この答えを知ったのは，卒業後8年目の1980（昭和55）年に筑波大学医学専門学群（現在：医学群医学類）で教育に従事してからでした．

　筑波大学医療技術短期大学部看護学科（現在：医学群看護学類）では，泌尿器科疾患についても講義を担当しました．臨床に役立つ知識の統合という視点に立って当時の看護学生用解剖生理学の教科書を見ると，隔靴掻痒のもどかしさを覚えました．

　その後1995（平成7）年に開設された山梨県立看護短期大学（現在：山梨県立大学看護学部）で，専任教員として専門基礎といわれる解剖生理学や病態生理学を担当することになりました．カリキュラムを検討する過程で，入手可能な看護学生用の教科書にはすべて目を通しました．以前感じたもどかしさは少し解消されましたが，満足するには至りませんでした．

　理由は明白でした．看護職にある方が書かずに，基礎医学専攻者が書いているものが圧倒的に多かったからです．看護師と医師では，仕事の内容が異なります．内容が異なれば，同じ知識でも必要な度合いは異なるはずです．看護学生の解剖生理学の教科書が，医学生用教科書を簡略化したものでよいはずはありません．看護師に必要なことは，看護師でないとわかりにくいかもしれません．それではなぜ看護職にある人が解剖生理学の教科書を書かないのか．その理由を考えるようになりました．

　専任教員になった後，アメリカで看護師の資格をもち看護学生に解剖生理学を教えている人の書いた教科書に出会いました．そのときの印象が強烈だったことは今も覚えています．心電図なしで循環器系の説明をするといった大胆な企画にも目を見張りました．もう一つ印象に残ったのは，鮮明な多色刷りの図版でした．サイエンティフィックイラストレーターという職種があるのは知っていましたが，こんなにわかりやすく図示できるとは思ってもみなかったのです．解剖生理学の教科書にはカラーの図版が欠かせないと思い知らされました．

　以上のような経過を経て，私は看護学生用の解剖生理学の教科書の条件を考えるようになりました．

①執筆者はできれば看護師の資格をもち，臨床経験のある方がよい．そのような方がいない場合は，臨床医としての経験が豊かで医学生だけでなく，看護学生も教えている医師でもよい．目的はもちろん臨床で必要な知識に重点を置いた記述をしていただくためです．

②図版はわかりやすく，秀逸なものがよい．どんなに記述が正確で緻密であっても，百聞は一見に如かずです．言葉での説明には限界があります．看護学生の場合，医学生が行う人体解剖実習を見学する機会さえもたない場合が多い現状を考えると，図版の重要性はどんなに強調してもしすぎることはないと思います．講義中にスライドを使って見てもらうとわかるのではないかという意見もあります．しかし一瞬見ただけでは，記憶に残りません．図版を見ながら考えることもできません．

　このような考えを抱くようになったころ，たまたま当時のメディカ出版社長の長谷川良人氏と話をする機会がありました．看護学生が活用できる教科書を作りたいという点で意見が一致し，具体化したのが本書です．

　執筆者はできるだけ看護師の資格をもち，臨床経験を経た上で研究や教育に従事しておられる方を選びました．ページ数の制約がある中で，どのような項目をどの程度まで詳しく記述するか，各執筆者の苦心の跡がうかがわれると思います．それゆえできれば外部からの講師に委託するのではなく，専任教員の手で解剖生理学も講義していただきたいと希望しています．

　図版は当初の意気込みがなかなか実現せず，編集の方々の手を煩わせることが重なりましたが，従来の日本の教科書にはなかった"視覚に訴えるもの"になったと自負しています．

　医学的知識や医療技術は日進月歩で変化していきます．本書が現在には対応できても，将来も役立つかどうかはわかりません．時代に即応する教科書として，改訂を続けたいものです．本書を使用された方々からのご意見，ご感想をいただけたら幸甚です．

山梨県立大学名誉教授，元 京都橘大学健康科学部教授

林正健二

本書の特徴

読者の自己学習を促す構成とし，必要最低限の知識を簡潔明瞭に記述しました．全ページカラーで図表を多く配置し，視覚的に理解しやすいよう工夫しました．

ここだけ見れば　まず○○がわかる！

まず「ここだけは押さえておきたい」構造と機能を，図版を用いてまとめました．予習や復習にご活用ください．

用語解説 *

本文に出てくる*のついた用語について解説し，本文の理解を助けます．

plus α

知っておくとよい関連事項についてまとめています．

QRコード®をスマートフォンやタブレット端末で読み取ると，関連する動画や画像を視聴・閲覧できます．📱のアイコンは実写映像，📱のアイコンはアニメーションです．
（詳しくはp.2をご覧ください）

重要用語

これだけは覚えておいてほしい用語を記載しました．学内でのテストの前や国家試験にむけて，ポイント学習のキーワードとして役立ててください．

学習達成チェック

理解したことをどのように活用できればよいのかを明示しています．学んだことを看護実践に結びつけていく上で役立ててください．

◆ **学習参考文献**

本書の内容をさらに詳しく調べたい読者のために，読んでほしい文献や関連ウェブサイトを紹介しました．

臨床場面で考えてみよう

学習した知識を実際の看護につなげるため，本文の最後に課題を提示しています．

解剖生理学が臨床につながる！

症例をもとに解剖生理学が臨床でどう役立つのかを解説しています．臨床判断能力の基盤を養います．

看護師国家試験出題基準対照表

看護師国家試験出題基準（令和5年版）と本書の内容の対照表を掲載しました．国家試験に即した学習に活用してください．

Contents

解剖生理学

動画でチェック

📱は実写映像，📱はアニメーションを視聴できます．
詳しい使い方はp.2をご覧ください．

- 医療従事者をめざす，あしたの君へ〈実写映像〉 …… 21
- ポジティブフィードバックとネガティブフィードバック〈アニメーション〉 …… 32
- 細胞膜のはたらき〈アニメーション〉 …… 50
- ナトリウムポンプ〈アニメーション〉 …… 52
- DNAの複製〈アニメーション〉 …… 54
- 骨格系〈3D人体映像〉 …… 93
- 脊椎の構造〈アニメーション〉* …… 101, 369
- 胸郭と臓器〈3D人体映像〉* …… 105, 173
- 肘関節の動き〈アニメーション〉 …… 109
- 肩関節の動き〈アニメーション〉 …… 118
- 関節の運動〈実写映像〉 …… 119
- 骨格筋と筋原線維〈アニメーション〉 …… 124
- 心臓〈3D人体映像〉* …… 150, 175
- 脾臓の構造と機能〈アニメーション〉 …… 163
- 血液の凝固と線溶〈アニメーション〉 …… 169
- 刺激伝導系〈アニメーション〉 …… 184
- 肺〈3D人体映像〉 …… 210
- 呼吸と嚥下〈アニメーション〉* …… 219, 306
- 呼吸のプロセス〈アニメーション〉 …… 235
- 呼吸と横隔膜〈アニメーション〉 …… 236
- 膠質浸透圧〈アニメーション〉 …… 261
- 泌尿器系・生殖器系〈3D人体映像〉* …… 268, 538
- 濾過と再吸収のしくみ〈アニメーション〉 …… 269
- 腎臓の働きと腎不全に関する基礎知識〈実写映像〉 …… 275
- 消化器系〈3D人体映像〉 …… 293
- 通路としての消化管〈実写映像〉 …… 305
- 食道・胃・十二指腸〈実写映像〉 …… 310
- 胃の構造〈アニメーション〉 …… 311
- 小腸の構造〈アニメーション〉 …… 315
- 脳神経〈3D人体映像〉 …… 342
- 興奮情報の伝導〈アニメーション〉 …… 355
- 脳の解剖〈アニメーション〉 …… 360
- 眼球の動きと神経支配〈3D人体映像〉 …… 413
- 視覚の遠近調節〈アニメーション〉 …… 415
- 聴覚伝導路のしくみ〈アニメーション〉 …… 422
- 平衡覚伝導路のしくみ〈アニメーション〉 …… 425
- 皮膚の解剖生理〈アニメーション〉 …… 453
- 褥瘡処置の手順〈実写映像〉 …… 457
- 免疫系で働く細胞たち〈アニメーション〉 …… 477
- 自然免疫系から獲得免疫系へ〈アニメーション〉 …… 479
- 熱放散〈アニメーション〉 …… 492
- 内分泌系〈3D人体映像〉 …… 504
- 甲状腺・上皮小体（副甲状腺）〈アニメーション〉 …… 518
- 血糖の調節〈アニメーション〉 …… 522
- 妊娠初期の発達〈実写映像〉 …… 565

＊複数ページで同一のコンテンツが表示されます．

はじめに …… 3
本書の特徴 …… 6

序章 全身像　解剖生理学の基本的事項

ここだけ見れば まず**全身像**がわかる！ • 14

1 解剖学，生理学とは …… 18
1. 解剖学 • 18
2. 生理学 • 18
3. 看護に解剖生理学はどう役立つのか 動画 • 19

2 解剖学的用語 …… 22
1. 解剖学的正常位 • 22
2. 方　向 • 24
3. 面と断面 • 25
4. 人体内部の腔所 • 26
5. 器官と11種の器官系 • 28

3 ホメオスタシス（恒常性） …… 30
1. 定　義 • 30
2. ホメオスタシスの機構 • 30

4 フィードバック機構 …… 31
1. フィードバック機構の概念 • 31
2. 人間の行動におけるフィードバックの理論 動画 • 31

1 細胞と組織　身体を構成するしくみ

ここだけ見れば まず**細胞と組織**がわかる！ • 34

1 細　胞 …… 38
1. 細胞の構造 • 38
2. 細胞の機能 動画 • 50
3. 細胞の分化と成長，老化 • 60

2 人体を構成する4種の組織 …… 64
1. 上皮組織 • 64

- 2 支持組織・69
- 3 筋組織・75
- 4 神経組織・76

解剖生理学が臨床につながる！ ・84

2 骨格・筋系　身体を支える・動かすしくみ

ここだけ見れば まず骨格・筋系がわかる！ ・86

1 骨と骨格 …… 92
- 1 骨の働き [動画] ・92
- 2 骨の組成・94
- 3 骨の構造・94
- 4 骨組織（長骨の構造）・95
- 5 骨の種類・96
- 6 骨の成長・96
- 7 骨の形成と改変・97
- 8 骨の老化・97

2 頭蓋，体幹の骨格 …… 98
- 1 頭　蓋・98
- 2 脊　柱 [動画]・101
- 3 胸　郭 [動画]・105

3 体肢の骨格 …… 106
- 1 上肢帯の骨格・106
- 2 上肢の骨 [動画]・108
- 3 骨　盤・110
- 4 下肢の骨・112

4 関節の構造と種類 …… 116
- 1 関節の構造・116
- 2 関節の種類 [動画]・118
- 3 関節の運動 [動画]・119
- 4 関節の変形・120

5 骨格系の成長と老化 …… 121
- 1 骨の成長と老化・121
- 2 関節の老化・121

6 筋の種類 …… 122
- 1 骨格筋 [動画]・122
- 2 心　筋・124
- 3 平滑筋・124

7 筋の機能 …… 125
- 1 筋収縮の機序・126
- 2 筋収縮のエネルギー代謝・127
- 3 刺激と活動電位の発生・128
- 4 筋収縮の種類・129

- 5 神経と筋・131
8 身体の運動と骨格筋 …… 132
9 骨格筋の解剖生理 …… 133
- 1 頭部の筋・133
- 2 頸部，背部の筋・134
- 3 胸部の筋・134
- 4 腹部の筋・134
- 5 横隔膜・135
- 6 上肢の筋・136
- 7 下肢の筋・140
- 8 筋の病気・143

10 筋系の成長と老化 …… 144

解剖生理学が臨床につながる！ ・146

3 血液・循環器系　物質を運搬するしくみ

ここだけ見れば まず血液・循環器系がわかる！ [動画]・148

1 血液の機能と成分 …… 154
- 1 血液とは・154
- 2 血液の働き・154
- 3 血液の成分・156

2 血球とその機能 …… 162
- 1 赤血球 [動画]・162
- 2 白血球・164
- 3 血小板と血液凝固および血栓の線溶 [動画]・168

3 血液型と輸血 …… 170
- 1 ABO式血液型・170
- 2 Rh式血液型・171
- 3 輸血に際しての交差適合試験・172
- 4 ヒト組織適合性白血球抗原（HLA）・172

4 心　臓 …… 173
- 1 心臓の構造 [動画]・173
- 2 心臓の機能 [動画]・180

5 血管と循環 …… 186
- 1 血管の形態・186
- 2 主要な動脈・190
- 3 主要な静脈と門脈系・194
- 4 胎児循環・196
- 5 血管の機能・198

6 心臓，血管の成長と老化 …… 203
7 リンパ系 …… 204

解剖生理学が臨床につながる！ ・208

4 呼吸器系
酸素を取り入れて，二酸化炭素を排出するしくみ

ここだけ見れば まず呼吸器系がわかる！ 動画 ● 210

1 **呼吸系の構造と機能** ……………………… 214
   1 呼吸器系の役割 ● 214
2 **気道の構造と機能** ……………………… 215
   1 鼻と鼻腔 ● 215
   2 咽 頭 動画 ● 218
   3 喉 頭 ● 221
   4 気管と主気管支 ● 223
   5 気道の生体防御機構 ● 224
3 **肺の構造** ……………………………… 226
   1 肺と胸膜・胸膜腔 ● 226
4 **縦 隔** ……………………………… 234
   1 縦隔の区分 ● 234
   2 縦隔に含まれる器官 ● 234
5 **呼吸のプロセス** 動画 ……………… 235
   1 換 気 動画 ● 236
   2 外呼吸 ● 242
   3 ガスの運搬 ● 243
   4 内呼吸 ● 246
6 **呼吸の調節** ……………………… 247
   1 化学受容器と呼吸器系の受容器 ● 248
   2 呼吸中枢 ● 250
   3 呼吸調節の効果器である呼吸筋 ● 250
   4 呼吸のさまざまな異常 ● 251
7 **呼吸系の成長と老化** ………………… 253

解剖生理学が臨床につながる！ ● 254

5 体 液　体内の水分を調節するしくみ

ここだけ見れば まず体液がわかる ● 256

1 **体液の調節** ……………………… 258
   1 水分と電解質平衡 ● 258
   2 浸透圧 動画 ● 261
   3 酸塩基平衡 ● 262

解剖生理学が臨床につながる！ ● 266

6 泌尿器系　尿を作るしくみ

ここだけ見れば まず泌尿器系がわかる！ 動画 ● 268

1 **腎 臓** ……………………… 272
   1 腎臓の構造 動画 ● 272
   2 腎臓の機能 ● 276
   3 尿の生成 ● 278
2 **尿 管** ……………………… 283
3 **膀 胱** ……………………… 284
4 **尿 道** ……………………… 285
5 **排尿の生理** ……………………… 286
   1 蓄尿の機構 ● 286
   2 排尿の機構 ● 287
   3 骨盤底筋群 ● 288
6 **泌尿器系の成長と老化** ……………… 289

解剖生理学が臨床につながる！ ● 290

7 消化器系
食物を摂取して消化・吸収し排泄するしくみ

ここだけ見れば まず消化器系がわかる！ 動画 ● 292

1 **食 欲** ……………………… 296
   1 食欲と摂食行動 ● 296
   2 食欲の調節 ● 297
   3 食欲と摂食行動の影響要因 ● 297
2 **咀 嚼** ……………………… 298
   1 口腔の構造と機能 ● 298
   2 歯 ● 302
   3 咀 嚼 ● 304
3 **嚥 下** ……………………… 305
   1 咽頭の構造 動画 ● 305
   2 咽頭の働き 動画 ● 306
   3 嚥 下 ● 306
   4 食道の構造 ● 308
   5 食道の機能 ● 309
4 **消 化** 動画 ……………………… 310
   1 胃の構造 動画 ● 310
   2 胃の機能 ● 312
   3 小腸の構造 動画 ● 314
   4 小腸の機能 ● 317
   5 肝臓の構造 ● 318
   6 肝臓の機能 ● 320
   7 胆嚢の構造 ● 324

8 胆嚢の機能・325
　　9 膵臓の構造・326
　　10 膵臓の機能・328
5 吸　収 …………………………… 330
　　1 糖質の消化と吸収・330
　　2 脂肪の消化と吸収・331
　　3 タンパク質の消化と吸収・332
　　4 ビタミン・水の吸収・333
6 排　泄 …………………………… 334
　　1 大腸の構造・334
　　2 大腸の機能・336
　　3 排便の機序・338
解剖生理学が臨床につながる！・340

8 神経系
情報を収集して判断し，伝達するしくみ

ここだけ見れば まず**神経系**がわかる 動画・342

1 神経系の分類 ………………………… 348
　　1 構造に基づく分類・348
　　2 機能に基づく分類・349
2 神経組織の構造と機能 ……………… 350
　　1 神経膠細胞・350
　　2 ニューロン（神経細胞）動画・351
　　3 反　射・357
3 中枢神経系 …………………………… 359
　　1 大　脳 動画・360
　　2 間　脳・366
　　3 脳　幹・367
　　4 小　脳・368
　　5 脊　髄 動画・368
　　6 中枢神経系を保護する組織・370
　　7 伝導路・374
　　8 睡眠と覚醒・376
　　9 サーカディアンリズム（概日リズム）・378
　　10 意識レベルの評価・379
4 末梢神経系 …………………………… 382
　　1 末梢神経の構造・382
　　2 末梢神経の機能的分類・383
　　3 末梢神経線維の伝導速度・383
　　4 脳神経・384
　　5 脊髄神経と神経叢・386
　　6 体性神経系・388

　　7 自律神経系・390
5 神経系の成長と老化，神経系の障害 …… 394
　　1 脳の成長と老化・394
　　2 神経系の障害・395
解剖生理学が臨床につながる！・398

9 感覚器系
外部から情報を取り入れるしくみ

ここだけ見れば まず**感覚器系**がわかる・400

1 感覚器系とは ………………………… 406
　　1 感覚の種類・406
　　2 適刺激・406
　　3 刺激への順応・407
　　4 感覚情報の大脳皮質への投射・407
2 視　覚 ………………………………… 408
　　1 眼球の構造・408
　　2 眼球の付属器・412
　　3 外眼筋 動画・413
　　4 視覚の伝導路・414
　　5 視　力・414
　　6 眼の反射と調節機能 動画・415
　　7 色覚とその異常・417
3 聴覚と平衡覚 ………………………… 418
　　1 耳の全体構造・418
　　2 聴器の構造と機能 動画・420
　　3 平衡覚器の構造と機能 動画・424
4 化学的感覚（嗅覚・味覚）………… 426
　　1 嗅覚と嗅覚受容器・426
　　2 味覚と味覚受容器・427
5 体性感覚 ……………………………… 429
　　1 表在感覚の受容器・429
　　2 深部感覚の受容器・431
　　3 体性感覚の上行性伝導路・432
6 内臓感覚 ……………………………… 433
　　1 臓器感覚・433
　　2 内臓痛覚・433
　　3 内臓感覚の上行性伝導路・433
7 感覚器系の成長と老化 ……………… 434
　　1 視覚の変化・434
　　2 聴覚の変化・435
解剖生理学が臨床につながる！・436

10 皮膚と膜・免疫系／体温調節
生体を守るしくみ

ここだけ見れば まず **皮膚と膜・免疫系／体温調節**がわかる！ 438

1 膜 442
  1 体内の膜 ● 442
  2 皮　膚 [動画] ● 452
  3 皮膚の付属器 ● 458
  4 皮膚の成長と老化 ● 462

2 免疫系のおおまかなしくみ 464
  1 自然免疫系 ● 464
  2 獲得免疫系 ● 464
  3 免疫細胞が身体を守る方法 ● 465
  4 免疫細胞が存在する場所 ● 466

3 獲得免疫系のしくみ 467
  1 抗原特異性と多様性 ● 468
  2 自己寛容 ● 469
  3 免疫記憶 ● 470
  4 抗体の産生と働き ● 471
  5 抗体の構造 ● 472
  6 T細胞による反応 ● 475

4 自然免疫系のしくみと獲得免疫系との関連 476
  1 自然免疫系の攻撃のしくみ [動画] ● 476
  2 自然免疫系から獲得免疫系への情報伝達 [動画] ● 478

5 免疫系と感染症 480
  1 感染症の原因となる病原体の種類 ● 480
  2 感染症へのかかりやすさ ● 480

6 アレルギーと自己免疫疾患 482
  1 IgEが関与するアレルギー（I型アレルギー）● 482
  2 IgEが関与しないアレルギー ● 484
  3 自己免疫疾患 ● 485

7 体熱産生と体温 488
  1 体温の分布 ● 488
  2 熱の出納 [動画] ● 491
  3 体温調節 ● 494
  4 高体温・低体温 ● 496

解剖生理学が臨床につながる！ ● 500

11 内分泌系　内部の環境を整えるしくみ

ここだけ見れば まず **内分泌系**がわかる！ [動画] ● 504

1 内分泌系とホルモン 508
  1 内分泌系 ● 508
  2 ホルモンの化学的性質と作用機序 ● 511

2 脳にあるホルモン分泌器官 512
  1 視床下部 ● 512
  2 下垂体 ● 512
  3 松果体 ● 516

3 甲状腺 517
  1 甲状腺ホルモン [動画] ● 518
  2 カルシトニン ● 519

4 上皮小体（副甲状腺） 520
  1 副甲状腺ホルモン ● 520

5 膵　臓 521
  1 膵島の働き ● 521
  2 血糖の調節 [動画] ● 522
  3 糖尿病 ● 523

6 副　腎 524
  1 副腎皮質 ● 525
  2 副腎髄質 ● 525

7 性　腺 528
  1 卵　巣 ● 528
  2 精　巣 ● 529

8 ホルモンを分泌するそのほかの器官や組織 530
  1 消化管 ● 530
  2 腎　臓 ● 530
  3 胸　腺 ● 532
  4 心臓（ナトリウム利尿ペプチドファミリー），血管系 ● 532
  5 脂　肪 ● 533
  6 その他 ● 533

9 内分泌系の成長と老化 533
  1 内分泌系の成長 ● 533
  2 内分泌系の老化 ● 534

解剖生理学が臨床につながる！ ● 536

12 生殖器系　子孫を残すしくみ

ここだけ見れば まず生殖器系がわかる！ 動画 ● 538

1 女性生殖器 ……………………………………… 544
- 1 卵　巣 ● 544
- 2 管腔系の構造 ● 547
- 3 女性外生殖器の構造 ● 552
- 4 性周期 ● 554
- 5 妊娠と出産 動画 ● 562
- 6 乳　腺 ● 569
- 7 女性生殖器の成長と老化 ● 572

2 男性生殖器 ……………………………………… 574
- 1 男性生殖器の構造 ● 574
- 2 男性外生殖器の構造 ● 577
- 3 男性の生殖機能 ● 578
- 4 男性生殖器の成長と老化 ● 581

解剖生理学が臨床につながる！ ● 583

学習参考文献 ……………………………………… 585
看護師国家試験出題基準（令和5年版）対照表
　　　　　　　　　　　　　　　　　　……………… 587
索引 ……………………………………………………… 592

■本書で使用する単位について
　本書では，国際単位系（SI単位系）を表記の基本としています．主な単位記号と単位の名称は次のとおりです．

SI接頭語（単位の尺度）

m	：メートル		T	：テラ	10^{12}
kg	：キログラム		G	：ギガ	10^{9}
Hz	：ヘルツ		M	：メガ	10^{6}
J	：ジュール		k	：キロ	10^{3}
lx	：ルクス		h	：ヘクト	10^{2}
s	：秒		da	：デカ	10^{1}
min	：分		d	：デシ	10^{-1}
h	：時		c	：センチ	10^{-2}
d	：日		m	：ミリ	10^{-3}
mol	：モル		μ	：マイクロ	10^{-6}
L	：リットル		n	：ナノ	10^{-9}
mmHg	：水銀柱ミリメートル		p	：ピコ	10^{-12}
Torr	：トル		f	：フェムト	10^{-15}

編集・執筆

編 集

武田　裕子	たけだ ゆうこ	順天堂大学大学院医学研究科医学教育学教授
林正　健二	りんしょう けんじ	山梨県立大学名誉教授，元 京都橘大学健康科学部教授

執 筆 （掲載順）

林正　健二	りんしょう けんじ	山梨県立大学名誉教授，元 京都橘大学健康科学部教授 …… 序章1節・2節1～5・3節・4節，5章，6章，12章2節
藤本　悦子	ふじもと えつこ	一宮研伸大学大学院看護学研究科教授，名古屋大学名誉教授 …… 序章2節6，1章
武田　多一	たけだ たいち	筑波大学医学医療系古河坂東地域医療教育センター教授 …… 1～3章「解剖生理学が臨床につながる！」，10章1節，10章「解剖生理学が臨床につながる！」
遠藤　健司	えんどう けんじ	東京医科大学整形外科学分野准教授 …… 2章
直川　匡晴	のうがわ まさはる	のうがわ内科・血液内科クリニック院長 …… 3章1～3節
山内　豊明	やまうち とよあき	放送大学大学院文化科学研究科教授，名古屋大学名誉教授 …… 3章4～7節
三笘　里香	みとま りか	熊本大学大学院生命科学研究部看護学分野教授 …… 3章4～7節
武田　裕子	たけだ ゆうこ	順天堂大学大学院医学研究科医学教育学教授 …… 4章，4章「解剖生理学が臨床につながる！」
小坂鎮太郎	こさか しんたろう	都立広尾病院総合診療科部長 …… 5章「解剖生理学が臨床につながる！」，9章「解剖生理学が臨床につながる！」
安本　有佑	やすもと ゆうすけ	板橋中央総合病院救急総合診療科医長 …… 6章「解剖生理学が臨床につながる！」
中神　克之	なかがみ かつゆき	名古屋葵大学健康科学部看護学科教授 …… 7章
宜保　憲明	ぎぼ のりあき	宜保内科消化器・肝臓内科クリニック …… 7章「解剖生理学が臨床につながる！」
佐伯　由香	さえき ゆか	人間環境大学松山看護学部特任教授 …… 8章
會田　哲朗	あいた てつろう	福島県立医科大学総合内科・総合診療学講座／総合内科・総合診療医センター講師 …… 8章「解剖生理学が臨床につながる！」
加茂　敦子	かも あつこ	順天堂大学医療看護学部准教授 …… 9章
徳田　信子	とくだ のぶこ	獨協医科大学医学部解剖学講座教授 …… 10章2～6節
田中　裕二	たなか ゆうじ	令和健康科学大学看護学部教授 …… 10章7節
佐藤　直行	さとう なおゆき	ハートライフ病院総合内科部長 …… 10章「解剖生理学が臨床につながる！」
髙梨あさき	たかなし あさき	順天堂大学医療看護学部准教授 …… 11章
竹内　結	たけうち ゆい	東京都立多摩総合医療センター内分泌代謝内科，救急診療科，総合診療科 …… 11章「解剖生理学が臨床につながる！」
井上　裕美	いのうえ ひろみ	湘南鎌倉総合病院顧問・産婦人科主任部長 …… 12章1節
柴田　綾子	しばた あやこ	淀川キリスト教病院産婦人科医長 …… 12章「解剖生理学が臨床につながる！」

序章 全身像
解剖生理学の基本的事項

ここだけ見れば まず**全身像**がわかる！

● 人体は家に例えるとわかりやすい

　家を人体で例えると，梁や柱は骨格系，外壁は皮膚系，内部の電気配線は神経系，外部の情報収集に当たる窓は視覚などの感覚器系，下水道は泌尿器系が相当する．まずは泌尿器系で見てみよう．

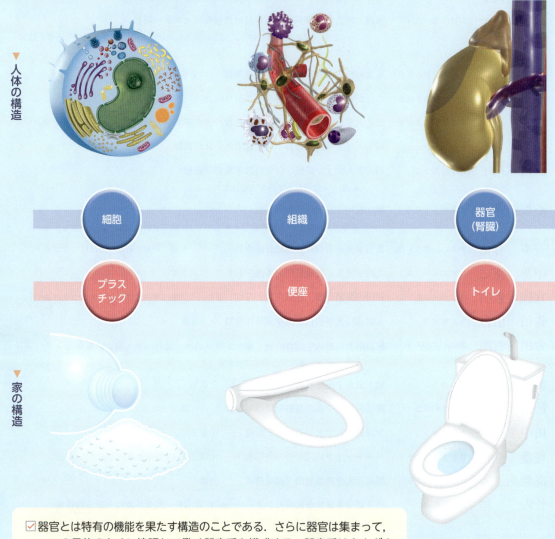

▼人体の構造：細胞／組織／器官（腎臓）
▼家の構造：プラスチック／便座／トイレ

- ☑ 器官とは特有の機能を果たす構造のことである．さらに器官は集まって，一つの目的のために協調して働く器官系を構成する．器官系はさまざまな役割を果たしながら，一つの個体として統合され，生命を維持している．
- ☑ 人体のしくみを12の項目に分けて見ていく．各部分の構造と機能を理解し，私たちの健康がどのように維持されているのかを学修する．

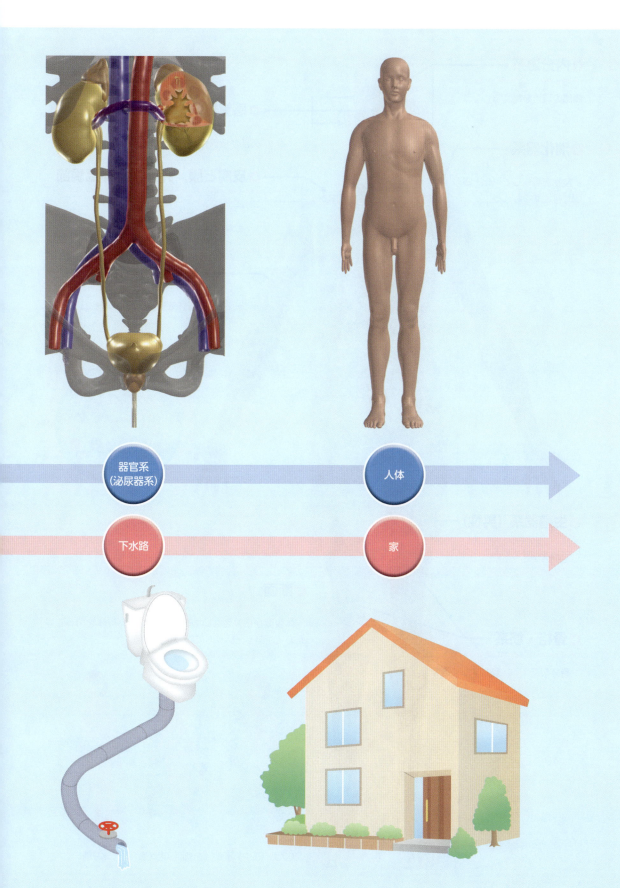

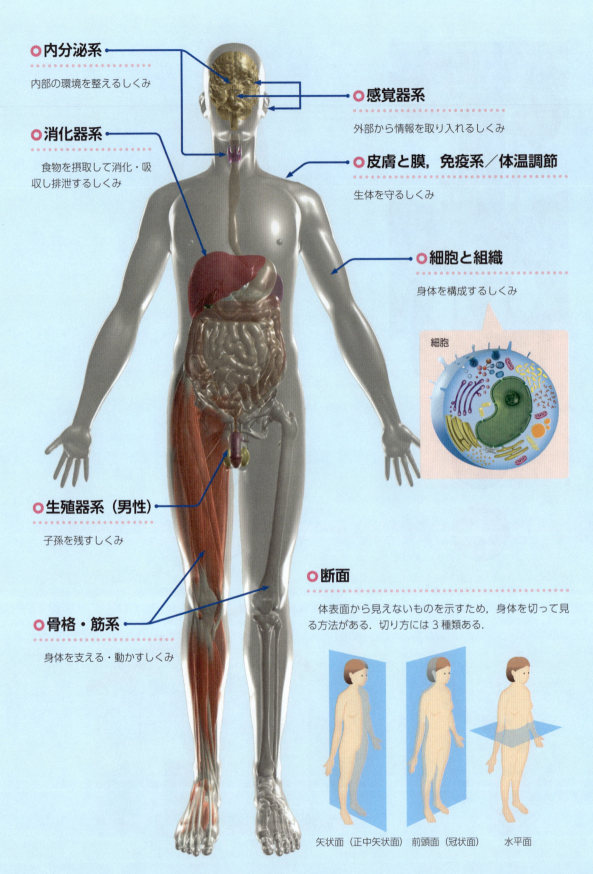

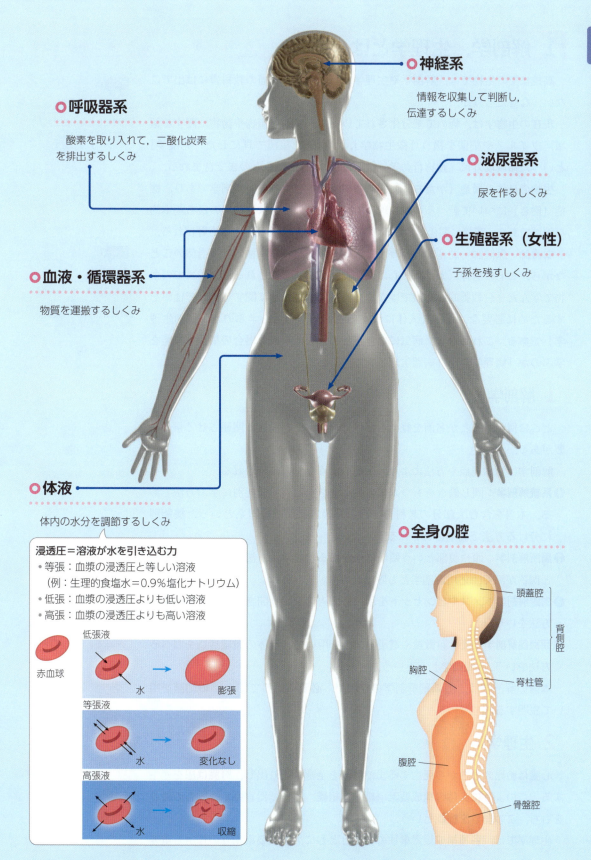

1 解剖学，生理学とは

高校までの生物では，解剖学や生理学という言葉が普通の教科書には出てこない．なぜだろうか．

現在の生物学は，極めて細分化されている．一般的な植物や動物に関する領域，ウイルスや細菌を扱う「微生物学」，ワクチン接種で耳にした「免疫学」といった領域以外に「動物行動学」「社会生物学」というものまで含まれる．

生物の身体の構造（かたち）に関する知識を担当するのが解剖学であり，機能（働き）について調べるのが生理学である．この二つは生物学の最も基本的な領域であり，密接に関係しているので総称して「解剖生理学」とも呼ばれる．

看護師・保健師・助産師といったヒトの健康に関わる職種では，当然のことながら，ヒトの身体（人体）と心に関する知識が必要とされる．高校までの生物で学んだ一般教養的な知識ではなく，将来，健康科学に関する分野で仕事をするために必要な，正常な人体に関する生物学的知識を学ぶのが「解剖生理学」である．これに対し，病気になり正常ではなくなった場合の構造と機能を学ぶのが「病理学」や「病態生理学」である．

> **plus α**
> **解剖学，生理学**
> 正確には人体解剖学，人体生理学というが，普通は「人体」を省略する．

> **plus α**
> **ヒトと人**
> 生物の一種，ホモ・サピエンスという文脈の場合はヒト，一般的な文脈では人と表記する．

1 解剖学

どこに何があるとか名前を覚えるだけでなく，その働きと関連させて学ぶ必要がある．

解剖学は学ぶ視点や方法により，下記のような分野に分かれる．

❶ **系統解剖学**：同じ働きをもつ人体の各部分をまとめて機能別に学ぶ方法である．本書を含む大部分の教科書では，呼吸器系，循環器系といった機能別に分ける方法で編集されている．

❷ **局所解剖学**：頭や腹部という領域に何があるかを学ぶ方法である．外科手術と関係が深く，応用解剖学とも呼ばれる．

❸ **肉眼解剖学**：メスやピンセットを用いて，人体を切り開き，肉眼で観察する方法をいう．

❹ **顕微鏡解剖学**：光学顕微鏡や電子顕微鏡を用いて，身体の微細構造を調べる方法をいう．「組織学」ともいう．

本書の解剖学は，①系統解剖学の立場で，必要に応じて②～④の知識を用いて説明する．

2 生理学

心臓は胎児のときから死亡するまで血液を全身に送り出し，腎臓は尿を産生する．このように人体の構成要素（細胞，組織，器官，器官系）は固有の働きをもち，この働きを**機能**という．

生理学では，各種構成要素単独の機能とともに，構成要素相互の作用も重要

な対象となる．

例えば，気温が上昇すると，発汗量は増加し尿量が減少するが，体温はほぼ一定である．このように絶えず変化する外界の刺激に対し，体内環境を限られた一定の範囲に保とうとするしくみがある．これを**ホメオスタシス**（homeostasis，恒常性）という．このような各器官系の相互作用を理解するのも，生理学を学修する目標の一つである．

plus α

学習と学修

文部科学省の文書では，高校までは学習，それ以上では学修と表記してある．

3 看護に解剖生理学はどう役立つのか

看護は「実践の科学」であるといわれる．看護の中で重要な部分を占める日常生活行動の援助に際して，「解剖生理学」の知識は土台として活用できる．経験的に良いとわかっている看護行為にはそれを裏付ける科学的事実があるはずで，解剖生理学の知識はそれらの事実を理解する手助けを与えてくれる．例として「６章：泌尿器系」で学ぶ排尿について考えてみよう．

私たちは，尿意を感じてもある程度は我慢できる．また，何かに熱中しているときは，普段なら尿意を感じても不思議でない量の尿が膀胱（ぼうこう）にたまっていても，尿意を感じない場合がある．これらは，排尿が大脳皮質の中枢により支配を受けているためである．

筋には知覚神経（求心路）と運動神経（遠心路）が分布している．破線は知覚神経を示す．

図 1 膀胱と尿道の神経支配

各神経はすべて脳神経系の中枢の支配を受ける

図 2 尿意を感じたとき

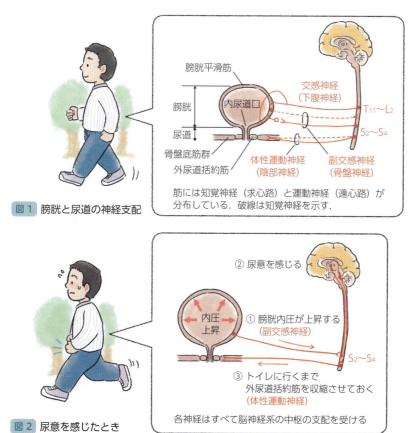

これが心筋梗塞の直後や手術後で絶対安静が必要な患者の場合，ベッド上での排尿が必要となる．しかし，普段しているように立位や座位で排尿するのに比べ，ベッド上での排尿は困難である．なぜなら仰臥位では，横隔膜や腹部の筋を収縮させて腹圧を高め，膀胱を圧迫してその収縮を助けることができないからである．腹部手術の後は，手術の傷（術創）に痛みを感じると，腹圧を高めるのはさらに難しくなる．

また，そばに他人がいるとそれが気になり，排尿が困難になる人も珍しくない．排尿に関与するのは副交感神経で，この神経は安静と休息の神経とも呼ばれ，他人を気にする緊張状態では作用しにくいからである．

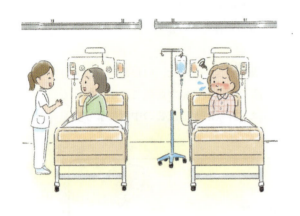

そのため，このような患者の排尿の援助においては，排尿を促すために精神的に緊張せずに，安定した腹圧がかけられる体位を工夫する必要がある．

蓄尿と排尿の生理（機構）を学ぶとなると，
①膀胱平滑筋・外尿道括約筋・骨盤底筋群などの筋
②体性運動神経（陰部神経→外尿道括約筋を収縮させ排尿を抑制する），副交感神経（骨盤神経→膀胱平滑筋を収縮させ，内尿道口周辺を弛緩させて排尿を促進する），交感神経（下腹神経→膀胱平滑筋を弛緩させ，内尿道口周辺を収縮させる）などの神経の名称と，それらが位置する部位
などの解剖学的知識も必要になる．

　また，交通事故などで脊髄を損傷した場合，どの神経が機能しなくなるのか，その結果どのような排尿障害が起こるのかなど，疾患によって生じる機能障害の理解にも，解剖生理学の知識は欠かせない．

　排尿という極めてありふれた日常生活行動には，少なくとも①筋系，②神経系，③泌尿器系が関与している．このように，ほとんどの日常生活行動は，複数の器官系の協働作用として行われる複雑な機能といえる．

　系統解剖学では器官系ごとに学修するが，この例からもわかる通り，実際の看護行為では，複数の器官系にまたがる解剖学と生理学の知識を統合する必要がある．

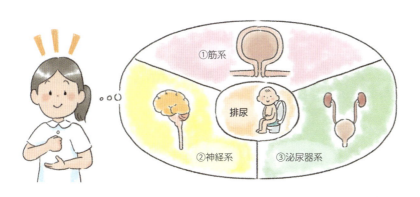

コンテンツが視聴できます
(p.2参照)

特別映像：医療従事者をめざす，あしたの君へ

序章　全身像●解剖生理学の基本的事項

2 解剖学的用語

　今まで聞いたことがない難しそうな単語が大挙して出てくると，看護学生のみならず医学生もパニックに陥る．その結果，解剖学の学修には「膨大な暗記が必要である」と考える人が少なからず出現する．しかし，江戸時代の「解体新書」以来，西欧の解剖学用語を翻訳してきた歴史まで振り返る必要はないため，看護の実践に必要な用語はそれほど多くない．

> **plus α**
> **解剖学的肢位と基本肢位**
> 解剖学的正常位は解剖学的肢位ともいう．基本肢位は手掌を体側に向けた「気をつけ」の姿勢をいう．基本肢位を基準として，臨床で用いる良肢位が決まる（➡p.121参照）．

1 解剖学的正常位

　人体を表現する場合，基本となる姿勢があり，それを**解剖学的正常位**という．両足を前に向けて直立し，上肢を脇に垂らして手掌を前に向けて，手指を伸ばした状態である．

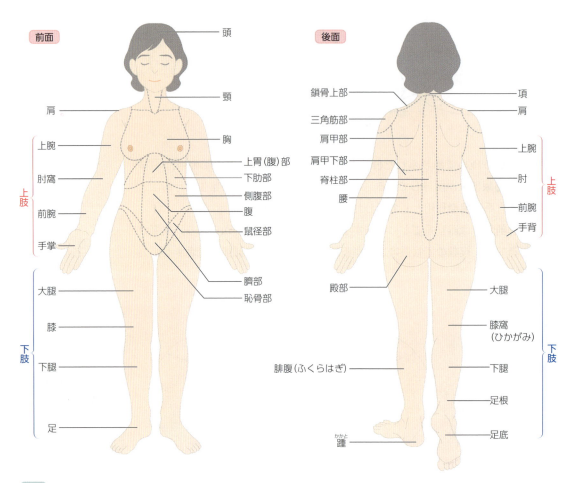

図3　解剖学的正常位と人体の名称

解剖学では，手は手首から先だけ，足は足首から先だけを意味する．手と前腕，上腕を合わせて**上肢**，足と下腿，大腿を合わせて**下肢**という．

　人体は，体幹と体肢（上肢と下肢，総称が四肢）に大別し，体幹はさらに①頭，②頸（前面は頸，後面は項），③胸（前面），④腹（前面），⑤背（胸腹部の後面），⑥骨盤（後面上が腰，後面下方が殿部）に分けられる．

　人体の各部位を示す解剖学的用語のうち，一般名と異なる代表的なものを表1にまとめた．図3を参照しながら確認してみよう．

表1 人体の部位を示す用語

		解剖学用語	一般名
体幹	①頭（あたま）	・頭蓋＊（とうがい） ・側頭（そくとう）	：頭（あたま） ：こめかみ
	②頸（くび）	・頸（くび）	：首（くび）
	③胸	・乳房（にゅうぼう） ・乳頭（にゅうとう）	：ちぶさ ：ちくび
	④腹	・臍（さい） ・鼠径（そけい） ・側腹（そくふく） ・会陰（えいん）	：へそ ：もものつけね ：わきばら ：肛門と生殖器の間
	⑤背	・背（せ）	：せなか
	⑥骨盤・腰（こし）	・殿部（でんぶ）	：しり
体肢	⑦上肢	・腋窩（えきか） ・手根（しゅこん） ・上腕（じょうわん） ・手背（しゅはい） ・前腕（ぜんわん） ・手掌（しゅしょう）	：わきのした ：てくび ：にのうで ：てのこう ：まえうで ：てのひら
	⑧下肢	・大腿（だいたい） ・外果（がいか） ・膝蓋（しつがい） ・内果（ないか） ・膝窩（しっか） ・足根（そくこん） ・下腿（かたい） ・足背（そくはい） ・腓腹（ひふく）	：ふともも ：そとくるぶし ：ひざがしら ：うちくるぶし ：ひかがみ ：あしくび ：すね ：あしのこう ：ふくらはぎ

用語解説＊
頭 蓋
頭蓋は「とうがい」と読むのが原則である．しかし，日常語では「ずがい」であり，動物学用語でも「ずがい」と読むため，「ずがい」と読んでもよい．

plus α
腋 窩
腋窩や膝窩の「窩」は，くぼみを意味する．

2 方向

人体の向きを示す用語は5種類ある．

①上下
- 頭に近いのが上方，足に近いのが下方．
- 例：心臓は横隔膜の上方にあり，肝臓は横隔膜の下方にある．

②前後
- 腹に近いのが前方，背に近いのが後方．
- 例：胸骨は肺の前方にあり，脊柱は肺の後方にある．

③内外
- 正中面に近いのが内側，遠いのが外側．
- 例：心臓は肺の内側にあり，上腕は肺の外側にある．

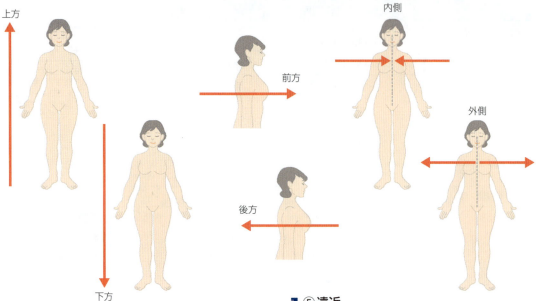

④深浅
- 体表から遠いのが深部，体表に近いのが浅部．
- 例：胃は皮膚よりも深部にある，皮膚は骨よりも浅部にある．

⑤遠近
- 体幹から遠いのが遠位，近いのが近位．
- 例①：上下肢で付け根から遠く指先に近いのが遠位，付け根に近いのが近位．
- 例②：肘は手根の近位にあり，手指は手根の遠位にある．

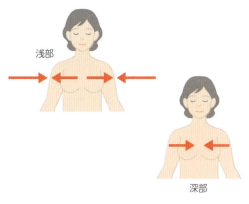

図4 人体の方向

近位と遠位の区別に慣れよう．

3 面と断面

体表面から見えないものを示すため，身体を切って見る方法もある．ほかのものとの位置関係をきちんと表示しなければならないが，そのとき，切り方によって位置関係が変わるので注意が必要である．

切り方には**矢状面**，**前頭面（冠状面）**，**水平面**の3種類があり，三つは互いに垂直に交わる．この面に関する知識は，CT（コンピュータ断層撮影法），MRI（磁気共鳴画像法）の画像を読影するとき，特に必要となる．

> **plus α**
> **X線写真の見方**
> 健康診断時の胸部撮影など普通の撮影は，前頭面である．MRIでは矢状面が多い．CTは水平面だが，下から見るように撮影する決まりになっている．

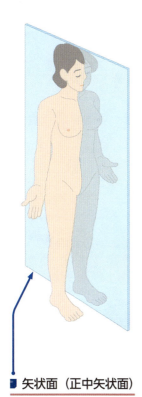
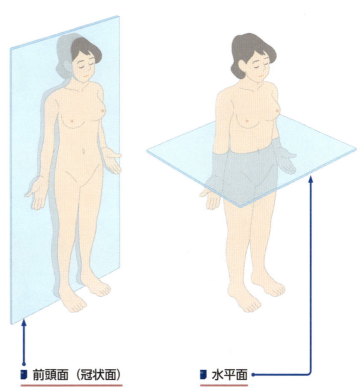

■ **矢状面（正中矢状面）**

人体を左右に分ける面．
左右対称に分ける面を正中矢状面といい，一つしかない．

■ **前頭面（冠状面）**

人体を前後に分ける面．
左右に走る平面で人体を縦に切るが，正中矢状面に相当するものはない．

■ **水平面**

人体を水平に上下に分ける面．
正中矢状面に相当するものはない．

図5 人体の断面

4 人体内部の腔所

人体内には，種々の臓器（器官）を収納する腔所として，**背側腔**と**腹側腔**の二つがあり，それらを**体腔**という．

▎背側腔

脳を入れる頭蓋腔（とうがいくう）と，脊髄を入れる脊柱管（せきちゅうかん）があり，頭蓋骨と脊柱により，脳と脊髄は保護されている．

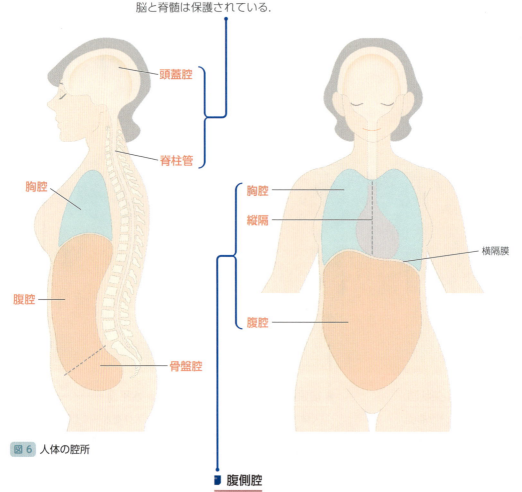

図6 人体の腔所

plus α
腔
腔を普通は「こう」と読む．しかし解剖学では口，肛門など同音の言葉があるため，習慣的に「くう」と読んでいる．なお，英語学名は統一された正式な解剖学名がないので，本により多少異なる．

用語解説 *
縦　隔
左右の胸膜の袋（胸腔）に挟まれた部位．上部に気管や胸腺，下部に心臓がある．食道は上部では気管の，下部では心臓の後ろにある（➡p.234参照）．

▎腹側腔

胸部，腹部の諸器官を収納している．上部には**胸腔**があり，中央部の縦隔（じゅうかく）*により左右の胸腔に分かれる．胸腔は胸郭により保護されている．

下部には**腹腔**があり，胸腔とは横隔膜により仕切られている．さらに腹腔を胃・腸・肝臓等の器官を含む上部と，直腸・膀胱・生殖器を含み骨盤に囲まれた**骨盤腔**に分けることもある．

腹腔の前面には保護する骨がないため，外力が加わったとき（打撲，交通事故）には，特に上部の器官が傷を受けやすい．

腹腔の細分

広い腹腔内には多くの器官があるため，小さな区画に分けると位置付けを容易にできる．

● ①四分の一区画

最も簡単なのは，臍を通る正中矢状面と水平面により４区画に分ける方法である．左右の上腹部，下腹部という表現は，日常の臨床場面で多用される．

● ②九分の一区画

左右の第10肋骨を結ぶ横線と寛骨上縁を結ぶ横線，腹直筋外縁を垂直に伸ばした線で９区画に区切る方法もある．

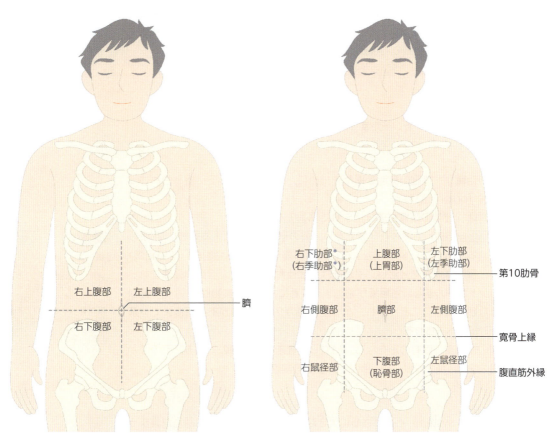

各小区画にどんな器官があるかを参照してみよう．

図7 腹部の区画

これらの区画にどのような臓器があるかを知っていると，臨床のさまざまな場面で活用できる．

例えば，患者が右下腹部に痛みを訴えたとき，そこには腸管（回盲部，虫垂）や右尿管があるため，それらに関連した疾患が疑われる．さらに女性では，右卵巣もあるため，鑑別診断は男性よりも難しくなる．

用語解説*
下肋部・季肋部
９区画に分けた場合の表記．鼠径靱帯の中点を通る垂直線と第10肋骨の最尾側端を結ぶ水平線，そして肋骨弓が囲む左右の範囲．

5 器官と11種の器官系

組織

　人体は，生命の基本単位である細胞とその生産物からできている．細胞の種類は多く，それぞれ特有な働きを担う．あるものは収縮する細胞であったり，あるものは分泌する細胞であったりする．また，形もさまざまある．多様な細胞のうち，特定の性質をもった細胞同士が目的に応じて集合したものが組織（tissue）である．

　1章で述べるように，組織は上皮組織，支持組織，筋組織，神経組織の4種類に大別される．それぞれの組織の主な機能は，次の通りである．
- 上皮組織：表面を覆う
- 支持組織：支える
- 筋組織：動かす
- 神経組織：他細胞をコントロールする

器官

　いくつかの組織が，特定の機能を果たすために，一定の秩序の下に組み合わさったものが器官（organ）である．

　例えば，胃は4種類の組織が織り込まれた器官である．つまり，胃は外表面と内腔面を上皮（上皮組織）で覆われた袋であり，袋の壁には胃腺（上皮組織），平滑筋（筋組織），自律神経（神経組織）およびこれらの間を埋める結合組織（支持組織）が存在する．胃腺は胃液を分泌し，平滑筋は蠕動運動を起こす．自律神経はこれらの活動をコントロールする．各組織が協働することによって，食物は糜粥化（細かい粥のような状態になること）され，かつ食物中のタンパク質がある程度まで分解されて，十二指腸へ送られる．

　器官は胃のように，固有の形をなし，独立した機能を営むものである．そのほかにも，心臓・肝臓・肺・腎臓・脳・眼など，多数の器官がある．

plus α

胃腺

胃腺は"表面を覆う"という上皮組織本来の機能に"分泌する"という機能が備わったものである．後者の機能が特によく発達している．

器官系

　器官系（organ system）とは，さらに大きな目的を達成するために器官が集まったものをいう．

　例えば消化器系は，歯・舌・食道・胃・腸・肝臓・膵臓などの器官が集まったものである．これらの器官が連携してはじめて，身体は大きな目的，つまり"食物から栄養を受け取る"ことができるのである．

　このように各器官の独立した機能が連携することによって，大きな機能を営むものが器官系である．器官系は系統（system）とも呼ばれる．

　人体は表2に示す11種類の器官系で構成され，各器官系が協調することによって個人の生活が営まれる．

表2 器官系

	系を構成する主な器官	主な役割
① 外皮系	皮膚，皮膚の付属物（毛・爪・汗腺・皮脂腺）	・外界の有害な影響から身体を保護する． ・発汗によって体内の水分量と体温を調節する． ・ビタミンDの産生に寄与する（ビタミンD前駆体は皮膚へ紫外線が照射されることによってビタミンDとなる）． ・温度，圧，疼痛などの感覚刺激を受ける．
② 骨格系	全身の骨，軟骨，関節，靱帯	・体型を構成し，身体運動を可能にする． ・身体を保護する（例：頭蓋骨は脳を保護する）． ・カルシウムなどの無機栄養素（ミネラル）を貯蔵する． ・骨髄で血球を産生する．
③ 筋系	全身の骨格筋，腱	・収縮運動を行う． ・体熱を産生する． ・深部臓器，組織を保護する（例：大概の主要動脈は骨格筋の間を走り，損傷から守られている）． ・姿勢を維持する．
④ 神経系	脳（大脳・間脳・小脳・脳幹），脊髄，末梢神経，感覚器（眼球・耳など）	・精神活動を行う（精神の座である）． ・各器官と連絡し，身体活動を統合，制御する． ・感覚器を通して環境を認識する． ・体内環境を調節する．
⑤ 内分泌系	ホルモンおよびホルモン様物質を産生するすべての腺（下垂体・松果体・甲状腺・上皮小体・副腎・膵島・性腺など）	・ホルモンを介して他の器官の働きを制御する（ホルモンは血中に放出され，血液循環で標的臓器に到達する．内分泌系の働きは神経系の働きより緩慢である）．
⑥ 循環器系	心臓，血管，リンパ管	・血液を運搬する． ・細胞に酸素や栄養，ホルモンなどを送り，細胞から二酸化炭素や代謝産物を運び去る． ・体温を調節する． ・リンパを静脈系に回収する．
⑦ 免疫系	リンパ節，胸腺，脾臓，扁桃など	・異物（細菌やウイルスなど）を認識し，これを排除する． ・終生免疫を獲得し，生体を防御する（種痘などの場合）． ・炎症や創傷治癒に関与する．
⑧ 呼吸器系	気道（鼻・咽頭・喉頭・気管・気管支），肺	・酸素を取り入れ，二酸化炭素を外に出す． ・体内の酸塩基平衡の維持に寄与する．
⑨ 消化器系	口，歯，唾液腺，食道，胃，小腸，大腸，肝臓，胆嚢，膵臓	・食物を摂取し，消化を行う． ・栄養素を血液に吸収する． ・水を吸収する． ・食物残渣を糞便として排泄する． ・有害物質を分解し，体内環境を維持する（肝臓は最大の解毒器官である）．
⑩ 泌尿器系	腎臓，尿管，膀胱，尿道	・血液中の老廃物を尿として排泄する． ・体液の電解質濃度を調節する． ・水分量を調節し，浸透圧を適正に保つ． ・酸塩基平衡を維持する． ・血圧調節に寄与する．
⑪ 生殖器系	卵巣，卵管，子宮，腟，乳腺，精巣，精巣上体，前立腺，精嚢，陰茎	・卵子や精子を作る． ・生殖活動を行い，子を作り育てる．

注）運動器系：骨格系と筋系を合わせて運動器系ともいう．
　　感覚器系：感覚器は独立した別の器官系として扱う場合もある．

3 ホメオスタシス（恒常性）

1 定　義

夏と冬で気温は大きく変化するが，体温は一定の範囲に保たれている．運動で一時的に高くなった血圧や増加した脈拍数も，やがて一定の範囲に戻っていく．このような人体の機能は，古くから気付かれていた．

19世紀フランスの科学者クロード・ベルナールは，生体の大部分の細胞を取り巻く細胞外液を「内部環境」と呼んだ．そしてこの内部環境を一定に保つことが，生命の維持と機能の発現に重要であると主張した．

ベルナールの考えを発展させた20世紀アメリカの生理学者ウォルター・キャノンは，**ホメオスタシス**（homeostasis，恒常状態・恒常性）という概念を提唱した．これは，生体内の各器官系の相互作用により，細胞外液だけでなく生体内部の環境を一定の安定した状態に保つ人体が備えたしくみを意味する．

> **plus α**
> **体温の恒常性**
> 熱いサウナ風呂に入っても，寒中水泳をしても，一定の時間までは舌下で測定する体温は変わらない．

2 ホメオスタシスの機構

生体内外の情報を収集し，その結果に基づいて指示を出すのは，主に神経系と内分泌系の役割である．ホメオスタシスの制御機構は，普通，以下の3種類の構成要素からなる．

①環境の変化（刺激）を感知する「**受容器（センサー）**」

受容器から調節中枢に信号（入力）を送る回路を**求心路**，調節中枢から効果器に信号（出力）を送る回路を**遠心路**という．知覚神経と運動神経は，代表的な求心路と遠心路である．また，脳と脊髄が最も重要な調節中枢であることは容易に理解できよう．

③調節中枢からの指示を実行する「**効果器（エフェクター）**」

②受容器から送られてきた情報を受け取り維持すべき範囲を設定する「**調節中枢**」

効果器は調節中枢の反応を実際の**応答（出力）**として表現する．人体における受容器は，神経の末端だけでなく細胞膜表面にも多くみられる．

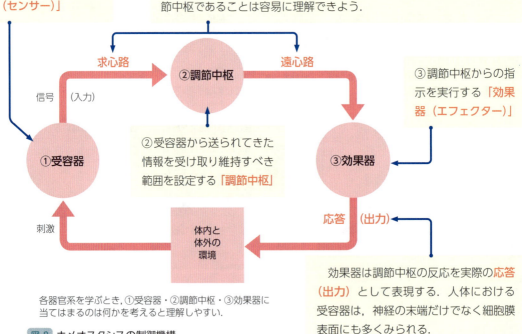

各器官系を学ぶとき，①受容器・②調節中枢・③効果器に当てはまるのは何かを考えると理解しやすい．

図8　ホメオスタシスの制御機構

4 フィードバック機構

1 フィードバック機構の概念

　アメリカの応用数学者ノーバート・ウィーナーは，第二次世界大戦中，高射砲の精度向上の研究に従事し，そこからサイバネティクスという自動制御の理論を考案した．元来，制御工学の理論であるが，その中心をなす**フィードバック**（feedback）という概念は，生理学にも広く応用されている．

　サイバネティクス理論では，「外部から入った情報（入力）を変換して外部に戻す（出力）装置（機械）」をシステムとみなす．この出力がもう一度入力に戻り，その結果出力が変化することをフィードバックという．

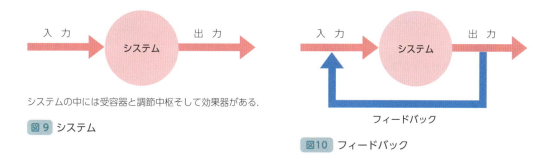

システムの中には受容器と調節中枢そして効果器がある．

図9　システム

図10　フィードバック

　フィードバックには，正（ポジティブ）と負（ネガティブ）の2種類がある．前者は出力をさらに増強する場合であり，後者は出力を減弱する場合である．

　ホメオスタシスの制御には，多数のフィードバックが関与しているが，ほとんどが**負のフィードバック（ネガティブフィードバック）**である．数少ないポジティブフィードバックとして，血液凝固と出産（➡p.543参照）が知られている．

2 人間の行動におけるフィードバックの理論

　人間の行動にもフィードバック理論は応用される．自分では太っていると思い，食事制限をして一時的に減量に成功するが，反動で過食となり体重が再度増加した場合を考えてみよう．過食により体重がさらに増加する場合は「ポジティブフィードバック」である．もし減量に成功してさらに維持できる場合は「ネガティブフィードバック」になる．

図11 食行動にみられるポジティブフィードバック

図12 食行動にみられるネガティブフィードバック

　本来は制御工学系の用語だが，現在は生命現象だけでなく，前述の心理学などほかの領域でも使われている．ビジネス用語としては，作業工程の結果を検討し，改善するという意味で用いる．経営学では人事評価の結果を本人に伝え，能力開発や意欲向上をもたらし業績や生産性の改善につなげる方策とみなされている．

ポジティブフィードバックとネガティブフィードバック

フィードバックの例

　ヒトの血漿浸透圧は275〜295mOsm/kgH$_2$Oの範囲に保たれている．脱水では上昇し，水分過剰では低下する．もし夏季に発汗量が増え上昇すると，以下のフィードバックが生じる．口渇感発生機構の反応性が低下している高齢者では，猛暑になると重症の脱水になりやすい．

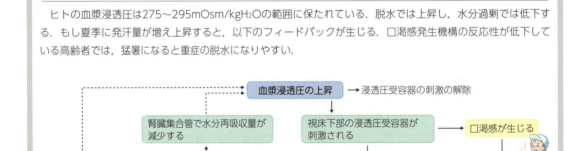

臨床場面で考えてみよう

血中ブドウ糖濃度が低下すると，空腹感を覚え何かを食べようとする．この行動はポジティブ・ネガティブどちらのフィードバックに属するか．

重要用語

解剖学	胸腔	負のフィードバック（ネガティブフィードバック）
生理学	腹腔	
頭蓋腔	骨盤腔	
脊柱管	ホメオスタシス	

学習達成チェック

- ☐ 解剖学と生理学の対象，解剖学と生理学の関連を述べることができる．
- ☐ 解剖学的正常位，方向の用語と断面について説明できる．
- ☐ 人体内の四つの腔所名と内部の臓器名を挙げることができる．
- ☐ ホメオスタシスの意味を説明できる．
- ☐ フィードバック機構の構成要素を述べることができる．
- ☐ 人体におけるフィードバック機構の役割を説明できる．

1 細胞と組織
身体を構成するしくみ

ここだけ見れば まず**細胞と組織**がわかる！

☑ 細胞は，身体を構成する基本的な単位であり，生命活動を営む最小の単位である．

○ 細胞の一般的構造

○ 細胞膜

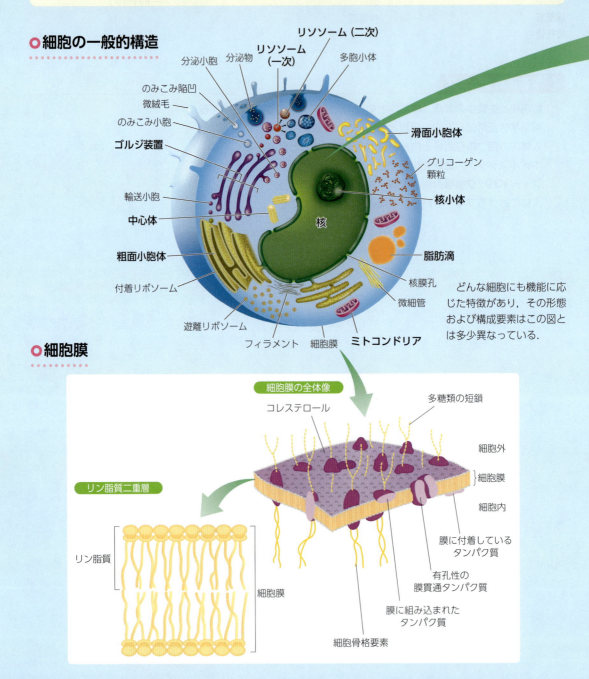

どんな細胞にも機能に応じた特徴があり，その形態および構成要素はこの図とは多少異なっている．

▶核

粗面小胞体／核膜孔／核小体／付着リボソーム／粗面小胞体／核膜（内核膜）／核膜槽／核膜（外核膜）／(正)染色質／(異)染色質

●細胞の構成

細胞 {
- 核 {
  - 核質 {
    - **染色質（クロマチン）**：DNAとヒストンのタンパク複合体
    - **核小体**：RNAと塩基性タンパク
    - **核液**
  }
  - **核膜**：細胞質から核を隔てる2枚の膜（内核膜と外核膜）．ところどころに核膜孔があり，核質と細胞質が通じる．
}
- 細胞質 {
  - **細胞内小器官**（細胞質にあり一定の機能を果たす構造体の総称）
    - ●**ミトコンドリア**（➡p.44 図1-6参照）：アデノシン三リン酸（ATP）を産生する．ATPはエネルギー源となるので，ミトコンドリアは「細胞の発電所」といえる．
    - ●**小胞体** {
      - 粗面小胞体（➡p.45 図1-7参照）
        - ・リボソームが付着する．
        - ・リボソームで合成されたタンパク質を取り込んで輸送する．
        - ・リボソームがタンパク質の合成を行う（➡p.46 図1-9参照）．
      - 滑面小胞体
        - ・リボソームが付着していない．
        - ・コレステロール，ステロイドホルモンなどの脂質成分の合成やカルシウムイオンの貯蔵と放出を行う．
    }
    - ●**ゴルジ装置**：生成物を詰め込み，濃縮・加工・輸送を担う（➡p.46 図1-8参照）．
    - ●**リソソーム**：異物や老廃物を消化する．60種類以上の消化酵素を含んでいる．
    - ●**中心体**（➡p.49 図1-12参照）：細胞分裂時に紡錘糸を形成し，染色体の移動を導く．
    - ●**脂肪滴**：脂質を分解されにくい中性脂質の形で貯蔵する．栄養欠乏や飢餓になると活用される．
  - **細胞質ゾル（サイトゾル）**：細胞内小器官を除いた細胞質の基質．70～90%は水である．
    - ●**タンパク質，糖質などの分子やイオン**
    - ●**タンパク質の合成，炭水化物の代謝に関与する物質や代謝産物**
    - ●**グリコーゲン**
    - ●**細胞骨格**（細胞内小器官に含める場合がある）
      - ・細胞の形を保持し，また細胞の運動や物質輸送にも役割を担う．
      - ・マイクロフィラメント，中間径フィラメント，微細管がある（➡p.48 図1-11参照）．
}

☑ 組織とは，特定の性質をもつ細胞同士が，目的に応じて集まったものである．

4種類の主要組織

ヒトの身体は，①上皮組織，②支持組織，③筋組織，④神経組織の主要組織から成り立っている．それぞれ，①表面を覆う，②支える，③動かす，④他細胞をコントロールするという役割を果たす細胞集団である．

上皮組織（表面を覆う）

▶ 形態による分類

- 単層扁平上皮

- 単層立方上皮

- 単層円柱上皮

　　粘液物質
　　杯細胞
- 多列円柱上皮

- 多列線毛上皮
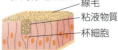
　　線毛
　　粘液物質
　　杯細胞

- 重層扁平上皮

- 重層円柱上皮

- 移行上皮

　　壁の収縮時

　　壁の伸展時

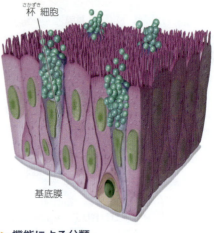

上皮組織（多列線毛上皮）
杯細胞
基底膜

▶ 機能による分類
- 被蓋上皮
- 感覚上皮
- 腺上皮
- 呼吸上皮
- 吸収上皮

支持組織（支える）

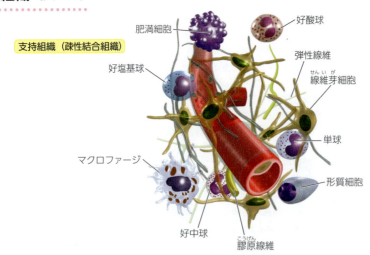

支持組織（疎性結合組織）
肥満細胞，好酸球，好塩基球，弾性線維，線維芽細胞，マクロファージ，単球，形質細胞，好中球，膠原線維

▶ 結合組織
- 疎性結合組織 ➡ ①
- 密性結合組織 ➡ ②
- 細網組織 ➡ ③
- 脂肪組織 ➡ ④
- 膠様組織

▶ 軟骨組織
- 硝子軟骨 ➡ ⑤
- 弾性軟骨 ➡ ⑥
- 線維軟骨 ➡ ⑦

▶ 骨組織 ➡ ⑧

神経組織（他細胞をコントロールする）

▶ 神経細胞（ニューロン）

▶ 神経膠細胞（グリア細胞）

中枢 ─ アストロサイト
　　　 オリゴデンドロサイト
　　　 ミクログリア
末梢 ─ シュワン細胞

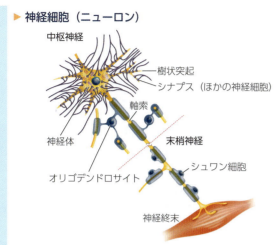
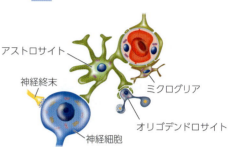

筋組織（動かす）

▶ 骨格筋：横紋があり、随意筋である．

▶ 心筋：横紋があり、不随意筋である．

▶ 平滑筋：横紋がなく、不随意筋である．

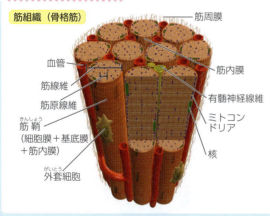
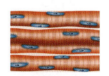

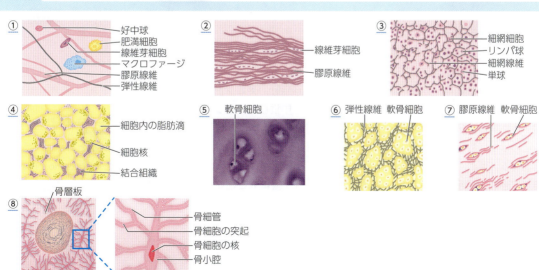

1 細 胞

細胞は生物体を構成する基本的な構造単位である．また，新陳代謝を行い，成長・老化し，刺激に反応し，増殖するという生命現象の最小単位である．

1 細胞の構造

■ 細胞

● ①細胞の大きさ

細胞の種類によってさまざまで，一定ではない．直径10〜30μm*のものが多いが，5μm（リンパ球）ほどの小さなものから，200μm（卵細胞）にも達する大きなものまである．神経細胞では1mもの長い突起をもつことがある．

> **用語解説***
> **μm（マイクロメートル）**
> μ（マイクロ）＝10^{-6}
> 大気や水質の汚染物質や内分泌かく乱物質の表示には，ナノやピコの単位が頻用される．
> m（ミリ）＝10^{-3}
> n（ナノ）＝10^{-9}
> p（ピコ）＝10^{-12}
> は覚えておこう．

● ②細胞の形

球形，立方形，柱状，紡錘形，星形など多種多様であり，白血球のように刺激に応じて偽足を出したり引っ込めたりして変形するものもある．

● ③細胞の概観

細胞は半透膜である細胞膜に囲まれて外界と境されている．内部は，核と細胞質に分けられる．細胞質には，一定の形態をもち特有の機能を営む構造物があり，これを細胞内小器官という．

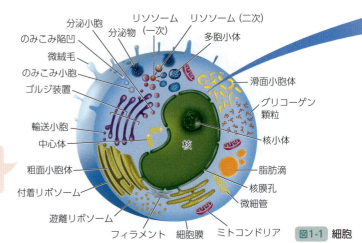

> どんな細胞にも機能に応じた特徴があり，その形態および構成要素はこの図とは多少異なっている．

図1-1 細胞

● ④細胞の化学的分析

細胞は元素に分解すると炭素，酸素，水素，窒素の四つが最も多い．基本的にこれらの元素によって，生体の有機化合物が作られる．

主な有機化合物は，糖質（単糖類，二糖類，多糖類），アミノ酸およびアミノポリマー（ペプチド，タンパク質），脂質（脂肪酸，中性脂肪，リン脂質，コレステロール，プロスタグランジン），核酸（DNA，RNA*）などである．

このほかに数種の元素（カリウム，ナトリウム，カルシウム，鉄，ヨウ素，マグネシウム，亜鉛，塩素，イオウなど）が存在する．これらの元素は微量であり，電離してイオンの形をとったり，タンパク質，糖質，脂質などと結合して存在するが，細胞の機能にとって極めて重要なものである．

例えば，ナトリウムイオン，カリウムイオンは生体の浸透圧のバランスをとっている．カルシウムは骨の主成分であるが，細胞内の情報伝達や筋収縮，血液凝固にも必要なものである．鉄は酸素の運搬を担うヘモグロビンの合成に，ヨウ素は甲状腺ホルモンの合成になくてはならない物質である．

> **用語解説***
> **DNAとRNA**
> DNA：deoxyribonucleic acid
> RNA：ribonucleic acid

核

①デオキシリボ核酸（DNA）

核は細胞の構造と機能の遺伝的特性を決定する中枢である．核に含まれる遺伝子が細胞の代謝活性をコントロールし，生命現象の司令塔の役割を担う．遺伝子の本体は**デオキシリボ核酸（DNA）**である．DNAは，いわば人体を作る設計図であり，これにはヒトが生きるために必要なすべての遺伝情報が組み込まれている．

②遺伝物質としてのDNAの役割

遺伝物質としてのDNAの具体的な役割は二つある．

- 細胞が分裂するときにDNAを鋳型としてDNAを複製することである．
- タンパク質の合成を指令することである．情報（塩基配列）は，DNAを鋳型として**メッセンジャーリボ核酸（mRNA）**に転写され，mRNAは情報をもって核膜孔を通って細胞質に出る．リボソームに達するとmRNAが規定する情報に従って，ポリペプチド（タンパク質）が合成される（翻訳という）．

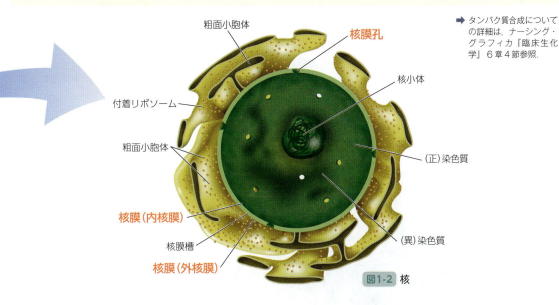

図1-2 核

➡ タンパク質合成についての詳細は，ナーシング・グラフィカ『臨床生化学』6章4節参照．

③核の数

核は，通常一つの細胞に1個であるが，肝細胞や軟骨細胞などでは2個ないし数個の場合もある．また骨格筋細胞や，巨核細胞などは多数の核をもつのが普通である．

多核細胞は細胞分裂の際に，核だけが分裂し細胞体の分裂が起こらなかったり，複数の細胞が融合して一つの細胞となった場合に生じる．

④核の形，大きさ

細胞の種類や発生の段階によって異なる．一般に，幼若で未分化な細胞の核は大きい．形は原則として球形であるが，筋細胞のような細長い細胞では核も細長く，血管内皮細胞のように扁平な細胞では核も扁平である．

⑤核の概観

核は，**核膜**と呼ばれる膜によって細胞質から隔てられている．核の内部は総称して**核質**と呼ばれる．核膜は扁平な袋状であり，**内核膜**と**外核膜**の2枚の膜として核を包み込む．

2枚の膜の隔たりは20～50nm（ナノメートル）であるが，ところどころで膜同士が癒合して，核質と細胞質が通じる小孔をつくる．この小孔を**核膜孔**と呼ぶ．

DNAからの情報を運ぶmRNAは，核膜孔を通って核質から細胞質へ出る．また逆にここを通って核質の素材が細胞質から核質へ入る．

● ⑥核質

　染色質（クロマチン）と核小体，核液からなる．

● ⑦染色質

　塩基性色素で染まる物質であり，その本体はDNAとヒストンと呼ばれるタンパク質の複合体が，ビーズのつながったヒモのような構造（ヌクレオソーム）をつくり，さらにらせん状に凝縮したものである．

● Ⓐ正染色質

　染色質は一般に網目状構造をとる．しかし，その分布は一様ではなく，あちこちで塊をつくる．分散しているところは，塩基性色素に淡染し正染色質と呼ばれる．この部分はらせんの巻きが緩く，DNAの情報がmRNAに盛んに転写されているところと考えられている．

● Ⓑ異染色質

　一方，塊をつくるところの染色質は，塩基性色素に濃染し異染色質と呼ばれる．この部分はヌクレオソームが，らせん状に強く凝縮しているところであり，転写や複製を行わない不活性なDNAに相当すると考えられている．

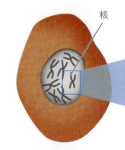

分裂中の細胞

分裂していない時期の細胞

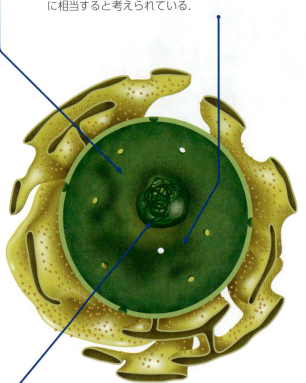

● Ⓒ正染色質と異染色質の割合

　正染色質と異染色質の割合は細胞の機能活性に応じて異なる．活発にタンパク合成を行う細胞では正染色質が多く，不活性な細胞では異染色質が多い．

● ⑧核小体

　核内に通常1個ないし数個存在し，主としてRNAと塩基性タンパクからなる球形の構造物である．核小体の周りには，核小体付随染色質（DNA）が付着している．このDNAを鋳型として，核小体で細胞質に存在するリボソームRNA（rRNA）が合成される．合成されたrRNAは核膜孔を通って細胞質に出る．

● Ⓓ染色体

　細胞が分裂するとき，染色質はDNAの複製が終わると，らせん状に極めて強く凝縮し始め，ついに光学顕微鏡下に太い杆状（長円柱形）の**染色体**として認められるようになる．このとき，分裂中期の染色体はXの字の形をしている．

> **plus α**
> **染色体**
> ヒトの染色体の数は46本で，22対の常染色体と1対の性染色体（男はXとY，女はXとX）からなる．対をなす染色体は形も大きさも似ているので，互いに相同染色体という．対の一方の相同染色体は父由来，もう一方は母由来である．

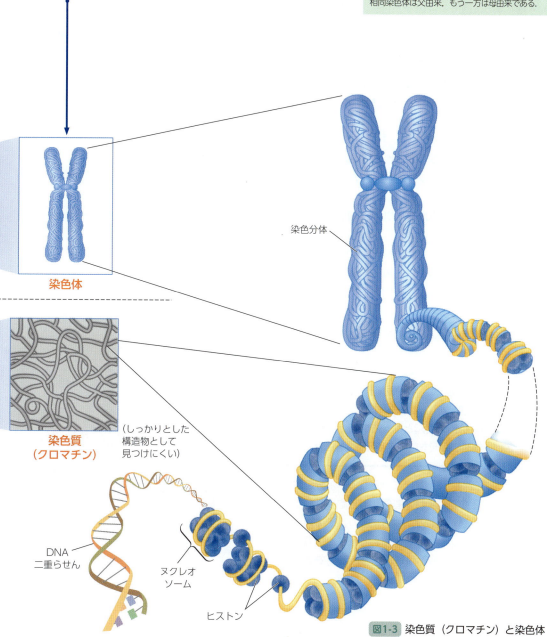

図1-3 染色質（クロマチン）と染色体

DNAはヒストンの周囲に巻き付いて，ヌクレオソームを形成する．ヌクレオソームがらせん状になって染色質（クロマチン）になる．分裂していない時期の細胞では，染色質は緩いらせん状をなし，一定の形態をもつ構造物として認めにくいが，細胞分裂時にはきつく巻く．やがて光学顕微鏡下で見えるようになり，染色体となる．分裂中期の染色体はXの字の形を呈する．これはDNAの複製が終わり，2本の染色分体ができたためである．

■ 細胞膜，細胞質ゾル

● ①細胞膜

細胞は極めて薄い膜で取り囲まれ外界と境される．この膜は**細胞膜**あるいは**形質膜**と呼ばれる．

● Ⓐ細胞膜の役割

単に内外を境界することだけではない．それぞれ次のような役割をもつ．

- **細胞膜のリン脂質**

  水をはじき，ほとんどの水溶性分子を通さない．この性質により，細胞膜は細胞内から水溶性成分が無用に流失するのを防ぐ．また，リン脂質は電気伝導性が低く，シュワン細胞（➡p.82，350参照）などでは絶縁体としても働く．

- **膜タンパク**

  特別な装置（イオンチャネルタンパク，膜ポンプタンパク，輸送タンパクなど）を形づくり，水やイオン，水溶性分子を必要に応じて通過させる．また酵素として働いたり，受容体（レセプター*）として働いたりもする．

- **糖衣（とうい）**

  抗原物質を認識し，赤血球においては血液型物質を提示するなどの役割を果たす．

このように細胞膜は，物質の輸送，保持，外界からの情報の受容，酵素作用，相互認識作用など，実に多彩な生物学的機能を担っているのである．

> **用語解説** *
> **レセプター**
> ホルモンや神経伝達物質，成長因子などの化学物質と結合する．

● Ⓑ**特殊な細胞膜**

細胞膜は機能に応じて形態的に特殊化することがある．

- **微絨毛（びじゅうもう）**

  小腸の吸収上皮細胞や，腎臓尿細管主部の上皮細胞の自由表面（管腔に面したところ）は，**微絨毛**と呼ばれる無数の短い細胞突起となっている．微絨毛は表面積を広げ，物質の吸収を効率良く行うことに役立つ．

- **基底陥入**

  尿細管（だえきせん）や唾液腺，汗腺などにみられる，水分の輸送を活発に行う上皮細胞では，基底側の細胞膜が細胞質の中へ深く折れ込んでひだのようになり，その間に多数のミトコンドリアが並ぶことがある．これは**基底陥入（かんにゅう）**と呼ばれ，物質の能動輸送に適した構造であると考えられている．

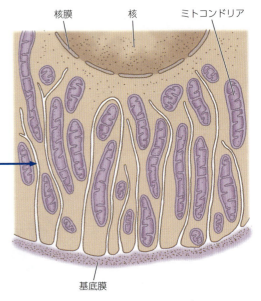

図1-4 基底陥入（模式図）

> **plus α**
> **小皮縁，刷子縁**
> 光学顕微鏡では，小腸の上皮の自由表面には高さ1〜1.5μmの縁取りが，腎臓近位尿細管の上皮には高さ1〜2μmの縁取りが見える．前者の縁取りは小皮縁，後者は刷毛のように見えるので刷子縁と呼ばれてきた．しかし，電子顕微鏡で見ると，両者は本質的に同じもので，極めて細かい突起が密集したものであることがわかり，これらの突起を微絨毛と呼ぶことになった．

ⓒ 細胞膜の化学的分析

親水性と疎水性

化学的には，細胞膜はリン脂質分子の二重層からなっている．リン脂質の頭の部分はリン酸を含み，水に対して親和性がある．この性質を親水性という．尾の部分は脂肪酸を含み，水に対する親和性は極めて低い．この性質を疎水性という．細胞膜内では，リン脂質は親水性である頭部（親水基）を水のある部分，すなわち細胞の内外に向け，疎水性である尾部（疎水基）を膜の中心に向けて配列している．

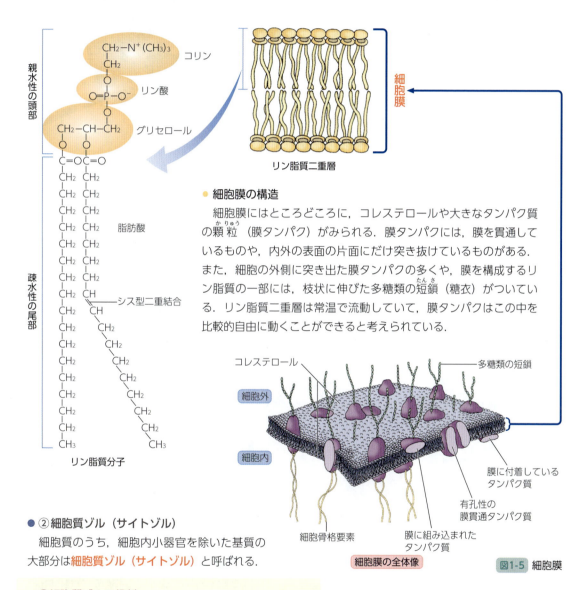

細胞膜の構造

細胞膜にはところどころに，コレステロールや大きなタンパク質の顆粒（膜タンパク）がみられる．膜タンパクには，膜を貫通しているものや，内外の表面の片面にだけ突き抜けているものがある．また，細胞の外側に突き出た膜タンパクの多くや，膜を構成するリン脂質の一部には，枝状に伸びた多糖類の短鎖（糖衣）がついている．リン脂質二重層は常温で流動していて，膜タンパクはこの中を比較的自由に動くことができると考えられている．

図1-5 細胞膜

②細胞質ゾル（サイトゾル）

細胞質のうち，細胞内小器官を除いた基質の大部分は**細胞質ゾル（サイトゾル）**と呼ばれる．

Ⓐ細胞質ゾルの役割

細胞質ゾルの70〜90％は水であり，細胞の物質代謝は主にここで行われる．ほかにはタンパク質，糖質などの分子やイオン，タンパク質の合成，炭水化物の代謝に関与する物質，細胞骨格を形成する線維状のタンパク質，グリコーゲンなどを含む．

> **plus α**
> **生体膜，単位膜**
> 細胞膜をはじめ細胞内小器官の膜や核膜など，細胞を構成する膜を総称して生体膜あるいは単位膜と呼ぶ．基本的に，これらの膜も細胞膜と同じような構造と性質をもつ．

細胞内小器官

- ① ミトコンドリア
- Ⓐ ミトコンドリアの役割

ミトコンドリアはアデノシン三リン酸（ATP）を産生する場である．

細胞が生きていくためのエネルギー源はATPである．このエネルギー源は「細胞の発電所」ともいえるミトコンドリアで好気的につくられる．細胞はATPを分解することによってエネルギーを得る．

ミトコンドリアの数は，心筋細胞や骨格筋細胞など代謝が盛んで，大量のエネルギーを必要とする細胞には多く，軟骨細胞など代謝活動が低い細胞には少ない．

- Ⓑ ミトコンドリアの構造

ミトコンドリアの形は細胞によって多様であるが，一般的にはソーセージに似た楕円体であり，2枚の膜，すなわち外膜と内膜で包まれている．これらの膜は膜間腔と基質腔と呼ばれる二つの空間をつくる．

内膜は表面積を拡大するために複雑に折れ曲がり，内面に向けてクリスタと呼ばれる多数のひだを出す．

> **plus α**
> **ミトコンドリア**
> ミトコンドリアはもともと酸素を使って効率良くエネルギーを産生するある種の微生物として発生し，それが太古に真核細胞に侵入し，細胞内で進化したものと考えられている．ミトコンドリアには独自のDNA（ミトコンドリアDNA）があり，分裂・増殖すること，またこのDNAの指令によるタンパク合成系があることが，この仮説を支持している．真核細胞は，ミトコンドリアと共生することによって，効率の良い"発電所"を獲得したわけである．

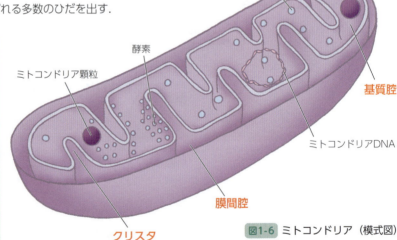

図1-6 ミトコンドリア（模式図）

- Ⓒ 基質腔・内膜とクリスタの役割

基質腔にはクエン酸回路（TCA回路），脂肪酸のβ酸化，アミノ酸代謝などに関係する酵素が存在し，炭水化物，タンパク質，脂質の代謝産物をここで分解する．

内膜とクリスタには電子伝達系（酸化的リン酸化反応）に関与する酵素が存在する．クエン酸回路によって発生した電子は，ここで電子伝達系に入り，ATPが産生される．

> **plus α**
> **ミトコンドリアDNAは母系遺伝で次世代に伝えられる**
> 懸命に泳いできた精子が卵に達し受精が成立すると，泳ぐためのエネルギーを産み出していたミトコンドリアは不要物となる．やがて精子のミトコンドリアは選択的に排除され，消滅する運命をたどる．すなわち受精卵には父親のミトコンドリアは存在しえない．必然的に，元々卵細胞に豊富にあったミトコンドリアだけがその後増殖していく．言い換えると，母親のミトコンドリアDNAのみが次世代に伝えられることになる．

● ②小胞体

小胞体はタンパク質や脂質の合成に関与し，物質の細胞内輸送を行う．

小胞体は膜で囲まれた腔（槽）が管状あるいは袋状に連結した構造物であり，膜は核膜の外表面の膜とつながっている．

小胞体は形態から粗面小胞体と滑面小胞体の2種類に分類される．

● Ⓐ粗面小胞体
● 粗面小胞体の構造

幾重にも重なった扁平の袋で，袋の外表面の膜にリボソームが付着したものである．リボソームが付着しているため，小胞体の表面はざらざらして見える．このことから，粗面小胞体と名付けられた．

● 粗面小胞体の役割

粗面小胞体は膵臓の外分泌細胞や胃底腺の主細胞など，タンパク質合成の盛んな分泌細胞でよく発達している．分泌されるタンパク質は，粗面小胞体表面のリボソームで合成され，膜を通って小胞体の内腔へ出る．内腔にたまったタンパク質は，必要に応じてゴルジ装置に輸送され，次いで細胞外へ放出される．

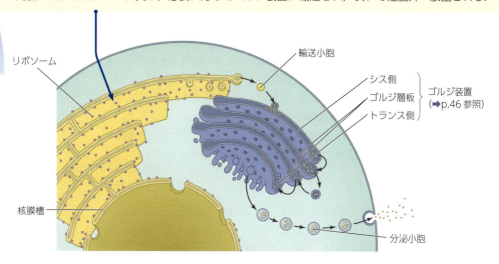

→は，粗面小胞体で作られたタンパク質がゴルジ装置に送られて，細胞外に分泌されるまでの経路を示す．

図1-7 粗面小胞体とゴルジ装置

● Ⓑ滑面小胞体
● 滑面小胞体の構造

分岐，吻合した管状の小胞体で，リボソームが付着していないものである．表面が滑らかであることから，滑面小胞体と呼ばれる．粗面小胞体とは同一の膜要素であり，両者は連続していることが多い．

● 滑面小胞体の役割

滑面小胞体の主な機能は，コレステロール，脂質の合成と代謝である．多くの細胞では，滑面小胞体はごくわずかに存在するにすぎないが，精巣の間質細胞，卵巣の卵胞膜細胞と黄体細胞，副腎皮質細胞のようにステロイドホルモンを合成する細胞ではよく発達している．

その他，肝細胞では，滑面小胞体は解毒作用に重要な働きをもつ．横紋筋など筋細胞では，区域ごとに筋全体を包み込むように特殊化し（筋小胞体），カルシウムイオンの放出・再吸収を行うことによって筋細胞の収縮・弛緩を助けている．

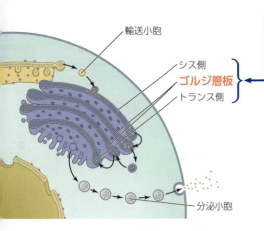

● ③ゴルジ装置（Golgi apparatus）
　ゴルジ装置は生成物を詰め込み，濃縮・加工・輸送を行う．
● Ⓐゴルジ装置の構造
　ほとんどすべての細胞の核の近くには，膜で囲まれた円板状の袋が5～10枚積み重なり，その外側に小胞が寄り集まった構造物が認められる．この構造物全体を**ゴルジ装置**と呼ぶ．円板状の袋は**ゴルジ小囊**と呼ばれ，小囊の積み重なったものは**ゴルジ層板**と呼ばれる．
● ゴルジ小囊
　ゴルジ小囊は緩く皿状に弯曲しており，ゴルジ装置全体からみると，一側では凸面となり，反対側では陥没して凹面となっている．この凸面を形成面（シス側）と呼び，凹面を成熟面（トランス側）と呼ぶ．

図1-8　ゴルジ装置

● Ⓑゴルジ装置の役割
　ゴルジ装置の主な機能は，粗面小胞体で合成されたタンパク質を濃縮し，多糖体を付加したり，またタンパク質の一部を切り落とすなどの化学的修飾を施したりして加工物を作り，それを膜で包装し，分泌顆粒として送り出すことである．いわば，収穫した農・水産物を，それぞれの最終目的地に応じて，ふさわしい形に整え，荷造りをし発送する食品工場のようなものである．その他，ゴルジ装置は，細胞膜の補給や後述するリソソームの形成にも関与する．
　分泌顆粒は細胞内に蓄えられるが，神経やホルモンからの刺激が加わると細胞膜と融合して，内容物を細胞の外へ放出させる．この放出の過程は**分泌**と呼ばれる．

> **plus α**
> **ゴルジ**
> ゴルジという名は，イタリアの神経組織学者カミッロ・ゴルジ（Golgi, C. 1843～1926）がこれを発見したことに由来するものである．

● ④リボソーム（ribosome）
　リボソームはmRNAが運んできた情報に基づいてタンパク質を合成する．
● Ⓐリボソームの構造
　直径15～25nmの小さな顆粒であり，大小2個のサブユニットが積み重なった雪だるまのような形をしている．その成分はRNAの一種であるリボソームRNA（rRNA）とタンパク質である．
● Ⓑ遊離リボソームと付着リボソーム
　リボソームはほとんどすべての細胞に存在するが，細胞質中に散らばっているものと，粗面小胞体の膜に付着しているものがある．前者を**遊離リボソーム**，後者を**付着リボソーム**という．
　遊離リボソームも一つひとつがばらばらに存在することは少なく，1～20個が数珠状につながって，らせん状に配列することが多い．このようなリボソームは**ポリソーム**と呼ばれる．

● Ⓒリボソームの役割
　遊離リボソームと付着リボソームの働きについては，本質的な違いはない．どちらもタンパク質の合成であるが，遊離リボソームは細胞自身の維持に必要なタンパク質の合成に関与し，付着リボソームは最終的に分泌顆粒となって細胞外へ放出されるタンパク質の合成に関与する．

リボソームには，tRNA（トランスファーRNA）が結合する部位が3カ所（E, P, A）と，mRNA（メッセンジャーRNA）が結合する部位が1カ所ある．

図1-9　リボソーム（模式図）

● ⑤リソソーム（lysosome）
リソソームは異物や老廃物を消化する．
● Ⓐリソソームの構造
　膜で包まれた直径0.2～0.5μmの不整形な袋で，タンパク質，核酸，糖質などを分解する60種類以上の加水分解酵素を含んでいる．これら酵素のほとんどすべては酸性域で活性化される．このため，リソソーム内は，ポンプの働きによって水素イオンが取り入れられ，常に酸性に保たれている．

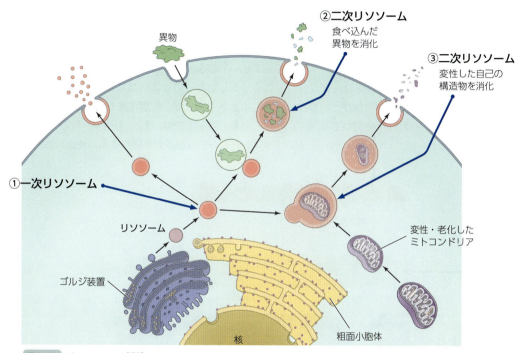

図1-10　リソソームの経路

● Ⓑリソソームの役割
　リソソームの役割は細胞外から侵入した異物や，変性・老化により不用になった自分自身の構造物などを分解・消化することである．こうした役割から，白血球やマクロファージ*（大食細胞）にはリソソームが大量にあることが理解できる．リソソームには，一次リソソームと二次リソソームがある．

● 一次リソソーム
　加水分解酵素を含んでいるが，まだ分解・消化作用を営んでいない段階のものである．

● 二次リソソーム
　二次リソソームは，細胞外から食べ込んだ異物や細胞内の不用物と一次リソソームが融合したものである．二次リソソームにできる分解産物は，最終的に細胞の外へ放出される．ただし消化できない異物を取り込んだ場合は，そのままリソソーム内に残留する．このようなリソソームは遺残小体と呼ばれる．
　リソソームは膜で包まれており，加水分解酵素は細胞質から隔離されている．しかし，なんらかの原因で，膜が破壊されたり膜の透過性が高まると，酵素が細胞質に流れ出て，そこで消化作用が始まる．この過程を自家融解と呼ぶ．

用語解説*
マクロファージ
細菌やウイルス，生体内の老廃物を貪食する機能（食作用）をもつ，組織内にある大型の単核球．

痛風では，細胞内に尿酸結晶が取り込まれることが刺激となり，リソソームから酵素が遊離することが知られている．また，膜は酸素欠乏や過剰なビタミンAの存在によっても脆弱となる．
　死後の自家融解は，細胞が酸素を取り込まなくなり，膜が破綻して酵素が細胞質に出たために起こるものである．

- ⑥細胞骨格（細胞内小器官に含める場合もある）

細胞骨格は細胞の形を保つ．

細胞膜は流動性のある軟らかい膜であり，複雑な細胞の形態を保持することは難しい．細胞の枠組みを提供して形態を保持するのは，細胞骨格と呼ばれるタンパク構造体の精巧なネットワークである．細胞骨格は，細胞内小器官を支持するとともに，細胞相互の結合や細胞の運動，物質の細胞内輸送にも重要な役割を果たす．

細胞骨格には太さの異なる線維状の構造体，すなわち細いほうから太いほうへ，マイクロフィラメント，中間径フィラメント，微細管（微小管）がある．

- Ⓐマイクロフィラメント
- マイクロフィラメントの構造

太さ5～7nmの細い糸状の線維で，アクチンという球状のタンパク質がつながったものであり，アクチンフィラメントと呼ばれる．

- マイクロフィラメントの役割

ほとんどの細胞に存在し，集まって束を形成したり，広く分布したりして立体的なネットワークをつくる．このネットワークが，細胞にそれぞれ特徴的な形を与えている．筋細胞では，12～18nmのミオシンフィラメントとともに収縮運動に関与する（➡p.126参照）．

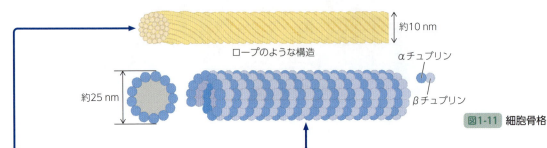

図1-11 細胞骨格

- Ⓑ中間径フィラメント
- 中間径フィラメントの構造

太さ約10nmのやや太いフィラメントの総称である．この名称は，平滑筋で発見されたとき，太さがアクチンフィラメントとミオシンフィラメントの中間であったことに由来する．線維状のタンパク質で，長いひもがより合わさったロープのような構造をとる．細胞質中に単独で存在することは少なく，束状に走ることのほうが多い．ケラチン，神経細糸，神経膠細糸などがこれに当たる．

- 中間径フィラメントの役割

中間径フィラメントは，主として細胞を機械的に支持，強度を与えるという役割を担う．例えば，上皮では細胞膜の結合装置である接着斑に付着し，細胞質側から細胞の結合を補強している．

- Ⓒ微細管（微小管ともいう）
- 微細管の構造

太さ約25nmの中空のフィラメントで，αチュブリンとβチュブリンという球状のタンパク質がつながったものである．ほとんどすべての細胞に存在し，細胞質中で単独に散らばって存在したり，束を形成したりする．

- 微細管の役割

比較的硬く，また弾性をもち，細胞の形態を保つ役割を果たしている成分である．微細管は細胞骨格の役割のほか，細胞の運動や細胞内の物質輸送にも重要な働きをする．細胞分裂のときに現れる紡錘糸は，染色体を引っ張って分離する役割を担うが，これは微細管にほかならない．

⑦中心体

Ⓐ中心体の構造

中心体は，神経細胞など数種の細胞を除くほとんどの細胞に認められる．多くの場合，核の近く，とりわけゴルジ装置の凹面のくぼみの中に存在し，中心子と呼ばれる2個の構造物が集まってできている．これら2個の中心子は，互いに長軸を直交させるように位置する．

1個の中心子は長さ300〜500nm，直径約150nmの円筒状で，その壁には3本1組になった微細管が9組，規則正しく配列している．中心子は必ずしも2個とは限らず，細胞分裂のときは自己複製によって4個となり，やがて紡錘糸を作り出す（➡p.56参照）．

Ⓑ中心子の役割

中心子は線毛や鞭毛の形成にも関与する．

線毛

線毛は細胞表面に生える動く毛であり，中心子から伸びた細胞の突起である．線毛の基底部には三微細管が9組配列する．突起部の内部構造は中心子と少し異なり，20本の微細管が縦走する．このうち2本は中軸部にあり，残る18本は2本ずつの9組となって，中軸部の微細管を取り囲む．線毛は気管上皮などにみられ，各々が振り子運動あるいは回転運動をし，協調して波動を起こす．

鞭毛

鞭毛は精子に見られ，独立して波動運動を行う．一般的に線毛は一つの細胞から無数に出るが，1本だけのときは鞭毛といわれる．

このようなことから中心子は，細胞の運動に関連する構造物といわれている．

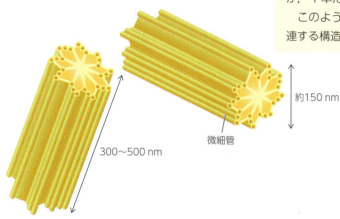

1個の中心子は9組の三微細管からなる．

図1-12 中心体

⑧脂肪滴

Ⓐ脂肪滴の構造

細胞内小器官の一種であり，リン脂質一重構造の膜で包まれている．細胞膜の構成やエネルギー産生に必要な脂質（脂肪酸など）を分解されにくい中性脂質（トリグリセリド，ステロールエステルなど）の形で貯蔵している．肥満の人の脂肪細胞や脂肪肝では顕著であるが，ほとんどの組織で認められる．

Ⓑ脂肪滴の役割

栄養が欠乏しているときには，トリグリセリドが加水分解されて，エネルギーを供給する．また飢餓状態になると細胞が自分自身の構成成分と脂肪滴を活用して栄養を供給する．近年，受精卵の発育にも関与することが示唆されている．

脂肪滴

17世紀に脂肪滴が細胞内にあることが示唆されたが，当時の技術では，その存在を明らかにすることはできなかった．顕微鏡の発明によって19世紀になって，ようやく形態を見ることができるようになり，脂肪滴は単に過剰な脂質を蓄えるだけの不活性構造体と考えられた．

その後，1990年代以降のめざましい解析技術の発展によってさまざまな関連タンパクが存在することが明らかになり，現在では，脂肪滴は活発な代謝機能をもち，動的な細胞内小器官として認められている．

2 細胞の機能

細胞は新陳代謝を行い，成長し，刺激に反応し，老化する．さらに，多くの細胞は，運動し，増殖するという能力をもつ．このためにさまざまな機能が発揮される．ここでは，物質輸送（細胞と間質の間），細胞分裂について述べる．

細胞と間質の間の物質輸送

細胞は細胞膜で外部から隔てられることによって，極めて特異性の高い内部環境を保っている．しかし，閉鎖環境を維持する一方で，生命活動を営むためにさまざまな物質の取り込みや排出を行わなくてはならない．物質交換は細胞膜を通して行われるが，その際，物質が勝手気ままに細胞膜を通過すれば，内部環境はたちどころにバランスを崩してしまうだろう．

実際の細胞膜は，物質の種類や状態によって，これを通過させたり，させなかったりしている．すなわち**選択的透過性**をもつ膜として働いているのである．この選択的物質輸送には，エネルギーの消費を伴わない受動輸送とエネルギー（ATP）の消費を伴う能動輸送がある．

①受動輸送

酸素，グルコース，水はエネルギーを必要としない方法で輸送される．これらの物質が生命維持にとって常に必要で重要なものであることを考えると，受動輸送の意義は大きい．

Ⓐ拡散

拡散とは，分子やイオンが，それ自身のもつ運動エネルギーによって，空間的に均一な分布をとろうとすることをいう（他者からのエネルギーを必要としない）．例えばコーヒーに砂糖を入れた場合，砂糖は，かき混ぜなくてもカップ全体に広がっていく，といった現象をいう．拡散では濃度の高い場所の溶質分子が濃度の低い場所へ移動する．これを「**濃度勾配に従って移動する**」と表現する．

コンテンツが視聴できます
(p.2参照)

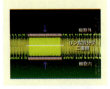

図1-13 細胞膜を介した拡散

単純拡散

細胞膜を通して起こる拡散の場合，物質が受動的に細胞膜をすり抜けて，濃いほうから薄いほうへ移る現象を**単純拡散**という．①細胞膜の脂質部分を直接すり抜けることのできる物質は，脂質やステロイドなどの脂溶性物質か，酸素，二酸化炭素，窒素，一酸化窒素など低分子量のガスに限られる．②水分子や小さなイオンは膜タンパクの細孔を通過する．

ⒷB浸透

細胞膜などの半透膜*を介する溶媒（ヒトの場合は水なので，以後，溶媒＝水とする）の拡散を，特に**浸透**という．半透膜を挟んで，溶質の分子が大きくて，かつ濃度の違う溶液が向かい合うときに起こる．溶質は半透膜を通過できないが，水は通ることができる．この場合は，2種の溶液が均一な濃度になろうとして，溶質ではなく溶媒の水が移動する．すなわち水は溶質濃度の低いほうから高いほうへ移動する．一見，濃度勾配に逆らっているようにみえるが，移動する水分子からみると，水分子の多いほうから少ないほうへ移動していることになり，エネルギーを必要としない．

用語解説*　半透膜
溶液において，溶質あるいは溶媒のみを通過させ，他方を透過させない膜をいう．細胞膜は半透膜であるが，人工的な半透膜としてセロファン膜，コロジオン膜，酢酸セルロース膜などがある．

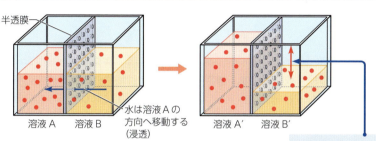

溶質の濃度はAのほうが高い．

図1-14 浸透と浸透圧（モデル）

促進拡散

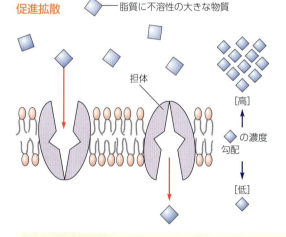

促進拡散

巨大分子や非脂溶性の分子は細胞膜のリン脂質二重層を通過できない．例えばグルコースなどである．この場合は，細胞膜を貫通するタンパク質である担体（キャリア）の助けを借りて細胞膜を通過する．グルコースは担体と結合して，濃度勾配に従って膜を速やかに通過する．物質は濃度勾配に従って移動するという拡散の定義には当てはまり，エネルギーを必要としない．この拡散を**促進拡散**という．

浸透圧

水の浸透を防ぐ力を**浸透圧**（osmotic pressure：OP）という（溶液が水を引き込む力と言い換えたほうがわかりやすい）．浸透圧は溶質の濃度を反映し，溶質の濃度が高いほど水を引き込もうとするので浸透圧も高い．

等張液・高張液・低張液

ある溶液が細胞内液と等しい浸透圧をもつとき，その溶液を**等張液**といい，高ければ**高張液**，低ければ**低張液**という．等張液に細胞を浸しても変化はしない．しかし，高張液に浸すと水が細胞から引き出されて，細胞はしわになり，しぼむ．低張液に浸すと溶液の水が細胞内に浸透し，細胞は破裂する（→p.261参照）．このことから，補液や注射薬の溶媒には，血球がしぼんだり破裂したりしないようにするため，等張液が使われる．

0.9％塩化ナトリウムは，血漿の浸透圧（約300mOsm/kgH₂O*）と等しくなるように調整した等張液で，**生理的食塩水**と呼ばれる．このほか5％グルコース（5％ブドウ糖液）も等張液である．

用語解説*　mOsm/kgH₂O
血漿浸透圧の単位．mOsmはミリオスモルと読む．

● ②能動輸送

物質が細胞膜を通過するのにエネルギーを必要とする輸送である.

通常,エネルギーはATPの分解によって得られる.この方法で輸送される物質は,大きい分子,イオン,細胞膜のリン脂質にはじかれたもの（非脂溶性物質）,濃度勾配に逆らって膜を通過する必要があるものなどである.代表的な**溶質ポンプ輸送**と**小胞輸送**について述べる.

● Ⓐ溶質ポンプ輸送

溶質ポンプ輸送でも,促進拡散の場合と同様に担体を必要とする.しかし,濃度勾配（あるいは電気的勾配）に逆らって物質が輸送される点が異なる.すなわち,溶質ポンプ輸送では,物質はそれ自身の濃度の低いほうから高いほうへ移動する.自然の流れと逆であるため,エネルギーが必要となる.このポンプ機構で輸送される物質はアミノ酸や,ある種の糖,イオンのほとんどである.

● ナトリウム―カリウムポンプ

溶質ポンプとしてよく知られているものに,**ナトリウム―カリウムポンプ**がある.実体はナトリウム・カリウム（依存型）ATPアーゼ*と呼ばれる細胞膜に存在する酵素である.Na^+は細胞外の間質液中に多く,細胞内には少ない.濃度勾配でいうならNa^+は細胞内へ入り,内外の濃度は平衡になりそうなものであるが,細胞が生きている限りそのようにはならない.それはナトリウムポンプが常時,細胞内から外へNa^+を汲み出しているからである.

この際にATPを消費するが,ATP1個を分解するときに3個のNa^+を汲み出す.代わりに2個のK^+を取り込む.細胞はこのポンプを動かすのに非常に多くのATPを消費している.すべての細胞においてこのポンプが動かされているが,特に神経細胞では多い.神経細胞では多量のATPを産生するが,一方でその80％以上がポンプに消費される.

細胞はそこまでして,なぜこのような環境をつくり出すのであろうか.それは,細胞膜を挟んだNa^+の濃度差が,糖などを細胞内へ取り込むための駆動力になったり,浸透圧を調整したり,恒常性を保つために必要であるからである.神経細胞では膜電位の維持とインパルスの伝導に必須のものである.

> **用語解説** *
> **ATPアーゼ（ATPase）**
> アデノシン三リン酸をアデノシン二リン酸と無機リン酸に加水分解する酵素.

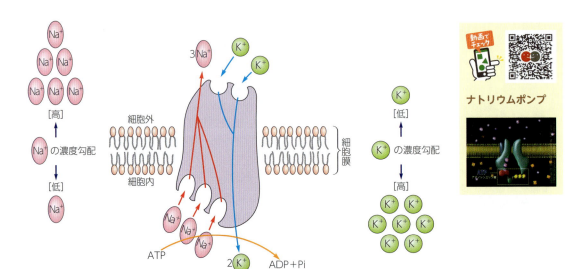

ATP（アデノシン三リン酸）をADP（アデノシン二リン酸）に分解してエネルギーをつくり出し,これを使って細胞内の3個のNa^+を細胞外へ出し,同時にそれと交換で2個のK^+を細胞外から細胞内へ取り込む.両イオンは濃度勾配に逆らって移動している.

図1-15 ナトリウム―カリウムポンプ

- Ⓑ **小胞輸送**

ほかの方法では細胞膜を通過できない物質,すなわちタンパク質(分泌物など)や死滅した細胞など大きな粒子の場合,細胞はATPを消費しながら塊でそれらを細胞の内外へ輸送する.これにはエンドサイトーシスとエキソサイトーシスがある.

【細胞内へ】

- **エンドサイトーシス(endocytosis)**

細胞表面の一部が細胞膜とともに陥没し,その中に粒子が取り込まれる過程をいう.陥没が深くなると細胞膜が癒合し,粒子は膜で囲まれた小胞の中に閉じ込められる.やがて小胞は細胞表面から離れ,細胞の奥へ移動する.

なお,エンドサイトーシスという用語は,ファゴサイトーシス,ピノサイトーシスを含め,総称的に使われる場合がある.

- **ピノサイトーシス**

取り込む対象が液体の場合は**ピノサイトーシス(飲作用)**といわれる.エンドサイトーシスと同様の方法で飲み込まれるが,形成される小胞は極めて小さく,通常,電子顕微鏡で観察する範疇に入る.

ピノサイトーシスはファゴサイトーシスと異なり,ほとんどすべての細胞が行う.特に小腸の上皮や腎尿細管の上皮など,吸収機能を目的とする細胞は活発である.

- **ファゴサイトーシス**

粒子が細菌や死滅した細胞など大きな場合,細胞はもっと積極的な手段をとる.すなわち細胞膜のひだが伸びだし,粒子を囲み込む.ついには先端で細胞膜が融合し,粒子を含んだ小胞を形成する.この過程を**ファゴサイトーシス(食作用)**といい,小胞を**ファゴソーム**という.

ファゴソームの大きさや形は食べた粒子の大きさで決まり,直径数μmに達することもある.細胞内へ取り込まれたファゴソームはやがてリソソームと融合し,粒子は消化される(→p.47参照).ファゴサイトーシスはマクロファージや好中球にみられる.

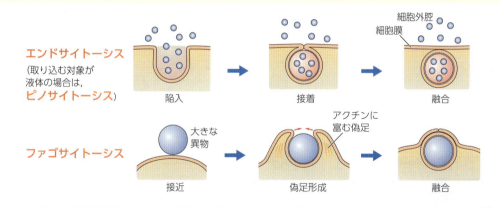

【細胞外へ】

- **エキソサイトーシス(exocytosis)**

腺細胞では,産生されたタンパク質が細胞外へ放出される.ゴルジ装置(→p.46参照)で述べたように,産生されたタンパク質は膜で包まれ,分泌顆粒となってサイトゾル中に存在する.分泌顆粒はやがて細胞膜と接触し,これと融合する.その融合部分に孔が開き,タンパク質が放出される.この放出の過程を**エキソサイトーシス(開口分泌)**という.

図1-16 小胞輸送

細胞分裂と遺伝情報

　生命の誕生以来，生物は細胞分裂を繰り返し，内なる遺伝情報を伝えてきた．ヒトの遺伝情報を伝える様式は，身体を構成している体細胞と子孫を残すための生殖細胞では異なっている．前者は，細胞が自己と同じ遺伝情報をもつ仲間を増やすもので，身体が発育・成長するときと失われた細胞を補充するときに行われる．後者は，平たく言えば，ほかと遺伝子の一部を交換して遺伝情報を変化させるもので，配偶子（精子と卵子を指す総称）を形成する過程で行われる．変化した遺伝情報は遺伝的多様化をもたらすとともに，未曾有の環境変化に適応できる個体を生み出す源となる．

　高等動物で最も普通にみられる分裂様式は <u>有糸分裂</u> である．これには①体細胞の分裂と②生殖細胞の分裂（➡p.58参照）があり，両者では分裂のしかたが異なる．

●①体細胞の分裂

　1個の細胞から遺伝的に全く等しい2個の <u>娘細胞</u>(じょう)が作られる．遺伝物質（DNA）を2個の娘細胞に均等に渡すためには，細胞分裂に先立ってDNAの複製が行われなければならない．

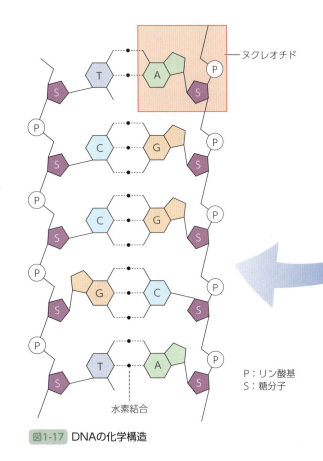

P：リン酸基
S：糖分子

図1-17　DNAの化学構造

動画でチェック　DNAの複製

DNAの構造

　DNAの基本単位は塩基と糖分子，リン酸基からなるヌクレオチドである．ヌクレオチドが多数連なって2本の平行する鎖を形成する．鎖からは4種類の塩基（アデニン，チミン，グアニン，シトシン）が突出し，平行して走る相手側鎖の塩基と水素結合する．このとき結合の方法は厳密に決まっており，アデニン（A）は常にチミン（T）と，グアニン（G）は常にシトシン（C）と結合する．結合した2本のヌクレオチド鎖は10.4塩基に1回の割合でらせん状に回転する．このことから，DNAの構造を「二重らせん構造」と呼ぶ．また，発見者の名前にちなんで「ワトソン・クリック（Watson-Crick）のモデル」ともいう．

Ⓐ DNAの複製

1本のDNAの二重らせんは，縄梯子(なわばしご)をねじったような形をしている．足を掛けるところが，平行するヌクレオチド（塩基，糖，リン酸を1組にした基本単位）の鎖から互いに突き出た2個の塩基に当たる．これらの塩基は水素結合で緩く結ばれている．

DNAが2倍になるために，この結合がファスナーを開くように解離する．解離した鎖がもつ塩基のおのおのに，これに対応した塩基が次々に結合し，最終的に元の二重らせんと全く同じ二重らせんが2本作られる．新生した2本の二重らせんは完全に分かれず，互いにセントロメアという点でくっついたまま複製を終える．新しい二重らせんは，それぞれ染色分体と呼ばれる．

DNA
二重鎖がらせん状にねじれた構造をしている．

染色体
細胞分裂中期の2本の二重らせんは，完全に分かれることはなく，互いにセントロメアでくっついたまま，強く巻くようになる．光学顕微鏡でXの字の形として見える．

- グアニン(G)
- シトシン(C)
- アデニン(A)
- チミン(T)

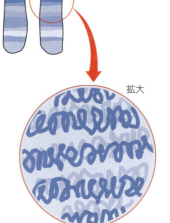

染色体
(分裂中期)

動原体
セントロメア
（特異なDNA
塩基配列）

染色分体

拡大

図1-18 DNAの複製

DNAの複製
DNAの2本鎖が塩基対の間でファスナーを開くように解離する．自由になったおのおのの鎖の塩基は，相補関係にある塩基と次々結合し，新たな二重らせんが2本形成される．これらの二重らせんは全く同じ構造である．

- Ⓑ **分裂**

 細胞分裂は前期, 前中期, 中期, 後期, 終期の五つに区分される.

- **前期**

 複製を終えたDNAはらせん状に濃縮して短くかつ太くなり, 染色体と呼ばれるようになる. ヒトの染色体は46本で, このとき1本の染色体は2本の染色分体からなる. それぞれの染色分体がセントロメアで依然としてくっついたままであるため, 染色体は全体からみるとXのような形に見える. 2個あった中心子も分裂に先立って複製され4個となっている. 前期では中心子の2個ずつが両極へ向かい, そのまわりに放射状の構造物が現れる（星状体と呼ばれる）. やがて両極間に微細管（微小管）が紡錘状に張るようになる（紡錘糸と呼ばれる）. 核小体は消失する.

- **前中期**

 核膜の消失という大きな変化が起こる. 核膜がなくなると微細管が染色体に接触できるようになる. 中心子から伸びる多数の微細管のうち一部が染色体上の動原体（セントロメアの上に形成されたタンパク複合体）に結合する. この染色体と結合した微細管は動原体微細管あるいは染色体糸と呼ばれる. 残りの微細管は極間微細管あるいは連続糸と呼ばれる.

- **中期**

 染色体は微細管に沿って動き, 細胞の赤道面に並ぶ.

- **後期**

 動原体が分離する. すなわちXの形の染色体が分かれ, Iの形の染色分体が2本できる. 分離した染色分体は動原体微細管によって別々に両極へ引っ張られて移動を始める. この分離した染色分体はそれぞれの極に集まって娘染色体と呼ばれるようになる. 娘染色体のDNA量は複製前と同じである. 後期の終わりになると, 極間微細管が伸びて細胞は細長くなり, 両極は遠ざかる.

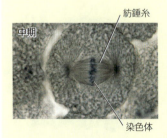

- **終期**

 両極へ分かれた娘染色体から動原体微細管が外れ, その周りに核膜が再形成される. 娘染色体のらせん構造は急速にほどけ, 有糸分裂はここで終わる.

細胞分裂

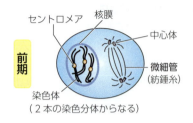

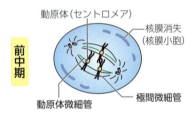

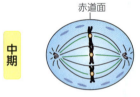

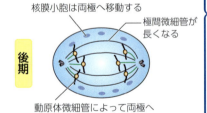

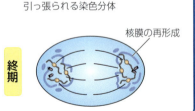

図1-19 細胞分裂と細胞周期

- ⓒ細胞周期

細胞分裂に関する現象は細胞周期としてまとめることができる.
分裂を始めてから次の分裂を始めるまでを細胞周期という.

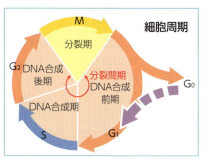

分裂周期はDNA合成前期（G_1），DNA合成期（S），DNA合成後期（G_2），分裂期（M）の四つに分けられる. このうちDNA合成前期（G_1），DNA合成期（S），DNA合成後期（G_2）を合わせて分裂間期という.

分裂間期は分裂期よりはるかに長い. 分裂期は前述のように極めて目立った形態的変化の起こる時期である. これに対し分裂間期は一見分裂と関係がないように思われる. しかし，次の細胞分裂に向けて，準備を活発に行っている時期である. 分裂間期には次のようなことが起こる.

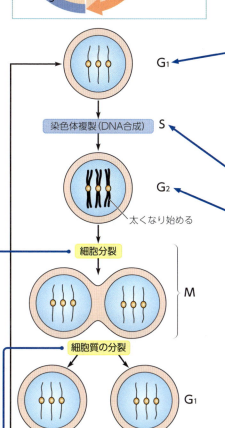

- G_1期：有糸分裂を終え誕生した細胞は，G_1期を迎える. 分裂したばかりの細胞は小さく，細胞質も少ないが，G_1期にタンパク合成が盛んに行われ，細胞は大きくなる. やがて細胞は，その細胞本来の機能を果たすための活動を行うようになる. G_1期が数時間である細胞もあれば，数年に及ぶ細胞もある. このG_1期の長さが細胞周期の長さを決定するといわれている.
- S期：次に細胞はS期に入る. S期はDNAが複製される時期である.
- G_2期：次のG_2期は複製を終えたDNAがコイル状に巻いて太く短くなっていく時期である. こうして間期に準備を整えた細胞は，分裂期に入る.

G_0期：細胞の中には，神経細胞や心筋細胞など完全に分裂能を失ったものがある. また肝実質細胞や血管内皮細胞など，組織が傷ついたときには再生のために増殖するが，普段は分裂しない細胞もある. このような細胞は細胞周期から逸脱しており，G_0期にある細胞である. 前者は不可逆的なG_0期の細胞，後者は可逆的なG_0期の細胞といわれる.

plus α　G1, S, G2, Mの呼び方

細胞周期はもともと形態に基づいた概念で，増殖中の細胞は，見かけ上変化のない時期（間期）と分裂する時期（M：mitoticstage）の二つの場面を繰り返しているにすぎないと考えられていた. しかし，後の研究により間期の一時期にDNA合成が行われていることがわかり，その時期を合成期（S：synthesisstage）と名付けた. S期とM期の間の期間は，何をしているのかわからなかったので，単純にG_1期，G_2期と呼んだ. Gはgap（間）の頭文字である.

- 細胞質の分裂

　有糸分裂の終期，細胞の赤道面にアクチン・ミオシンフィラメントがベルト状に配列する. この線維の働きによって細胞はくびれて分割溝ができる. 2個の細胞を共通して覆っていた細胞膜は，あたかもベルトで絞られるように近づきやがて融合し，細胞質は二つに分けられる. すなわち細胞質が分裂し，細胞は完全に2個となる. このころ，新しくできつつある核の中に核小体が出現する.

　細胞質の分裂は通常，有糸分裂に引き続いて起こる. しかし，細胞質の分裂が起こらない場合もある. このようなとき，細胞は多核細胞となる.

● ②生殖細胞の分裂

　精子と卵子の合体によって新しい個体ができるが，新しい個体の体細胞は，親の細胞と同様に46本の染色体をもつ．すなわち精子と卵子の染色体の数はおのおの23本である．ところが精子と卵子が作られる元の細胞（精祖細胞・卵祖細胞）は46本の染色体をもつ．このため，精子や卵子が作られる過程で，染色体を半減させなければならない．生殖細胞は**減数分裂**と呼ばれる特異な方法で，染色体を減少させる．減数分裂は，生殖細胞が成熟していく過程で行われるので，**成熟分裂**ともいわれる．この分裂は2回の分裂が行われることによって完結する．注目すべき点は，2回の分裂を行うが，DNAの複製は1回しか行わないことである．また，染色体間で遺伝子の部分交換，すなわち組み換えが起こることである．

> ● Ⓐ第一分裂
> 　分裂期より先立ってDNAが複製される．つまりDNAの量は2倍となる．
> ● 第一分裂前期
> 　分裂期に入ると，染色体は太く短くなり，2本の染色分体をもつ典型的な形となる．その後，相同染色体同士がペアを組む（**対合**という）．このペアは**キアズマ**と呼ばれる部分でしっかり結合し，あたかも1本の染色体のように振る舞う．これを一つの単位とみなして**二価染色体**という（つまり1組のペア＝二価染色体には4本の染色分体があることになる）．
> ● 第一分裂中期・後期
> 　中期になると，相同染色体は重なったまま，赤道面に並ぶ．やがて重なっていた相同染色体が離れ，細胞の両極へ分かれる．このとき，体細胞の分裂と違って染色分体は分離しない．Xの形のまま分裂を終え，左右に分かれる．したがって新しくできた娘細胞は，23本のXの形をした染色体をもつことになる（厳密にいうと男性では，23本の染色体のうち1本がXの形である場合とYの形である場合がある）．おのおのの染色体は2本の染色分体をもつ．DNAの量は分裂前に複製を終えて2倍になっていたものが，二つの娘細胞に分けられたので，元の量となる．

plus α

性染色体もペアをつくる

女性の性染色体はX型が2本である．分裂の際，これらはほかの相同染色体と同様にペアをつくり，ついで分離する．では，男性の場合，性染色体X型とY型はペアになれるだろうか．実は，これらの染色体には相同性のある小さな領域があり，ここを使ってペアになるのである．しかも，この領域で遺伝子の部分交換も行う．

交叉・組み換え・乗り換え
　相同染色体が重なっているときに，両染色体間で遺伝子の部分交換が行われる（これを**交叉，組み換え，乗り換え**という）．交換は無作為に起こるので，無数の新しい遺伝子の組み合わせが生じる．したがって娘細胞は母細胞と部分的に違った遺伝子をもつことになる．このことは個体が新しい形質を獲得できる可能性を意味し，環境変化に適応できる子孫を生み出す機会を高めているといえる．ヒトは，遺伝子を徐々に変化させることによって，結果として，環境に適応し進化を続けてきたと考えられる．

● Ⓑ第二分裂
　DNAの複製は起こらずに分裂する．このため，分裂した細胞のDNAの量は半減する（出発点の元の生殖細胞の1/2）．第一分裂で生じた23本の染色体が分裂するが，その過程は単純である．Xの形の染色体が分離し，Iの形の染色分体ができ，これらが両極へ移動するだけである．やがて染色分体は染色体と呼ばれるようになり，形成された配偶子は23本の染色体をもつことになる．

　このようにして減数分裂では，1個の細胞から4個の配偶子が形成される．減数分裂における染色体の行動様式は男女共通であるが，細胞質の分裂様式は男性と女性では大いに異なる．男性では細胞質は4個の精子細胞に均等に分配され，それぞれの精子細胞が発育して精子となる．しかし，女性では細胞質の分配は極端に不均等で，1個の巨大な成熟卵子と3個の小さな極体を生じる（➡p.556参照）．極体は変性する運命にある．

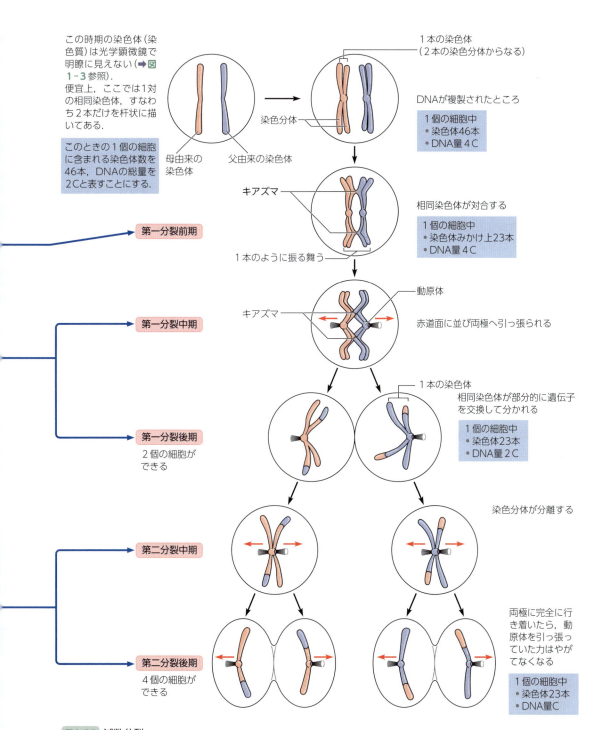

図1-20 減数分裂

plus α

減数分裂の時間

ヒト女性では生殖細胞は胎生第5カ月までに第一分裂の前期に入り，そのまま活動を一時停止する．再開するのは思春期以降である．つまり，約12年（初経時）〜50年（閉経時）間ものあいだ沈黙しているのである．活動を再開した生殖細胞は第二分裂の途中で卵巣から放出される（排卵）．この後，第二分裂が完了するのは精子と出合ったときである（受精）．受精しない卵細胞は排卵後約24時間で退化する．

3 細胞の分化と成長，老化

■ 細胞の分化と成長

「分化」は発生の過程において，万能性の細胞から特定の形態と機能をもつ細胞がつくられる現象であり，細胞における質的な変化をいう（➡p.64「人体を構成する4種の組織」参照）．

細胞は，やがて十分な量となるように分裂・増殖し，生命活動の維持のための機能を果たすようになる．この量的変化が「成長」である．身体は細胞分裂を繰り返すことで成長を続ける．身体全体の大きさは細胞の数によって決まり，細胞の大きさは関係しない．細胞の大きさは，同じ種類の細胞ではほぼ一定であるからである．個体形成が完成すると，細胞は分裂を停止し，原則的には分裂しない細胞として安定を保つ．再生が必要なときには細胞増殖が起き，新しい細胞が組織の欠損部分を充塡したり，古くなった細胞を新しいものに置き換えたりする．

■ 細胞の老化

細胞が成熟すると，次には老化が始まる．「老化」を厳密に定義することは難しいが，平たくいうと，「機能の衰退であり，死に向かう一過程である」となる．細胞周期からみると老化細胞は，細胞周期のG_1期で停止し，G_0期に入った細胞（もはやDNA合成を開始することはない）である．

細胞の老化過程では，主として次のような変化が起きる．

●①細胞の数や大きさの変化

内臓器官の重量が減少し，萎縮する．高齢者では脳の萎縮は著明であり，構成細胞の減少がみられる．肝臓についても70歳以上になると肝細胞の数と大きさが著しく減少する．

●②細胞の増殖能の変化

高齢者では創傷治癒が遅延するのは，線維芽細胞や骨芽細胞などの増殖能が低下するからである．皮膚の上皮を作り出す基底細胞も分裂能が著しく低下する．これらのことは，老化では，上皮細胞の層が薄くなり，皮膚は傷つきやすくデリケートなものになること，一度損傷を受けると治癒しにくくなることを意味している．増殖能の低下は皮膚だけでなく，あらゆる細胞で認められ，それぞれの組織で機能低下を招く．

●③細胞内小器官の変化

粗面小胞体の減少，ゴルジ装置の変性など，さまざまに異常がみられる．特に細胞呼吸やエネルギー産生に関わるミトコンドリアの減少は著しい．高齢者の肝細胞では，ミトコンドリアは若年期の60％にまで減少するという．

細胞増殖

　細胞増殖には三つのパターンがある.

　一つ目は，常に細胞の増殖，細胞死が行われているパターンである. 皮膚や小腸上皮，造血細胞などがこれに属し，絶え間なく細胞の更新が行われる.

　次に，普段は増殖を停止しているが，必要に応じて増殖するパターンで，肝細胞や血管内皮細胞がこれに属する. 例えば，肝臓の一部が切除されれば，肝細胞が活発に分裂・増殖し，肝臓はもとの大きさにまで回復する.

　三つ目は，成熟した後は二度と分裂しないというパターンである. 神経細胞，心筋細胞がこれにあたる. これらの細胞は，細胞周期から逸脱したG_0期の細胞である.

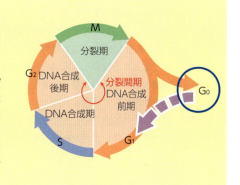

● ④異常物質の蓄積

　老化に伴い，細胞質内あるいは核内に異常物質が認められるようになる. 例えば，リポフスチン顆粒は，細胞内の不飽和脂肪酸やタンパクがリソソームに取り込まれて生じる褐色の色素であり，これの沈着と増量は細胞の老化の一つの指標とされる. 脳幹の黒質や青斑核の神経細胞にみられるレビー小体はモノアミン代謝異常によって生じた物質である.

● ⑤組織間質の変化

　高齢者では，基底膜の厚みが増し，アミロイドなどの異常物質が沈着する. 膠原線維の老化は，タンパク分子間の架橋結合に異常があり，組織学的には膠原線維そのものが増加する.

　個体の生命現象は，細胞の死と新生の絶妙なバランスの上に成り立っている. 細胞の老化によって，このバランスが崩れ，細胞死の数に比べ新生が間に合わなくなるとき，個体は少しずつ死へ近づいていく. 逆に，細胞分裂が刺激され，新生が細胞死よりも過度に上回るとき，増殖細胞は異常な塊となる. これが良性腫瘍や悪性腫瘍（がん）である.

> **plus α**
>
> **がん（癌）と肉腫**
>
> がん（癌）（carcinoma）は上皮組織に原発する悪性腫瘍（胃がんなど）で，肉腫（sarcoma）は非上皮性組織に原発する悪性腫瘍（骨肉腫など）である. 腫瘍（tumor）とは，細胞が勝手気ままに増殖して，過剰にできた組織の塊であり，その生物学的性質から良性と悪性に分けられる.

なぜ老化は起こるのか？

　なぜ老化が起こるかという問題に対しては，以下のような数々の学説がある. 細胞の老化は遺伝的にプログラムされ，死ぬように運命づけられているというプログラム説. 環境因子などの影響によって細胞がランダムに障害を受け，蓄積した障害によって分裂能を失い，細胞死を迎えるというエラー破局説. 他の分子と素早く反応し破壊的な作用をもたらす不安定なフリーラジカルが，他の安定した分子を粉砕し，細胞死を招くというフリーラジカル説. 染色体の末端にある特殊な構造物であるテロメアが，細胞が分裂を繰り返すたびに短くなり，最終的に分裂できなくなる. このようになくなっていくテロメアを修復するテロメラーゼが，細胞の寿命を管理しているというテロメラーゼ説など. いずれにしても，老化のメカニズムについて，まだ明確な解答は得られていない.

> **コラム**　再生医療

私たちは子どものころ，転んで膝を擦りむいたりはさみで指を切ったりと，小さな傷をしょっちゅうつくる．ほとんどの場合，数日もすると傷はきれいに治ってしまう．これは皮膚の重層扁平上皮の下部にある基底細胞が盛んに細胞分裂し，新しい細胞を生み出すからである（➡p.66参照）．

しかし，このような治癒力には限界があり，疾病や事故によって大きく組織が損傷され，臓器が機能不全に陥ったときには，他人から採取した臓器の移植が考えられる．ただ臓器移植は，技術的には確立された医療であるものの，臓器提供者不足という厳しい問題を抱える．臨床応用からは拒絶反応の問題も大きい．それならいっそ自分自身の細胞を増やして移植すればよいという考えがわき上がった．注目されたのは，自己とまったく同じ細胞に分裂し数を増やす能力（自己複製能）と再生・修復に必要なさまざまな細胞に変化する能力（多分化能）を併せもつ細胞である．このような性質をもつ細胞を幹細胞と呼ぶ．

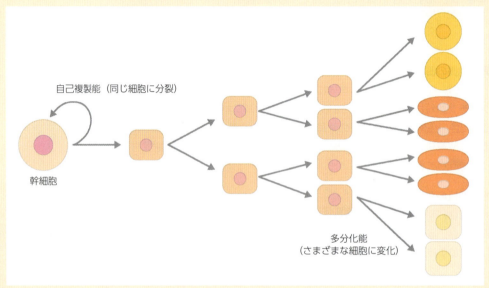

日本歯科医師会HP・テーマパーク8020「再生医療の今とこれから」．https://www.jda.or.jp/park/lose/regenerative.html，（参照2024-10-18）より引用．

本来細胞がもつ能力を積極的に利用し，失った組織や臓器を人工的に作り出す医療は再生医療と呼ばれる．つまり，再生医療は幹細胞あるいは幹細胞から作製した組織・臓器の移植であり，従来の臓器移植医療とは一線を画すものである．期待されている幹細胞は，胚性細胞幹細胞（ES細胞），人工多能性幹細胞（iPS細胞），体性幹細胞の三つである．

❋ ES細胞 (embryonic stem cell)

発生初期の胚から，未分化な細胞を取り出し，培養技術で人工的に成長させて用いる．受精卵（➡p.562参照）に極めて近い能力をもっているため，あらゆる細胞に分化しうる点が大きな魅力である．しかし，治療を受ける患者にとって他者の細胞であることから拒絶反応が起きる．

またES細胞は，本来ヒトになるはずであった受精卵を壊して採取するという倫理上の問題が生じる．ES細胞を用いた再生医療は世界で50例以上行われているが，日本においては強い抵抗感からES細胞の研究は長年禁止されてきた．医療への応用にハードルは極めて高い．

iPS細胞（induced pluripotent stem cells）

ES細胞と似た性質（さまざまな細胞に分化する）をもつ細胞が，2006年に京都大学の山中伸弥教授らによって世界で初めて作製され，iPS細胞と名付けられた．当時，一度分化した細胞（成熟体細胞）は，元に戻ることはできないと考えられていたが，マウスから採取した成熟体細胞に特別な4種類の遺伝子を導入すると，成熟体細胞が多能性をもつ幹細胞に逆戻りした．一度分化した体細胞を，分化する前の状態（未分化な状態）に戻すという技術は，リプログラミングと呼ばれる．

山中教授らの方法は再現性が高く，しかも比較的容易であるという．また，患者自身の細胞から作ることができるため倫理面での問題がなく，さらに拒絶反応が起こりにくい．こういった点で，iPS細胞はES細胞よりはるかに優れている．iPS細胞は再生医療の本命と考えられ，世界的に脚光を浴び，2012年に山中教授はノーベル生理学・医学賞を受賞した．

実際の臨床応用としては，2014年に滲出型加齢黄斑変性を来した患者に対し，患者自身の体細胞から作った網膜色素上皮細胞シートが移植された．その後の経過観察において，低下傾向にあった視力は移植後に維持に転じ，また腫瘍化や新生血管病巣の再発はなく，安全性の評価は良好であることが報告された．まだ例数が少なく，長い準備期間や莫大なコストの問題が残されているが，iPS細胞を用いた再生医療として実用化に大きな期待が寄せられている．

体性幹細胞

ES細胞やiPS細胞は人工的に作られるため自然界には存在しない．一方，体性幹細胞はすでに成体内に存在し，いずれかの組織に向かって分化することがある程度決まった細胞である．分裂回数に限りがあり，一定の限られた種類の細胞にしか分化しないため，意図しない細胞やがん細胞へ分化するリスクは軽減される．また，患者自身の細胞を培養して用いるので拒絶反応は起こらない．ES細胞やiPS細胞に比べ安全性の高い医療として評価され，1970年代からすでに実用化されている．現在，幹細胞移植といえば，この体性幹細胞移植を指すことが多い．

造血幹細胞と骨髄幹細胞は代表的な体性幹細胞であり，ともに骨髄に存在している．前者は浮遊する血球系幹細胞で血液細胞に分化する能力をもち，白血病などの治療に適用される．後者は付着性の細胞であり，骨髄だけでなく脂肪組織（→p.72参照）など胚期に間葉と呼ばれていた組織にも広く見出されるようになった（このため，間葉系幹細胞とも呼ばれる）．間葉系幹細胞は，骨細胞，心筋細胞，軟骨細胞，腱細胞，脂肪細胞などへ分化する能力をもち，治療への適用範囲は広いと考えられている．

例えば，間葉系幹細胞の移植は靱帯の損傷や変形性膝関節症に有効である．移植は大掛かりな手術ではなく，細胞レベルであるため注射や点滴で実施され，これまで多くの外国のアスリートたちがこの治療法を選択したことで，最先端の再生医療として注目されるようになった．患部に直接注射することで間葉系幹細胞が軟骨を含むさまざまな細胞に分化し，傷ついた組織を再生させるとされている．

再生医療は大きく進化してきた．しかし未知の部分が多く残されているだけに患者や家族の意思決定は容易ではない．時として，患者は看護師にアドボケーターの役割を担うことを期待する．看護支援の充実には，看護師自身がまず，治療方法，方針，リスクについて十分に理解する必要がある．本章の知識が，その一助になることを願う．

2 人体を構成する4種の組織

人の身体は本を正せば一つの細胞，すなわち受精卵である．受精卵は分裂を繰り返して細胞の数を増やす．ある時期までは新生した細胞は全く等価であり万能性をもつ．例えば受精卵が初めて分裂（この場合は**卵割**という）し，二つの細胞になったとき，これらの細胞は互いに等価である．おのおのの細胞から完全な個体をつくることが可能である（いわゆる一卵性双生児）．正常に発生が進むと万能性が減退し，特定の形態と機能へ方向づけられた細胞が現れるようになる．これを**分化**という．すなわち，あるものは筋細胞に，またあるものは神経細胞へというように運命づけられる．

多数の分化した細胞が「表面を覆う（上皮組織）」「支える（支持組織）」「動かす（筋組織）」「他細胞をコントロールする（神経組織）」という目的に向かって集まったものが**組織**（tissue）である．組織は生体の材料であり，この材料がさまざまに組み合わさって一定の機能を営む**器官**がつくられる．例えば胃は，上述の4種類の組織が一つの秩序のもとに組み合わさり，これらが協働することによって，消化機能を営む器官となる．

> **plus α**
> **組織の分類**
> 上皮組織，支持組織，筋組織，神経組織という分類のしかたは，あくまで便宜的なものにすぎない．例えば，神経細胞は外胚葉性の上皮に由来するが，発生が進むにつれて複雑に分化し，上皮の性質を全く失ったものである．また腺にみられる筋上皮は，平滑筋と上皮の両方の性質をもつ．線維芽細胞でありながら平滑筋のように収縮するものもある．このように，組織を明確に線引きして分類するのは厳密には不可能である．

1 上皮組織

上皮組織（単に上皮と呼ぶことが多い）は身体の表面，管腔（例えば消化管，呼吸器の管系，泌尿器の管系，血管など），体腔（胸腔，腹腔，心膜腔）などの表面を覆う1層ないし数層の細胞集団である．身体の内部環境を外界から保護し，また内部と外界の間で，物質の交換や情報の授受を行う．上皮細胞が分泌機能をもつように分化したものは**腺細胞**と呼ばれる．腺細胞が上皮から結合組織内へ貫入し，分泌機能に徹した細胞集団をつくるとき，**腺**（あるいは**腺組織**）と呼ばれる．

上皮組織は一般に形態によって分けられるが，機能による分類もある（➡p.66参照）．

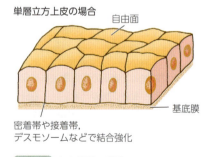

図1-21 上皮組織の構造

> **plus α**
> **上皮内腺**
> 腺細胞が単独で散在することがある．この場合は細胞一つが腺である．気管や腸の被蓋上皮にみられる杯細胞がその例で，上皮内腺と呼ぶ．

■ 上皮組織の構造

- 上皮組織は上皮細胞とこれを固定する基底膜のみからなり，細胞同士は密接している．細胞間質はごくわずかしか介在しない．
- 基底膜は板状に広がった構造物で，その主成分はⅣ型コラーゲンと接着分子であるラミニン，ゼリー状の粘着物質であるプロテオグリカンなどである．これらの成分は上皮細胞によってつくられる．
- 上皮細胞のうち基底膜に接着していないほう，つまり体表面や管腔に向くほうは自由面と呼ばれる．自由面は滑らかなものもあるが，微絨毛や線毛などのように特殊な構造に分化したものもある．
- 上皮細胞の隣同士の結合は，密着帯や接着帯，デスモソームなどによって強化されている．

■ 上皮組織の特徴

上皮組織に特徴的なことは，血管を含まないことである．必要な栄養物や酸素は，基底膜の下にある結合組織の毛細血管から，拡散によって供給される．ただし血管の上皮は内腔を流れる血液から直接供給される．

■ 形態による上皮組織の分類

形から扁平上皮，立方上皮，円柱上皮に，また配列の状態から単層上皮（亜型として多列上皮と移行上皮がある），重層上皮に分類され，これらを組み合わせた表記で，次のように上皮組織が分類される．

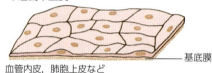

血管内皮，肺胞上皮など／基底膜

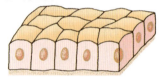

甲状腺の濾胞上皮，腎臓の尿細管の一部，腺の導管

粘液物質／杯細胞／胃や腸の粘膜上皮

図1-22 単層上皮

● ①単層扁平上皮

扁平な細胞が一層に並ぶ．上から平面的に見ると個々の細胞は多角形で，タイルを敷きつめたように見える．血管の上皮（特に血管の上皮は内皮と呼ばれる）や肺胞上皮など物質交換を盛んに行うところによくみられる．また，胸腔・腹腔壁や臓器を覆う漿膜の上皮（中皮と呼ばれる）なども単層扁平上皮である．

● ②単層立方上皮

立方体の細胞が一層に並ぶ．甲状腺の濾胞上皮，腎臓の尿細管の一部，腺の導管にみられる．

● ③単層円柱上皮

円柱状の細胞が一層に並ぶ．胃や腸の粘膜上皮にみられる．上皮のところどころには，粘液物質を分泌する細胞（杯細胞）が存在することが多い．

> **plus α**
> **杯細胞**
> この細胞は管腔側が粘液物質を含んで膨らみ，核がある基底膜側が細くなって，あたかもゴブレットのように見える．このため杯細胞（goblet cell）と呼ばれる．日本酒の杯をイメージしないように．

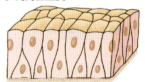

耳下腺の大導管

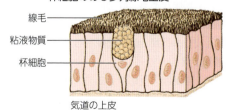

線毛／粘液物質／杯細胞／気道の上皮

図1-23 多列上皮

● ④多列上皮

単層円柱上皮であるが，細胞の丈が不ぞろいで，核の位置がさまざまな高さにある．このため，見かけ上は層が2，3列に重なり合ったように見えるので，多列（偽重層）といわれる．線毛をもつものが多く，この場合は多列線毛上皮と呼ぶ．多列上皮は耳下腺の大導管にみられる．多列線毛上皮は気道の大部分にみられ，気道に入り込んだ粉塵などの異物は，杯細胞から分泌された粘液物質によってとらえられ，線毛の動きで痰として喀出される．

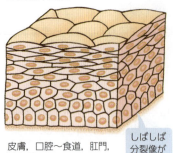

図1-24 重層上皮
皮膚，口腔〜食道，肛門，腟など
しばしば分裂像が見られる．

● ⑤重層扁平上皮
　細胞が2層以上に重なる．最表層の細胞の形が扁平である．深層に向かうほどに細胞の丈が高くなり，基底膜に接触する基底層の細胞は立方体または円柱状である．この基底層では，しばしば分裂像が見られる．摩擦などの機械的刺激に強く，皮膚，口腔，肛門，腟の表面などにみられる．

● ⑥重層立方上皮
　分類的には最表層の細胞が立方体である重層上皮であるが，ほとんど例をみない．

● ⑦重層円柱上皮
　最表層の細胞が円柱状の重層上皮である．眼の結膜円蓋，軟口蓋の一部，ある種の腺の大導管などにみられる．

● ⑧移行上皮
　分布する部位は限られており，腎盤（腎盂），腎杯，膀胱，尿管など尿が通過する部位だけにみられる．この上皮の特徴は，器官の収縮・伸展機能に応じて上皮細胞の形が変化し，扁平状と円柱状の間を行ったり来たり移行することである．
　膀胱を例にとると，尿が充満すると個々の細胞は横にずれて扁平になり，内腔は拡張する．排尿するとき（内腔が空になるとき），上皮は重層円柱上皮のように厚くなり，内腔が縮まる．

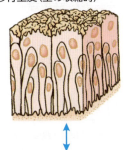

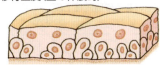

図1-25 移行上皮
腎盤（腎盂），腎杯，膀胱，尿管など．収縮時は円柱状であるが，尿がたまって膀胱が膨らむと上皮が引き伸ばされてずれ，扁平状になる．

■ 機能による上皮組織の分類

● ①被蓋上皮
　身体の外表面や中空器官の内表面を覆い，内部を保護する．皮膚，消化管の上皮などである．

● ②腺上皮
　被蓋上皮が深部に向かって落ち込んだもので，特定の物質を産生し，分泌する．分泌様式によって外分泌腺と内分泌腺がある．詳細は後述する．

● ③吸収上皮
　被蓋上皮であるが，吸収機能をもつときにいう．腸の上皮がこれに当たり，栄養物質や水分を吸収する．

● ④感覚上皮
　外界刺激を受け，反応するもの．網膜の杆状体細胞や錐状体細胞などがある．

● ⑤呼吸上皮
　ガス交換にあずかる肺胞の上皮である．

腺

①腺の分類

腺の働きは，血液から低分子の材料を受け取り，より複雑な特定の物質に作り変え，これを細胞外へ分泌することである．腺は分泌先によって外分泌腺と内分泌腺に分けられる．

Ⓐ外分泌腺

体表や管腔に分泌物が放出される．この場合，分泌物は体表や管腔までの道（導管）を通ることが多い．一般に，腺細胞は多数集まって分泌部（腺房とも呼ばれる）をつくる．分泌部の腺腔と導管の腺腔はつながっている．腺の形は多彩で，導管が分岐しない単純なものから，複雑に分岐し多数の腺房を備えるものまである．また腺房の形も管状のものと胞状（球状）のものがある．

漿液腺と粘液腺

分泌物は水溶性のものと粘稠なものがあり，水溶性の分泌物を産生する腺を漿液腺，粘稠な分泌物を産生する腺を粘液腺という．混合腺はさまざまな程度で漿液性と粘液性の腺が混在したものである．

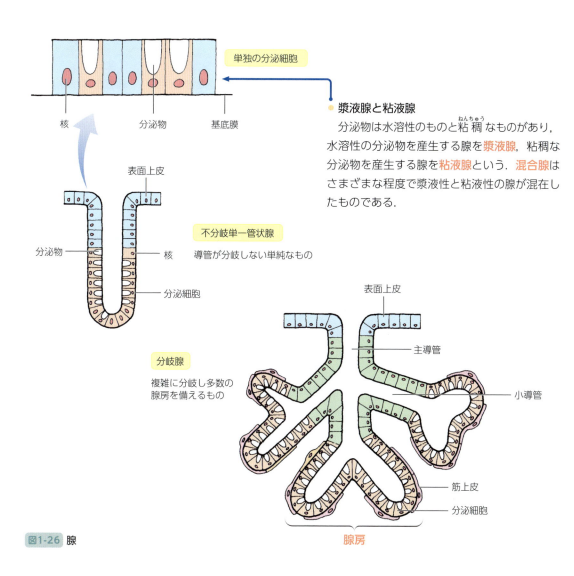

図1-26 腺

- Ⓑ内分泌腺

 分泌物は直接あるいは間接的に血中に放出される．内分泌腺は導管をもたない．内分泌腺で放出される分泌物はすべて**ホルモン**と呼ばれる．ホルモンは血液循環によって標的細胞まで送られる（➡p.509参照）．

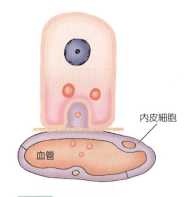

図1-27 内分泌の様式

- ②分泌の様式
- Ⓐ開口分泌

 エキソサイトーシス（➡p.53参照）のことであり，細胞の頭頂部から分泌物だけが管腔に放出されるもの．汗腺，唾液腺など多種の分泌腺にみられる．内分泌腺が細胞の基底膜側から血中に分泌物を放出するのも，開口分泌で行われる．

- Ⓑ離出分泌（アポクリン分泌）

 細胞の頭頂部が分泌物を含んでちぎれるもの．乳腺，腋窩の汗腺などにみられる．

- Ⓒ全分泌

 細胞全体が分泌物を含んで丸ごとはげ落ちるもの．皮脂腺や瞼板腺にみられる．

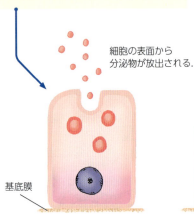

図1-28 外分泌の様式

- Ⓓ透出分泌（という概念）

 分泌物だけが放出される点で，開口分泌と似ているが，開口分泌と違って膜融合を伴わず，分泌物はしみ出るように細胞膜を通過する．この分泌は放出像を形態学的にとらえることが難しく，実態はよくわかっていない．

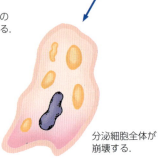

plus α

漏出分泌（エクリン分泌）

分泌物だけが放出され，細胞の外形に変化がみられない分泌をいう．開口分泌と透出分泌の両方がこれに所属する．

2 支持組織

支持組織の主要な役割は，身体の各部・各器官を支え，保護し，異なった組織同士をつなぐことである．支持組織は，上皮組織とは対照的に，細胞間質が極めて豊富であるという特徴をもつ．細胞は，豊富な細胞間質の中にあって，まばらに存在しているにすぎない．細胞間質はここでは**細胞外基質（細胞外マトリックス）**と呼ばれ，水を含んで軟らかかったり，硬かったり，その中間であったりする．

支持組織は，①**結合組織**，②**軟骨組織**，③**骨組織**に大きく分けられるが，おのおのの組織に特有な性質は，このような細胞外基質の性状に負うところが大きい．例えば，細胞外基質にカルシウムという無機質が大量に沈着し，極めて硬い組織となったのが骨である．細胞外基質は，基本的には，無機質・栄養物・糖質・タンパク質・水からなるゾルないしゲル*状の基質と数種の線維からなる．

なお，血液を液性の結合組織に分類することがある．血液は数種の細胞と血漿からなり，血漿には線維成分（フィブリノゲン）をはじめ種々の物質が溶けている．フィブリノゲンは無形ではあるが，血液はまがりなりにも線維をもっていることになり，これを含む血漿が細胞外基質とみなされる．血液については，3章で詳しく述べられる．

> **用語解説** *
> **ゾルとゲル**
> コロイド溶液が流動性をもった状態をゾルといい，逆に流動性を失った状態をゲルという．例えば，お菓子を作るとき，溶かしたゼラチンがゾルで，固まったゼリーやババロアがゲルである．

①結合組織

①結合組織の働き

結合組織の働きは，①上皮細胞を裏打ちしたり，細胞や組織・器官を包んだり結合したりして，これらを支持する，②血管が通る場を提供することによって物質交換や栄養代謝に寄与する，③組織液を貯蔵する，④免疫防御細胞や炎症細胞の存在により生体防御機構の一端を担うなどである．

②結合組織の成分

Ⓐ基質成分

グリコサミノグリカン*およびプロテオグリカン*（グリコサミノグリカンがタンパク質と結合して複合体となった巨大分子），糖タンパク質，組織液である．グリコサミノグリカンは親水性で，大量の水と結合し物質代謝に役立つ．また，基質に流動性がない場合でも，可溶性の物質は，グリコサミノグリカンと結合した水に溶け込むので，物質を拡散させることができる．

> **用語解説** *
> **グリコサミノグリカン**
> 二糖が単位になって枝分かれせず，繰り返し連結した巨大な重合体．従来ムコ多糖類と呼ばれたものであるが，グリコサミンやガラクトサミンなどのようなアミノ糖（ヘキソサミン）を常に糖残基にもつので，現在ではグリコサミノグリカンと呼ばれる．溶液は高密度に陰性に荷電しており，Na^+などの陽イオンを大量に引き付け，その浸透圧で大量の水を吸収する．水を含んだ隙間だらけのゲルなので，可溶性物質が拡散しやすく，細胞も移動できる．

> **用語解説** *
> **プロテオグリカン**
> グリコサミノグリカンを主成分とするタンパク質の複合体．かつてはムコ多糖-タンパク複合体と呼ばれた．

● Ⓑ細胞成分

普遍的にみられるのが**線維芽細胞**である．線維芽細胞は各種の線維をはじめ，ほとんどすべての細胞外基質成分を産生する．このほかの細胞成分としては，**形質細胞**（抗体を産生する），**肥満細胞**（ヒスタミンなどを産生する），**マクロファージ**（異物や老廃物などを食べる），各種の**白血球**（異物処理や免疫機構に関与する）などがある．

> 「白血球」は，単球，リンパ球，好中球，好酸球，好塩基球をまとめた言い方である．

● Ⓒ線維成分

膠原線維，弾性線維，細網線維がある．

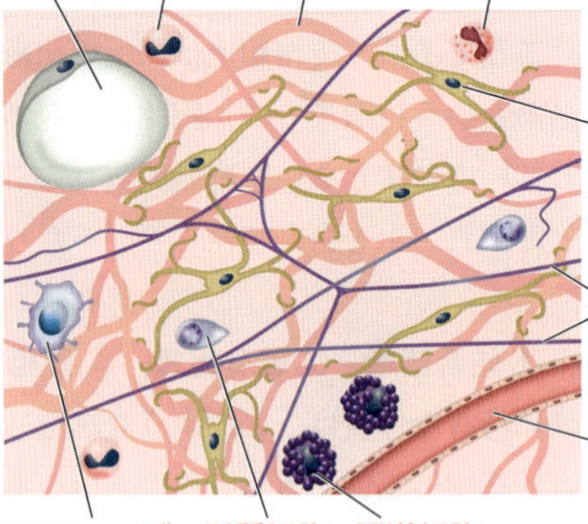

図1-29 細胞成分と線維成分

● 膠原線維

細胞外基質の最も重要な線維で，引っ張る力に強い．腱や靱帯など力の強くかかるところでは線維が集束している．膠原線維の構成タンパク質はⅠ型コラーゲンで，前駆体が線維芽細胞で作られる．

● 弾性線維

ゴムのように弾性に富み，血管壁や肺胞の周り，項靱帯，黄色靱帯に多量に含まれている．太い動脈ではよく発達しており，血管壁への血圧の影響を緩和している．

● 細網線維

膠原線維の一亜型でⅢ型コラーゲンを多く含み，膠原線維より細い．脂肪細胞や筋細胞をかごのように取り囲んだり，リンパ節などで繊細な網を作ったりする．リンパ節，骨髄，脾臓で顕著である．主たる役割は，機械的な支持と同時に物質の移動に適する空間をつくることである．

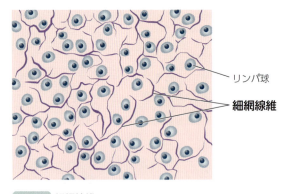

図1-30 細網線維

膠原線維と煮こごり

膠原線維を作る物質はコラーゲン分子である．これは3本鎖らせん構造をもち，水に溶けない．ところが加熱処理を加え1本鎖にすると可溶性になる．

魚の煮汁が固まった"煮こごり"は溶けたコラーゲンがしみ出し，冷えて再び固まったものである．この熱処理を加えたコラーゲンはゼラチンと呼ばれる．お菓子のゼリーやババロアを作るときに用いられる「ゼラチン」は牛・豚の骨や皮から作られたコラーゲンにほかならない．

結合組織は存在する細胞の種類，線維の配列や密度の具合，基質の状況によって次のように分けられる．ただし，その分類は必ずしも明確ではない．

● ③結合組織の分類
● Ⓐ疎性結合組織

膠原線維が束状に集まるが，その束がまばらに，いろいろな方向へ向いて走り，全体として疎な網目構造をつくる．弾性線維や少量の細網線維も混在し，網目の間には，線維芽細胞をはじめ前述した細胞がすべて存在する．またほとんどの場合，血管も分布する．細胞外基質は半流動体で，基質成分と血管からしみ出た液性成分を豊富に含む．すなわち疎性結合組織は水を含んだスポンジのような組織で，周辺組織の細胞はここの組織液から栄養物を得て，ここへ老廃物を排出する．

炎症が起こったり，なんらかの障害で血管の透過性が亢進したりすると，組織液が過剰となり，疎性結合組織はパンパンに膨れ上がる．この状態は浮腫と呼ばれる．

疎性結合組織は身体の至るところにあり，すべての粘膜の下や皮膚の下，神経の周り，腺の間など，空間を埋めるように広がる．

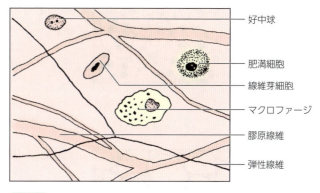

図1-31 疎性結合組織

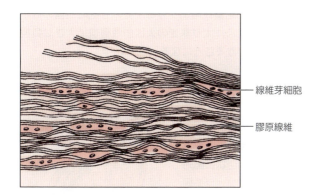

図1-32 密性結合組織

● Ⓑ密性結合組織

膠原線維が極めて密に並ぶものである．線維芽細胞が密集し列をなしているが，線維芽細胞以外の細胞は少ない．膠原線維が織り物のように交織しているもの（例：真皮），平行に配列しているもの（例：腱，靱帯），平行に配列して薄い板をつくり，その板が何層にも重なって層板状になっているもの（例：角膜固有層）がある．いずれも大きな張力に耐えることができる強靱な組織である．

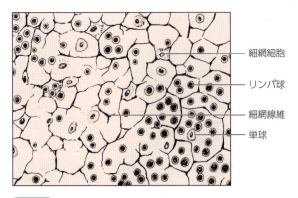

図1-33 細網組織

- Ⓒ **細網組織**

不整な星型の細網細胞と，これが産生する細網線維がつくる網目状の組織．細網細胞は線維芽細胞の一亜型と考えられている．骨髄のような造血組織とリンパ節，脾臓などのリンパ性器官にみられ，造血系細胞やリンパ球など移動性の細胞を支持する．マクロファージ系の細胞も常在しており，この細胞は組織の中を動き回り，異物や老廃物を捕らえて消化する役割を担う．

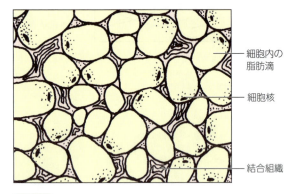

図1-34 脂肪組織

- Ⓓ **脂肪組織**

本質的には脂肪細胞を多く含む細網組織である．容積のほとんどが脂肪細胞で占められる場合，特に<u>脂肪組織</u>と呼ぶ．肉眼的には，ヒトの場合，淡黄色ないし黄色の外観で，一般的には単に<u>脂肪</u>といわれている．

脂肪組織は組織・器官の間を埋めてこれらを機械的に支持するが，それだけでなく，体熱の放散を防いだり（例：皮下脂肪），クッションのように衝撃を吸収して身体を保護したりする（例：手掌や足底の皮下脂肪，眼球の周りの眼窩脂肪体）．また，エネルギーが余るときにはこれを蓄積し，不足するときは効率の良いエネルギー燃料になる（例：殿部や腸間膜の脂肪）．

脂肪組織は毛細血管から栄養を受けている．脂肪組織が増加すると，その分毛細血管の数が増える．太りすぎの人は血液循環に大きな負担がかかることになる．

- Ⓔ **膠様組織**

胎児にみられる結合組織．臍帯の例がよく知られ，イギリスの解剖学者の名にちなんでワルトンのゼリー（Wharton's Jelly）と呼ばれる．細胞成分は大きな星型の線維芽細胞で，これらが互いに突起を伸ばして網目状に配列している．網目は粗く，その中に細い膠原線維，少数のマクロファージ系細胞とリンパ性遊走性細胞が存在する．基質はグリコサミノグリカンに富んだゼリー状物質である．

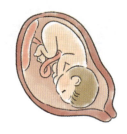

②軟骨組織

●①働き，特徴

軟骨は骨とともに骨格系をつくり，身体を支える組織である．また，筋が付着することがあり，その場合には運動器系にも役割を担う．軟骨組織はしなやかで普通のナイフで切れる程度の硬さである．骨ほど硬くも強くもないが，圧力に対しては優れた抵抗力をもつ．軟骨の表面は，関節腔に面する部分など一部を除き，軟骨膜で覆われている．内部には原則的に血管や神経は含まない．

栄養素や酸素は，周辺組織から拡散によって供給される．このため，軟骨の物質代謝は活発ではない．軟骨が損傷されると，軟骨膜の線維芽細胞が賦活されて再生が起こるが，その能力は極めて乏しく，一般に軟骨の損傷は治りにくい．

●②成分

軟骨組織は，軟骨細胞とそれが産生した線維成分と基質からなる．線維成分として，膠原線維と弾性線維が存在する．基質はゲル状のプロテオグリカン集合体（主要成分はコンドロイチン硫酸，ケラタン硫酸などの硫酸グリコサミノグリカン）を大量に含む．

●③分類

線維の割合や配列，基質成分の量によって軟骨組織は次の3種類に分けられる．

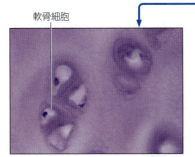

標本の作製上，軟骨細胞の核は萎縮し細胞体は空胞化している（ヒト：H-E染色）．

●Ⓐ硝子軟骨

青みがかった半透明で，ガラスのように見える．軟骨細胞は大きな球形で，軟骨小腔と呼ばれる小室に，単独に，あるいは2個ないし数個が一緒に閉じ込められている．この複数が一つの小腔に同居している細胞は，一つの母細胞から分裂した娘細胞同士である．軟骨形成の過程で，分裂した後，十分に互いが分散する前に基質の形成が進んでしまったためにできたものである．細胞外基質は多量の細い膠原線維と少量の弾性線維からなり，軟骨細胞の周りを埋め尽くしている．

硝子軟骨は弾力性は乏しいが，特に耐圧性に優れる．関節軟骨，肋軟骨，喉頭軟骨，気管軟骨，鼻中隔の一部など，最も一般的にみられる軟骨である．

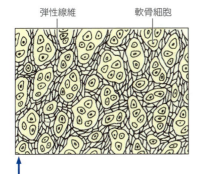

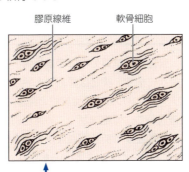

図1-35 軟骨組織

●Ⓑ弾性軟骨

黄色を帯びた不透明な軟骨である．多数の軟骨細胞が存在し，細胞外基質には大量の弾性線維が縦横に走り，弾力性と柔軟性に富む．分布は限られており，耳介と喉頭蓋にみられる．

●Ⓒ線維軟骨

白色の軟骨で，組織の主体は多量の膠原線維の太い束である．基質のコンドロイチン硫酸の量は少ない．この軟骨は隣の組織と混ざり合っていて，単独では存在しない．したがって軟骨膜は認められない．

引っ張る力に強く，かなりの圧力にも耐えうる．椎間円板，恥骨結合，関節半月などにみられる．

③骨組織

骨組織は極めて硬く強靭であるが，ほかの支持組織と同様に細胞，線維，基質からできている．

●①骨の硬さ

骨が硬いのは基質に大量の無機質があり，それらが結晶構造をとるからである．これは主として水酸化アパタイトと呼ばれる微細な板状ないし長杆状結晶であり，リンとカルシウムを含む．無機質はこのほかに，炭酸カルシウムと少量のマグネシウム塩がある．有機質として，少量のプロテオグリカンが基質に含まれている．

●②線維成分

細い膠原線維が存在する．膠原細線維は束状に密集して配列する．基質のアパタイト結晶はこの膠原細線維に沿って密に沈着する．膠原線維は長管骨では規則正しく配列し，ハバース層板と呼ばれる独特の構造物をつくる（➡図1-36, p.95 図2-4参照）．

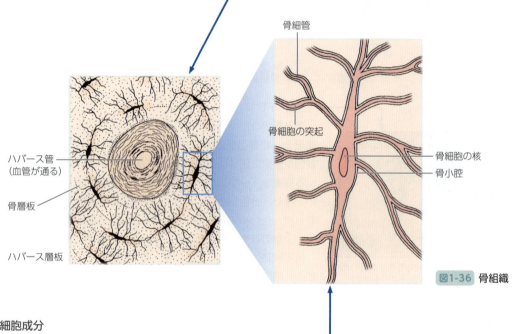

図1-36 骨組織

●③細胞成分

● Ⓐ骨細胞

骨組織の主体は骨細胞である．骨細胞は基質の中にできた骨小腔といわれる小さな穴に閉じ込められているが，ここから多数の突起を放射状に出す．突起は骨細管と呼ばれるトンネルの中を通る．骨細管は，別の骨小腔からのものと連絡しており，トンネルの中で骨細胞の突起同士が結合する．

骨組織は軟骨組織と違って血管をもつ．骨細管がつくる連絡網は，血管とも関係をもっており，栄養や酸素を運ぶうえで役立っている．血管に接する突起が血液から栄養や酸素を受け取り，隣接する細胞へ送る．このようにして栄養と酸素は次々にリレーされ，細胞から細胞へと送られる．

● Ⓑ骨芽細胞と破骨細胞

細胞成分として，骨細胞のほかには，骨が新生される場所に**骨芽細胞**が，壊されていく場所には**破骨細胞**が存在する．骨は成長期はもちろん，成人においてさえも，絶えず一部で吸収され，一方で作られている．老朽化した骨を常時更新しているのである．骨が骨折などの損傷を受けると，骨膜にある間葉系細胞が骨芽細胞となり盛んに増殖し，再生能力は高い．しかし，この能力も加齢によって低下してくる．

骨の構造と機能については，2章で詳しく述べられる．

3 筋組織

どの細胞も刺激を受ければ多少なりとも収縮する．しかし，収縮運動することを究極の目的として高度に分化した細胞が，**筋細胞**である．筋細胞の集団を筋組織という．筋細胞は効果的に働くために線維状に細長くなることが多い．このため**筋線維**＊（muscle fibers）とも呼ばれる．収縮運動は，アクチンを主成分とした**アクチンフィラメント**とミオシンを主成分とした**ミオシンフィラメント**の相互作用によって起こる（➡p.126参照）．これら2種のフィラメントは総称してミオフィラメントと呼ばれる．筋線維と筋線維の間は結合組織で埋められており，ここには豊富な血管と神経が分布する．

> **用語解説**＊
> **筋線維**
> 筋線維は「線維」と名付けられているが，細胞そのものを指し，核も細胞内小器官も含む．膠原線維，弾性線維，細網線維などで使われる「線維」は，長い棒状や針金状，紐状の構造物を指す．

■ 筋組織の分類

筋組織は形態によって，長軸に対して横向きの縞模様がある**横紋筋**（おうもん）と，縞模様のない**平滑筋**（へいかつ）に分けられる．横紋筋はさらに**骨格筋**と**心筋**に分けられる．また生理機能からは，骨格筋は意思によって動かすことができるので**随意筋**に，心筋と平滑筋は意思によって動かすことができないので**不随意筋**に分類される．詳細は2章で述べられる．

表1-1 筋組織の分類

横紋筋		平滑筋
骨格筋	心筋	
随意筋	不随意筋	

■ 筋の再生

● ①骨格筋

骨格筋の再生機構については不明な点が多いが，筋線維の周囲に存在する外套細胞（がいとう）が分裂増殖するという説がある．この細胞は筋芽細胞が未分化なまま休止状態にある細胞であり，筋線維が損傷されると活性化されるといわれている．しかし，骨格筋の再生能は低く，損傷後の壊死巣（えし）は線維性結合組織に置き換わり瘢痕（はんこん）となる場合が多い．

● ②心筋

成人の心筋細胞は分裂しない．そのために心筋が損傷を受けると再生することはない．心筋梗塞などで壊死を起こした部分は，結合組織で置き換えられ，瘢痕を残すことになる．

> **plus α**
> **心筋細胞と心筋線維**
> かつて研究手段が光学顕微鏡であった時代には，心筋細胞の境界がわからず，心筋の構造は全体が一つの巨大な合胞体細胞であると考えられていた．そして，この合胞体構造は線維のように見えるので心筋線維と呼ばれた．しかし現在では，線維状に見えたのは心筋細胞が連なったものであり，心筋細胞そのものは線維状ではなく円柱状であることが明らかにされている．したがって，細胞が線維状である骨格筋のときのように，心筋細胞を心筋線維と呼ぶのは妥当ではない．

● ③平滑筋

平滑筋は再生する能力が高い．平滑筋細胞は成人になっても分裂能をもち続けている．妊娠時には子宮の平滑筋細胞は盛んに有糸分裂をし，筋層は肥大・伸展する．外傷や手術で内臓壁や血管壁を切っても，平滑筋は治癒過程で容易に再生する．

4 神経組織

神経組織の細胞は，大きく分けて**神経細胞**と神経細胞をケアする**神経膠細胞（グリア細胞）**に二分される．

神経組織の分類

- 神経細胞
- 神経膠細胞（グリア細胞）
  - 中枢
    - アストロサイト
    - オリゴデンドロサイト
    - ミクログリア
  - 末梢
    - シュワン細胞

神経細胞

神経細胞は環境変化を刺激として受容し，筋肉運動や腺分泌活動などを命令する．

<u>細胞体</u>からは 2 種類の突起が出る．一つは<u>軸索</u>（axon）で，細胞体から末梢のほうへ興奮を伝える（遠心性）．もう一つは，<u>樹状突起</u>（dendrite）で，興奮を受け取り細胞体に伝える（求心性）．

基本単位はニューロンと呼ばれ，細胞体，軸索（突起），樹状突起の三つの要素で構成される．つまり，一つの神経細胞が一つのニューロンである．

①中枢神経と末梢神経

細胞体が存在するところは脳と脊髄であり，中枢神経と呼ぶ．細胞体から出た軸索が脳や脊髄から外へ伸び出ると末梢神経と名前が変わる．

すなわち末梢神経には細胞体はなく，軸索が主体をなす．ただ例外的に細胞体が脳や脊髄以外に存在する場合がある．

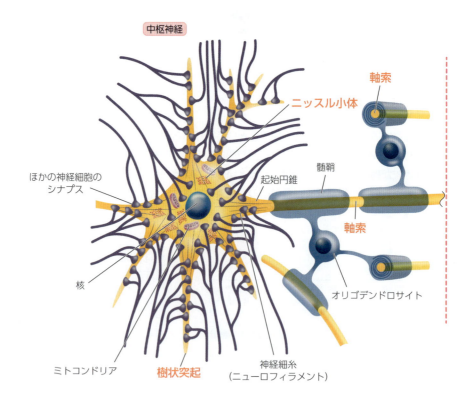

神経細胞体は脳や脊髄以外にもある

末梢神経には例外的に神経細胞体が集まっているところがあり神経節と呼ばれる．代表的な神経節に，脊髄神経節，交感神経幹神経節，副交感神経節，腸管神経節（アウエルバッハ神経叢，マイスナー神経叢）などがある．これらの末梢にある神経細胞は，発生初期に神経管（やがて脳や脊髄に分化する）から離れ，胚内を遊走してきた細胞（神経堤細胞）に由来する．

神経堤細胞は末梢の神経細胞のみならず，骨や軟骨，血管壁などにも分化できることから，多分化能をもつ幹細胞として再生医療の分野でも関心を集めている（➡p.62参照）．

● ②神経細胞体
● Ⓐ細胞体の形

球形，卵形，紡錘形など多種多様で，大きさも直径も100μmにまで達するものがあるかと思えば数μmにすぎないものもある．細胞体は核と細胞質からなり，核は普通であれば細胞体の中央に配置されている．

> 発見当時，ニッスル小体は神経細胞に特有のものでありほかの細胞と区別できる物質として期待されたが，電子顕微鏡の出現により粗面小胞体の集まりにほかならないことがわかった．

● Ⓑ細胞質

細胞質には，ほかの細胞と同じように一通りの細胞内小器官が存在する．最も目立つものは，ニッスル小体と呼ばれる塊状の物質である．ゴルジ装置やミトコンドリアもよく発達し細胞質内に散在する．こういった細胞内小器官が発達していることは，神経細胞はタンパク質を合成し代謝を活発に行う細胞であることを示している．

成熟した神経細胞は分裂しないので，分裂に関わる中心体は認められないが，細胞骨格（➡p.48参照）は豊富である．

① 中間径フィラメント（ここでは神経細糸〔neurofilaments〕）：神経細胞体と軸索の中を長軸に沿って走る．
② 微細管（ここでは神経細管〔neurotubules〕）：神経細胞体と軸索，樹状突起にあり，物質輸送の際にはレールの役割を果たす．
③ マイクロフィラメント：神経細胞全体の膜の直下に網目状に広がり，細胞に強度を与えている．

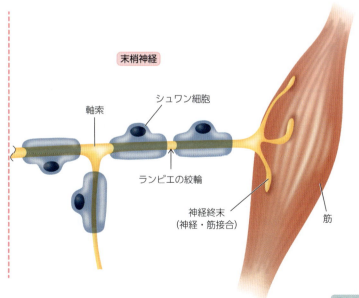

図1-37 神経組織

③軸索

Ⓐ伝導と伝達

軸索は細胞体のやや膨らんだ起始円錐（axon hillock）から始まって，場合によって枝分かれしながら末端に至り，シナプスを形成する．

> シナプスは終末ボタンとも呼ぶ．

刺激によって生じた電気信号は軸索を伝わる（伝導）．電気信号が軸索の末端まで達すると，シナプスから神経伝達物質が放出され，効果器（筋細胞や分泌細胞）が反応する（シナプス伝達）．

Ⓑ軸索輸送

神経細胞の軸索の中でさまざまなものが運ばれる．細胞体から神経の末端にあるシナプスに向かう順行性輸送と，反対に末端から細胞体に向かう逆行性輸送がある．

軸索にはリボソームや粗面小胞体が存在しないので，タンパク質は細胞体で合成され，はるばる末端にまで運ばれなければならない．

順行性輸送によって，タンパク質，酵素，脂質さら細胞内小器官（シナプス小胞やミトコンドリアなど）が末端に運ばれる．

逆行性輸送では，リサイクル用の原形質やエンドサイトーシス（→p.53参照）によって細胞内に取り込まれた物質が運ばれる．

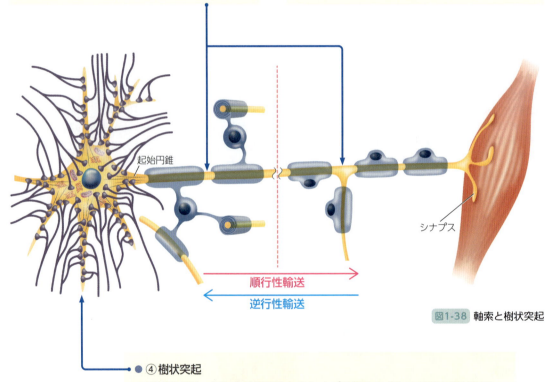

図1-38 軸索と樹状突起

④樹状突起

樹状突起は，ほかの神経細胞からシナプス結合を介して情報を受け取る．突起は高度に枝分かれすることによってシナプス結合部位を増やし，莫大な情報を細胞体へ伝える．最終的に情報は起始円錐で統合され，起始円錐に続く軸索初節で化学信号が電気信号に変換される．発生した神経インパルスが軸索へ出力される．

● ⑤神経細胞の分類

ほとんどの看護の教科書では，ニューロンの図として，図1-37のような多極性神経細胞が描かれている．この形が強烈に刷り込まれるために，神経細胞を十分に理解することが難しくなっている．実際には神経細胞は実に多様な形をしており，次のように分類される．

● Ⓐ単極神経細胞

軸索1本だけが出ている細胞であり，嗅細胞，網膜の視細胞（杆状体／錐状体細胞）がこれに当たる．

● Ⓑ双極神経細胞

2本の突起が出ている細胞で，1本は軸索，もう1本は樹状突起である．内耳神経の前庭神経節とラセン神経節にみられる．

● Ⓒ偽単極性神経細胞

見かけは神経細胞から1本の突起が出ているようだが，実際には軸索と樹状突起の2本が合わさったもので，機能的には双極細胞と同じである．知覚性（感覚性）の神経細胞で，脊髄神経や脳神経の神経節にみられる．

● Ⓓ多極性神経細胞

1本の軸索と2本以上の樹状突起が細胞体より出る．多くの神経細胞がこの形態をとる．

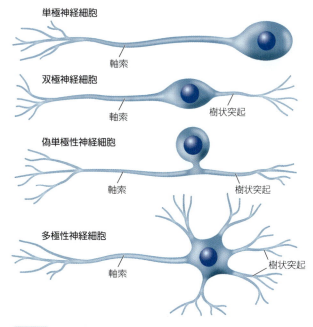

図1-39 神経細胞の分類

神経細胞の記号

神経の連絡を説明するために次のような模式図がよく使われる．

●━━く の記号の意味はわかりやすい．● が細胞体，━━ が軸索，く が神経終末を表す．樹状突起は通常描かない．おのずと情報の伝達方向は理解できる．

注目すべきは，という記号である．

これは偽単極性神経細胞を示し，知覚性（感覚性）の神経であることを必ず意味している．図では，● から出た1本の線が2本に分けられ，一方が軸索，もう一方が樹状突起として描かれる．この場合，情報は末梢から中枢に送られることを意識して，伝達方向を判断する必要がある．

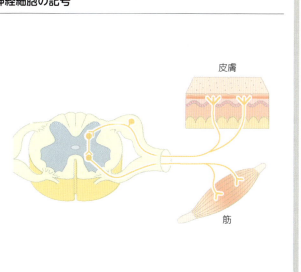

神経膠細胞（グリア細胞）

中枢神経における主要な神経膠細胞（グリア細胞）は，**アストロサイト**と**オリゴデンドロサイト**，**ミクログリア**である．

広義的には上衣細胞も神経膠細胞に分類される．末梢神経にみられるシュワン細胞と外套細胞もその機能からは広義の神経膠細胞といえるが，一般的に神経膠細胞というと，中枢神経にあるものを指すのが慣例である．

アストロサイトは，発見された当初，細胞の中心から放射状に伸びた数百の突起が星形に見えた．この外観からアストロサイトと名付けられた．astroは「星」という意味で，日本語では星状膠細胞と訳される．

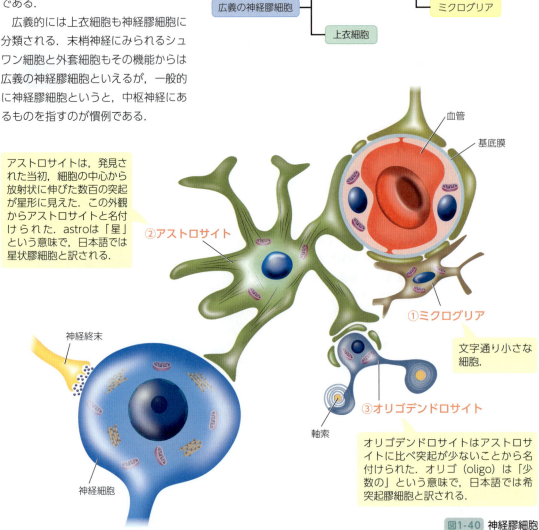

①ミクログリア
文字通り小さな細胞．

②アストロサイト

③オリゴデンドロサイト
オリゴデンドロサイトはアストロサイトに比べ突起が少ないことから名付けられた．オリゴ（oligo）は「少数の」という意味で，日本語では希突起膠細胞と訳される．

図1-40 神経膠細胞

①ミクログリア

Ⓐミクログリアの形状

不規則な核をもち，細胞質の量は少ない．分岐した突起をもつ．脳が障害されると活性化し，小さかった細胞体は大きく肥大し，突起を引っ込めてアメーバのように変化する．

Ⓑミクログリアの働き

細胞体内にはファゴゾーム（貪食）やリソソーム（分解）が多く認められることから，ミクログリアは不要物を除去する細胞であると考えられている．ただ，損傷部位では血管透過性が亢進し，外からのマクロファージが浸潤してくる可能性があるので，損傷部位に集まるアメーバ様の細胞がすべて活性化ミクログリアとは言い切れない．

● ②アストロサイト

　アストロサイトは星形だけでなく，多様な形を示すことがわかってきた．多くの場合，血管と神経細胞の間を仲介するような位置に存在し，一方で神経細胞体と他方で毛細血管と密に絡む．このことから，アストロサイトの働きとして，栄養や有用な物質を血管から神経細胞へ運び，逆に神経細胞の代謝物質を血管に運ぶということが推測される．突起は神経細胞体と血管周囲を取り巻くばかりではなく，神経細胞の突起間にもきめ細かく入り込み周りを支持するように広がる．

　脳や脊髄には，ほかの器官で普通にみられる支持組織成分は乏しい．支持組織成分に代わってアストロサイトが神経細胞のネットワークを構造的に支えていると考えられる．

　その他の機能としては，神経伝達物質の取り込み，シナプス周辺のイオン環境の維持，血液脳関門のサポートなどが挙げられる．

　以上からアストロサイトは，神経細胞の脇役として，支持，栄養，代謝に関与する重要な細胞であることは間違いない．

● ③オリゴデンドロサイト

　細胞体は卵円形で小さく，細胞質にはよく発達したゴルジ装置，粗面小胞体，微小管が存在する．しかし，アストロサイトでみられる中間径フィラメントはない．

　細胞体から出た突起は先が広がって軸索に巻き付き，髄鞘（ミエリン）を形成する．特徴的なことは，1個のオリゴデンドロサイトは数本の軸索に巻き付くことである．

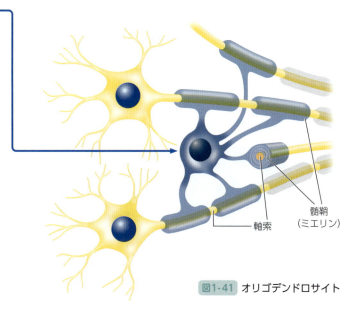

図1-41　オリゴデンドロサイト

● ④上衣細胞

　上衣細胞は脳室系（脳室と脊髄の中心管）の表面を覆う単層立方あるいは円柱の細胞である．

　機能としては不明なところがあるが，この細胞は協調的に運動する微絨毛をもつ．このことから，脳脊髄液（CSF）の流れの方向付けに関与すると考えられ，神経細胞への栄養輸送，有害物質の除去促進といった機能が考えられている．

■ 末梢神経系における膠細胞

末梢神経も中枢神経と同じく，膠細胞のケアを受けている．末梢神経の膠細胞は，シュワン細胞と外套細胞である．

● ①シュワン細胞

シュワン細胞の最も重要な役割は，ミエリンを形成し軸索を保護すると同時に跳躍伝導を生み出すことである．シュワン細胞は，同じくミエリンを形成するオリゴデンドロサイトと違って，軸索と1対1の関係をとる．すなわち1個のシュワン細胞は1本の軸索に巻き付くだけである．

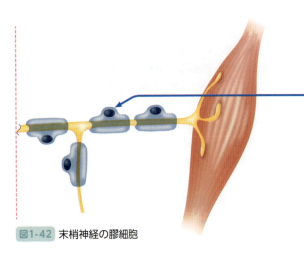

図1-42 末梢神経の膠細胞

● Ⓐミエリン形成のメカニズム

ミエリン形成のメカニズムはオリゴデンドロサイトとほとんど同じである．下図で示すように，シュワン細胞はまず軸索に巻き付き，続いて膜の最も内側で膜同士が接着し，一方向（→）へ嵌入する．これが繰り返され，膜が積み重なっていく．厚くなった膜の層が圧着され，ミエリンとなる．

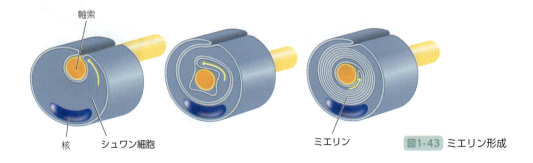

図1-43 ミエリン形成

● Ⓑミエリンの成分

このようにミエリンは本を正せば細胞膜である．ゆえに，ミエリンの主要成分は細胞膜を構成していた脂質（細胞膜はリン脂質二重層➡p.43参照）に由来する．

主たる脂質はコレステロールであり，軸索を保護するという役割のほかに，コレステロールに基づく絶縁性により神経インパルスの伝導を高速にする機能（跳躍伝導機能）がある．跳躍伝導については，8章で詳しく述べられる．

● ②外套細胞

神経細胞体は中枢神経（脳と脊髄）にあり，そこから伸び出た軸索が末梢神経となることを前述した．しかし，実は神経細胞体は脳と脊髄以外の末梢にも例外的に存在している（➡p.77参照）．脊髄神経節や交感神経神経節に存在する神経細胞がその代表である．ここには，神経細胞体を外套（オーバーコート）のように包んでいる細胞があり，外套細胞と呼ばれる．

外套細胞は神経細胞の栄養供給や支持に関与するグリア性の細胞である．神経細胞体が軸索に移行する部位で，外套細胞に代わってシュワン細胞が出現する．

重要用語

- 核
- 染色質（クロマチン）
- 核小体
- 染色体
- 細胞膜
- 細胞質ゾル（サイトゾル）
- 細胞内小器官
- ミトコンドリア
- 小胞体
- ゴルジ装置
- リボソーム
- リソソーム
- 細胞骨格
- 中心体
- 受動輸送
- 拡散
- 浸透
- 能動輸送
- ナトリウムポンプ
- 小胞輸送
- 体細胞分裂
- 細胞周期
- 減数分裂
- 上皮組織
- 腺
- 結合組織
- 軟骨組織
- 骨組織
- 筋組織
- 神経組織

学習達成チェック

- ☐ 人体を構成する4種類の主な元素と数種類の微量元素を挙げることができる．
- ☐ 核の構造と核膜，染色体，染色質（クロマチン）の機能を説明できる．
- ☐ 細胞膜の構造と機能を述べることができる．
- ☐ 細胞内小器官の名称と機能を説明できる．
- ☐ 体細胞の分裂と生殖細胞の分裂（減数分裂）について説明できる．
- ☐ 4種の主要な組織（上皮組織，支持組織，筋組織，神経組織）について，その特徴を述べることができる．
- ☐ 各組織が存在する人体の部位を特定できる．

解剖生理学が臨床につながる！

　85歳女性Aさんは，「最近よく眠れない，明け方に起きてしまう」と言う．あなたは訪問看護師として，週に一度訪問している．訪問すると，Aさんは昼食を済ませた後で，椅子に座っていた．

　血圧は140/90mmHg，指にはめたパルスオキシメーターを確認すると動脈血酸素飽和度は96％，脈拍数は80回/分（不整）を示している．体温は36.0℃で，聴診すると心雑音があり，心拍は不整だが普段と変わりないようで，呼吸音に特に異常な音は聴かれなかった．

　翌日にかかりつけ医を外来受診して，心臓病と腎臓病の経過を診てもらう予定だが，「最近は体重が増えているので，食事制限が厳しくなるのではないか」「まんじゅうを食べないよう言われるのではないか」などと心配しながら笑顔で会話できていたので，「歳を重ねると眠れなくなることはありますよね」と話をして，次の訪問に向かった．

　ところが，翌朝に家族から電話があった．夜中に息がしづらくて眠れないと起きてしばらく我慢していたが，呼吸が苦しいと言うので明け方に救急車を呼んだとのことだった．病院に運ばれ，心不全の診断で入院になったという．

　「もっと早くに気付くことができなかっただろうか」とあなたは思った．どのようなことに注意する必要があっただろうか？

❶ 結合組織に貯留した過剰な体液を「浮腫」として観察する

　細胞外液が身体に貯留し，体重増加になっていた可能性がある．浮腫が観察されなかったか注意する必要がある．

　下肢の結合組織に細胞外液が過剰にたまった状態は，両下肢が「浮腫む」と表現される（➡p.71参照）．下腿の前面で脛骨を触れる部位があるが，浮腫があると皮膚や皮下組織の結合組織が腫れるため，指で押すと凹むことで観察できる．

　肺の気管支上皮の下で結合組織が浮腫を起こすと気管支径が狭くなって，呼気性の呼吸困難になる．また，肺胞の結合組織が浮腫を起こすと血管と肺胞腔の間でガス交換がしにくくなって，血液の酸素が少なくなり呼吸困難になる．

❷ 体重増加はカロリーの問題だけではない

　心臓や腎臓の障害で，水分や塩分の摂取制限を治療として指示されている場合がある．体重増加は，カロリーの摂取過剰で脂肪が増えるだけではなく，水分や塩分が過剰に摂取されたり，尿から排泄されなかったりして，体液量や血液量が増加したり結合組織で細胞外液が増加したりしても生じる．若年者はカロリーの摂取過剰で体重が増えることを気にしがちだが，心臓や腎臓の障害による体重増加は，水分や塩分の蓄積を意味する可能性があることを知っておこう．

身体は細胞や細胞で産生された物質で構成されている．生きて活動している細胞の構造と機能だけではなく，細胞外の結合組織や細胞外液についても忘れずに勉強しよう．

③ 昼間の体調だけで病状を判断してはいけない

　心臓や腎臓の障害がある患者で，夜になって横になって寝ると下半身の血液や体液が上半身に移行することで，心臓や肺に負担がかかり**呼吸困難**を生じる場合がある．昼間はなんともなくても，夜寝てから夜中を過ぎて明け方ごろに呼吸困難を発症することがある．「明け方に起きてしまう」のは，起床して身体を起こすと呼吸が楽になっていたからなのかもしれない．昼間の観察だけでは判断しづらいので，明け方に起きてしまうときの状態を詳しく確認しよう．

2 骨格・筋系
身体を支える・動かすしくみ

> ここだけ見れば まず**骨格・筋系**がわかる！

●骨の構造

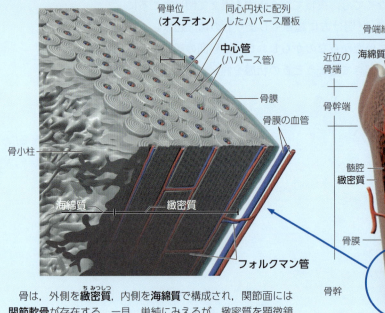

骨は，外側を**緻密質**，内側を**海綿質**で構成され，関節面には**関節軟骨**が存在する．一見，単純にみえるが，緻密質を顕微鏡でのぞくと，神経や血管が通る無数の孔（**中心管**）が開いている．

中心管と年輪状のハバース層板から構成される個々の複合体を骨単位（**オステオン**）と呼ぶ．骨の外から内部への通路（**フォルクマン管**）があり，骨膜の血管によって骨外との交通が行われている．

●骨のリモデリング

骨のリモデリングは，**骨芽細胞**が**骨形成**を，**破骨細胞**が**骨吸収**を行う．

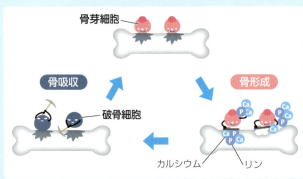

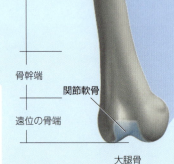

大腿骨

- ☑ 骨は，骨格を形作る大切な働きをしている．家造りでいえば，柱と梁の部分に相当し，最初に作らなければならない部分でもある．
- ☑ 生きている骨細胞が形成する骨格は，骨形成と骨吸収という新陳代謝を繰り返しながら，成長して老化へと向かっていく．

骨折の種類

骨折とは，外力によって骨が構造上の連続性を断たれた状態をいう．

▶ **不全骨折**
骨折部位の転位（骨折時の骨端間のずれ）が全くみられない．

▶ **完全骨折**
骨折部位に転位がみられる．

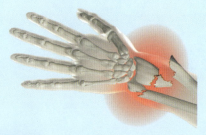

▶ **粉砕骨折**
骨折部が粉砕している．

骨折の治癒過程

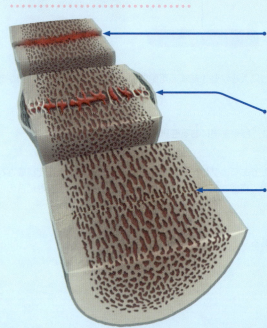

▶ **第1段階**
骨折直後は，出血により血腫ができ，骨折端の骨組織は壊死に陥る．そして，それらは溶けて血管に吸収される．

▶ **第2段階**
やがて線維性の未熟な骨（仮骨）を作る働きが活発となり，仮骨による架橋が骨折部に形成される．

▶ **第3段階**
その後，線維性の仮骨が石灰化した骨組織に置き換わり，骨折端は硬い骨組織によってつながる．

- ☑ 関節には，動きの大きな可動関節と，動きの少ない不動関節がある．
- ☑ 不動関節には，線維性連結，軟骨性連結，骨性連結がある．
- ☑ 軟骨性連結の線維軟骨結合（連結）には脊柱（椎間板）があり，硝子軟骨結合には肋軟骨や気管軟骨がある．

関節の種類

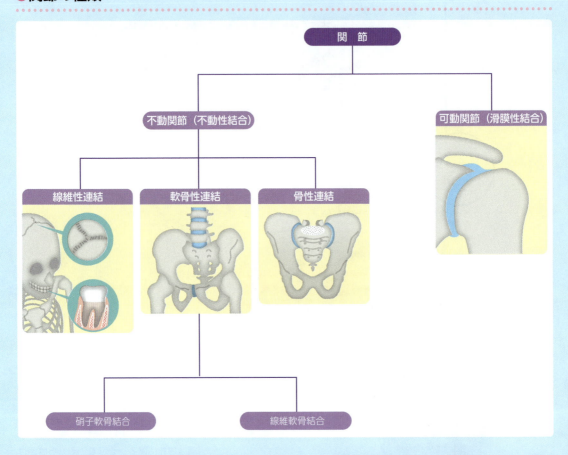

骨と骨を連結する関節には，肩や股関節のように大きな動きをする**可動関節**と小さな動きの**不動関節**がある．不動関節は三つに大別される．

▶ **線維性連結**

靱帯だけで連結されている頭蓋骨の冠状縫合や，脛骨末梢にある脛腓靱帯などである．

▶ **軟骨性連結**

生涯続く軟骨性結合で，恥骨結合，椎間板などである．プロテオグリカンを多く含む硝子軟骨で構成されている硝子軟骨結合と，コラーゲン線維を多く含む線維軟骨で構成されている線維軟骨結合があり，硝子軟骨結合のほうが大きな動きに対応する．

▶ **骨性連結**

軟骨結合が骨化する寛骨，仙骨，尾骨などである．

☑ 人体には骨格筋・心筋・平滑筋という3種類の筋組織がある．そのうち，約400の横紋筋からなる骨格筋は名前の通り骨に付着しており，身体の動きや姿勢の保持，内臓の保護などに関係する．
☑ 骨は骨格筋が収縮することによって運動する．そのため，骨格筋を能動的運動器，骨を受動的運動器という．

○骨格筋

- 腱によって，骨に付着している．
- 意識的に動かすことのできる随意筋．

骨格筋線維

○心筋

- 心臓壁をつくる．
- 自律神経の支配を受ける不随意筋．

心筋線維

○平滑筋

- 血管，気管，胃，腸，胆嚢，膀胱，子宮などの中空器官の壁をつくる．
- 自律神経の支配を受ける不随意筋．

平滑筋線維

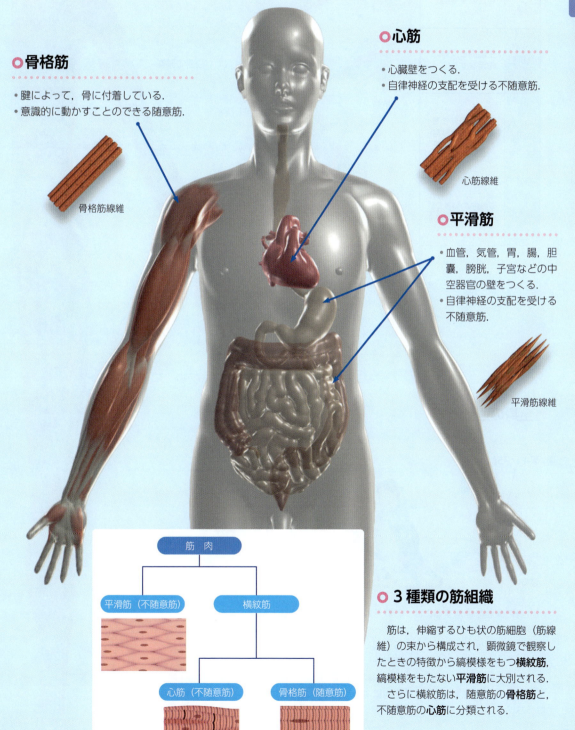

○3種類の筋組織

筋は，伸縮するひも状の筋細胞（筋線維）の束から構成され，顕微鏡で観察したときの特徴から縞模様をもつ**横紋筋**，縞模様をもたない**平滑筋**に大別される．
さらに横紋筋は，随意筋の**骨格筋**と，不随意筋の**心筋**に分類される．

○筋と身体運動

主働筋	ある動きをするときの主な筋
拮抗筋	主働筋と反対の作用をする筋
協同筋	主働筋の動きを補助し，無駄な動きを減らす筋
固定筋	協同筋の特殊型．身体を固定する筋

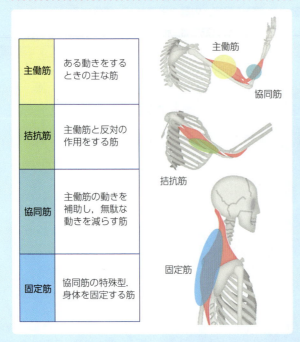

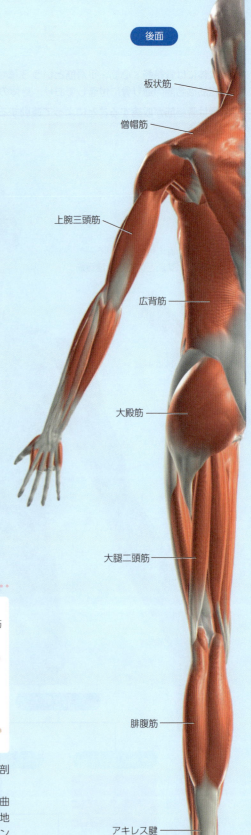

○全身の運動と筋

　全身の運動を理解するには，それぞれの筋について役割と解剖を理解することが大切である．
　例えば，サッカーの選手が走る瞬間には，右足は股関節を屈曲させるために腸腰筋（大腿の深部の筋）を収縮させ，左足では地面を蹴り上げるためにアキレス腱を収縮させている．トレーニングにおいては，鍛えようとする筋肉によって方法を変えなければならない．

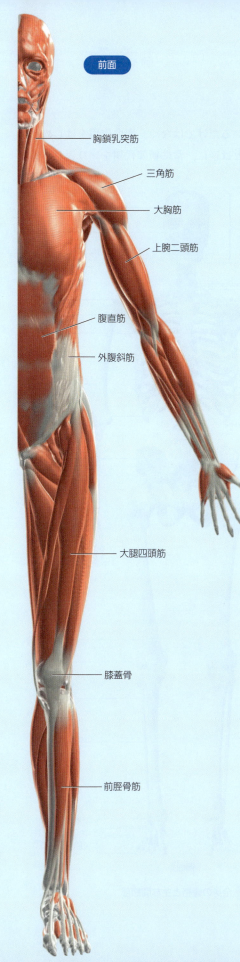

● 筋収縮の機序

- 運動神経は神経筋接合部を経て，筋肉を収縮させる．
- アセチルコリンを神経伝達物質とする．

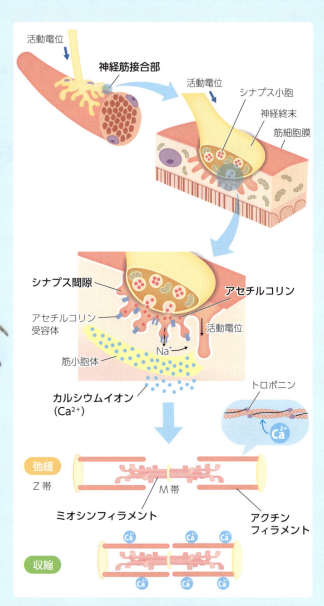

● 筋収縮に必要なもの

- 筋収縮にはカルシウムイオンが必要である．
- 筋収縮のエネルギーはATPである．
- ATPを使って，カルシウムイオンは筋に運搬される．
- アクチンフィラメントが，ミオシンフィラメント上を滑走して筋収縮が起こる．

1 骨と骨格

骨は，身体の基本構造を形成しているが，身体を支えているだけではなく，造血作用をはじめとしたさまざまな働きをしている．そして，変化の少ない外観とは逆に，常に新陳代謝を繰り返し，骨は成長し，老化していく．

全身の骨格と主な関節部について示す．

1 骨の働き

骨には支持，保護，造血，カルシウム代謝の四つの働きがある．

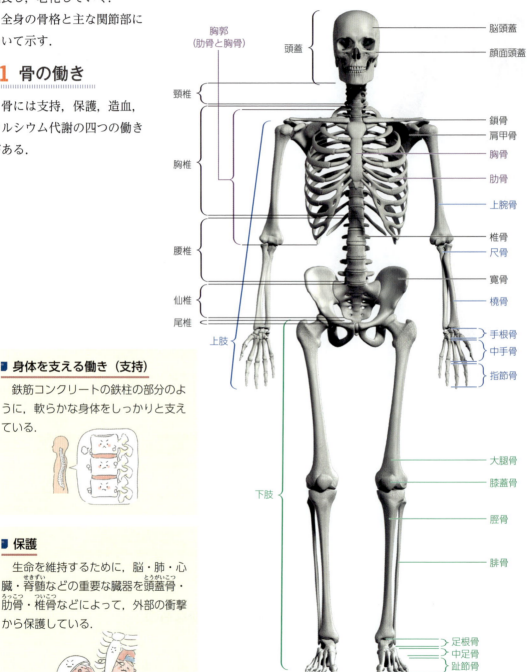

図2-1 全身の骨格と主な関節部

▍身体を支える働き（支持）

鉄筋コンクリートの鉄柱の部分のように，軟らかな身体をしっかりと支えている．

▍保護

生命を維持するために，脳・肺・心臓・脊髄などの重要な臓器を頭蓋骨・肋骨・椎骨などによって，外部の衝撃から保護している．

コンテンツが視聴できます
(p.2参照)

骨格系

📕 造血

赤血球，白血球，血小板などの血液細胞の形成は骨髄（bone marrow）で行われる．

📕 カルシウム代謝

骨と歯に全身のカルシウムの99％が貯蔵され，必要に応じて血液中のカルシウムの量を調節する．カルシウムの代謝を促進させるのは副甲状腺ホルモン（パラソルモン：PTH），抑制させるのは甲状腺ホルモンの一種であるカルシトニンである．

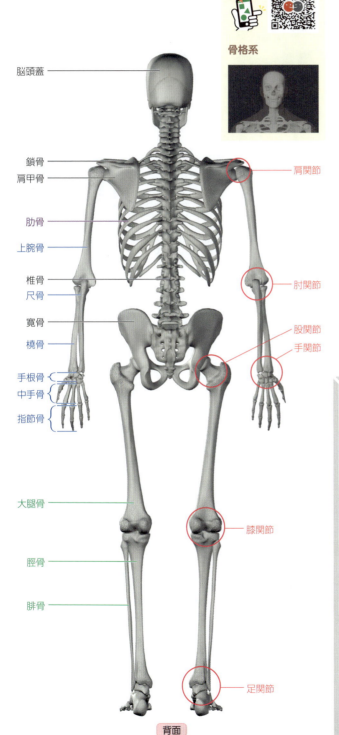

脳頭蓋
鎖骨
肩甲骨
肋骨
上腕骨
椎骨
尺骨
寛骨
橈骨
手根骨
中手骨
指節骨
大腿骨
脛骨
腓骨

肩関節
肘関節
股関節
手関節
膝関節
足関節

背面

カルシウム

● カルシウムの役割
カルシウムは身体の中で最も多いミネラルで，大人の場合，体内に約1kgのカルシウムが存在する．生体内カルシウムの99％は骨や歯に存在し，骨を構成するとともに，カルシウムが不足した際の貯蔵庫として機能し，残り1％は血液中や細胞内に存在し生命維持に重要な役割（凝固）を担っている．

● カルシウムの吸収
経口から摂取されたカルシウムは，主に小腸で吸収される．小腸での吸収には，活性型ビタミンD_3が必要である．

● 血中のカルシウム濃度が低下したら……
血中のカルシウム濃度が低下すると，副甲状腺ホルモン（PTH）の分泌が亢進されることで，骨からカルシウムが溶け出し，元の濃度に戻すために骨吸収が促進され，腎臓からのカルシウム排泄を抑制する．

2 骨の組成

骨組織は，歯のエナメル質に次いで硬く，軟骨や血液と同じ結合組織の仲間であり，**骨細胞**（細胞）と**骨基質**（細胞間質）からできている．

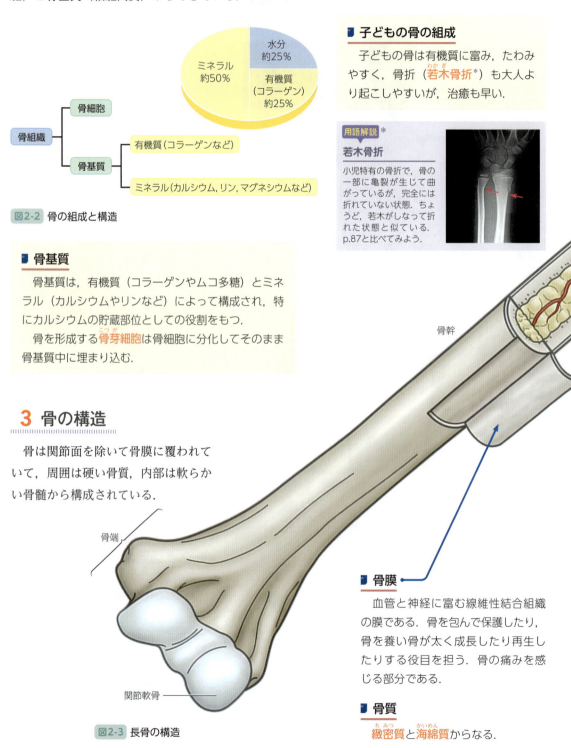

図2-2 骨の組成と構造

子どもの骨の組成

子どもの骨は有機質に富み，たわみやすく，骨折（**若木骨折**＊）も大人より起こしやすいが，治癒も早い．

用語解説＊
若木骨折
小児特有の骨折で，骨の一部に亀裂が生じて曲がっているが，完全には折れていない状態．ちょうど，若木がしなって折れた状態と似ている．p.87と比べてみよう．

骨基質

骨基質は，有機質（コラーゲンやムコ多糖）とミネラル（カルシウムやリンなど）によって構成され，特にカルシウムの貯蔵部位としての役割をもつ．
骨を形成する**骨芽細胞**は骨細胞に分化してそのまま骨基質中に埋まり込む．

3 骨の構造

骨は関節面を除いて骨膜に覆われていて，周囲は硬い骨質，内部は軟らかい骨髄から構成されている．

図2-3 長骨の構造

骨膜

血管と神経に富む線維性結合組織の膜である．骨を包んで保護したり，骨を養い骨が太く成長したり再生したりする役目を担う．骨の痛みを感じる部分である．

骨質

緻密質と**海綿質**からなる．

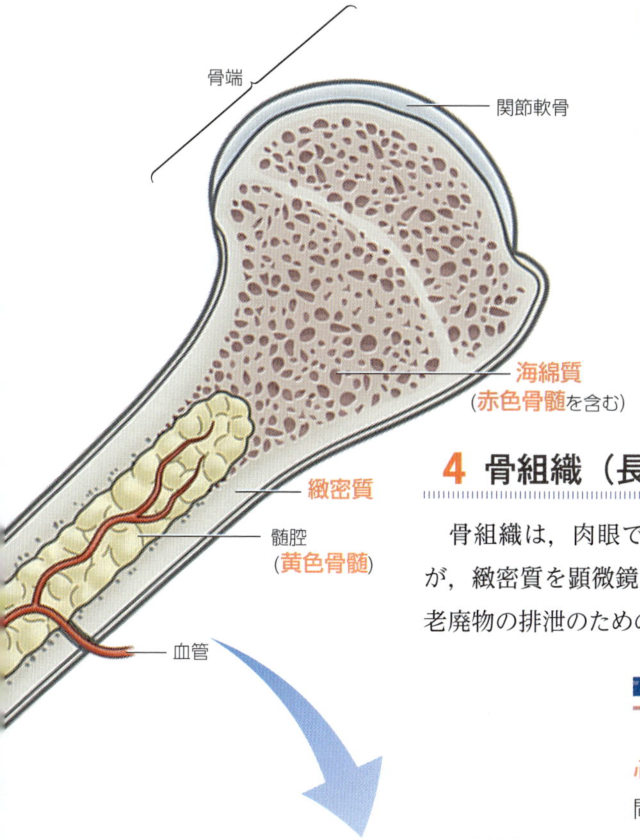

骨髄

骨幹の中心部や海綿質中の髄腔にある軟らかい組織である．赤色骨髄と黄色骨髄に区別される．

- ① 赤色骨髄

  造血作用が盛んで，血液が豊富なので赤く見える．成人では，椎骨，胸骨，肋骨，腸骨などの中にある．

- ② 黄色骨髄

  脂肪に富むので黄色に見え，造血機能がない．子どもでは赤色骨髄が多く，加齢とともに黄色骨髄が多くなる．大腿骨骨幹部などの長骨の中にある．

4 骨組織（長骨の構造）

骨組織は，肉眼で見ると，緻密質は均一で，海綿質は隙間が多いが，緻密質を顕微鏡で見ると，神経や血管の通路や，骨細胞の栄養，老廃物の排泄のための通路など，無数の孔が開いていることがわかる．

骨小腔

骨細胞は骨小腔という隙間に存在し，骨小腔は中心管（ハバース管）を囲む年輪状のハバース層板の間に配置されている．

骨単位

中心管と年輪状の基質から構成される個々の複合体を骨単位（オステオンまたはハバース系）と呼ぶ．

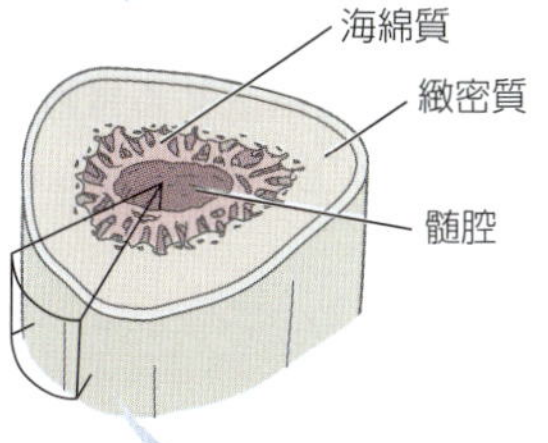

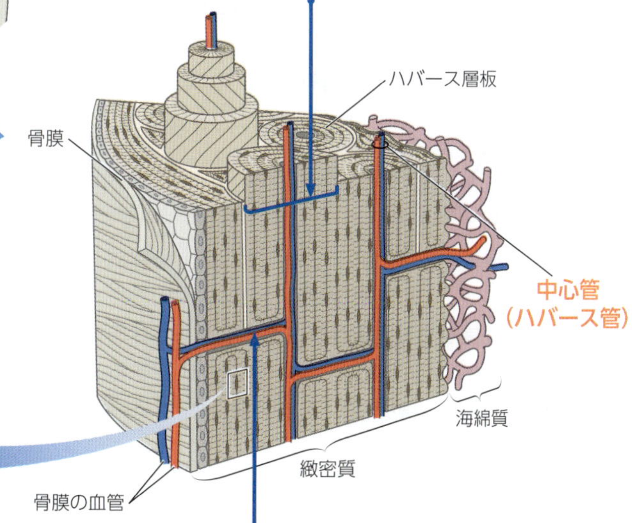

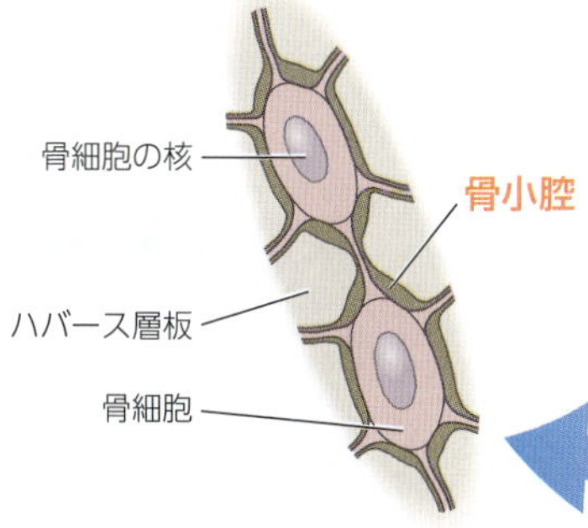

図2-4 骨組織

フォルクマン管

骨の外部と内部を結ぶ通路としてフォルクマン管があり，骨幹の緻密質の長軸に垂直の方向に進入し，ハバース管と骨膜をつないでいる．

5 骨の種類

骨は形状によって，**長骨**，**短骨**，**扁平骨**，**含気骨**に分類できる．

■ 長骨

長骨は長く伸びた管状の骨で，上腕骨，橈骨，尺骨，大腿骨，脛骨などがある．

上腕骨

■ 短骨

短骨は不規則な形をした短い骨で，手根骨や足根骨などがある．

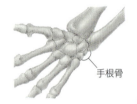
手根骨

図2-5 骨の種類とその代表例

■ 扁平骨

扁平骨は板状の扁平な骨で，頭頂骨，側頭骨，肩甲骨，胸骨，肋骨などがある．

頭蓋骨

■ 含気骨

含気骨は，骨の内部に鍾乳洞のような通路があり，空気が自由に流れるようになっている．鼻腔を形成する篩骨，上顎を形成する上顎骨などがある．

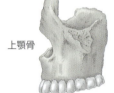
上顎骨

■ その他

頸椎，胸椎，腰椎など脊椎を構成する椎骨は，上記の分類に入らない．

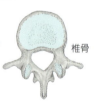
椎骨

6 骨の成長

骨の長さの成長と太さの成長は，それぞれ別の機序で行われる．長さの成長は骨端軟骨で行われ，太さの成長は骨膜で行われる．

■ 長さの成長

成長期には骨端部と骨幹部の間（骨幹端部）に**骨端軟骨**が存在し，ここで骨の長さの成長を営む．成長期を過ぎて，下垂体前葉からの成長ホルモンの分泌が低下すると，骨端軟骨が骨化してその成長が止まる．

■ 太さの成長

骨膜は関節の部分を除いた骨を包んでいる線維性結合組織で，骨の太さの成長に関与し，骨折したとき新しい骨の新生に大きな役割を担っている．

plus α

骨端軟骨

X線画像で，成長期の骨では骨端軟骨が線状の透過像として認められ，臨床ではこの透過像を骨端線と呼ぶことがある（写真の矢印）．子どもが骨折を起こした場合，約2割でこの部分の損傷がみられる．不適切な治療や受傷時の損傷が激しい場合は，成長障害が発生することがある．骨端軟骨は，加齢とともに石灰化し，次第に薄くなり消失する．

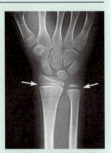
子どもの右手関節X線画像

7 骨の形成と改変

骨は，一度完成してしまえば変化がないように見えるが，常に新陳代謝を繰り返している．例えば，骨折したものが自然に癒合しようとする，そして，その際に形を変えて癒合しても，また元の形に戻ろうとする働きもある．これらを合わせて，骨の形成と改変という．

▊ 骨形成・骨吸収

骨の新陳代謝は，新規に骨細胞が作られる骨形成と，骨細胞が破骨細胞によって吸収排泄される骨吸収によって行われている．

▊ 骨改変

骨組織は形成された後も常に骨改変（リモデリング）によって新陳代謝が行われている．骨形成は新生骨を作ることで骨芽細胞によって行われ，骨吸収は古い骨を破壊していくことで破骨細胞によって行われるというしくみである（➡p.74参照）．

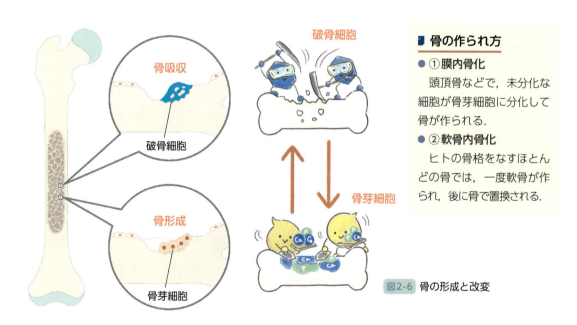

▊ 骨の作られ方
- ①膜内骨化
  頭頂骨などで，未分化な細胞が骨芽細胞に分化して骨が作られる．
- ②軟骨内骨化
  ヒトの骨格をなすほとんどの骨では，一度軟骨が作られ，後に骨で置換される．

図2-6 骨の形成と改変

8 骨の老化

骨は，骨基質（コラーゲンなど）の表面にカルシウムの結晶であるヒドロキシアパタイトが沈着してできているが，その量は年齢とともに減少する．

そして，骨の中身がスカスカになり，そこに荷重がかかって骨折したり，簡単な外力で骨折を生じてしまう状態を骨粗鬆症という．閉経後の女性に多発する．骨全体が弱まって骨折を生じるために，一度折ってしまった骨が元に戻りにくいのが特徴である．骨粗鬆症の治療には，破骨細胞の働きを抑制する薬剤，骨芽細胞を刺激する薬剤が存在し，骨折予防に役立てられている．

plus α
骨粗鬆症
骨粗鬆症には，老化や閉経あるいは無理なダイエットによって生じる原発性骨粗鬆症と，何かほかに原因（病気）があって二次的に生じる続発性骨粗鬆症がある．骨粗鬆症による骨折の好発部位は，脊椎，上腕骨近位部，橈骨遠位端，大腿骨頸部が挙げられる．

2 頭蓋，体幹の骨格

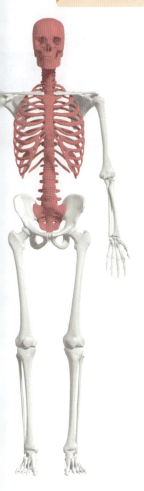

脳は精神活動の場であるとともに，身体全体をコントロールしている司令室であり，脊髄とともに中枢神経を構成している．

頭蓋，**脊柱**はこれらの中枢神経を保護し，脳と脊髄を支える重要な働きをしている．

胸郭は，胸部の皮膚と骨と筋肉でできた堅固な「かご」のような構造で，その中の心臓，肺という大切な循環・呼吸器官を保護している．

1 頭 蓋

頭蓋は脳頭蓋と顔面頭蓋の二つの骨組みで構成されていて，下顎骨以外は**縫合***という辺縁でのかみ合わせによって連結している．

> **用語解説***
> **縫 合**
> 縫合とは冠状縫合，ラムダ縫合など，頭蓋骨にみられる骨の連結で，線維性緻密結合組織の薄い層によって連結される．小児の縫合は可動性を示すこともあり，成人の縫合は不動関節である．いくつかの縫合は小児期のみ縫合として存在し，成人では骨化し骨性に癒合する．

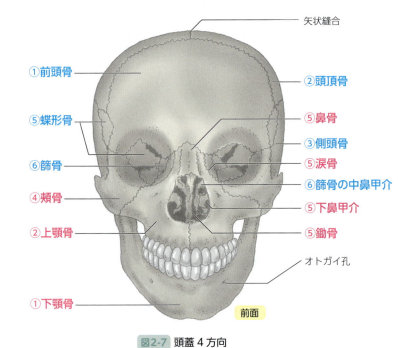

図2-7 頭蓋4方向

▶ 脳頭蓋

脳を入れる箱状の脳頭蓋は，8個の骨で構成される．
①**前頭骨**：額や眼窩の一部を構成する．
②**頭頂骨**（左右，2個）：脳頭蓋の上外側壁を構成し，正中で矢状縫合，前頭骨との間で冠状縫合をつくる．
③**側頭骨**（左右，2個）：頭頂骨の下方にあり，外耳道，乳様突起，頰骨突起，茎状突起などを含む．頭頂骨と鱗状縫合をつくる．
④**後頭骨**：脳頭蓋の後方にあり，頭頂骨とラムダ縫合をつくる．
⑤**蝶形骨**：頭蓋底の一部をなす正中部にはトルコ鞍があり，下垂体を支えている．
⑥**篩骨**：鼻腔を形成するのに重要な枠組みとなる．

顔面頭蓋

14個の骨が顔面を構成する.

① **下顎骨**：顔の両側で側頭骨との間に顎関節をつくる．これは，頭蓋における唯一の可動関節である（食べたり，しゃべったり）．

② **上顎骨**（左右，2個）：下顎骨との間で口腔を構成する．鼻腔に通じる副鼻腔をもつ．副鼻腔は，骨を軽くし声の音響を増幅する．

③ **口蓋骨**（左右，2個）：上顎骨に続き，口蓋を構成する．

④ **頬骨**（左右，2個）：ほおぼねともいわれ，眼窩の側壁を構成する．

⑤ **その他**：涙骨（左右，2個），鼻骨（左右，2個），下鼻甲介（左右，2個），鋤骨がある．

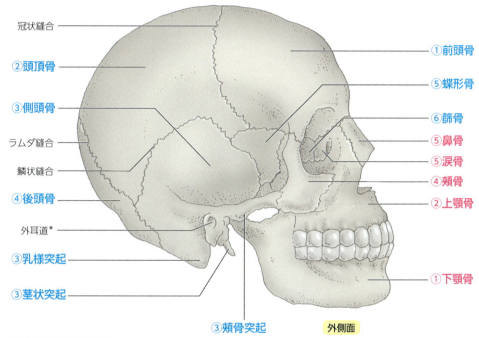

*内部への入口はそれぞれ外耳孔・内耳孔と呼ばれるが，骨の穴の中の部分も含めて外耳道・内耳道という．

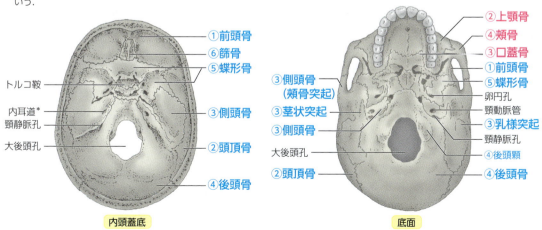

▌舌骨

舌骨は頭蓋から離れて存在し，側頭骨と靱帯性の連結をもっている．全身の骨格の中でほかの骨と関節をつくらない唯一の骨である．嚥下や発声のときに喉頭を動かしたり，舌運動の支点ともなる．

▌新生児の頭蓋

成人と異なり，まだ骨化していない箇所がある．骨間をふさぐ線維性の膜部を泉門という．

- ①大泉門
  前頭骨の後ろにある最大のものを**大泉門**という．
- ②小泉門
  後頭骨の前の小さいほうを**小泉門**という．
- ③その他
  側面にも前側頭泉門，後側頭泉門がある．

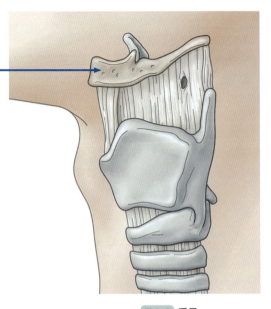

図2-8 舌骨

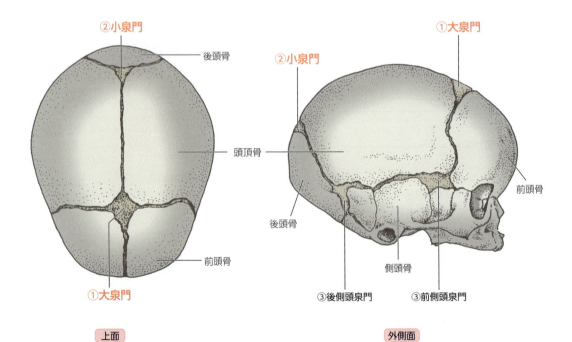

図2-9 新生児の頭蓋

▌泉門の働き

泉門の隙間があるために，胎児は出生時に産道に合わせて形を少し縮めることができる．大泉門は生後1年半～2年のうちに，ほかの泉門は生後数カ月から骨化される．

2 脊柱

身体の中心軸をなす脊柱は，上端で頭を支え，下部は骨盤に組み込まれて，体重を下肢に伝えている．

脊柱は，棒のような一本のまっすぐな柱ではなく，椎骨と椎間板が交互に積み重ねられた，しなやかさをもった構造であるため，前後左右への屈曲や回旋運動ができる．脊柱の中には脊髄神経があって，それを保護する役割も担っている．

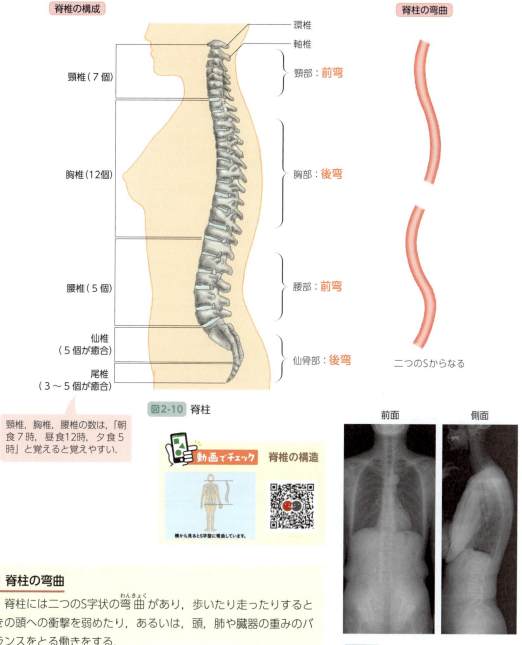

図2-10 脊柱

頸椎，胸椎，腰椎の数は，「朝食7時，昼食12時，夕食5時」と覚えると覚えやすい．

動画でチェック　脊椎の構造

脊柱の弯曲

脊柱には二つのS字状の弯曲があり，歩いたり走ったりするときの頭への衝撃を弱めたり，あるいは，頭，肺や臓器の重みのバランスをとる働きをする．

図2-11 脊柱の弯曲（X線像）

■ 椎骨の基本構造

椎骨は，大きく椎体と椎弓からなる．

● ①椎体
椎体は円柱状の部分で，椎骨の前方に位置する．椎体と椎体の間には，液体成分を多く含む線維性軟骨でできている椎間板が存在し，椎骨同士のクッションの役割をしている．

● ②椎弓
椎弓は椎体の後ろにある弓状の部位である．椎弓からは，上方に一対の上関節突起，下方に一対の下関節突起が張り出し，上下の椎骨と椎間関節によって連結している．

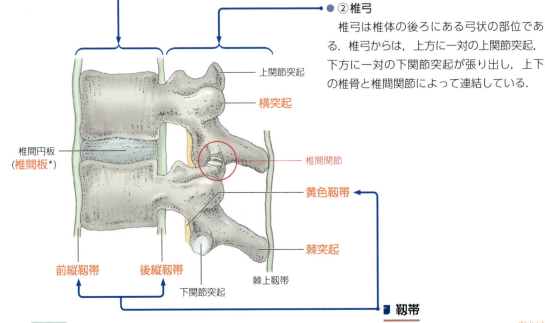

図2-12 腰椎左側面

■ 靱帯

椎体と椎間板の前面には前縦靱帯が，後面には後縦靱帯が上下に走り，上下の椎弓間には黄色靱帯が存在する．

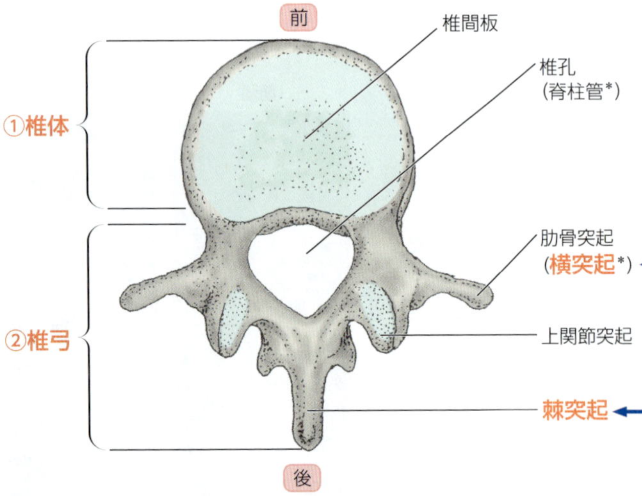

■ 横突起・棘突起

外側に向かっては，一対の横突起が，椎弓の後方には棘突起が張り出していて，背筋の起着点となる．

＊臨床の場面では椎間板，脊柱管，横突起という名称が使用されている．

図2-13 腰椎水平面（上から）

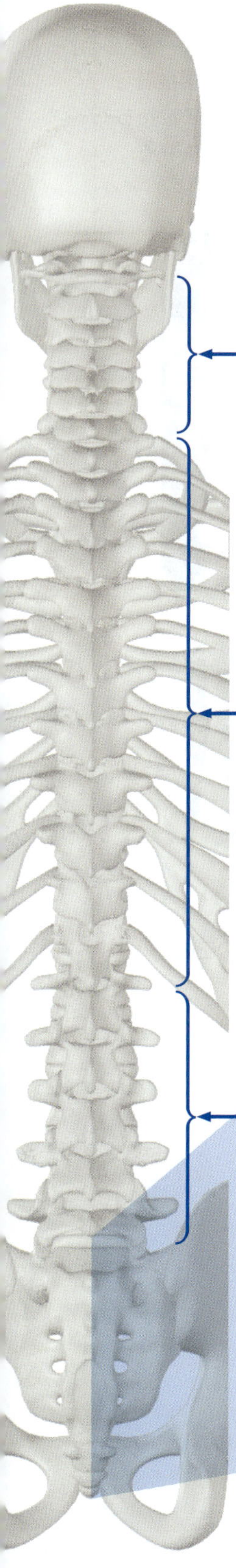

■ 各椎骨の特徴

● ①頸椎

7個の椎骨から構成される．上方より第1頸椎，第2頸椎，第3頸椎……と呼ぶ．前方に凸型（前弯）にしなっており，脊柱で最も自由に動く部分である．

第1頸椎は環状に（環椎），第2頸椎は軸をもって（軸椎）特殊化して，頸部の回旋運動を円滑に行うことができるようになっている．第7頸椎は棘突起が大きく，隆椎(りゅうつい)といわれている．

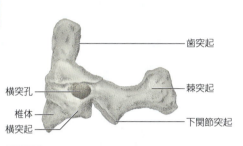

図2-14　第2頸椎側面

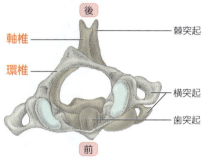

図2-15　環椎・軸椎水平面（上から）

● ②胸椎

12個の椎骨から構成される．12対の肋骨と連結して胸郭を形成しているために後方に凸型（後弯）となり，動きは少ない．

● ③腰椎

5個の椎骨から構成される．ヒトが直立歩行したのに伴って，前弯となった．重心を支える椎体は，下位のものほど大きい．

plus α　腰痛症

腰痛といっても，その原因はさまざまなものがある．多くは腰椎，椎間板，筋肉，筋膜から生じるものだが，中には泌尿器疾患，産婦人科疾患，消化器疾患などによっても生じるので注意が必要である．また，腰痛に下肢痛が伴うこともあり，この場合の腰痛を根性腰痛症といい，腰背部に限局した腰痛症と分けて考える．

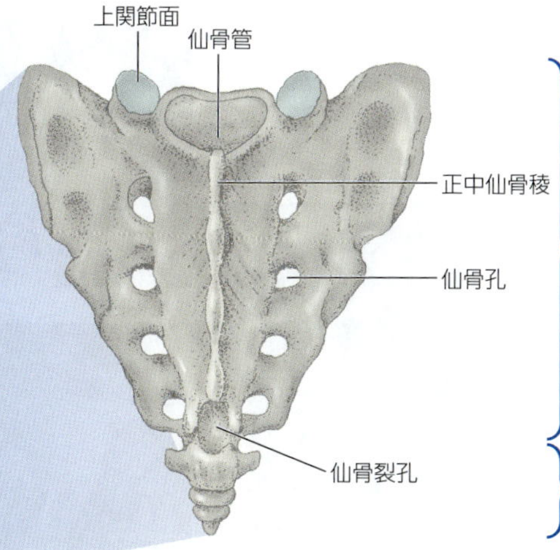

図2-16　仙骨・尾骨（後面）

● ④仙骨

5個の仙椎が癒合したもので脊柱中最大の骨であり，骨盤の後壁を構成する．

● ⑤尾骨

脊柱下端部にあり，通常3～5個の小さな尾椎からできている．成人では各尾椎間のみでなく，仙骨とも癒合する．

脊椎にみられる障害

①側弯症・後弯症

脊柱の異常弯曲には，若年者の側弯症，高齢者の腰曲がり（後弯症）などがある．

②前弯症

腹筋が弱く，肥満傾向になると，腰椎前弯が出現する．外観からは，殿部が後ろに持ち上がったように見え，腰痛の原因ともなる．

側弯症
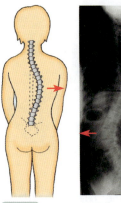

後弯症

前弯症
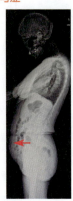

図2-17 脊柱の異常弯曲

③椎間板ヘルニア

椎間板は水分を多く含んでいるが，加齢とともに，その量が減って硬くなっていく．そのため，椎間板が脱出して椎間板ヘルニアを起こすことがある．突出した椎間板が脊髄や脊髄神経根を圧迫すると，痛みや運動・感覚麻痺の原因となる．

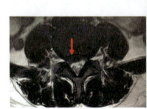

図2-18 第4，第5腰椎椎間でのヘルニア（前方からの圧迫）

④腰部脊柱管狭窄症

中高年で発症し，加齢性の変化によって，黄色靱帯，椎間板，椎間関節が突出して，脊柱管が狭くなり，坐骨神経痛が出現する．

正常部分

狭窄部分

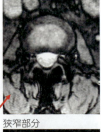
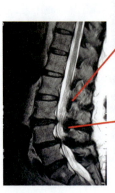

前後から狭窄している．

図2-19 腰部脊柱管狭窄症

> **plus α**
> **硬膜管と脊柱管**
> 脊柱管は椎弓と椎体後壁で囲まれた骨性要素の部分を示すが，神経の部分を表す場合，臨床上，硬膜管と表現する．硬膜管の内容は，その高位によって脊髄（頸椎，胸椎高位），または馬尾（腰椎高位）となる．

3 胸郭

胸郭の構造

胸郭は，**胸椎**（12個），**肋骨**（12対），および**胸骨**（1個）によって構成される．胸郭の上方は第1肋骨，胸骨柄および第1胸椎によって境され，胸郭上口をつくる．12対の肋骨が胸郭を囲み，第1～7肋骨は肋軟骨を介して胸骨と関節をつくる．

肋骨の働き

肋骨下縁には，肋間神経および肋間動静脈が走る．肋骨によって，軟らかい肺が保護され，呼吸によって肋軟骨が動き可動性をもつ．

動画でチェック　胸郭と臓器

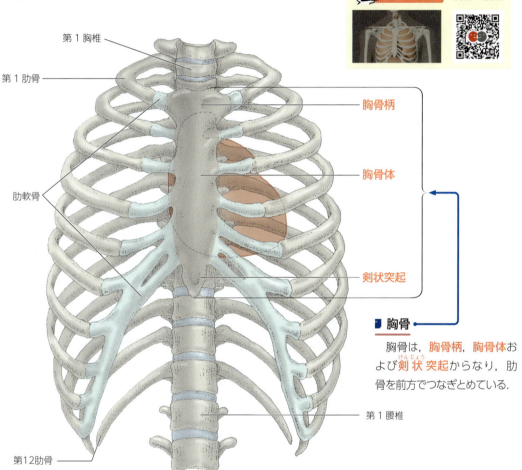

胸骨

胸骨は，**胸骨柄**，**胸骨体**および**剣状突起**からなり，肋骨を前方でつなぎとめている．

図2-20 胸郭の構造

肋骨骨折

肋骨は，衝突などの直接的な外力によるものばかりでなく，野球やゴルフのスイングなどでも疲労骨折を起こすことがある．骨折すると，呼吸のたびに動くので痛みが強いのが特徴である．しかし，骨癒合の良い部位なので，外固定用のバンドによって骨折部は癒合していく．

3 体肢の骨格

上肢は，一対の上腕・前腕・手，下肢は一対の大腿・下腿・足からなる．各々の骨とそれを動かす筋肉群の働きにより，上肢は細かい作業を，下肢は身体を支えて移動することを可能にしてくれる．

1 上肢帯の骨格

上肢を支える骨格で，**鎖骨・肩甲骨**からなり，**肩関節・肩鎖関節・胸鎖関節**を形成する．

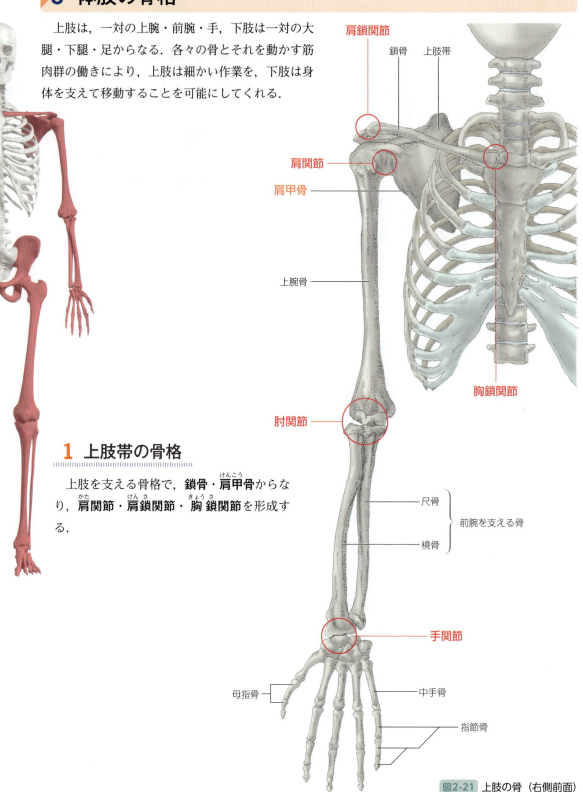

図2-21 上肢の骨（右側前面）

■ 鎖骨

S字状に緩いカーブをもつ．胸郭を左右方向に保つ支柱となり，内側で胸鎖関節，外側で肩鎖関節をもつ．そのため，肩を打った外傷ではしばしば鎖骨骨折が発生する．

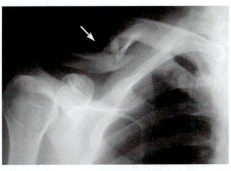

転倒やスポーツでの接触で肩を強く打ったときに，鎖骨に長軸方向の力が加わって骨折することが多い．

図2-22 鎖骨骨折

■ 肩甲骨

逆三角形の扁平骨で，肩関節を形成する．上肢運動と姿勢の基盤をつくっている．烏口突起は，体表の前方から触ることができ，肩関節の内側部分を知るための指標とすることができる．

■ 肩関節

代表的な多軸性の球関節で，物を投げたりする動作など関節の動きは自由であるが，関節のはまりが浅く，脱臼（前下方が多い）の頻度も最大である．

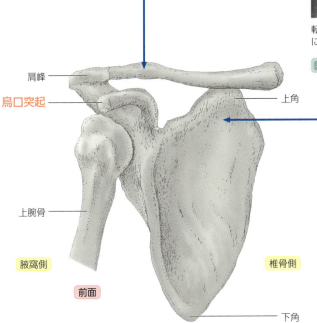

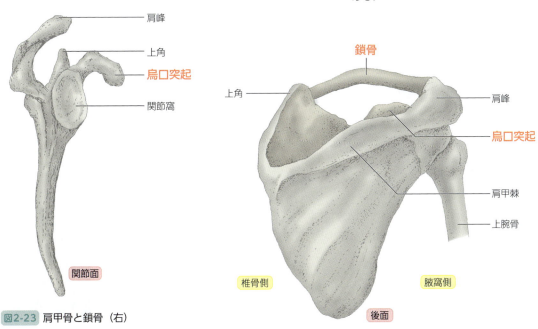

図2-23 肩甲骨と鎖骨（右）

2 上肢の骨

上腕，前腕，手部と末梢にいくほど骨と関節の数が増えて，運動は複雑となる．

■ 上腕骨

上肢を支える長骨で，肩関節に接する部分は，解剖頸と外科頸に分かれる．骨粗鬆症の患者が転倒して，しばしば生じるのは外科頸での骨折である．

■ 外側上顆・内側上顆

肘関節に近い**外側上顆**はテニス肘の原因に，**内側上顆**は野球肘の原因となる部位でもある．

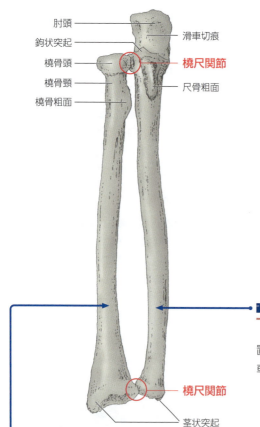

図2-25 上腕骨前面（右腕）

■ 尺骨

前腕を支える2本の長骨のうち第5指（小指）側に位置する．上端で，大きい前向きの切痕があり，上腕骨の滑車と連結して肘関節の屈曲，伸展を行う．

図2-24 前腕骨前面（右腕）

■ 橈骨

前腕を支える，第1指（母指）側に位置する長骨．骨粗鬆症の患者では，転倒で手をついたときなど，しばしば橈骨遠位端で骨折を生じることがある．

> 橈骨と尺骨は，遠位部と近位部で橈尺関節をつくり，前腕の回内・回外運動の支点となる．

plus α
橈骨遠位端骨折
骨粗鬆症の患者が転倒して骨折することが多い．

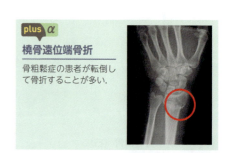

> plus α
> **上腕骨近位端骨折**
> 高齢者や骨粗鬆症の患者が転倒して骨折することが多い.

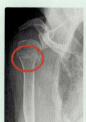
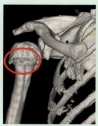
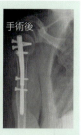 手術後

 肘関節の動き

■ 肘関節

● ①肘関節の構造

肘関節は，**上腕骨**，**橈骨**，**尺骨**から構成され，**腕尺関節**，**腕橈関節**，**上橈尺関節**の3関節からなる．

● ②肘関節の運動

基本的な運動は屈曲と伸展で，上腕の筋（上腕二頭筋や上腕三頭筋など）がその運動に関わる．

→ 肘の屈曲・伸展については，p.132参照.

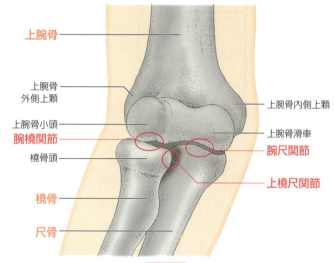

右肘前面

右肘内側面

> ■ **内側上顆**
>
> 内側上顆の後方に尺骨神経が走っており（尺骨神経溝），肘をテーブルについたときなどに，時としてしびれを感じる部位である．

図2-26 肘関節（右肘前面・側面）

> plus α
> **肘頭骨折**
> 骨折後手術が必要となることが多い.

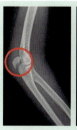
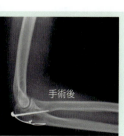 手術後

■ 中手骨，指節骨

手指は，近位に中手骨があり，遠位に指節骨がある．指節骨は，第1指は基節骨と末節骨，ほかの指は基節骨・中節骨・末節骨をもつ．

■ 手根骨

八つの短骨が2列に並ぶ．
- ①近位列
 第1指側から舟状骨・月状骨・三角骨・豆状骨が並ぶ．
- ②遠位列
 大菱形骨・小菱形骨・有頭骨・有鉤骨が並ぶ．

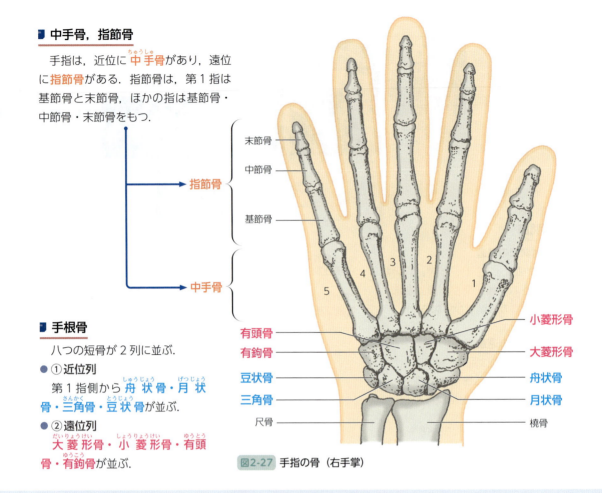

図2-27 手指の骨（右手掌）

3 骨盤

骨盤（pelvis）は，左右の寛骨と仙骨から構成される輪状の結合体である．腸や膀胱などの臓器を保護し，脊椎を支える．

骨盤は，上半身の重心を下肢に伝達する要である．骨盤内で，特に膀胱，直腸，子宮などを保護している下方の筒状になった部分を骨盤腔という．男性と女性では形が異なり，女性は浅く横に広い．これは，出産に際して産道となることに関係する．

表2-1 骨盤の違い

女　性		男　性	
低く広い	骨盤全体の形	高く狭い	
楕円形	骨盤上口	ハート形	
円筒状	骨盤腔の形	漏斗状	
鈍（90～100°）	恥骨下角	鋭（約70°）	

寛骨

寛骨は，①腸骨・②恥骨・③坐骨が癒合した骨である．小児の骨盤では，軟骨によってそれぞれが分離しているが，やがて結合する．

下肢帯
左右の寛骨からなり，仙骨，尾骨とともに骨盤を形成する．

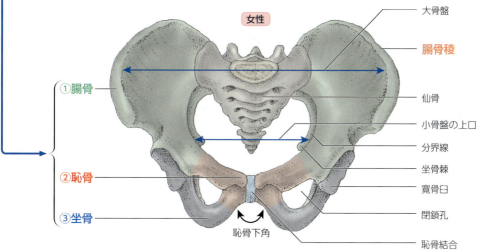

● ①腸骨

腸骨は，扇状に開いた骨で寛骨の大部分をつくり，後方は仙腸関節で仙骨と結合する．腰に手を当てると，その手は，体表からも容易に触ることのできる**腸骨稜**に置かれる．

● ②恥骨

恥骨は，寛骨の最前部をなす．恥骨枝と坐骨枝が前後から合わさって，閉鎖孔を構成する．この孔を通って，血管や神経が大腿の前面に抜ける．

● ③坐骨

坐骨は寛骨の底辺の部分で，座るときに当たる部分である．

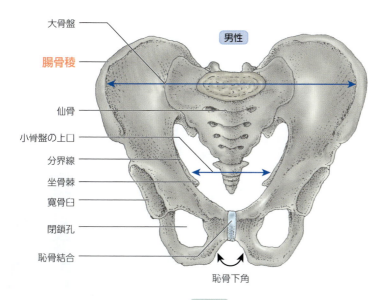

図2-28 骨盤

4 下肢の骨

大腿骨

大腿骨は，人体で最大の長骨である．近位の大腿骨頭は球状を呈し，骨盤と股関節を形成する．

大腿骨頸は骨幹に対して約125°の角度で内方に曲がっており，高齢者の転倒でしばしば骨折を生じる部位である．

その基部には，外側に**大転子**，内側に**小転子**が隆起する．

遠位には，**膝蓋骨**と膝蓋大腿関節を形成し，脛骨と膝関節を形成する．

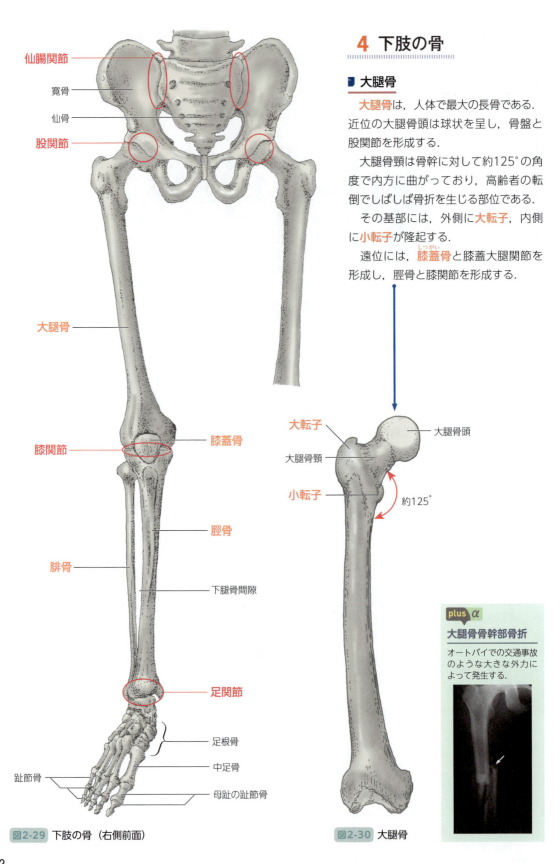

図2-29 下肢の骨（右側前面）

図2-30 大腿骨

plus α

大腿骨骨幹部骨折

オートバイでの交通事故のような大きな外力によって発生する．

腓骨

腓骨は，脛骨の外側に存在する細い骨で，遠位では足関節の外果（そとくるぶし）を形成する．腓骨頭の下方には，腓骨神経が存在し，ギプスなどの圧迫で腓骨神経麻痺が発生すると下垂足となる．

脛骨と腓骨を合わせて下腿骨という．

脛骨

脛骨は，下腿の荷重を支えている骨で，近位は膝関節で荷重を支える．遠位は足関節の内果（うちくるぶし）を形成する．前面は，皮下にすぐ骨を触れることができる．下1/3の部分は，骨折した場合，骨癒合が悪い．

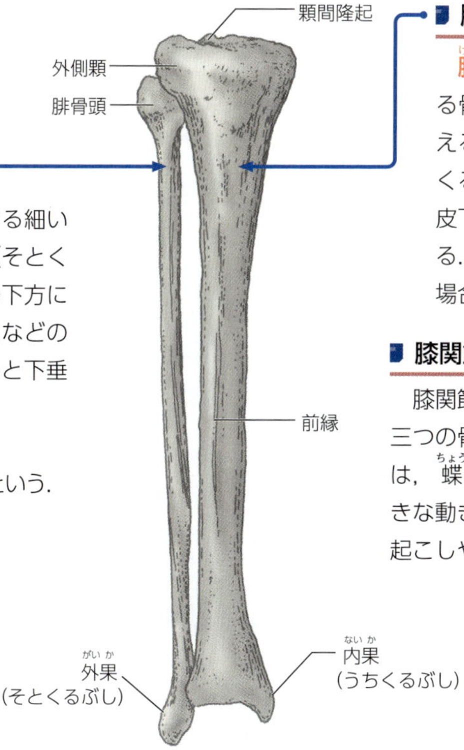

膝関節

膝関節は，大腿骨，脛骨，膝蓋骨の三つの骨から構成されている．膝関節は，蝶番関節（➡p.118参照）で大きな動きが得られる反面，捻挫などを起こしやすい関節でもある．

> **plus α**
> **膝関節の看護**
> けがによって膝の痛みが生じると，健康にスポーツをしていた身体が，急に歩けなくなったり，歩くことに痛みを伴うようになったりするため，患者本人はしばしばそのギャップに戸惑うものである．痛みの原因と医師の示す治療について十分に理解した上で，患者に治療の必要性を理解してもらい，手術やリハビリテーションがスムーズに行えるよう看護に当たることが大切である．

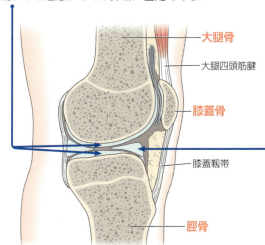

図2-31 下腿骨（右側前面）

関節軟骨

関節の表面には血管神経組織を含まない硝子軟骨＊が存在し，関節軟骨は，一度損傷すると治癒するのが非常に困難である．

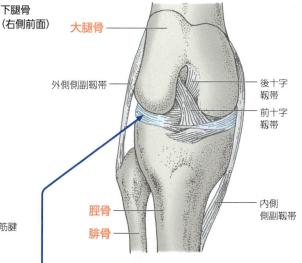

図2-32 膝関節（右側前面）

半月板

関節の間には，三日月状の輪が二つ向かい合って並ぶ半月板が介在し，上下の関節面を適合させている．

> **用語解説＊**
> **軟骨**
> 軟骨には，関節面に主に存在し，滑らかである硝子軟骨と，耳朶などの弾性のある形を形成する弾性軟骨，脊柱の間などにあって，クッションの役割をする線維軟骨の三つがある（➡p.73参照）．

図2-33 膝関節（右側矢状断）

足根骨，中足骨，趾（指）節骨

足根骨は不規則な形の7個の短骨からなり，体重を支えている．

距骨，踵骨，舟状骨，内側・中間・外側の楔状骨，立方骨で構成される．

さらに遠位には，第1～5中足骨，趾節骨が存在する．

足部の特徴と働き

ほかの動物と異なるヒトの足部の特徴は，足にアーチが存在することである．縦と横のアーチがあり，2本足歩行の際にばねの働きに加えて，重心の移動を円滑にする働きがある．

足関節

足関節は脛骨，腓骨，距骨の三つの骨から構成されている．

足関節は蝶番関節で背屈，底屈方向で大きな動きが得られる．しかし，内反，外反運動に弱く，スポーツなどで転倒した際に，しばしば捻挫や骨折を引き起こす．

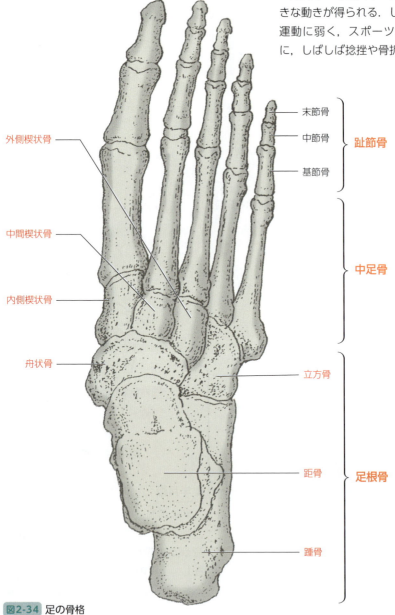

図2-34 足の骨格

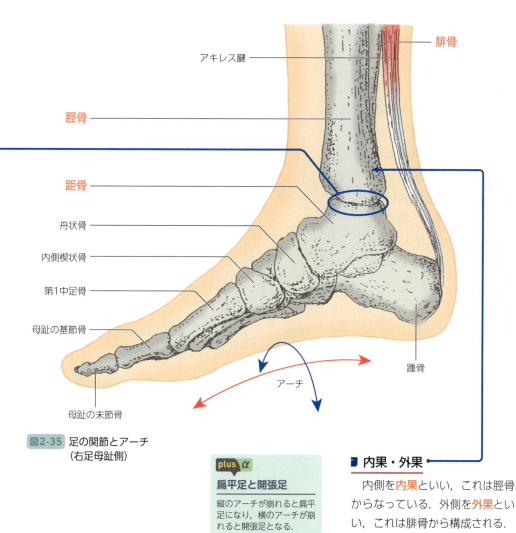

図2-35 足の関節とアーチ
（右足母趾側）

plus α
扁平足と開張足
縦のアーチが崩れると扁平足になり、横のアーチが崩れると開張足となる．

■ 内果・外果

内側を**内果**といい、これは脛骨からなっている．外側を**外果**といい、これは腓骨から構成される．

■ 足部に起こる障害

●①外反母趾

外反母趾の最も大きな要因として、靴の問題が挙げられる．10対1で女性に多く発生するが、これはハイヒールなどのつま先の幅が狭く、踵の高い靴を履くことにより、第1趾に荷重が集中するためと考えられている．女性の就業率が高まり、長時間靴を履く生活が定着しつつあるため、今後ますます増加する可能性がある．

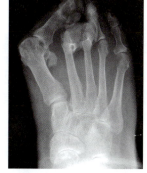

図2-36 外反母趾

4 関節の構造と種類

1 関節の構造

骨同士が連結する部分を関節と呼ぶ．全身の各関節が滑らかに動くことによって，人体は，はじめてしなやかな運動が可能となる．

可動性の関節では，骨端同士の間に関節腔が存在する．関節面は関節軟骨で滑らかに覆われていて，関節包によって包まれている．

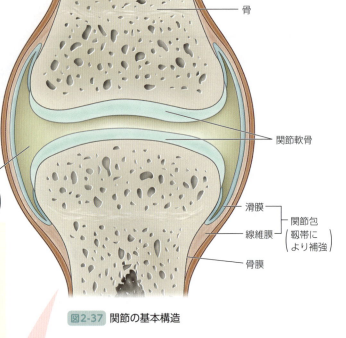

図2-37 関節の基本構造

関節の働き

関節腔の内部は，**滑液**という粘液で満たされていて，表面が滑らかになるようになっている．骨が身体を支持するのを補助するだけでなく，運動するには，関節が重要な働きをもっている．

関節リウマチ

関節リウマチは，免疫の異常が関係する病気（自己免疫疾患）で，関節内の滑膜に炎症が起こり，滑膜で関節液が過剰に産生され，軟骨破壊が進行していく．

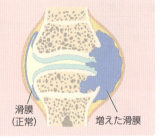

plus α 突き指はなぜ起こる？

突き指とは，医学的には関節捻挫のことである．外からの力によって，関節に無理な運動が強制された場合に起こる．これによって，靱帯などの補強装置が傷つき，腫れや痛みが生じる．

関節軟骨の再生

関節軟骨は，一度損傷すると非常に治癒しにくく，完治することは困難である．外傷によって軟骨が欠損したり，加齢に伴って軟骨が失われて関節炎や疼痛が起こると，軟骨自体は再生しにくいといえる．

関節の栄養は滑液の浸潤作用によりなされていて，正常な状態ではアイススケートの靴のエッジと氷の摩擦の1/10程度であり，非常に優れた潤滑が行われている．

近年，遺伝子解析を通じて，軟骨移植再生についての研究が進んでいる．

plus α 軟骨の再生医療

再生医療とは，病気やけがで損傷した組織の修復に必要な細胞を適切な環境下で処理し，組織を再生させて治療にあてるというものである．軟骨再生の治療は，スポーツで損傷した膝の関節軟骨の再生や，変形性関節症などが対象となる．関節軟骨は体内では再生しにくい組織であるため，一度傷害を起こすと完治することが難しい．傷害がひどい場合は人工関節に取り替える治療を行うが，これに代わる医療技術の早期完成が切望されている．

関節の種類

関節には，普通に動く可動関節と，ほとんど動きのない不動関節がある．

不動関節

不動関節は，①線維性連結，②軟骨性連結，③骨性連結に分類される．

● **①線維性連結**
靱帯だけで連結されている頭蓋骨の冠状縫合や，脛骨末梢にある脛腓靱帯などである．

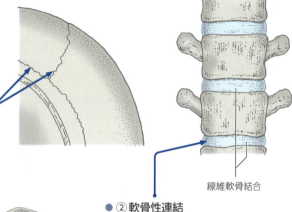

線維軟骨結合

● **②軟骨性連結**
生涯続く軟骨性結合で，恥骨結合，椎間板などである．プロテオグリカンを多く含む硝子軟骨で構成されている硝子軟骨結合と，コラーゲン線維を多く含む線維軟骨で構成されている線維軟骨結合があり，硝子軟骨結合のほうが大きな動きに対応する．

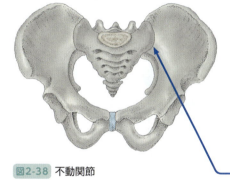

図2-38 不動関節

● **③骨性連結**
軟骨結合が骨化する寛骨，仙骨，尾骨などである．

可動関節

すべての可動関節は次の四つの特徴をもつ．

● **①関節軟骨**
関節をつくる骨端面が硝子軟骨で覆われている．
● **②関節包**
関節部は線維性結合組織で包まれ，その内側には滑膜が存在する．
● **③関節腔**
関節包は腔をつくっている．関節包の内壁の滑膜は，粘稠な（どろっとした）滑液（関節液）を分泌し，関節を潤滑にするとともに軟骨に栄養を与えている．
● **④靱帯**
関節包は普通，靱帯によって補強されている．

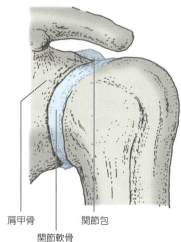

肩甲骨
関節包
関節軟骨

図2-39 可動関節（肩関節）

2 関節の種類

関節は，その形状によって球関節，蝶番関節，楕円関節，車軸関節などに区分される．

> **plus α**
> **関節運動の軸**
> 一軸性は一つの軸を中心とした回転運動だが（左図），二軸性になると複数の軸を中心とした2種類の回転運動を行う（右図）．

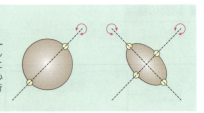

①車軸関節
円筒状の関節頭でできていて，一軸性に回転する（肘関節部の上橈尺関節など）．

②顆状関節
楕円状の面と凹みのある平面の組み合わせで，関節面は二軸性の動きをする（中手指節関節など）．

③球関節
肩関節，股関節などは多軸性で，三次元のあらゆる方向に動きやすい構造となっている反面，安定性が悪く，脱臼しやすい関節でもある．

股関節は球関節であるため各方向への可動域が大きい．

動画でチェック
肩関節の動き

④鞍関節
関節面が馬具の鞍の形に似ており二軸性に回転することができる（第1指の手根中手関節など）．

⑤平面関節
関節面が平面で，可動性は少ない（椎間関節など）．

⑥蝶番関節
指節間関節などで，関節は一方向に動き（一軸性），軸方向に力が入りやすい構造となっている．

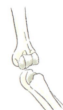

蝶番は「ちょうつがい」と読む．開き戸を支えて開閉できるようにする部品のことで，慣用的に「ちょうばん」とも読まれる．

⑦楕円関節
関節頭が楕円形となっていて二軸性に動く（橈骨手根関節など）．

⑧半関節
小さな凹凸でかみ合っていて，動きは制限されている（仙腸関節など）．

3 関節の運動

関節の運動は主に以下のように分類される.

屈曲，伸展
関節を曲げる，伸ばす.

外転，内転
正中線（身体の中心線）から離す，近づける.

内旋，外旋
骨の軸に関し，内向き，外向きにねじる.

回内，回外
手掌を上から下に翻す運動が回内で，その反対が回外である.

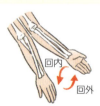

内がえし（内反），外がえし（外反）
足の裏を内側に向けて翻すのが内がえし（内反）で，逆が外がえし（外反）である.

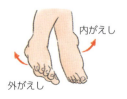

背屈，底屈
足の甲を脛のほうへ上げるのが背屈で，その逆が底屈である.

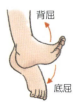

4 関節の変形

変形性関節症

骨折や加齢などの変化により，関節軟骨が変性してきた影響で，関節を形成する骨の変形が生じ，関節の動きが悪くなったり，また痛みを生じることがある．

関節より末梢の骨軸が，上腕の軸に比較して内側に変形したものを内反，外側に変形したものを外反という．

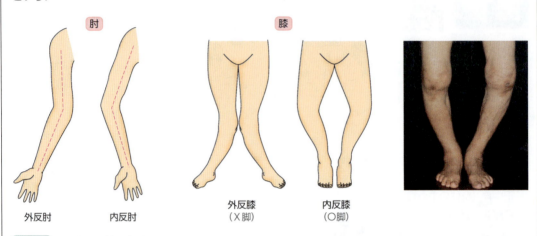

図2-40 内反変形と外反変形

関節リウマチ

関節を包んでいる滑膜に，リウマチによる炎症が慢性的に生じる（➡p.116参照）．そのため，関節包が緩んだり，関節軟骨や骨が障害を受けて関節変形や腫脹，痛みが発生する．

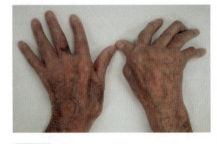

図2-41 関節リウマチ（手関節外反変形）

関節に水がたまる

膝関節などで，関節炎を起こすと滑膜炎が発生して関節液が増大する．関節炎の治療をせずに関節液だけを抜くと，また関節液がしばしばたまってしまい，俗に「くせになる」といわれている．実際はくせになっているわけではない．

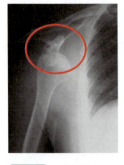

図2-42 肩関節脱臼

捻挫，脱臼

捻挫は，関節周囲の靱帯や関節包が外傷によって伸ばされた，あるいは断裂したけがのことである．脱臼は，骨が関節腔内の正常な位置から外されたときに起こる．亜脱臼は，関節面同士の接触があり，完全脱臼は，関節面の接触がない．

外れた骨を本来の位置に戻すことを，整復という．靱帯損傷を合併していることが多く，整復は医師などの専門職によって行われるべきで，それ以外の者が不用意に行うと危険である．

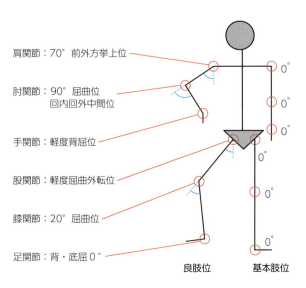

基本肢位と良肢位

気をつけの姿勢で直立したときの各関節の肢位を0°とした姿勢を基本肢位といい，関節が動かなくなった場合に，日常生活動作を行う上で最も支障の少ない肢位を良肢位（機能的肢位）という．ギプス固定の際の関節は，良肢位で固定するようにする．

肩関節：70°前外方挙上位
肘関節：90°屈曲位　回内回外中間位
手関節：軽度背屈位
股関節：軽度屈曲外転位
膝関節：20°屈曲位
足関節：背・底屈0°

5 骨格系の成長と老化

1 骨の成長と老化

骨の成長は，骨端部の軟骨（骨端軟骨）が増殖し，骨化することで長くなる．また，骨膜から骨芽細胞が出て骨細胞が作られ，骨に付加されることによって太くなる．骨量は10歳代後半から20歳代に急激に増加して最大値に達し，40歳代ごろまでほぼ保たれるが，その後徐々に低下し，その結果，年齢によって体型は変化していく．加齢によって徐々に骨密度と骨量の低下がみられ，人によっては骨がもろくなり，骨粗鬆症を発症する．

2 関節の老化

関節も骨と同様に，加齢により，関節軟骨の変性が起こる．関節軟骨の変性が進行し，徐々に軟骨がすり減って変形性関節症となれば，関節痛や関節の動きの制限が発生する．関節軟骨の変性は比較的若い20歳代のうちから始まり，60歳代において膝関節，股関節，肘関節および手指の関節の80％以上で認められる．

6 筋の種類

筋肉は，人体の運動，姿勢保持に大切な役割を果たす．筋肉に特有の機能は，収縮ないし短縮であり，これによって，骨格，関節を動かし身体全体のさまざまな運動を起こすことができる．

■ 横紋筋と平滑筋

筋肉は，伸び縮みをするひも状の筋細胞（筋線維）からなり，顕微鏡で観察したときの特徴から，縞模様がある**横紋筋**と縞模様がない**平滑筋**に区別される．横紋筋は，さらに**骨格筋**（いわゆる筋肉）と**心筋**に分類される．

また，筋の収縮には，人の意思で行われる随意運動と，意思によらない不随意運動がある．それぞれの主な特徴をまとめる．

表2-2 各筋の特徴

	横紋筋		平滑筋
	骨格筋	心筋	
体内の所在	骨格などにつく	心臓の壁	中空器官の壁（心臓以外）
細胞の形態	細長く単一円柱状	側鎖を出し細工（網目構造）をつくる	紡錘形
核	多核	単核	単核
収縮の調節	随意	不随意　ペースメーカーあり	不随意
神経支配	運動神経	自律神経	自律神経
疲労	起こりやすい	起こりにくい	起こりにくい
役割	運動を起こす，姿勢を保つ，関節を安定させる，熱を発する	全身に血液を送る	体内で物質を移動させる

1 骨格筋

■ 骨格筋の特徴

骨格筋（skeletal muscle）は，顕微鏡で横縞が見える横紋筋で，また意識的に動かすことのできる随意筋である．

骨格筋は，素早く収縮し強力であるが，疲れやすく，短期間働いた後は休まなければならない．

■ 骨格筋の役割

骨格筋の重要な役割は，運動を起こす，姿勢を保つ，関節を安定させる，熱を発することにある．

> **plus α**
>
> **赤筋と白筋**
>
> 運動に，マラソンのような持久力を使う有酸素運動と，瞬発力を使う無酸素運動があるように，骨格筋にも，持久運動をする赤筋，瞬発運動をする白筋がある．赤筋はミトコンドリアに富み，酸素を使って収縮する．それに対し，白筋はグリコーゲンを多く含み，これを分解してエネルギーを得るため，酸素供給を待たずに素早く収縮できる．スポーツの世界でも，持久型と瞬発型の運動では，筋が違った形の反応をするため，運動の目的をわきまえて鍛えることが大切である．例えば，ジョギングはボディビルに直接的には役に立たず，力持ちを育成しないわけである．

▍骨格筋の構成

骨格筋細胞（筋線維）は軟らかくてもろいので，無数の筋線維束が集まり，それを線維性結合組織が包んで骨格筋となる．筋の周囲は，筋膜によって囲まれ，これらの線維性結合組織が集まって強靭な索状の腱（tendon）を構成する．腱は細く頑強な結合組織でできていて，骨に付着しているため，繊細な筋組織では裂けてしまうほどの強い力でも耐えることができる．

▍骨格筋細胞（筋線維）の構造

骨格筋細胞は，巻きたばこのような形をしている．骨格筋細胞は核を多数もち，筋鞘という細胞膜が存在する．

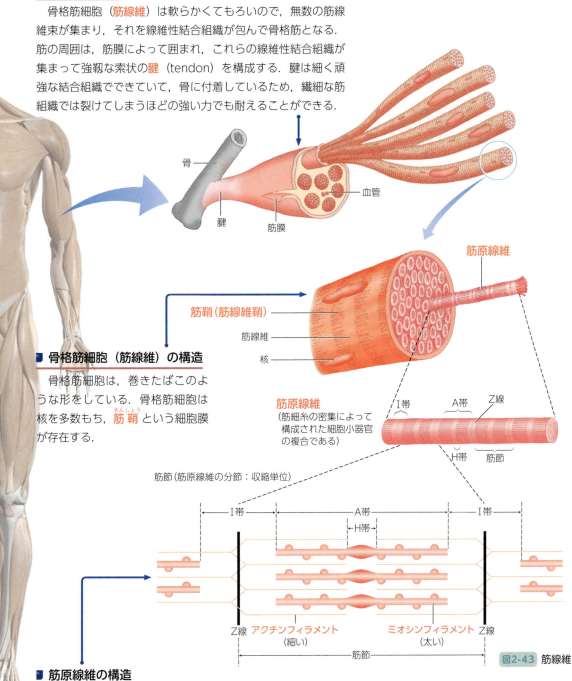

図2-43 筋線維

▍筋原線維の構造

筋原線維によって筋線維の中は充満している．筋原線維には明調（I）と暗調（A）の帯が交互に存在し，そのため筋細胞が全体として横縞模様となる．さらに細かく見ると，明るいI帯の中には暗いZ線，暗いA帯の中に明るいH帯が存在する．

筋原線維はこれらによって筋節を構成し，これらが筋収縮の基本単位となっている．筋節の中には，太いタンパク質のミオシンフィラメントと細いタンパク質のアクチンフィラメントがあり，それらが重なり合うことで筋肉が収縮することとなる．

■ 筋の補助装置

- ①**筋膜**
  筋または筋群の表面を包む結合組織性の膜．柔軟性があり破れにくい．
- ②**滑液包**
  摩擦が起きやすい場所にある膜性の袋で滑液が入っている．関節付近に多く，筋や腱を滑りやすくする．
- ③**腱鞘**
  手関節，足関節にある腱を包む鞘．

2 心筋

■ 心筋の特徴

心筋（cardiac muscle）は体内でただ一カ所，心臓だけに存在する．心臓の壁をつくる筋肉で，組織の上では骨格筋と同じ横紋筋であるが，自律神経の支配を受ける内臓に含まれ，不随意筋に属する．

筋細胞は互いに連絡を有するが，合胞体*はつくらず，核も各細胞の中心に位置する．

動画でチェック
骨格筋と筋原線維

■ 心筋の働き

心筋は，心臓に内蔵されたペースメーカー（洞結節）によって収縮し，運動したときなどはその働きによって，収縮回数を増加させる．

用語解説 *
合胞体
動物にみられる，複数の核を含んだ細胞．

3 平滑筋

■ 平滑筋の特徴

平滑筋（smooth muscle）は横紋をもたず，不随意に働き，意識的に動かすことはできない．胃・腸・膀胱・肺・気管支などの内臓や血管など中空器官の壁をつくる筋肉で，自律神経の支配を受ける不随意筋である．腸の痙攣で腹痛が起こったり，血管が収縮して血圧が上がったりするのも，自律神経と密接に関係した現象であることがわかる．

筋フィラメントの配列は不規則であり，横紋は認められない．筋細胞は細長い紡錘形で中央に核をもつ．

■ 平滑筋の働き

平滑筋は，体内で物を移動させるのに作用する．平滑筋の収縮は緩慢であるが持続力があり，骨格筋が素早く収縮するが疲労しやすいのと対照的である．

7 筋の機能

筋の特性

筋の特性には，収縮性，弾性（引き伸ばした後，元に戻る性質），興奮性（刺激すると収縮する性質），伝導性（一点を刺激すると興奮が筋線維全体に伝わる性質）がある．

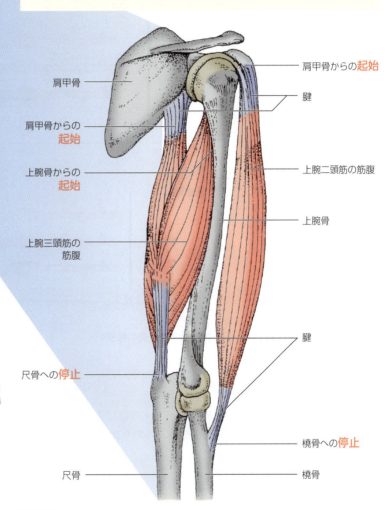

図2-44 筋の起始と停止（右側後面）

起始と停止

筋の両端のうち，動きの少ない骨につくほうを**起始**，動く骨につくほうを**停止**，中間部を筋腹と呼ぶ．筋の収縮とは，起始と停止を近づけることである．

plus α 筋の萎縮と増大

不活発な筋は萎縮する．筋力を超えるほどの抵抗で運動を行えば，筋は量と強さを増進する（増大）．有酸素運動を規則的に行うと，筋はより効率良く，強く，疲れずに長く活動できるようになる．有酸素運動は，ほかの器官にも有益な効果を及ぼす．

1 筋収縮の機序

筋を刺激すると収縮を起こす．随意運動では，筋の収縮は大脳の運動中枢から命令が発せられ，神経路によって末梢の筋に伝達されることによって発生する（➡p.128，129参照）．

◼ ミオシンフィラメントとアクチンフィラメント

光学顕微鏡のレベルで観察すると，筋線維は太いミオシンフィラメントと細いアクチンフィラメントからなり，両者が少しずつ重なっている．

◼ 筋収縮時

運動神経から興奮性の電位が伝わると，ミオシンフィラメントの間にアクチンフィラメントが滑り込み（滑走し），筋肉が収縮する．

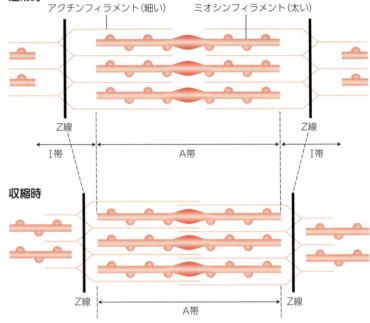

図2-45 筋収縮の機序

◼ 等張性収縮と等尺性収縮

筋の収縮には，**等張性**（とうちょう）（筋が短縮して運動を生じる）および**等尺性**（とうしゃく）（筋は短縮せず緊張を増す）の収縮がある．

plus α
筋電図

筋電図は，臨床検査の一つで，筋肉から発する活動電位を記録することにより神経筋単位の状態を示し，神経疾患，筋疾患の診断に役立っている．

等尺性運動

等尺性運動では，関節を動かさずに筋肉を収縮・弛緩させる運動が可能である．骨折などのリハビリテーションで関節を動かすことができない場合や，ギプスによる固定で関節の動きが制限されている場合でも，等尺性運動で筋肉を収縮，弛緩させることによって，手術後の廃用性筋萎縮を予防することができる．

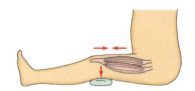

膝窩部は強く下方に押しつけておく．膝蓋骨を体幹のほうに引き寄せるように膝を伸ばした状態で5～10秒間保持する．

2 筋収縮のエネルギー代謝

筋収縮のエネルギーはATP（アデノシン三リン酸）の分解によってもたらされる．このATPは骨格筋では3通りの方法で産生される．

■ 無酸素運動

酸素を必要としない代謝で，ADP（アデノシン二リン酸）がクレアチンリン酸から高エネルギーで結合しているリン酸を直接受け取ってATPに産生される方法である．

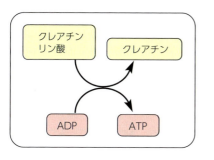

■ 無酸素運動

クレアチンリン酸がなくなると，グルコースが無酸素的に分解され，ATPが産生される．乳酸は疲労と関係があると考えられている．

グルコースは，筋肉内に貯蔵されたグリコーゲンや，血中から供給される．

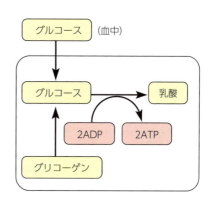

■ 有酸素運動

酸素が供給されると，グルコースは，クエン酸回路でCO_2とH_2Oに分解される．この過程で大量のATPが産生される．

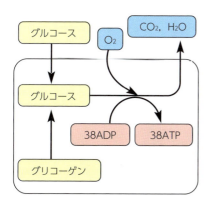

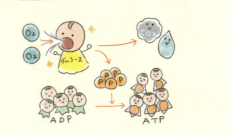

図2-46 筋収縮のエネルギー代謝

3 刺激と活動電位の発生

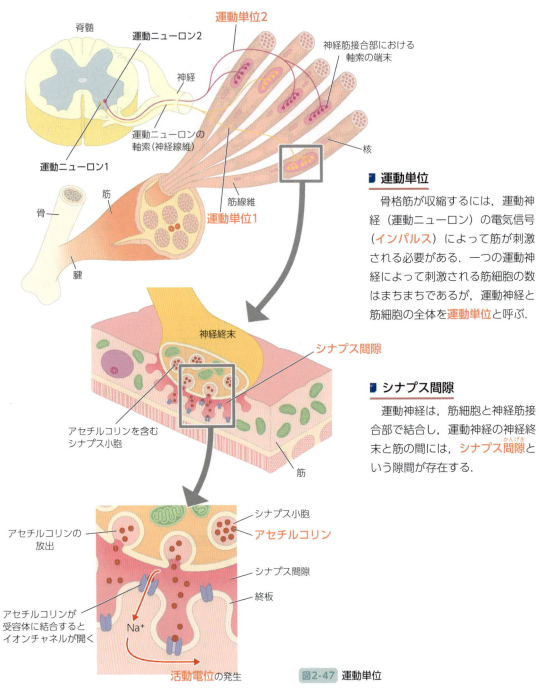

▌運動単位

骨格筋が収縮するには，運動神経（運動ニューロン）の電気信号（**インパルス**）によって筋が刺激される必要がある．一つの運動神経によって刺激される筋細胞の数はまちまちであるが，運動神経と筋細胞の全体を**運動単位**と呼ぶ．

▌シナプス間隙

運動神経は，筋細胞と神経筋接合部で結合し，運動神経の神経終末と筋の間には，**シナプス間隙**という隙間が存在する．

図2-47　運動単位

▌活動電位

アセチルコリン（acetylcholine）という神経伝達物質によってシナプス間隙での電位の伝達が行われ，筋が刺激され，まだ伝わらない部分の間には電位差が生じて電気が流れ始める．興奮によって発生した筋肉の膜電位を**活動電位**という．

刺激から筋収縮の流れ

骨格筋細胞は，運動ニューロン（運動神経）からの刺激を受ける．そのニューロン（神経細胞）が神経伝達物質（アセチルコリン）を放出すると，筋への透過性が変わり，ナトリウムイオンを細胞内に侵入させる．これによって電流（活動電位）が発生し，その結果として筋小胞体からカルシウムイオンを放出する．筋収縮は，イオン性のカルシウムがある限り続き，そのエネルギーはATP（アデノシン三リン酸）が供給する．

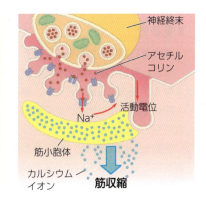

図2-48 カルシウムイオンの放出

4 筋収縮の種類

全か無かの法則

単一の筋線維が収縮するには一定以上の刺激が必要で，その刺激量を閾値という．

閾値以上の刺激があれば筋線維は収縮するが，閾値以上に刺激が強くなっても単一筋の収縮の大きさには変化はなく，閾値に達しない場合は全く収縮しない．これを全か無かの法則という（→p.355参照）．

ただし，実際の筋肉は，閾値の異なる無数の筋線維から構成されているため，段階的な収縮を行うことができている．

刺激速度の増大に対する筋の反応

● ①単収縮

ただ一回の刺激による収縮を単収縮という．

筋を直接刺激しても，単収縮が起こるまでは一定の時間（潜時）がある．収縮が最高に達すると，弛緩して元に戻る．

● ②強縮

● Ⓐ収縮の重積

1回の刺激による効果が消えないうちに，次の刺激が繰り返されると，筋は反復して収縮を続ける．

● Ⓑ強縮

次第に加重して大きな収縮となる．これを強縮（融合）という．

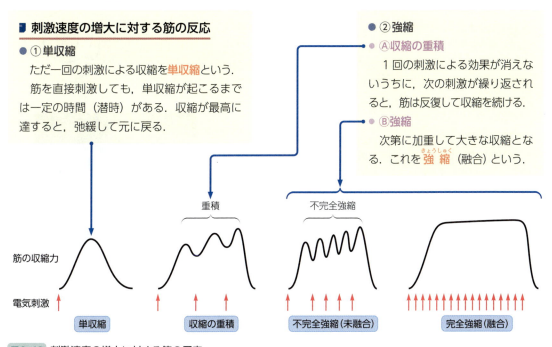

図2-49 刺激速度の増大に対する筋の反応

> **plus α**
> **筋の死後硬直**
> 個体の死とともに筋が死ぬと，血液循環が止まり，筋は硬くな弾性を失う．これを筋の死後硬直という．

筋疲労

筋肉を長期にわたり激しく動かすと，筋疲労が起こる．

休息しないと筋は疲労し始め，収縮が弱まり，ついに収縮できなくなる．筋肉の収縮が続くと，筋に必要な酸素が不足し，筋細胞のATP供給が下がり始め，筋収縮の効率は低下し，ついに全く収縮しなくなる．

活動後の回復期にヒトはしきりに深呼吸をするが，ATP産生に必要な酸素量を筋が摂取するまで続く．

コラム　筋に関連するよくみられる疾患

❋ 腱鞘炎

パソコンのキーボード操作など，過剰な関節運動によって発生する．腱は，腱の浮き上がりを抑える腱鞘というトンネルの中を通っていて，この腱と腱鞘の間に炎症が発生する．

❋ 肉離れ

筋肉の部分断裂のこと．一般に筋違いとも呼ばれる．筋肉や腱が打撃または無理に伸ばされることによって生じる外傷である．筋組織をやや伸ばした程度の軽度のものから，組織が完全に断裂してしまう重度のものまであり，痛みや腫れ，その筋肉を使っての動作ができないなどの機能低下まで，症状はさまざまである．準備運動を十分に行わないで運動をしたり，中高年者の激しいスポーツで多く起こり，大腿部，下腿三頭筋に発生する．

❋ 捻挫・脱臼

転倒などの外力によって，関節が動ける範囲を超えて曲がりすぎたり，伸ばされすぎたりして，骨と骨をつなぐ靱帯が損傷した状態を捻挫という．なお，関節を構成している相互の骨と骨の間にずれのないものを捻挫というが，多少なりともずれが生じたものを脱臼あるいは亜脱臼という．

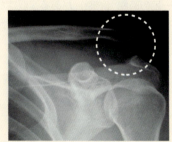

肩鎖関節の脱臼

5 神経と筋

▌反射

　身体で生じた感覚情報は中枢神経を介して，さまざまな反応を引き起こす．その中で，大脳皮質を経由せずに無意識に行われる反応を<u>反射</u>といい，特に脊髄を介して起こるものを<u>脊髄反射</u>という．例えば腱を叩くことで，ある筋を引き伸ばすと，反射的にその筋が収縮する．この反射を伸張反射という．膝蓋腱反射（➡p.389参照），アキレス腱反射，上腕二頭筋反射，上腕三頭筋反射など，臨床での神経学的所見を診る際に用いられている．

▌運動神経と筋線維

　骨格筋には，中枢神経系の指令を筋に伝える運動神経と，筋の状況を中枢神経系に伝える感覚神経が分布している．そして1個の運動神経は，多数の枝を出して，多くの筋線維を支配している．一つの運動単位に属する筋線維の数は，指や眼球運動など細かい運動に関与する筋では少なく，体幹などの大まかな運動に関与する筋では多い．

重症筋無力症

　重症筋無力症は，筋線維など筋そのものの異常ではない．神経筋接合部（末梢神経と筋肉の接ぎ目）において，神経側から遊離される神経伝達物質（アセチルコリン）の筋肉側の受容体（アセチルコリン受容体）が自己抗体（抗アセチルコリン受容体抗体）により攻撃される自己免疫疾患である．

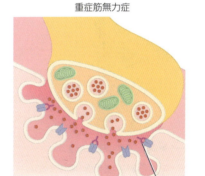

正常な伝達　　　　重症筋無力症

アセチルコリン受容体

自己抗体でアセチルコリンの結合がブロックされる（抗アセチルコリン受容体抗体）

　神経から放出されたアセチルコリンは，即時にコリンエステラーゼ（分解酵素）によって分解されてしまう．その分解酵素の働きを阻害するのが抗コリンエステラーゼである．

治療前
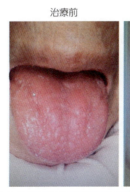

治療後
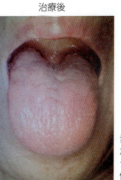

舌の萎縮を認めたが，抗コリンエステラーゼ阻害薬の使用で改善した．

8 身体の運動と骨格筋

関節の運動には筋の収縮が不可欠であり，筋は2カ所以上の場で付着している（起始と停止 ➡p.125参照）．筋が収縮すると停止は起始に向かって近づく．

そして，関節の運動の種類によって収縮の主役を演じる筋は異なり，その動きを円滑に行うには，逆の作用をする筋が弛緩しなければならない．

■ 肘の屈曲・伸展

肘の屈曲には上腕二頭筋の収縮が主役となり，上腕三頭筋が弛緩する．逆に，肘の伸展には上腕三頭筋の収縮が主役となり，上腕二頭筋が弛緩する．

関節のさまざまな動きの詳細に関しては➡p.119参照.

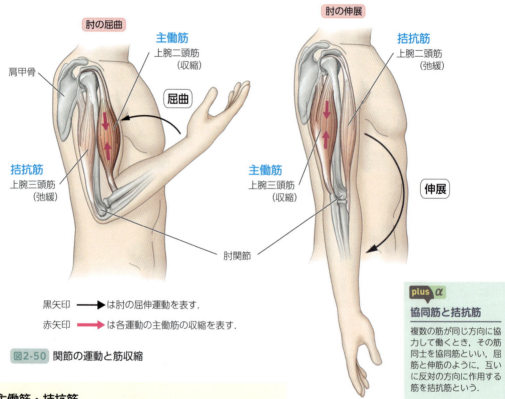

図2-50 関節の運動と筋収縮

黒矢印 ——▶ は肘の屈伸運動を表す．
赤矢印 ——▶ は各運動の主働筋の収縮を表す．

plus α 協同筋と拮抗筋
複数の筋が同じ方向に協力して働くとき，その筋同士を協同筋といい，屈筋と伸筋のように，互いに反対の方向に作用する筋を拮抗筋という．

■ 主働筋・拮抗筋

関節運動の中心的役割をする筋を**主働筋**，逆の作用をする筋を**拮抗筋**という．それらの協調によって細かい運動や力加減が可能となる．

plus α 筋の種類
筋の種類は，骨格筋，心筋，平滑筋という分け方のほかに，解剖学的特徴や働きによっても分類されている．例えば，関節での役割に応じて，主働筋と拮抗筋，筋の付着部の形態によって二頭筋，三頭筋などと分類される．また，筋の収縮速度によって白筋，赤筋（➡p.122参照）とも分類される．

表2-3 筋の分類による名称と種類

筋の分類の観点	筋の種類（名称）
役割	主働筋，拮抗筋
付着形態	二頭筋，三頭筋 など
全体形状	板状筋，羽毛状筋
作用	屈筋，伸筋，内転筋 など
収縮速度	赤筋（遅筋），白筋（速筋）
部位	浅層筋，深層筋

9 骨格筋の解剖生理

人体には，約400の骨格筋が存在し，それぞれが協調しながら人体の姿勢保持，運動に関与している．ここでは，代表的な骨格筋の名称と働きについて学び，人体の運動生理を理解する．

1 頭部の筋

頭部の筋は，顔面の表情をつくる**顔面筋**と食物を咀嚼するための**咀嚼筋**の2群に大別される．顔面筋には，前頭筋，眼輪筋，口輪筋，頬筋，頬骨筋，咀嚼筋には，咬筋，側頭筋などがある．

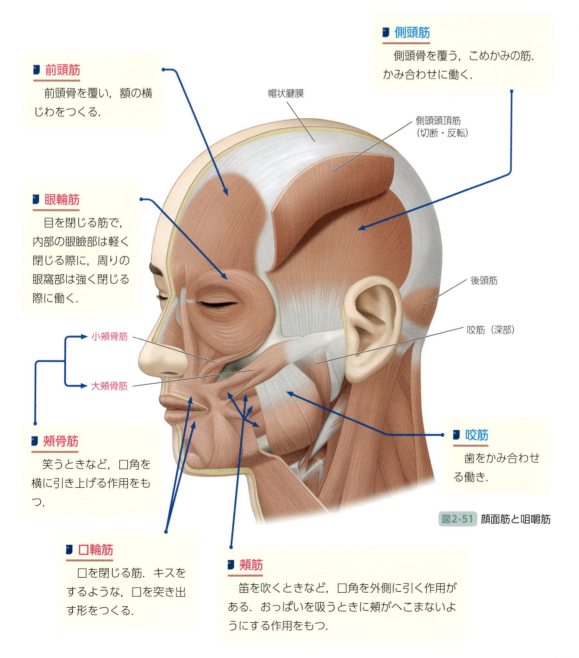

■ 前頭筋
前頭骨を覆い，額の横じわをつくる．

■ 眼輪筋
目を閉じる筋で，内部の眼瞼部は軽く閉じる際に，周りの眼窩部は強く閉じる際に働く．

■ 頬骨筋
笑うときなど，口角を横に引き上げる作用をもつ．

■ 口輪筋
口を閉じる筋．キスをするような，口を突き出す形をつくる．

■ 側頭筋
側頭骨を覆う，こめかみの筋．かみ合わせに働く．

■ 咬筋
歯をかみ合わせる働き．

■ 頬筋
笛を吹くときなど，口角を外側に引く作用がある．おっぱいを吸うときに頬がへこまないようにする作用をもつ．

図2-51 顔面筋と咀嚼筋

2 頸部，背部の筋

頸部の筋は，頭や上肢を動かす働きをする．背部の筋をまとめて背筋というが，主に浅層の筋は上肢の運動に，中層の筋は胸部の運動，深層の筋は脊柱の運動に関与する．

▍広頸筋

側頸部の皮下に薄く広がる皮筋で浅筋膜に含まれ，皮神経，血管リンパ管もこの結合織層の中に存在する．

▍胸鎖乳突筋の構造

頸部の浅層を斜めに走る．起始は胸骨・鎖骨で停止は側頭骨の乳様突起である．

▍胸鎖乳突筋の働き

右の胸鎖乳突筋が働くと頸部は頭とともに右に倒れ顔は左を向く．この筋肉が短縮すると，筋性斜頸となる．

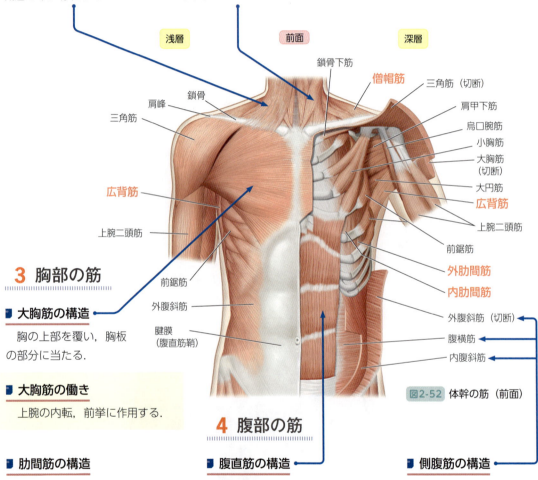

図2-52 体幹の筋（前面）

3 胸部の筋

▍大胸筋の構造

胸の上部を覆い，胸板の部分に当たる．

▍大胸筋の働き

上腕の内転，前挙に作用する．

▍肋間筋の構造

肋骨の間を埋める．

▍肋間筋の働き

外肋間筋は息を吸い込むときに胸郭を挙上させ，内肋間筋は胸郭を下降させて肺から空気を吐き出すのを助ける．

4 腹部の筋

▍腹直筋の構造

前腹壁をつくる帯状の筋で，腹壁最前線にある．

▍腹直筋の働き

脊椎を前屈させるほか，分娩や排便の際に腹圧をかけ，深呼吸にも参加する．

▍側腹筋の構造

外腹斜筋，内腹斜筋，腹横筋の順で深部へ3層構造となる．

▍側腹筋の働き

腹直筋と同様な働きをする．

僧帽筋の構造

後頭骨および頸椎，胸椎の棘突起から起こり，肩甲棘・肩峰・鎖骨に停止する．

僧帽筋の働き

頭部の後屈，肩甲骨の挙上・内転（胸を張る姿勢）や，物を手に持つときなど肩が下がらないように働く筋である．肩こりはこの筋に起こるものが多い．

肩甲挙筋

肩甲骨を上内方に持ち上げる筋である．

広背筋

背中に手を回す運動（肩関節の伸展・内転・内旋）や水泳や投球など腕を強く振り下ろす際に大切な筋である．

菱形筋

肩甲挙筋と同様の作用をもつ．

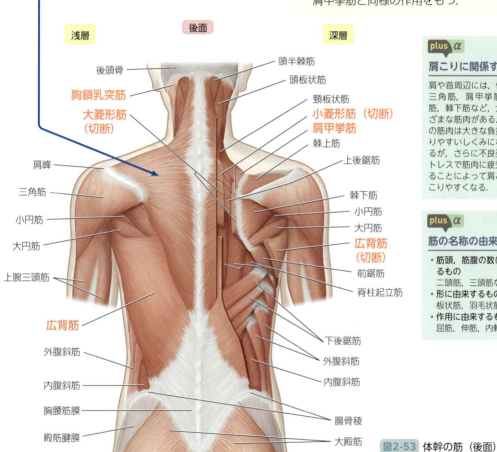

図2-53 体幹の筋（後面）

> **plus α**
> **肩こりに関係する筋肉**
> 肩や首周辺には，僧帽筋，三角筋，肩甲挙筋，棘上筋，棘下筋など，大小さまざまな筋肉がある．これらの筋肉は大きな負担がかかりやすいしくみになっているが，さらに不良姿勢やストレスで筋肉に疲労がたまることによって肩こりが起こりやすくなる．

> **plus α**
> **筋の名称の由来**
> ・筋頭，筋腹の数に由来するもの
> 　二頭筋，三頭筋など
> ・形に由来するもの
> 　板状筋，羽毛状筋など
> ・作用に由来するもの
> 　屈筋，伸筋，内転筋など

5 横隔膜

横隔膜の構造

「膜」と名がつくが，胸腔と腹腔の境となる，円蓋状の骨格筋である．中央は腱膜でできている．

横隔膜の働き

横隔膜（diaphragm）は，呼吸の際に重要な働きをする．

図2-54 横隔膜（下面から）

6 上肢の筋

上肢帯の筋①

①三角筋の特徴
肩関節を取り囲み，肩の丸みをつくる．肉厚があるので筋肉内注射の場所となる．

②三角筋の役割
腕を外転する際の主役である．

上腕の筋

①上腕二頭筋
肘を曲げる，あるいは前腕の回外を行う際，この筋腹が「力こぶ」をつくる，なじみのある筋肉．「ワインのコルクの栓をねじ込み，コルクの栓を引き抜く動作」に作用する筋である．

②上腕三頭筋
上腕の背面を占める大型の筋．肘を伸ばす運動を行い，上腕の屈筋群と拮抗的に働く．腕を伸ばして（肘を伸展させて）パンチのときに使う筋肉である．

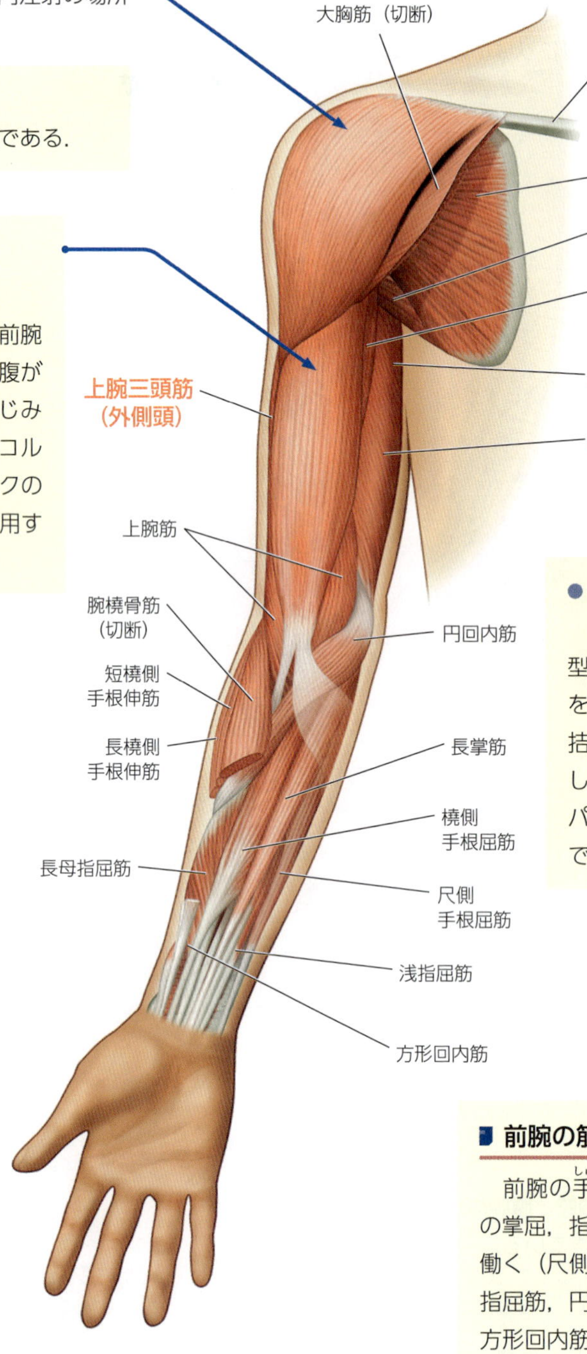

前腕の筋群（手掌側）
前腕の手掌側の筋は，手関節の掌屈，指の屈曲や前腕の回内に働く（尺側手根屈筋，長掌筋，浅指屈筋，円回内筋，長母指屈筋，方形回内筋など）．

図2-55 上肢の筋（右側前面）

上肢帯の筋②

① 腱板の構造
肩関節を構成する腱板は棘上筋,棘下筋,肩甲下筋,小円筋の四つの筋の腱によって形成される.

② 腱板の働き
棘上筋は上腕の外転に作用する.小円筋,棘下筋は上腕を外旋させ,肩甲下筋は上腕を内旋させる働きがある.また大円筋は肩甲下筋とともに,上腕の内旋に働く.

ローテーターカフ
ローテーターカフ(rotator cuff)とは,棘上筋,棘下筋,小円筋,肩甲下筋の腱の総称で,肩関節をそで口(cuff)のように包んでいる.肩関節の上腕骨頭を補強・支持している.筋肉が骨に付着する部分が板状に集まっているため,腱板ともいわれる.
スポーツによる反復動作や,転倒・打撲によって損傷を受け,腱板断裂を生じることがある.腱板断裂は白っぽいスジの部分が骨から剥がれるように断裂するため,自然に治りづらいと考えられている.

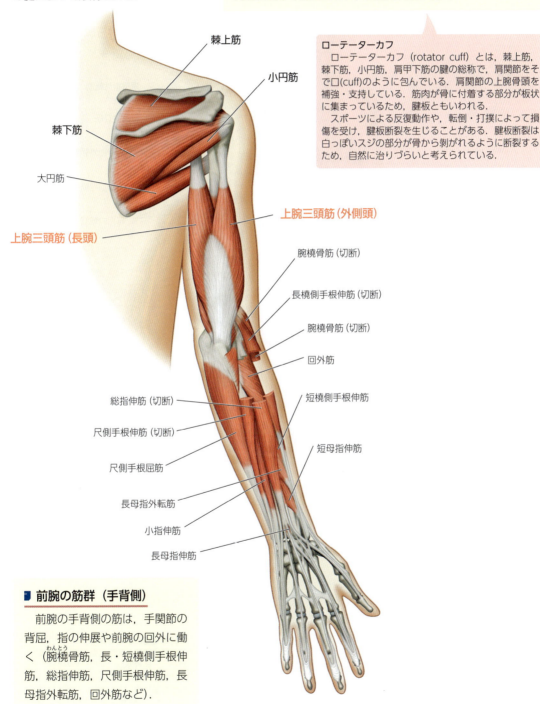

前腕の筋群(手背側)
前腕の手背側の筋は,手関節の背屈,指の伸展や前腕の回外に働く(腕橈骨筋,長・短橈側手根伸筋,総指伸筋,尺側手根伸筋,長母指外転筋,回外筋など).

図2-56 上肢の筋(右側後面)

手指の筋

細かい指の運動は手の中にある**内在筋**によってなされる．特に，第 1 指（母指）の運動に関わる筋を**母指球筋**，第 5 指（小指）の運動に関わる筋を**小指球筋**という．

解剖学的嗅ぎたばこ窩
長・短母指伸筋の間には（背側）手根部に陥凹ができる．これを解剖学的嗅ぎたばこ窩（anatomical snuff-box）という．ここの下に舟状骨を触れることができる．

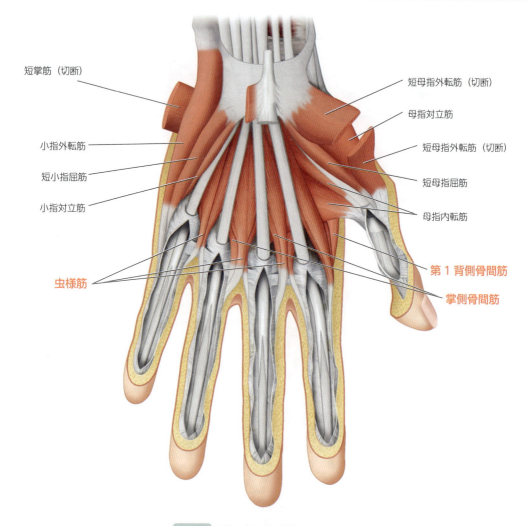

図2-57 手指の筋（左手掌）

中手筋の働き

手掌の中央には，**中手筋**といって第 2 指，第 3 指，第 4 指，第 5 指の運動に働く筋がある．これらは手を開いたり（指の外転），閉じたり（指の内転）する運動などを行う．

中手筋の構造

虫様筋（4 個），**掌側骨間筋**（3 個），**背側骨間筋**（4 個）からなる．

背側骨間筋と掌側骨間筋
背側骨間筋と掌側骨間筋の作用は対照的で，背側骨間筋は手のひらを開く（指の外転）作用があり，掌側骨間筋は手のひらを閉じる（指の内転）作用がある．「手のひらは開かない（指の外転には働かない）」と覚えるとよい．

頸部・背部・胸部・腹部・上肢の筋のまとめ

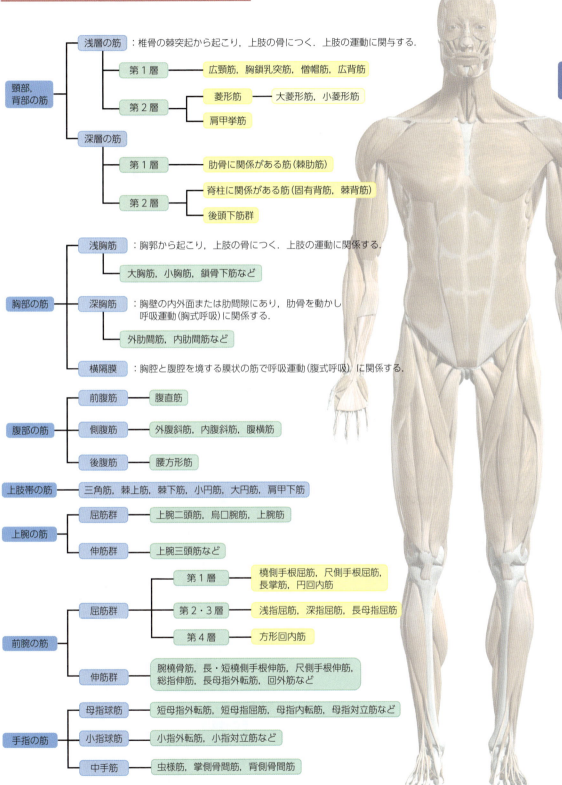

- 頸部, 背部の筋
  - 浅層の筋：椎骨の棘突起から起こり, 上肢の骨につく. 上肢の運動に関与する.
    - 第1層 — 広頸筋, 胸鎖乳突筋, 僧帽筋, 広背筋
    - 第2層
      - 菱形筋 — 大菱形筋, 小菱形筋
      - 肩甲挙筋
  - 深層の筋
    - 第1層 — 肋骨に関係がある筋(棘肋筋)
    - 第2層
      - 脊柱に関係がある筋(固有背筋, 棘背筋)
      - 後頭下筋群

- 胸部の筋
  - 浅胸筋：胸郭から起こり, 上肢の骨につく. 上肢の運動に関係する.
    - 大胸筋, 小胸筋, 鎖骨下筋など
  - 深胸筋：胸壁の内外面または肋間隙にあり, 肋骨を動かし呼吸運動(胸式呼吸)に関係する.
    - 外肋間筋, 内肋間筋など
  - 横隔膜：胸腔と腹腔を境する膜状の筋で呼吸運動(腹式呼吸)に関係する.

- 腹部の筋
  - 前腹筋 — 腹直筋
  - 側腹筋 — 外腹斜筋, 内腹斜筋, 腹横筋
  - 後腹筋 — 腰方形筋

- 上肢帯の筋 — 三角筋, 棘上筋, 棘下筋, 小円筋, 大円筋, 肩甲下筋

- 上腕の筋
  - 屈筋群 — 上腕二頭筋, 烏口腕筋, 上腕筋
  - 伸筋群 — 上腕三頭筋など

- 前腕の筋
  - 屈筋群
    - 第1層 — 橈側手根屈筋, 尺側手根屈筋, 長掌筋, 円回内筋
    - 第2・3層 — 浅指屈筋, 深指屈筋, 長母指屈筋
    - 第4層 — 方形回内筋
  - 伸筋群 — 腕橈骨筋, 長・短橈側手根伸筋, 尺側手根伸筋, 総指伸筋, 長母指外転筋, 回外筋など

- 手指の筋
  - 母指球筋 — 短母指外転筋, 短母指屈筋, 母指内転筋, 母指対立筋など
  - 小指球筋 — 小指外転筋, 小指対立筋など
  - 中手筋 — 虫様筋, 掌側骨間筋, 背側骨間筋

7 下肢の筋

■ 下肢帯の筋①

● ①腸腰筋の構造
二つの筋（腸骨筋と腰筋）を合わせたもの．第12胸椎〜第5腰椎および腸骨から起こり，大腿骨の小転子に停止する．

● ②腸腰筋の働き
股関節の屈曲および外旋を行う．また姿勢保持を担う筋として，起立時に上半身が後ろに倒れないように保つ働きをする．

■ 大腿の筋

● ①大腿四頭筋の構造
大腿直筋と三つの広筋（外側広筋，中間広筋，内側広筋）で構成され，大腿の前面と側面を覆う．遠位は膝蓋靱帯となる．

● ②大腿四頭筋の働き
サッカーボールを蹴るときや，いすから立ち上がるときのように膝関節を強く伸ばすときに働く．

● ③内転筋群
大腿を内転する筋群で，長内転筋，短内転筋，大内転筋などで構成される．

● ④大腿二頭筋
大腿の後面にあり，大腿を後ろに引き，膝関節を屈曲，外旋させる．

● ⑤その他
膝屈曲を行う半膜様筋，半腱様筋が存在する．

> **ハムストリングス**
> 大腿二頭筋，半腱様筋，半膜様筋の総称．坐骨神経支配である．

> **plus α 尖足と下垂足**
> 尖足は足関節が底屈した状態であり，下腿三頭筋の短縮で起こる．ほぼ同義であるが，下垂足は足関節背屈筋の弛緩性麻痺の場合を指す．

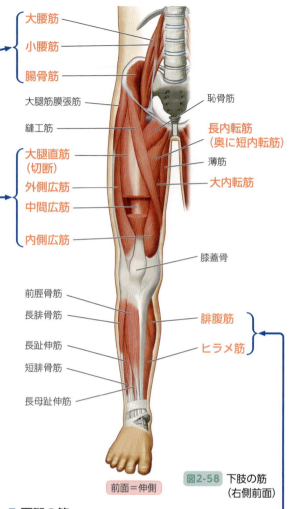

図2-58 下肢の筋（右側前面）

前面＝伸側

■ 下腿の筋

● ①下腿三頭筋の構造
ふくらはぎの筋で，腓腹筋とヒラメ筋で構成される．

● ②下腿三頭筋の働き
足首を底屈させる．遠位はアキレス腱（踵骨腱）となる．背伸びするときに働く筋である．

● ③前脛骨筋
脛骨の外側で足を背屈させる．臨床でこの筋の麻痺により下垂足となることがしばしばあり，重要な筋肉である．

● ④その他の筋
足趾の伸展運動を行う，長趾伸筋，長母趾伸筋，長腓骨筋，短腓骨筋，また足関節の屈曲を下腿三頭筋とともに行う，足底筋，後脛骨筋が存在する．

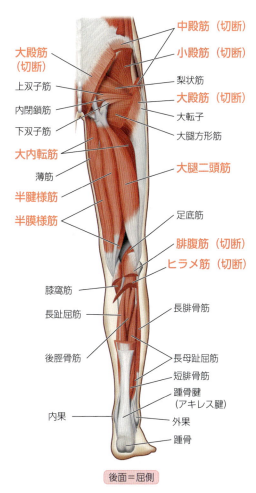

図2-59 下肢の筋（右側後面）

後面＝屈側

下肢帯の筋②

● ①大殿筋の構造

殿部の膨らみをつくる強大な筋．股関節の強力な伸筋で，大腿を骨盤と一直線にする．

● ②大殿筋の働き

必ずしも歩行には重要でないが，階段を上る，跳躍など力を入れて股関節を伸ばすのに重要である．

● ③中殿筋・小殿筋

腸骨翼の外面に起こり，大腿を外転させる．歩行の際に片足で体重を支え，骨盤を安定させるのに重要である．中殿筋は筋腹が大きいため筋肉内注射，特に5 mL以上の量を投与する場合に使用されることが多い．この際，殿部の内側には坐骨神経が通っているので注意して避ける必要がある．

● ④その他の筋

殿部の筋には，坐骨神経周囲に股関節の外旋運動を行う梨状筋，内閉鎖筋，上双子筋，下双子筋，大腿方形筋，外閉鎖筋が存在する．

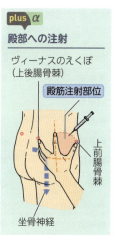

plus α
殿部への注射

下肢帯・大腿・下腿の筋のまとめ

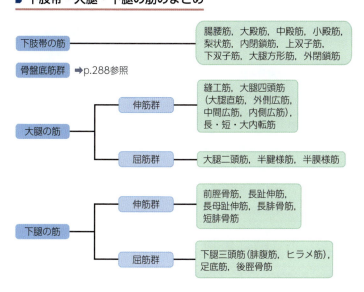

骨格・筋系 ● 身体を支える・動かすしくみ

表2-4 頭頂部・体幹・上肢帯の筋の運動

筋の名称	起始	停止	機能
前頭筋	帽状腱膜	眉部の皮膚	眉を挙上
眼輪筋	前頭骨・上顎骨	眼周囲の組織	眼を閉じる，瞬く
口輪筋	下顎骨・上顎骨	口周囲の皮膚・筋	唇を閉じる，突き出す
頬筋	下顎骨・上顎骨	口輪筋の中	頬を歯に接着
側頭筋	側頭骨	下顎骨	顎を閉じる
頬骨筋	頬骨	口角の皮膚・筋	口角を挙上
咬筋	側頭骨・頬骨	下顎骨	顎を閉じる
胸鎖乳突筋	胸骨・鎖骨	側頭骨（乳様突起）	顎を前屈：頸を回す
僧帽筋	後頭骨・全頸椎／胸椎	肩甲棘・鎖骨	頸伸展：肩甲骨を内転
広背筋	脊柱下部・腸骨稜	上腕骨近位部	上腕骨を後挙・内転
三角筋	肩甲棘・鎖骨	上腕骨（三角筋粗面）	上腕骨を外転
大胸筋	胸骨・鎖骨・第1～6肋骨	上腕骨近位部	上腕骨を内転・前挙
腹直筋	恥骨	胸骨・第5～7肋骨	脊柱を前屈
外腹斜筋	第5～12肋骨	腸骨稜	脊柱を前屈

表2-5 腕・肩の筋の運動

筋の名称	起始	停止	機能
上腕二頭筋	肩甲骨	橈骨近位部	肘屈曲，前腕回外
上腕三頭筋	肩甲骨・上腕骨近位部	尺骨の肘頭	肘を伸展
橈側手根屈筋	上腕骨遠位部	第2～3中手骨	手を掌屈・外転
尺側手根屈筋	上腕骨遠位部・尺骨後面	手根骨・第5中手骨	手を掌屈・内転
浅指屈筋	上腕骨遠位部・橈骨・尺骨	第2～5中指節骨	手と指を掌屈
橈側手根伸筋	上腕骨	第2～3中手骨底	手を背屈・外転
総指伸筋	上腕骨遠位部	第2～5指末節骨	手を背屈，指を伸展

表2-6 腰・大腿・下腿の筋の運動

筋の名称	起始	停止	機能
腸腰筋	腸骨・腰椎	大腿骨（小転子）	股関節を屈曲，腰を前屈
内転筋群	骨盤	大腿骨内側	大腿を内転
縫工筋	腸骨	脛骨近位部	股関節を屈曲・外旋
大腿四頭筋（内側／中間／外側広筋および大腿直筋）	広筋：大腿骨 直筋：骨盤	膝蓋腱を介して脛骨粗面	膝関節を伸展 直筋は股関節の屈曲にも作用
前脛骨筋	脛骨近位部	外側楔状骨・第1中足骨	足を背屈，内反
腓骨筋群	腓骨	中足骨	足を底屈，外反
大殿筋	仙骨・腸骨	大腿骨近位部	股関節を伸展（強く伸展）
中殿筋	腸骨	大腿骨近位部	股関節を外転
大腿屈筋群（半腱様筋・半膜様筋・大腿二頭筋）	坐骨結節	脛骨近位部 （二頭筋では腓骨頭）	膝を屈曲
腓腹筋	大腿骨遠位部	踵骨（アキレス腱を介して）	足を底屈，膝を屈曲

起始：筋の両端のうち，動きの少ない骨に付着する部分　停止：筋の両端のうち，動くほうの骨に付着する部分

8 筋の病気

筋肉疾患は筋萎縮，筋力低下，関節の拘縮，変形などを生じ，運動障害，発達障害の原因となる．

それらは，①筋炎，②筋ジストロフィー，③先天性ミオパシー，④その他のミオパシー，⑤重症筋無力症，⑥周期性四肢麻痺，⑦代謝性筋疾患に大別される．

▍重症筋無力症

骨格筋神経筋接合部にあるシナプス後膜のアセチルコリン受容タンパクに対する自己抗体により引き起こされる疾患である（➡p.131参照）．日内変動を伴った易疲労性を特徴とする．

発症は20～30歳代に多いが，5歳以下で発症する若年型もある．症状は，複視，眼瞼下垂から始まり，午後から夕方になると呼吸筋，四肢筋の筋力低下が加わり，病状は強くなる．

▍筋ジストロフィー

特定の筋群が侵される遺伝性疾患で，脂肪と結合組織がたまるため筋は大きく見えるが，筋線維は変性し萎縮する（腓腹筋の仮性肥大）．

最も多くみられるのは，デュシェンヌ型筋ジストロフィーである．重症で，ほとんど男性にみられる．2～10歳くらいで診断され，だんだんと動作が鈍くなり，筋が衰えるようになり転びやすくなる．病気は四肢から始まり，12歳ごろで歩行は困難となる．ついには呼吸筋，心筋が侵され，成人になるころに死亡することが多い．

---

plus α　アキレス腱断裂

一般に普段運動をしない中年の人が，急に運動をしてしばしば損傷する．手術による縫合やギプス固定による治療が行われる．

（踵）　　　（膝）
手術前

手術，縫合後

plus α　下腿三頭筋肉離れ

スポーツで肉離れを発生することがある．これは，急激な筋収縮による筋膜や筋線維の部分損傷によって発生する．

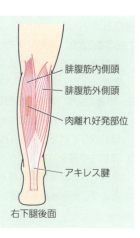

腓腹筋内側頭
腓腹筋外側頭
肉離れ好発部位
アキレス腱

右下腿後面

10 筋系の成長と老化

　筋の成長は20歳代をピークとするが，加齢とともに，筋線維数の減少と筋線維の萎縮により，筋肉量の低下がみられる．筋肉の重量は，成人で体重の約40％に達するが，年齢と筋肉量の変化については，40歳から年に0.5％ずつ減少し，65歳以降は減少率が増大し，最終的に80歳までに30〜40％の低下がみられるといわれている．

　サルコペニアという用語があるが，ギリシア語で「肉」を表すsarx（sarco：サルコ）と，「喪失」を意味するpenia（ペニア）を組み合わせた「筋肉の喪失」という意味の造語である．この用語を初めて用いたローゼンバーグ（Rosenberg, I.）は，加齢に伴う筋肉量の減少が高齢者の身体機能（歩行や運動機能など）に関連することを示し，医学的にも大切な考え方であることを指摘した．近年，高齢者の筋力低下などで発生する「首下がり症」の患者が増えている．

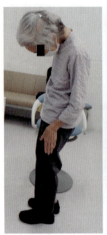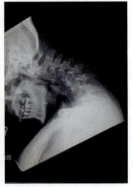

首の筋肉が弱ってしまい，立っていると顎が胸に付いてしまう．

図2-60　首下がり症

 臨床場面で考えてみよう

骨格系
1. 63歳の女性．関節リウマチの治療のため，15年間ステロイドを使用していた．最近になって腰痛が出現し，背も低くなってきた．骨密度を計測した結果，腰椎の骨密度が最大骨密度の60％に減少していた．考えられる疾患は何か．
2. 75歳の女性．庭先で転倒した後，歩けなくなり，救急車で来院した．来院時，意識は清明で，下肢の麻痺はなかったが，運動時に右股関節周囲に痛みを訴えた．疼痛側の下肢は外旋していた．考えられる原因は何か．
3. 高校生の男子．バスケットボールの部活を一生懸命やっている．少し前から，走ったときなどに，脛骨前面に痛みを感じるようになった．最近，ますます痛みが強くなってきたので，整形外科を受診した．考えられる原因は何か．

筋系

1. 35歳，男性．久しぶりに学生時代によく行っていたテニスを始めたところ，ボールを打つ際にジャンプをしたとき，パンと音がして下腿の下方に痛みを感じた．下腿下方にくぼみが見えた．足関節の底屈は可能であるが，弱くなっていた．何が起こったか，説明してみよう．
2. 53歳，女性．特にぶつけたりした外傷の既往はないのにもかかわらず，右肩を動かすと痛みを感じるようになる．痛みは徐々に悪化して特に夜間に強くなる傾向があった．肩の運動は，特に結髪動作（外転かつ外旋運動）や結帯動作（内転かつ内旋動作）で強くなった．考えられる原因は何か．

📎 重要用語

骨	関節	腱	単収縮
骨幹	靭帯	起始	強縮
骨端	横紋筋	停止	反射
骨膜	平滑筋	アセチルコリン	脊髄反射
緻密質	骨格筋	ATP	主働筋
海綿質	心筋	等張性	拮抗筋
骨端軟骨	筋原線維	等尺性	重症筋無力症
脊椎	ミオシンフィラメント	運動単位	筋ジストロフィー
椎間板	アクチンフィラメント	シナプス間隙	サルコペニア
軟骨	筋	活動電位	

📎 学習達成チェック

- ☐ 骨格系の機能を三つ以上挙げることができる．
- ☐ カルシウム代謝と骨の役割を述べることができる．
- ☐ 骨芽細胞の働きを述べることができる．
- ☐ 頭蓋の骨の名称を挙げることができる．
- ☐ 泉門について説明できる．
- ☐ 脊柱を構成する椎骨の名称を挙げることができる．
- ☐ 椎間板の働きを説明できる．
- ☐ 上肢と下肢の骨の名称を挙げることができる．
- ☐ 骨盤の形の性差を述べることができる．
- ☐ 3種類の関節の名称を挙げることができる．
- ☐ 屈曲，伸展，外転，内転，回内，回外の言葉を説明できる．
- ☐ 3種類の筋組織の特徴，存在する臓器名を述べることができる．
- ☐ 骨格筋の収縮に関連して，活動電位，等張性収縮，等尺性収縮を説明することができる．
- ☐ 神経筋接合部とアセチルコリンの作用を説明できる．
- ☐ 体表面に近い主要な筋の名称を，顔面，頸部，胸部，腹部，背部，上肢，下肢について述べることができる．

解剖生理学が臨床につながる！

　看護師のYさんはビックリした．訪問看護で一人暮らしの88歳の女性Bさんの家を訪問したときのことである．呼び鈴に返事がないので玄関の扉を開けてみると，Bさんが倒れていたのだ．「ええっ，どうしたんですか？」と声を掛けると，「昨夜転んで，腰が痛くて足を動かせなかった」との返事だった．

　慌ててYさんは訪問看護ステーションに電話した．「Bさんが倒れているんです！」それを聞いた先輩看護師のZさんは，「落ち着いて，ちゃんと報告してください」と冷静に返事をした．

　Yさんは大きく深呼吸して報告した．「訪問看護先のBさん，88歳の女性です．昨夜20時ごろにご自宅の玄関でつまずいて倒れ，**右腰部**が痛くて動けなかったと言っています．助けを呼んでも誰にも気付かれず，倒れたまま一晩過ごしたそうで，先ほど私が発見しました．意識はあって会話もできて，バイタルサインも安定しています．痛い部分を観察すると，**右腸骨部**の外側で**股関節部**に痛みがあり，**右大腿部**を動かすと痛みが強くなるそうで，右下肢を外旋したまま動かさないでいます．右膝・右下腿・右足に痛みや変形はなく，動かすことができます．末梢の血流も維持されています」．

　それを聞いたZさんは冷静に指示を出した．「わかりやすい報告ですね．**右大腿骨頸部骨折**が疑われるので，地域医療支援病院に連絡して整形外科が対応可能か確認しておきます．歩けないなら，搬送車か救急車を呼んで寝たまま搬送してもらいましょう．それまでBさんが楽な姿勢で待てるよう調節して保温してください．ご家族に連絡して，保険証・お薬手帳・家の鍵がどこにあるかも確認しておいてくださいね」．

❶ 身体の部位は正しい解剖学用語で伝える

　身体について表現する場合には解剖学用語を使う必要がある（➡p.22 図3，p.23 表1参照）．例えば，「腰が痛い」と患者が言っても，**脊柱部**が痛いのか，背中の右か左の**腰部**が痛いのか，右か左の**腸骨部**が痛いのか，はっきりしないことが多い．また，お尻や会陰部を羞恥心から腰と言う場合もある．また，「足を動かせない」と患者が言っても，文字通り**足関節**を動かせないのか，**下肢**を動かせないのか，図2-29の通り足にもさまざまな部位がある．

　さまざまな部位が同じ表現で話されている可能性があることに注意が必要である．患者の話を聞いて，正しい解剖学用語に変換して医療従事者同士のコミュニケーションを図り，互いに誤解しない・誤解させないよう配慮しよう．

❷ 左右・上下・前後を確認する

　医療で「右」といえば患者の右側で，「左」といえば患者の左側である．解剖学的正常位の状態での左右・上下・前後などで，人体の臓器や器官などの名称が付けられている．例えば，腹部の区画は上下・左右に分けられている

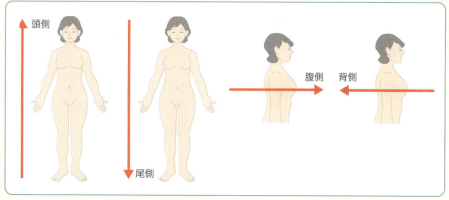

図2-61　臨床における上下・前後の表現

(➡p.27 図7 参照).

　ただし，医療の現場では患者は立ったり座ったり寝たりと姿勢を変えるので，左右は変わらないとして，上下や前後が曖昧になることがある．そこで，上方・下方の代わりに頭側・尾側と表現したり，前方・後方の代わりに腹側・背側などと表現したりする（図2-61）．

③ どんな臓器や器官，組織があるのかを理解する

　身体の部位に何があるのか，つまり，どんな臓器や器官や組織があるのかを理解する必要がある．例えば，右下肢を動かせないなら，右下肢の骨や関節に問題があるのか（図2-29），筋に問題があるのか（図2-58，59），神経に問題があるのか（➡p.386 図8-48，p.388，389 表8-4参照），血流に問題があるのか（➡p.190 図3-45，p.194 図3-51参照）など，さまざまな可能性を考慮に入れる必要がある．

3 血液・循環器系
物質を運搬するしくみ

ここだけ見れば まず **血液・循環器系** がわかる！

☑ 血液は血管の中を循環する液体である．
☑ 通常，成人では，血液は体重の約8％を占める．したがって，体重が50kgの成人では，血液量は約4Lである．

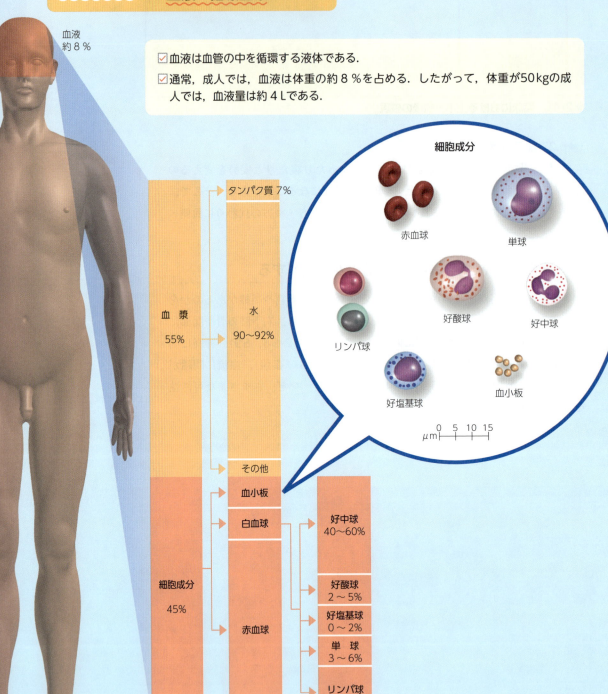

○ 血液の働き

- 血液は，全身を循環することによって物質の輸送を担っている．

▶ 輸送されるもの
- 糖質やタンパク質，脂質に代表される栄養分
- 赤血球・白血球・血小板といった細胞成分
- 熱，ホルモン，不要な代謝産物

○ 赤血球

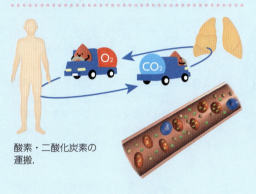

酸素・二酸化炭素の運搬．

肺で酸素を受け取って組織に運び，組織で酸素を二酸化炭素に積み替えて，再び肺に運ぶトラックの働きをする．

○ 白血球

異物が体内に侵入してくると，それをとらえて処理する．

血漿中に含まれる抗体や補体とともに，病原体から身体を守る（生体防御という）パトロールカーの役割を担う．

○ 血小板

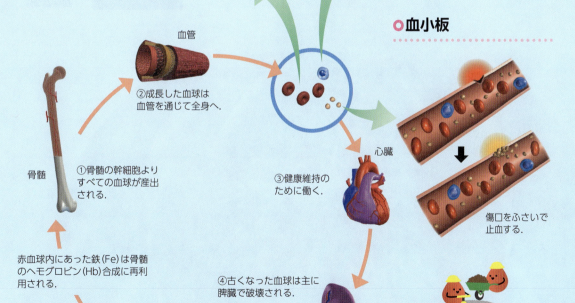

傷口をふさいで止血する．

血管が破損した場合にその修復を担う道路工事業者である．

- ☑ 循環器とは，身体のすみずみまで血液を送るしくみであり，物質や熱の移動を担当する．
- ☑ 呼吸器系で取り込まれた酸素，消化器系で吸収された各種物質を，それらを必要とする場所にまで運ぶ．
- ☑ 身体から排泄される物質を，排泄担当器官まで運ぶ．

● 呼吸と循環のつながり

流通のポンプは心臓であり，ここから出ていく血管を動脈，心臓に向かう血管を静脈という．これらの血管は，①心臓から出て全身をめぐる**体循環系**（大循環系），②肺をめぐる**肺循環系**（小循環系）に大別される．肺胞では，血液中から二酸化炭素を排出して酸素を血液中に取り込むため，肺を通過すると，血液中の酸素は多くなる．

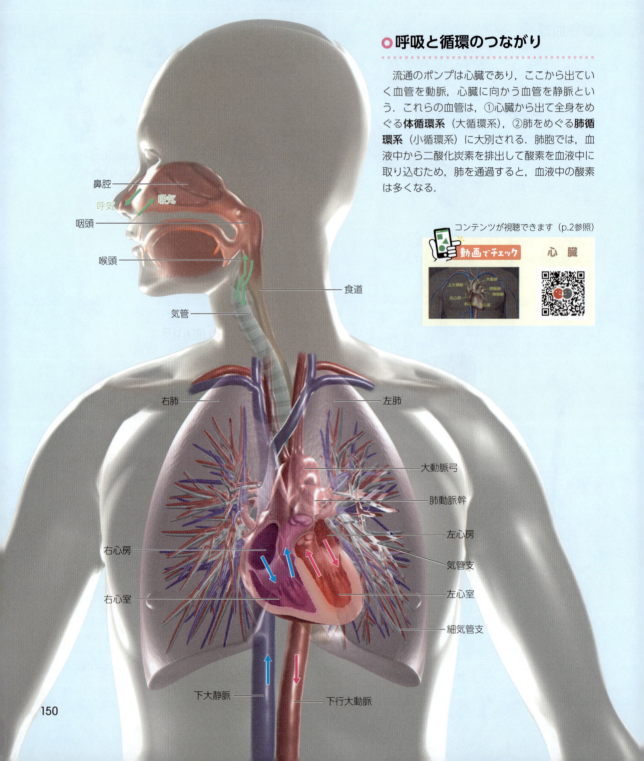

右心系

全身の静脈から戻った静脈血は，上大静脈・下大静脈・冠状静脈洞で右心房に入る．右心室は右心房から三尖弁を通して血液を受け入れ，肺動脈弁を通って肺動脈に血液を送り出す．

左心系

肺を循環した血液は，4本の肺静脈に集合して左心房に戻る．左心室は僧帽弁を通った血液を受け入れ，大動脈弁を通して血液を大動脈へ拍出する．

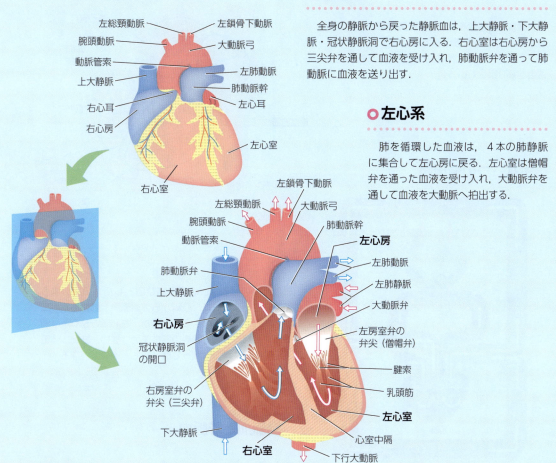

冠状動脈

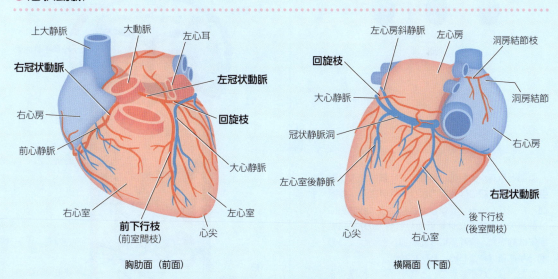

胸肋面（前面）　　　　横隔面（下面）

心臓を栄養する冠状動脈は左右各1本で，右冠状動脈と左冠状動脈からなる．左冠状動脈は，前下行枝と回旋枝に分かれる．

●刺激伝導系

心臓は電気刺激を生成する**洞房結節**と，その刺激を伝達する刺激伝導系のシステムによって，心臓全体として調和がとれたリズムで収縮拡張を繰り返している．

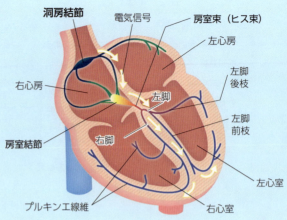

●主な二つの循環路

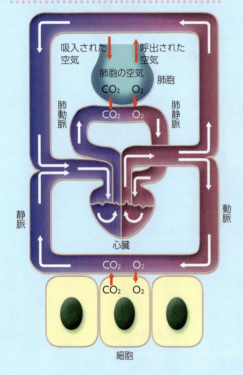

循環器系の血管は，心臓を結び目とした8の字のように連続している．一見，心臓から体循環系と肺循環系の二つが分かれているかのようであるが，右心系と左心系は別ルートで流れており，両者の間に交通はない．結局，体循環系と肺循環系がつながってはじめて一連の系となる．

●動脈血と静脈血

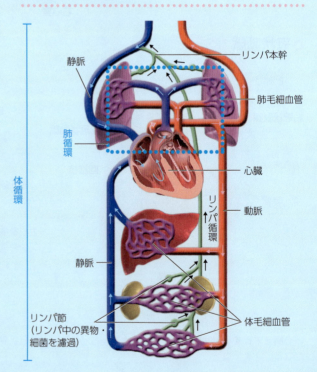

原則として，動脈には酸素のより多い血液（**動脈血**）が，静脈には酸素のより少ない血液（**静脈血**）が流れている．しかし，これには「肺動脈には静脈血，肺静脈には動脈血」，（胎児の）「臍動脈には静脈血，臍静脈には動脈血」という二つの例外がある（➡p.196，197も参照）．

なお，リンパが静脈に沿ってゆっくり循環するリンパ系は，毛細血管から漏出した体液を循環血に返す排水路である．

心機能と血圧の関係

血圧（BP）＝心拍出量（CO）×全末梢血管抵抗（TPR）
　　　↳ 心拍出量＝1回拍出量×心拍数

作用			神経性調節	液性調節	局所性調節	
心拍数		上げる	交感神経β₁刺激	カテコールアミン（アドレナリン・ノルアドレナリン）		
		下げる	副交感神経刺激			
1回拍出量	心収縮力	上げる	交感神経β₁刺激	カテコールアミン（アドレナリン・ノルアドレナリン）	心筋細胞の肥大	フランク・スターリングの法則
		下げる	副交感神経刺激			
	循環血液量	増やす		・ADH（バソプレシン） ・RAA系		
		減らす		・ナトリウム利尿ペプチド（ANP・BNP）	・腎臓での利尿作用	
末梢血管抵抗		増やす	・交感神経α刺激〈血管収縮作用〉	・アドレナリン ・ノルアドレナリン ・アンジオテンシンⅡ 〈血管収縮作用〉	・血管収縮因子（エンドセリン，セロトニンなど）〈血管収縮作用〉 ・血管平滑筋細胞の増殖〈血管収縮力の上昇〉	
		減らす	・副交感神経刺激 ・交感神経β₂刺激〈血管拡張作用〉	・ナトリウム利尿ペプチド（ANP・BNP）〈血管拡張作用〉	・血管弛緩因子（一酸化窒素〔NO〕），PGI₂，ヒスタミン，アデノシンなど〈血管拡張作用〉	

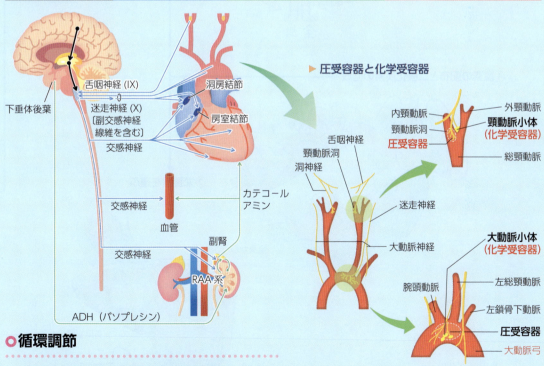

▶ 圧受容器と化学受容器

循環調節

循環系の調節には，自律神経による**神経性調節**，ホルモンなどの液性因子による**液性調節**が関与している．

各臓器への血流配分を調節するために，自己調節や傍分泌による**局所性調節**も関与している．

医療情報科学研究所編．病気がみえる Vol.2 循環器．第3版，メディックメディア，2010，p.11より改変．

1 血液の機能と成分

1 血液とは

血液は血管の中を循環する液体である．通常，成人では，体重の約8％を占める．したがって，体重が50kgの成人では，血液量は約4Lである．

2 血液の働き

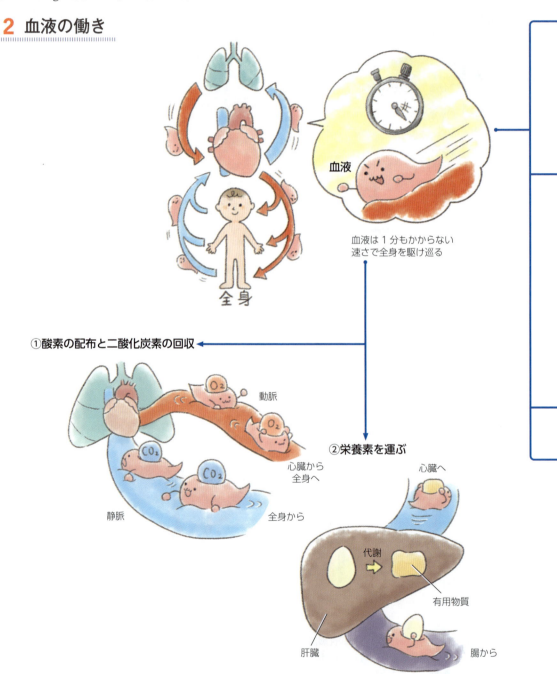

図3-1 血液の働き

③生体防御作用

傷ついた血管を修復

外敵と闘う
異物

④体温の調節

血管の拡張・収縮
（暑いときは皮膚の血液量が増し，汗をかく）

⑤ホルモンを運ぶ

下垂体
副腎
甲状腺
性腺

血管の中をホルモンが走り，必要部分に指示を伝える

⑥不要な代謝産物を体外に排出

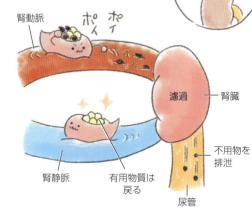
腎動脈
濾過
腎臓
腎静脈
有用物質は戻る
不用物を排泄
尿管

3 血液の成分

血液の組成と成分

血液は血漿(けっしょう)（液体成分）と，赤血球・白血球・血小板の細胞成分からなる．

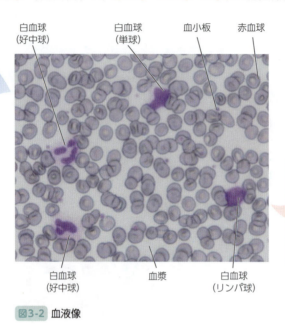

一般的な血液の顕微鏡像．血液を顕微鏡で見てみると，ピンク色で核のないものが赤血球，核が染まった細胞が白血球，ゴミのように見える小さな粒が血小板である．ここには見えないが，好酸球・好塩基球も存在する．

図3-2 血液像

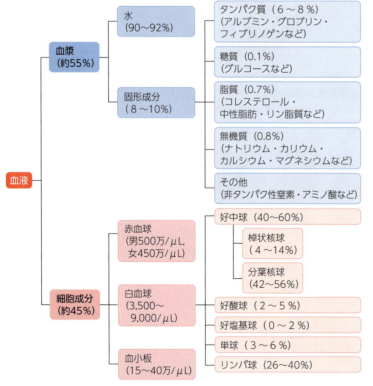

血液の成分

特に赤血球，白血球，血小板の基準値は覚えておこう．

- 赤血球：男性500万/μL，女性450万/μL
- 白血球：3,500〜9,000/μL
- 血小板：15〜40万/μL

図3-3 血液の組成

血清と血漿

● ①血漿と細胞成分

採血した血液を抗凝固剤（EDTA〔ethylene-diamine-tetraacetic acid，エチレンジアミン四酢酸〕やヘパリンなど）とともに試験管に入れ，遠心分離すると3層に分離する．

最下層に赤い赤血球層，最上に淡い黄色透明の血漿，そして注意深く観察するとその間に白く薄い層を認める．これをbuffy coat（バフィーコート）と呼び，白血球と血小板で構成される．

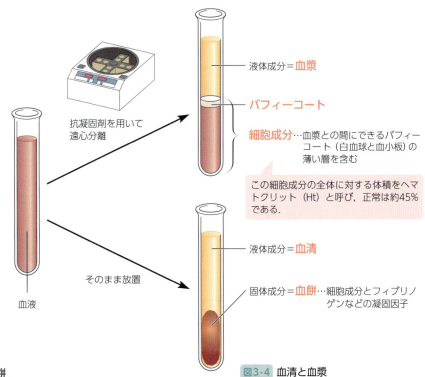

図3-4 血清と血漿

● ②血清と血餅

抗凝固剤を入れずにそのまま放置すると血液凝固が進行し，固体成分と液体成分に分離する．

固体成分を血餅といい，細胞成分（赤血球・白血球・血小板）とフィブリノゲンに代表される凝固因子で構成される．また液体成分を血清と呼ぶ．

血漿と血清の違い

血漿＝血清＋フィブリノゲンなどの凝固因子である．

血漿と血漿分画

血漿（plasma）のほとんどは水で，90〜92％を占める．その他，血漿中には糖質，タンパク質，脂質，電解質，各種のホルモン，ビタミンなどが存在する．

血漿中のタンパク質

タンパク質は血漿の7％を占める．このタンパク質をゲルの上にのせ電圧をかけると，荷電，分子量によっていくつかの分画に分離する．

- ①**タンパク分画**

血漿中のタンパク質は100種類以上存在するが，大きく分けると50〜70％を占めるアルブミンと，それ以外のタンパク質に分かれ，グロブリン分画のいずれかに存在している．

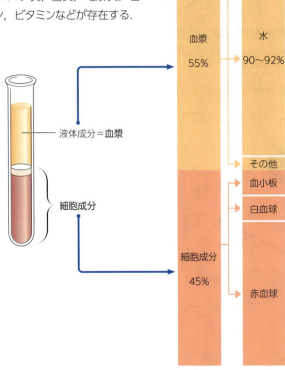

- ③**γグロブリン**

γグロブリンに属する免疫グロブリンは，補体とともに生体防御の液性因子として重要なタンパク質である．

①アルブミン　　④βグロブリン
②α1グロブリン　⑤γグロブリン
③α2グロブリン

- ②**アルブミン**

アルブミンは，細胞との間に膠質浸透圧を発生し，水や電解質の運搬に重要な役割を担う．また，金属やホルモンと結合し，これらを運搬する役割を担う．

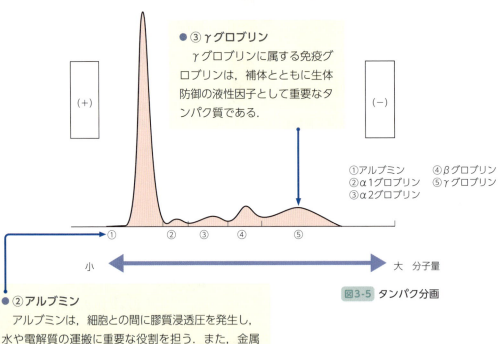

図3-5　タンパク分画

細胞成分（血球）の種類

　細胞成分（血球）は，大きく分けて，赤血球，白血球と血小板である．これらは，骨髄の中で産生される（→p.93参照）．造血の元となる細胞は造血幹細胞と呼ばれ，すべての血球に成長する，すなわち分化する能力と，自己複製能力を備えている．また，それぞれの血球に分化する過程でサイトカインと総称される物質に刺激されて，分化が促進されることも知られている．

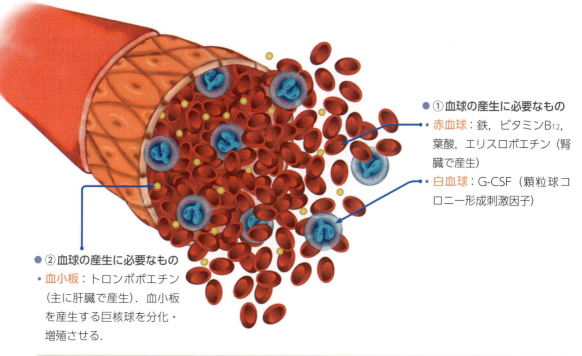

● ①血球の産生に必要なもの
- 赤血球：鉄，ビタミンB_{12}，葉酸，エリスロポエチン（腎臓で産生）
- 白血球：G-CSF（顆粒球コロニー形成刺激因子）

● ②血球の産生に必要なもの
- 血小板：トロンボポエチン（主に肝臓で産生）．血小板を産生する巨核球を分化・増殖させる．

サイトカイン

　サイトカインは，種々の細胞から産生され，ほかの細胞の増殖，分化，活性化などの機能を発現させる可溶性分子の総称である．その機能によりいくつかに分類されている．

● インターロイキン（IL）
　主にリンパ球やマクロファージなどの食細胞から産生され，主に免疫系の細胞の増殖・分化・活性化に作用する．現在まで30種類以上が同定されている．

● インターフェロン
　主にT細胞やマクロファージから産生され，ウイルス増殖抑制や抗ウイルス作用をもち，免疫細胞を活性化させて抗腫瘍作用ももつ．

● ケモカイン
　免疫細胞の遊走因子の総称で，炎症の場で産生される．

● 造血因子（コロニー刺激因子：CSF）
　血液細胞・免疫細胞の分化・増殖を刺激する．好中球の増殖を刺激するG-CSF，赤血球の増殖を刺激するエリスロポエチン（EPO），血小板を産生する骨髄巨核球を刺激するトロンボポエチン（TPO）などがある．

● 細胞増殖因子
　細胞の増殖を刺激する．上皮成長因子（EGF），線維芽細胞成長因子（FGF），腫瘍増殖因子（TGF-β）などがある．

● 細胞壊死因子
　マクロファージから産生され細胞死を誘導する．腫瘍壊死因子としてTNFα，TNFβがある．

■ 赤血球の分化・増殖

赤血球の分化・増殖に働く腎尿細管近傍の線維芽細胞から分泌されるエリスロポエチン（EPO）が作用する（→p.277参照）．この分化段階では，DNA合成が盛んに行われるため，ビタミンB_{12}と葉酸を必要とする．

■ 白血球の分化・増殖

白血球の分化・増殖に働くコロニー刺激因子（CSF）が作用する．特に顆粒球の分化・増殖にはG-CSFが作用する．

■ 巨核球の分化・増殖

血小板を産生する巨核球の分化・増殖には，トロンボポエチン（TPO）が作用する．

■ 造血幹細胞

p.159の通り，造血の元となる細胞で，すべての血球（赤血球，白血球，血小板を産生する巨核球）に成長する（分化する能力・自己複製能力）．

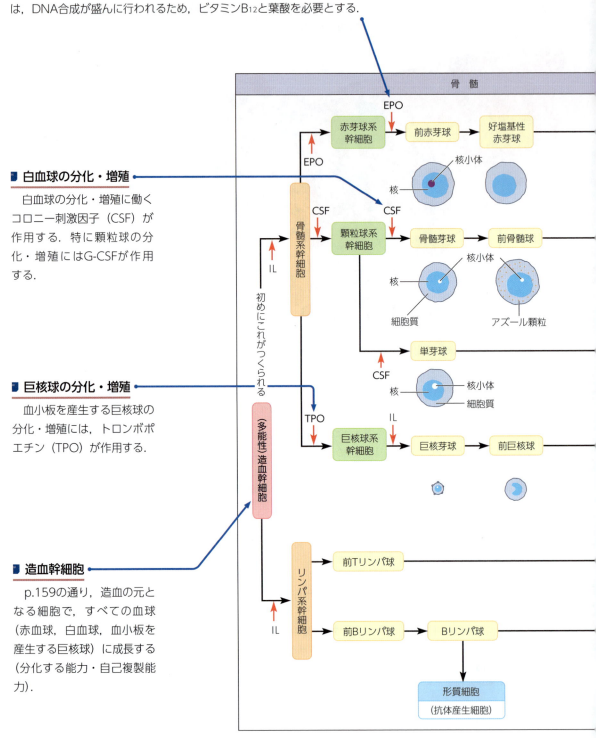

図3-6 骨髄造血と血球の分化・成熟

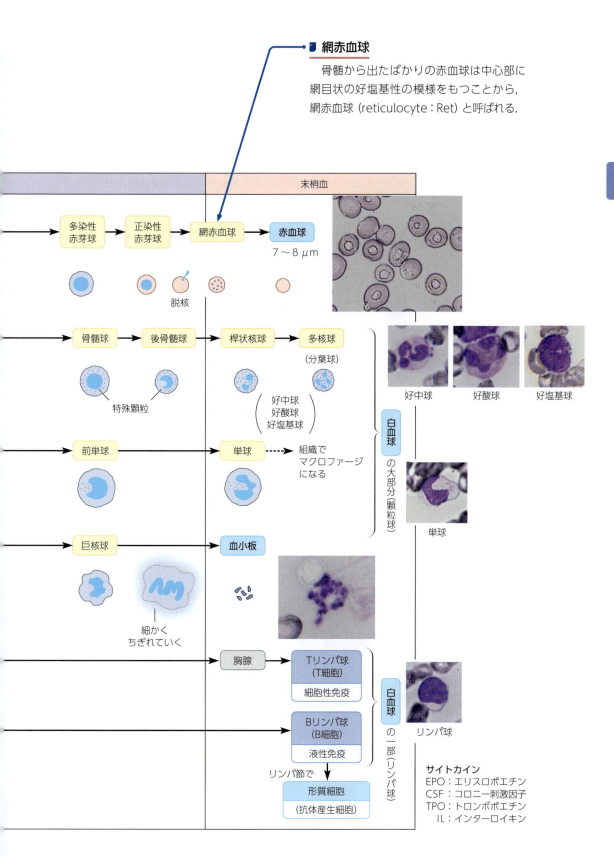

2 血球とその機能

1 赤血球

■ 赤血球とは

赤血球（red blood cell, erythrocyte：RBC）はそれ一つで1個の細胞であるが，成熟した赤血球は分化の過程の末梢血に出る直前に脱核するため**核を有さない**．直径約7〜8μm，厚さ約2μmの中央がくぼんだ円盤状をしている．この形態が変形能を高くしていて，細い毛細血管内も自由に流れることができる．

図3-7 赤血球

中央がくぼんだ円盤状のため，顕微鏡画像では中央部が白く抜けて見える．

■ 赤血球とヘモグロビン

赤血球が赤いのは**ヘモグロビン**（hemoglobin：Hb）というタンパク質を大量に含んでいるからである．

plus α

赤血球の行方

骨髄で産生された成熟赤血球は，体内を約120日間循環した後，脾臓に代表される網内系で破壊され，最終的にはビリルビンとなる．溶血性貧血で赤血球の破壊が亢進すると，ビリルビンが大量に産生され黄疸を呈するのはこのためである．

■ ヘモグロビンの構造

ヘモグロビンは，鉄を中心部に置いたヘム（hem）という色素に，球状タンパク質のグロビン（globin）が結合した複合タンパク質である．ヘムは，グロビンの構造的空間（ヘムポケット）に入り込み，周囲のグロビンに含まれた形が4個結合して四量体を形成し，ヘモグロビンが出来上がる．

ヘムの中央にある鉄に酸素が可逆的に結合する（くっついたり離れたりする）ことで，酸素の運搬が可能となる．

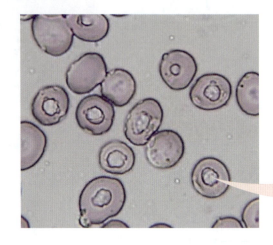

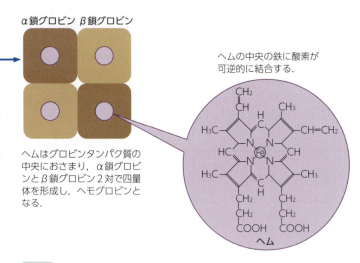

ヘムはグロビンタンパク質の中央におさまり，α鎖グロビンとβ鎖グロビン2対で四量体を形成し，ヘモグロビンとなる．

ヘムの中央の鉄に酸素が可逆的に結合する．

図3-8 ヘモグロビンの構造

赤血球の寿命と死

赤血球の寿命は約4カ月であるが，老朽化したものは脾臓で処理される．

グロビンはアミノ酸に分解される．一方，ヘムは分解されて間接型ビリルビンとなり，アルブミンと結合して肝臓に運搬され，グルクロン酸抱合という反応を経て直接型ビリルビンとなって胆汁に排泄される（➡p.322，323参照）．

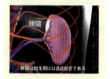
脾臓の構造と機能

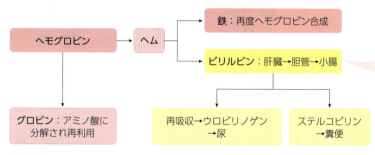

赤血球が大量に壊されるとビリルビン上昇により黄疸が出現する（溶血性貧血）

図3-9 赤血球が老朽化して脾臓や肝臓で処理された後のヘモグロビンの分解

ヘモグロビンと酸素の結合・解離

①酸素解離曲線

ヘモグロビンに酸素が結合するしくみは，血液中の酸素分圧に依存する．

横軸に酸素分圧，縦軸にヘモグロビンの酸素飽和度をとってグラフを書いたものが酸素解離曲線である．

ヘモグロビンは酸素の多い組織では酸素が離れにくく，酸素の少ない組織では酸素が離れやすい性質がある．

plus α

酸素分圧と酸素飽和度

酸素分圧は，血液中にどのくらいの酸素が溶けているか，その濃度を血液中における圧力としてTorr（mmHg）で表したもの．また酸素飽和度はヘモグロビン100個当たり何個のヘモグロビンが酸素と結合しているかを示した割合を％で表したものである．

②酸素解離曲線の移動

ヘモグロビンは，体温の上昇，pHの低下などにより，肺での酸素結合能が低下する（➡p.244参照）．

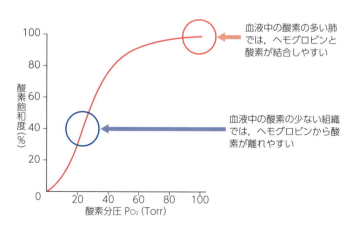

図3-10 ヘモグロビンの酸素解離曲線

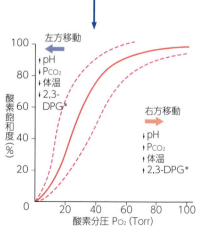

＊2,3-DPG ➡ p.245参照

2 白血球

白血球とは

健常者では，血液1μLの中に白血球（white blood cell, leukocyte：WBC）は3,500〜9,000個含まれている．白血球はその形態によって**顆粒球**，**単球**，**リンパ球**の3種類に分類される．顆粒球は染色性によって，**好中球**，**好酸球**，**好塩基球**に分けられる．

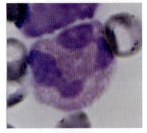

好中球　　　好酸球

染色した1,000倍の顕微鏡像である．

白血球の産生と分化

白血球は骨髄で産生される．

好中球では，造血幹細胞から骨髄系に分化した細胞は，**芽球**（blast）→**前骨髄球**（promyelocyte）→**骨髄球**（myelocyte）→**後骨髄球**（metamyelocyte）→**桿状核球**（band cell）→**分葉核球**（segmented cell）と分化する．桿状核球と分葉核球を合わせて好中球と呼ぶ．末梢血に現れるのは桿状核球と分葉核球のみである．

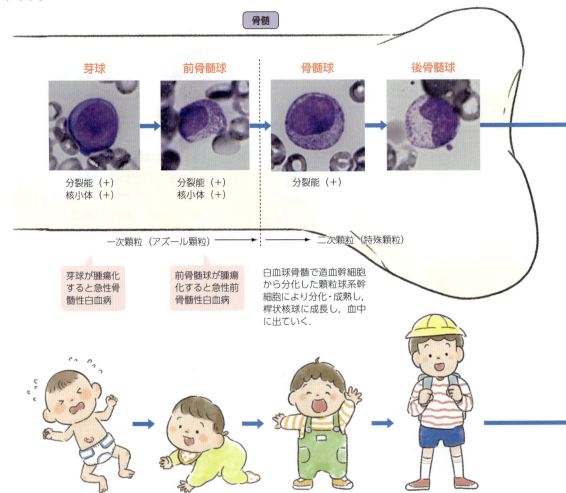

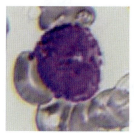
好塩基球

単球

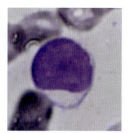
リンパ球

図3-11 末梢血中の白血球

敗血症などの重症感染症では，白血球の増加とともに桿状核球の増加（15％以上）が認められることがあり，このことを白血球の左方偏位という．

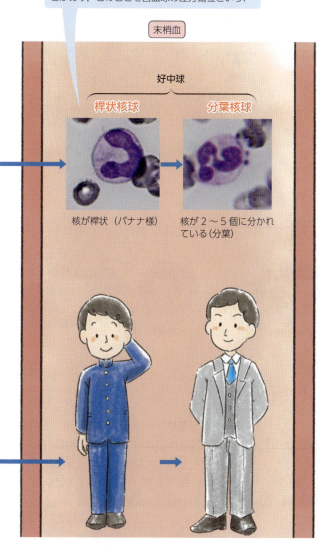

図3-12 好中球の分化

白血球の働き

- ①好中球
  細菌・真菌を貪食し処理する．
- ②好酸球
  アレルギーに関与する（アレルギー性疾患で増加し，アレルギー反応を抑制する）．
- ③好塩基球
  アレルギーに関与する（ヒスタミンを放出し，即時型アレルギー〔Ⅰ型アレルギー〕を起こす）．
- ④リンパ球
  免疫反応の主役を担う．
- ⑤単球
  単球から分化したマクロファージが細菌や異物を貪食する．

白血球の形態と機能

①好中球（neutrophil）の形態

桿状核球は核が桿状（バナナのような形）を呈しており，分葉核球は核が2〜5個に分かれて（分葉して）いる．どちらの細胞も，細胞質にピンク色の顆粒をもっている．

②好中球の機能

好中球は，末梢血では全白血球の40〜60％を占める．そして細菌や真菌などの病原体を貪食し，細胞質内で活性酸素により殺菌し，酵素により分解する機能をもつ．病原体に補体や抗体が接着することで，好中球の貪食能はさらに亢進する．これを**オプソニン効果**と呼ぶ．オプソニン効果は，そのままでも食べられる白飯に，ふりかけをかけると食べやすくなるのと似た効果があると考えられる．

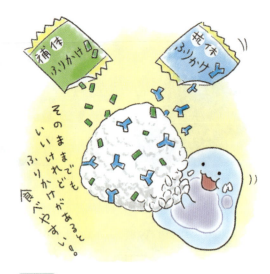

図3-13 オプソニン効果

plus α
食細胞
　好中球，単球，組織のマクロファージは食細胞と呼ばれ，細菌や真菌を貪食し，殺菌する．その際，病原菌に抗体や補体が結合することにより，ふりかけのように貪食しやすくなる．

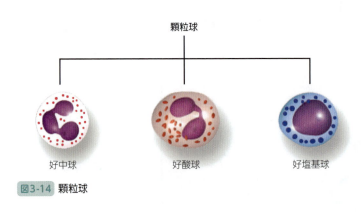

図3-14 顆粒球

③好酸球（eosinophil）

好酸球は，白血球全体の2〜5％を占め，気管支喘息などのアレルギー性疾患や寄生虫感染の際に増加する．細胞質内に赤い顆粒をもつが，この顆粒にはヒスタミナーゼという酵素が含まれ，アレルギー発現時のヒスタミンを分解し，抗アレルギー作用を発揮する．

④好塩基球（basophil）

白血球全体の0〜2％で，細胞質内に青い顆粒をもつ．顆粒にはヒスタミンが含まれ，即時型アレルギー（Ⅰ型アレルギー）の中心的な役割を果たす．

- ⑤ 単球（monocyte）の形態

類円形または切れ込みのある形状の核をもち，細胞質はやや青みがかっている（好塩基性）．非特異的エステラーゼ染色で，茶褐色に染まる．

- ⑥ 単球の機能

全白血球の3～6％を占める．機能としては，病原体や老朽化した細胞を貪食する作用と，T細胞に抗原を提示する（貪食した病原体の情報をT細胞に伝達する）作用を有する．単球は組織に出るとさらに分化して**マクロファージ**（大食細胞）として働く．

図3-15 単球

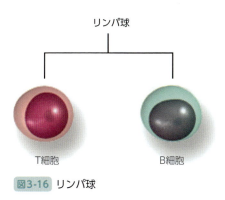

図3-16 リンパ球

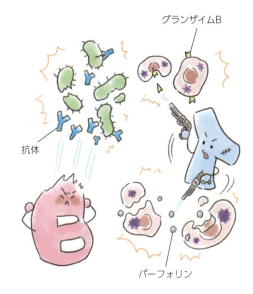

B細胞：抗体を産生してウイルスなどを中和して弱毒化する．
T細胞：感染細胞に接近し，パーフォリンやグランザイムBを放出して感染細胞を死滅させる．

図3-17 リンパ球の働き

- ⑦ リンパ球（lymphocyte）
  - B細胞：抗体を産生し病原体を攻撃する（液性免疫）．
  - T細胞：ウイルス感染細胞や腫瘍細胞を標的とし，パーフォリンで細胞膜に穴を開け，グランザイムBを放出して細胞死に至らしめる（細胞性免疫）．
  - NK（natural killer）細胞：ウイルス感染細胞や腫瘍細胞を標的とし攻撃する（自然免疫）．

さまざまなT細胞

実は上述の細胞性免疫をつかさどるT細胞は，CD8という表面抗原を有するキラーT細胞のことをいう．そのほかT細胞には，CD4陽性のヘルパーT細胞や制御性T細胞（Treg）が知られている（➡p.475参照）．

ヘルパーT細胞はその機能からTh1，Th24，Th17……と数多くの種類が発見されている過程にある．主にサイトカインを産生することで，細胞障害活性を高めたり，抗体産生促進に働いたりするため，免疫の中枢的役割を果たしている．

Tregは，免疫応答の制御的な働きをする細胞で，いきすぎた免疫反応のブレーキをかける役割を担っている．

ヘルパーT細胞

Treg

3 血小板と血液凝固および血栓の線溶

血小板とは

血小板 (platelet：Plt) は巨核球系幹細胞からつくられる直径 2～4 μm の不整形円盤状の無核細胞である.

血小板の産生・寿命

血小板は, 骨髄中の巨核球という細胞の細胞質がちぎれた形で産生される. 寿命は 3～10日であり, 寿命が尽きると主に脾臓で処理される.

血小板の働き

止血に重要な役割を果たし, 健常者では 1 μL当たり15万～40万個が存在する.

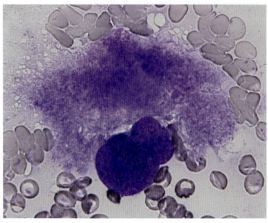

骨髄の巨核球
細胞質がちぎれて血小板がつくられる.

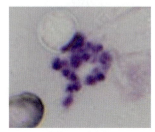

凝集した血小板

図3-18 血小板

止血

血液は, 血管内で固まらずスムーズに流れている. これは血管を裏打ちしている血管内皮細胞が滑らかで血液を凝固させない機能を有しているからである. しかし, 血管が破綻し出血しはじめると, 血液内のさまざまな因子が活性化し止血機構が働く. 止血機構は, 血小板が重要な働きをする一次止血と, 凝固因子が働く二次止血に分かれる.

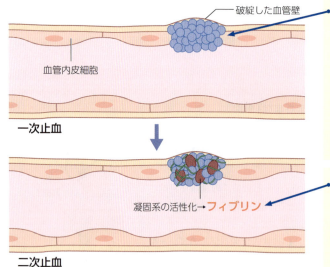

図3-19 止血

● ①一次止血

一次止血とは, 創傷などで血管が破綻して内皮細胞が傷つき, その外側のコラーゲンが血管内に露出すると, 血小板が活性化しコラーゲンに血小板が粘着する. 次に, 周囲の活性化した血小板は血小板同士で結合しあい (凝集), 破綻した血管壁を緩く覆う (血小板血栓).

● ②二次止血

一次止血で形成される血小板血栓, すなわち血小板のみのふたでは脆弱なので, より強固なふたを形成するため凝固因子が作用してフィブリンを形成し, 止血を完璧なものにする (永久血栓).

③凝固因子

凝固因子はⅠ～ⅩⅢ（Ⅵは欠番）まであり，凝固因子が相互を活性化し，最終的にフィブリンを形成し赤血球を巻き込んで強固な血栓（フィブリン血栓）をつくる（凝固反応カスケード*）．

血液の凝固機能を調べる検査に，プロトロンビン時間（PT）と活性化部分トロンボプラスチン時間（APTT）があるが，これらは凝固反応カスケードのどこかに異常があることを検索する上で，簡便で有用な検査方法である．ほとんどの凝固因子の活性化にはカルシウムイオン（Ca^{2+}）が必要であり，Ca^{2+}はⅣ因子ともいわれている．

用語解説 *

凝固反応カスケード
カスケードとは連鎖的に起こる反応のことをいう．血液凝固因子が次々に反応して活性化し，最終的に血栓形成に至る．

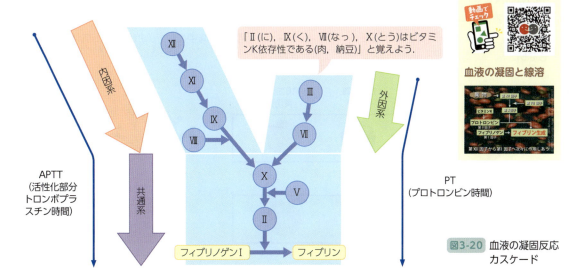

図3-20 血液の凝固反応カスケード

線溶

血管内にできた血栓は血管の修復とともに除去される必要がある．これを線溶という．

血中のプラスミノゲンというタンパク質に，組織プラスミノゲンアクチベータが作用して，プラスミンというタンパク質分解酵素をつくる．プラスミンは，出来上がった血栓のフィブリンを分解する働きがあり，これによって血管内の血栓は除去されていく．月経時，子宮内に出血し凝固した血液は，線溶により腟から流出する．

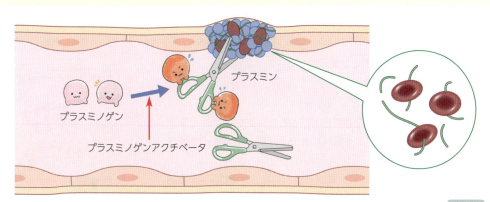

プラスミノゲンがプラスミンに変化し，フィブリン血栓を分解処理していく．

図3-21 線溶

3 血液型と輸血

ヒト赤血球の表面にはABO，Rh，MN，Luなど，さまざまな血液型抗原が出現しているが，輸血に関して重要なものは，ABOとRhである．

1 ABO式血液型

赤血球表面

A型の赤血球表面にはA抗原のみが，B型の赤血球表面にはB抗原のみが，AB型の赤血球表面にはA抗原とB抗原の両方があるが，O型の赤血球表面にはどちらもない．

血清

一方，血清についてはその正反対となり，A型の血清中にはB型の赤血球を凝集させる抗B抗体が，B型の血清中には抗A抗体が存在する．AB型の血清中には，どちらもなく，O型の血清中には抗A抗体，抗B抗体の両方が存在する．

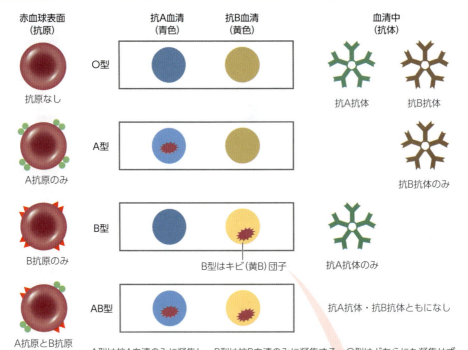

A型は抗A血清のみに凝集し，B型は抗B血清のみに凝集する．O型はどちらにも凝集せず，AB型はどちらにも凝集する．
日本人では，A型，O型，B型，AB型の順に多く，およそ4：3：2：1の割合である．

図3-22 ABO式血液型と凝集反応

オモテ試験・ウラ試験

これらの特性を利用して血液型を判定するが，判定にはオモテ試験（被検者の赤血球を利用する場合）とウラ試験（被検者の血清を利用する場合）がある．

例えば，B型の血液は，オモテ試験で抗A血清で凝集せず，抗B血清で凝集する．その血球上にB抗原をもつからである．

覚え方は黄色でB型が団子になるので黄B団子．

2 Rh式血液型

ABO式血液型が有する抗原は，A抗原とB抗原の2種類だが，Rh式血液型には多くの抗原が存在する．うち基本となるのはD，C，c，E，eの5種類である．このうち最も抗原性の高いものはD型であり，臨床的に重要であるので，D型を有するものをRh（＋），有さないものをRh（－）と呼ぶ．

▍Rh式血液型不適合妊娠

Rh式血液型において，臨床上最も重要なのは，Rh式不適合妊娠である．これは，Rh（－）の女性がRh（＋）の男性との間で妊娠したときに問題となる．第一子の出産は無事終了するが，そのとき母体にできた抗体によって，第二子に溶血性黄疸が生じて，流産や死産となることが多い．

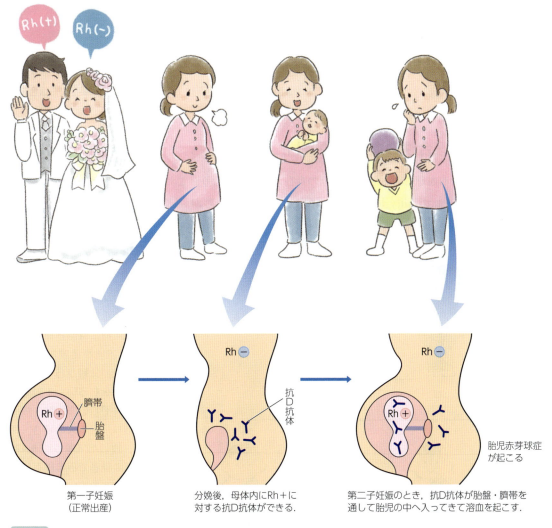

図3-23 Rh式血液型不適合妊娠

3 輸血に際しての交差適合試験

輸血に際しては，供給された血液製剤と輸血を受ける人（受血者）の，ABO式とRh式の血液型を一致させると同時に，万が一，他の種類の血液型不一致の輸血をチェックするため，供血された血液製剤と受血者の血液を体外で混合して，反応しないことを確かめる必要がある．これを**交差適合試験**（クロスマッチテスト）という．

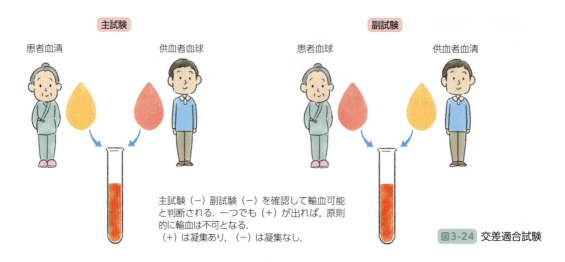

主試験（−）副試験（−）を確認して輸血可能と判断される．一つでも（＋）が出れば，原則的に輸血は不可となる．
（＋）は凝集あり，（−）は凝集なし．

図3-24 交差適合試験

4 ヒト組織適合性白血球抗原（HLA）

ヒト白血球には赤血球にある以上の抗原の存在が知られており，これを**ヒト組織適合性白血球抗原**（human histocompatibility leukocyte antigen：**HLA**）と呼ぶ．HLAは，ほとんどの体細胞に発現している抗原である．

■ HLAの種類

HLAにはA座，B座，C座，DR座，DQ座，DP座の6種類が知られており，臓器移植，特に骨髄移植の場合にA座，B座，DR座が重要な役割を示す．それぞれ，父親から一つ，母親から一つの型をもらい，1対をなしている．それぞれの座には，数十種類の型があり，日本人の場合，完全に自分と一致した（同じ）HLAをもつヒトを非血縁者でみる確率は，10万分の1といわれている．

図3-25 ヒト組織適合性白血球抗原（HLA）

4 心臓

心臓は生命の維持に必要な血液を全身に送り出す重要な臓器である．

血液には，酸素や二酸化炭素といったガス成分，糖分や脂肪などの各種栄養素，そして内臓や筋肉で産生される熱など，数多くのものが含まれており，これらすべてが全身をくまなく巡るには心臓のポンプ力が必要である．

1 心臓の構造

■ 形と大きさ

心臓はおよそ円錐（えんすい）の形をしており，心筋という特殊な筋肉からなる中空の器官である．大きさに個人差は少なく，その人の握りこぶしくらいである．

■ 心臓の位置

横隔膜の上に位置し，横隔膜を境に胃と対している．左右の肺に挟まれた縦隔内の正中より少し左にある．

心臓の上端は心基部と呼ばれ，第2肋間に位置する．

心臓の下端は心尖（しんせん）（部）と呼ばれ，左側の第5肋間の鎖骨中線上に位置する．

plus α 心臓（成人）の大きさと重さ

長さ	14cm
幅	10cm
重さ	成人 200～300g（男性 約280g／女性 約230g）

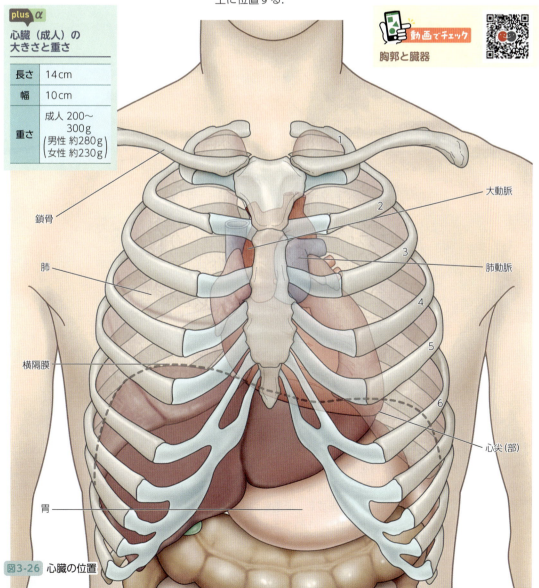

図3-26 心臓の位置

被膜

心臓の壁は心外膜（外層），心筋層（中層），心内膜（内層）の3層からなる．

①心外膜

心膜とも呼ばれ，心臓を包んでいる．ただし，心臓に出入りする大血管の部位で反転し，二重の膜になる．心臓に接する臓側心膜を心外膜，肋骨に接する壁側心膜を心嚢と呼び，その間で心膜腔がつくられる．そこへ壁側心膜と臓側心膜から漿液が分泌され，心臓の動きを滑らかにする．

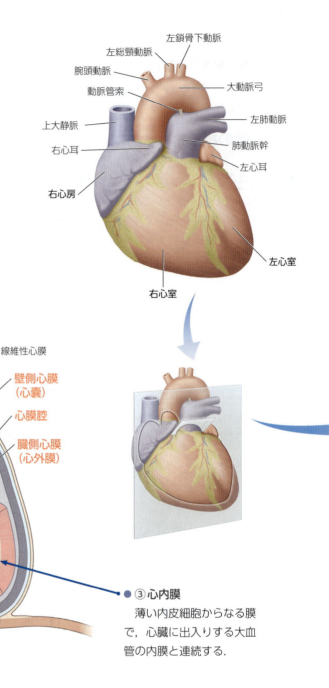

図3-27 心臓壁と被膜

②心筋層

厚い心筋*層は心臓の大部分を占め，心筋細胞からなる．心筋層の内部は線維性の強い結合組織で補強されている．心筋層は心房では2層，心室では3層を形成し，心筋細胞に類似した細胞からなる刺激伝導系（➡p.180，181参照）がある．

③心内膜

薄い内皮細胞からなる膜で，心臓に出入りする大血管の内膜と連続する．

> **用語解説***
> **心 筋**
> 心筋は，駆出力をもつ固有心筋と，心拍数や心房・心室の収縮リズム生成・調整を担当する刺激伝導系である特殊心筋に分類される．いずれも自己の意思で動かすことのできない不随意筋であり，形態的には横紋筋である（➡p.124参照）．

主循環路

心臓は左右二つずつの心房と心室に分かれ，それぞれに大血管が出入りしている．

心臓は左心房と右心房，左心室と右心室の4室（2心房2心室）からなり，異なる形と働きをもつ．

①右心系と左心系

Ⓐ右心系

全身の静脈から戻った静脈血は，上大静脈・下大静脈・冠状静脈洞で右心房に入る．右心室は右心房から三尖弁を通して血液を受け入れ，肺動脈弁を通って肺動脈に血液を送り出す．

Ⓑ左心系

肺を循環した血液は，4本の肺静脈に集合して左心房に戻る．左心室は僧帽弁を通った血液を受け入れ，大動脈弁を通して血液を大動脈へ拍出する．

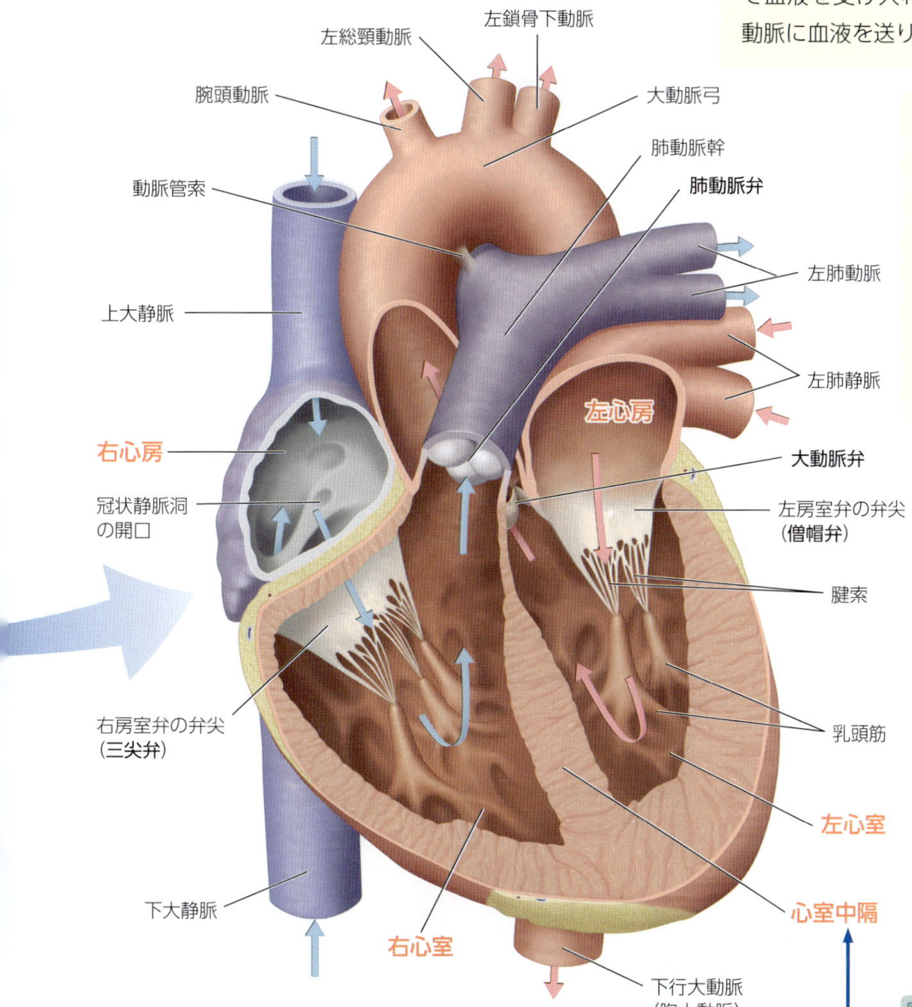

心臓

図3-28 心臓の形態と内面

②心室と心房

- 心臓は房室弁（右：三尖弁，左：僧帽弁）によって上部の心房と下部の心室に分かれている．
- 心房は2層の心筋層でできた薄い壁をもち，静脈から血液を受け入れる部分である．
- 心室は3層の心筋層からなる厚い壁で囲まれ，動脈へ血液を絞り出すポンプの働きをする．左心室は全身に血液を送り出す強いポンプ作用をもち，右心室に比べて心筋層は厚くなっている．

③中隔

- 心臓の左右の仕切りは中隔と呼ばれ，心内膜によって覆われた心筋からなる．心房は心房中隔で，心室は心室中隔によって左右に仕切られている．左右の心筋層は連続しているが，心房と心室の心筋は独立しており，両者は心筋細胞に類似した細胞からなる刺激伝導系で連絡する．

心臓と主循環路

人体の循環器系は体循環と肺循環の二つの大きな系から成り立ち，体循環は心臓の左側，肺循環は右側のポンプ機能によって循環している．

①肺循環

肺循環は右心室から出てガス交換を行う肺に血液を運んで左心房に戻る血液循環である．

全身の静脈から戻る酸素濃度の低い血液は，上大静脈・下大静脈・冠状静脈洞を通って右心房に入り，次に右心室に入って肺動脈幹から肺に駆出される．**肺動脈幹**は**右肺動脈**と**左肺動脈**に分かれ，左右の肺に酸素濃度の低い血液を運ぶ．

肺胞と接する毛細血管に至ると，血液中の二酸化炭素は肺胞内に移動し，代わりに肺胞から酸素が毛細血管内の血液に取り込まれる．酸素濃度が高くなった血液は，**肺静脈**によって左心房に流れ込む．

②体循環

酸素濃度が高く栄養に富む血液を全身の臓器・組織・細胞に供給する**体循環**は，左心室から大動脈に血液が送り出されるところから始まる．

動脈は枝分かれして，臓器・組織・細胞では毛細血管となってガス交換，栄養分と老廃物の交換を行った後，血液は静脈血となって，**上大静脈**・**下大静脈**に合流し，再び右心房に戻る．

大動脈は体中で最も太い血管で，左心室からの血圧に耐えられるようになっている．

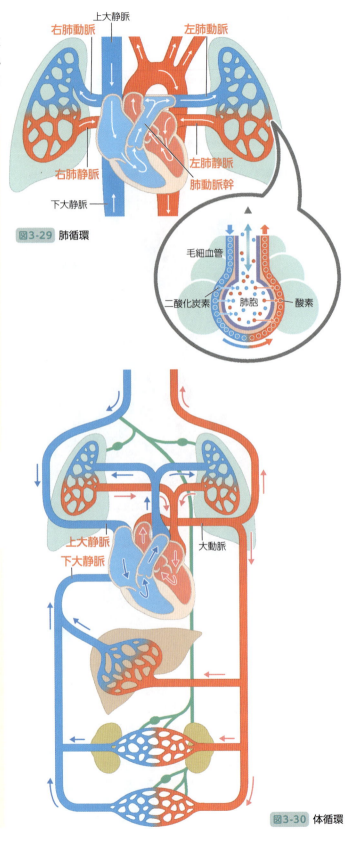

図3-29 肺循環

図3-30 体循環

■ 弁

血液が心房から心室へ，心室からそれにつながる大血管（動脈）へと一方向に流れるように，心臓には四つの弁がある．

- ● ① **房室弁**
  左右の心房と心室の間にある．
- Ⓐ **右房室弁**：3枚の弁尖（前後および中隔尖）で構成され，**三尖弁**と呼ばれる．
- Ⓑ **左房室弁**：2枚の弁尖（前および後尖）からなる二尖弁であり，カトリックの司教の帽子の形に似ているので**僧帽弁**ともいう．

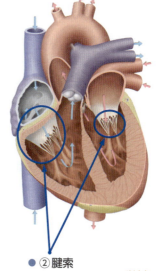

- ● ② **腱索**
  房室弁の先端は，**腱索**と呼ばれる結合組織性の細いひもで心室内壁に突き出た乳頭筋につなぎ止められている．そのおかげで，心室が収縮して弁が閉じたときでも，弁が心房のほうに反転することはない．心室が拡張すると腱索によって弁が引っ張られる．

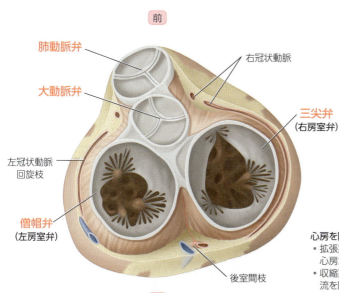

心房を除去し，四つの弁を上から見たところ．
- 拡張期：腱索によって房室弁が引っ張られ，弁が開いて心房から心室に血液が流入する．
- 収縮期：房室弁が押し上げられて閉じ心房への血液の逆流を防ぐと同時に，肺動脈弁と大動脈弁が開き，肺動脈と大動脈へ血液が送り出される．

図3-31 心臓の弁と動脈口（拡張期）

- ● ③ **動脈弁**
  右心室・左心室にそれぞれつながる動脈の起始部には**肺動脈弁**，**大動脈弁**と呼ばれる**半月弁**があり，3個のポケット状の弁膜が向き合っている．血液が逆流しようとすると，このポケットを膨らませて3個の弁の縁がピタリと接触して動脈口を閉じる．

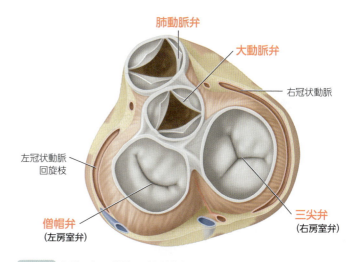

図3-32 心臓の弁と動脈口（収縮期）

心臓に分布する血管

①動脈系

心臓を栄養する冠状動脈は左右各1本で、それぞれ大動脈弁の左半月弁（左冠尖）と右半月弁（右冠尖）の基部から約1cmのところで大動脈から分岐する。

②右冠状動脈

洞房結節を含む右心房と右心室に分岐しながら、冠状動脈溝に沿って、右心房と右心室の間を後方に回る。さらに、左心室後壁まで枝を伸ばし、通常、房室結節、心室中隔の後側1/3および左心室下壁の一部を灌流している。

③左冠状動脈

本幹は数mmから数cmと短く、前下行枝（前室間枝）と回旋枝に分かれる。前下行枝は心室中隔前面の前室間溝に沿って枝分かれしながら心尖の方向に伸び、心室中隔の前2/3、左心室の前壁および心尖部、右心室の中隔寄りの一部を灌流する。

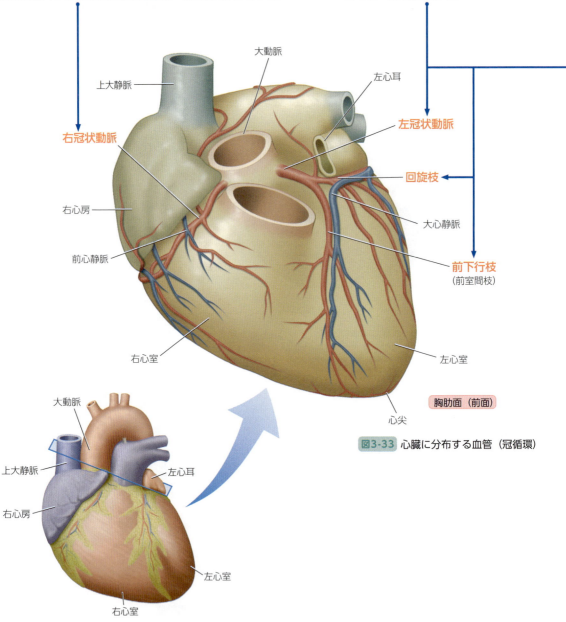

図3-33 心臓に分布する血管（冠循環）

●④静脈系

　静脈系は主として心外膜側へ流れ，冠状動脈の走行と逆に房室間溝の方向に集まるが，右心室からの静脈は右心房の前面，三尖弁輪の直上で，前心静脈など，いくつかの流出口をもつ．左心室からのものは一つに集まって，右心房後面の中隔寄りにある冠状静脈洞から右心房に流れる．

　右心房および心室内膜側には，多数の**テベシウス静脈**（Thebesian vein）と呼ばれる細い静脈が開口しており，心内膜下層の静脈血を一部，心内腔へ直接導く．

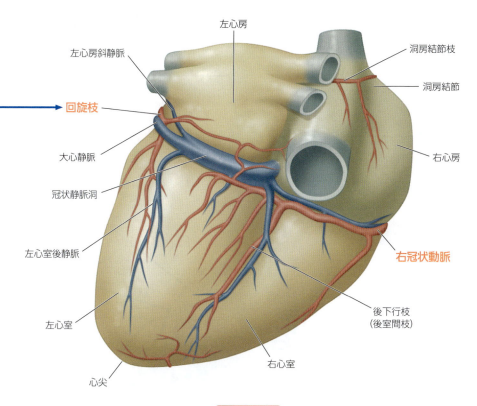

横隔面（下面）

●⑤血液量

- 冠状動脈を流れる血液量は，心拍出量の約5％で，ヒトの心室筋では安静時80～100 mL/min/100 g.
- 冠状動脈の血流は，冠状動脈圧（通常は大動脈圧）が心筋の張力（組織圧）を上回るときに流れる．
- 心房および右心室では収縮期・拡張期を通じて常に流れる．左心室壁では主として拡張期に流れる．
- 収縮期の左心室壁張力は心外膜側で最も低く，心内膜側で最も高いので，左心室心内膜下層では収縮期にほとんど血流がなく，拡張期にのみ流れる．しかし，拡張期の血管抵抗は心外膜に比して低いので，左心室の心内膜・心外膜各層の単位容積あたり冠血流量は，ほぼ等しい．ただし，拡張期血圧の低下や頻拍による拡張期の短縮などという悪条件下では，左心室の心内膜下層が最も弱く，虚血に陥りやすい．
- 右心室でも，肺高血圧症などで右心室圧が上昇し，右心室圧が左心室圧（右心房圧）よりも高い場合には，右心室灌流域で収縮初期に逆流がみられることがある．

2 心臓の機能

■ 脈拍と刺激伝導系

　心筋の収縮は脳からの神経支配を受けずに自動的に収縮する点で，一般の骨格筋とは異なる．心筋の収縮をコントロールするのは，心臓にある特殊心筋からなる刺激伝導系，および自律神経系（→p.390参照）である．

　刺激伝導系は，神経組織ではなく，心臓の大部分を構成する固有筋とは異なる特殊な心筋組織でできている．自律神経系には，心拍数を増やす働きをする交感神経と，心拍数を減らす副交感神経（迷走神経）があり，両者の拮抗する作用によって身体の生理的状況に応じた心臓の活動がコントロールされる．

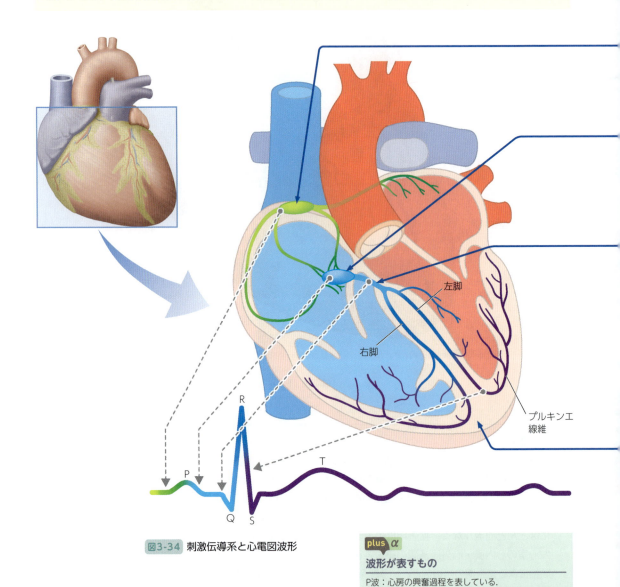

図3-34 刺激伝導系と心電図波形

plus α

波形が表すもの

P波：心房の興奮過程を表している．
QRS：心室中隔と左右心室筋の興奮過程を表している．
T波：心室の興奮過程が終了し，心室内の電気的回復過程を表している．

■ 刺激伝導系

刺激伝導系は右心房の上大静脈の開口部にある洞房結節，心房中隔の右後部にある房室結節，房室束（ヒス束），心室中隔の左脚と右脚，心筋層のプルキンエ線維からなる．洞房結節は心臓の歩調取り（ペースメーカー）といわれ，60～80回/分の割合で律動的なインパルス*を発し，それによって心拍数が決まる．

用語解説 *
インパルス
洞房結節が生成した刺激に応じて細胞膜に生じる一過性の膜電位の変化であり，活動電位のことである．

① 洞房結節
洞房結節で生じたインパルスは心房を通って，第二の歩調取りである房室結節に達する（0.04～0.09秒後）．

plus α
不整脈
心拍数あるいは調律の障害であり，興奮の発生あるいは伝達の異常に基づくものである．

② 房室結節
房室結節では，一時的にインパルスの遅れが生じて約0.16秒後に房室束（ヒス束）に到達し（この間に心房の収縮は完了する），心室に伝えられる．

③ 房室束（ヒス束）
房室束は心室中隔の上部で右脚と左脚に分かれ，右脚は右心室に，左脚は前枝と後枝に分かれて左心室に入った後，さらに枝分かれして網状になったプルキンエ線維となって心筋細胞・乳頭筋に達する．その結果，心臓全体にインパルスが送られる．

④ 心筋細胞
洞房結節で生じたインパルスは約0.22秒後には心室全体の心筋細胞に到達し，収縮が起こる．それぞれの心筋細胞は相互の細胞膜で隔てられているが，この細胞膜はギャップ結合*（細隙結合）であるので，それぞれの心筋細胞は合胞体のように同調して収縮する．

用語解説 *
ギャップ結合
細胞間結合の一種で，コネクソンと呼ばれる中空の筒によって結合している．

心周期と心音

心臓はポンプとしての役割をもち，左右の心房は同時に収縮する．そして，心房が拡張（弛緩）し始めると，次いで左右の心室が同時に収縮し始める．1回の拍動で心臓が収縮して弛緩するまでのサイクルを心周期という．心筋が収縮する期間を収縮期，弛緩する期間を拡張期と呼ぶ．

> **心音**
> 心臓弁が閉鎖するタイミングで発生する音．Ⅰ音は心尖部，Ⅱ音は心基部で聴きやすい．

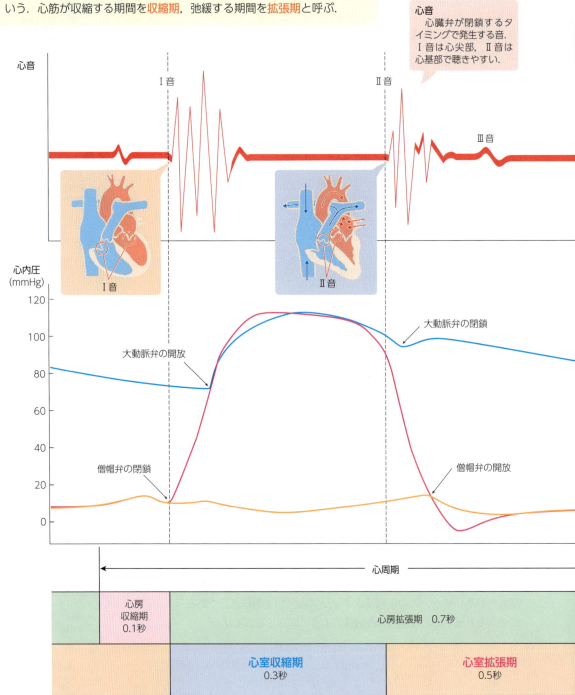

図3-35 心周期の心音と心内圧

- ① 心室の拡張期
  - Ⓐ充満期（流入期）

  左心房へ4本（左右2本ずつ）の肺静脈が酸素に富んだ血液を運び、同時に右心房へ上大静脈・下大静脈は酸素の少ない血液を送り込む．

  - Ⓑ心房の収縮開始から弛緩まで

  半月弁は閉じたまま、房室弁が開き、心房内の血液は心室へと流れ込む．洞房結節は、左右の心房筋に広がる収縮の波を刺激するインパルスを発する．心房筋の収縮によって心房は空になり、心室は完全に血液で充満する（心房収縮期0.1秒）．

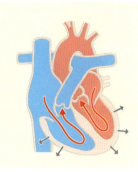

- ② 心室の収縮期

  房室結節に到着したインパルスは、房室束、左右の脚、そしてプルキンエ線維を経由して心室筋へ広がる．その結果、心臓の心尖から上方へ放散する収縮の波は、左右の心室壁を横切り、肺動脈・大動脈へ血液を送り出す収縮波となる（心室収縮期0.3秒）．

  心室筋が収縮すると、心室の内圧が徐々に上昇し始め、心室圧が心房圧より高まると房室弁は閉鎖する．この房室弁（僧帽弁と三尖弁）の閉鎖によって第Ⅰ心音が生じる．心室圧が上昇して肺動脈圧や大動脈圧を超えると、肺動脈弁・大動脈弁が開口し、肺動脈・大動脈へ血液が流れる．

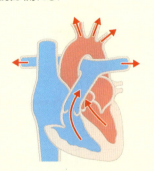

  心室収縮期の末期には心室は弛緩を始め、心室内圧が大動脈圧・肺動脈圧より低くなって半月弁が閉鎖することで、第Ⅱ心音が生じる．つまり、第Ⅱ心音は大動脈弁成分と肺動脈弁成分からなる．

- ③ 心室の拡張早期

  心室筋の収縮後、約0.4秒の完全心臓拡張期があり、心房と心室は拡張する．この期間に、心筋は再び収縮可能な状態まで回復するとともに、心室筋が弛緩しているときに房室弁が開口する．

  このようにして心周期が繰り返される．

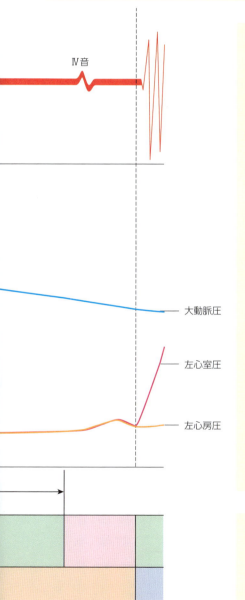

刺激伝導系と心臓の活動の関係性

刺激伝導系と心臓の活動の関係について示す．

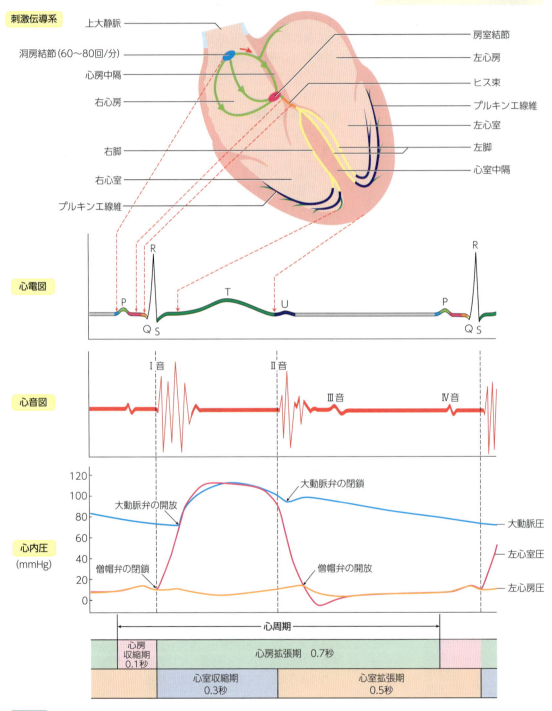

図3-36 心臓の機能

■ 心拍出量（心機能の調節）

心拍出量（cardiac output：CO）は心臓から拍出される血液の総量で，1分間当たりのリットル（L/分）で表される．

● ① 1回拍出量（stroke volume：SV）

心室が1回収縮するごとに拍出される血液量が1回拍出量である．心拍出量は，心拍数（heart rate：HR）に1回拍出量を乗じることで計算される．

心拍出量＝1回拍出量×心拍数

> **plus α 正常心拍数の目安**
> 胎児：120〜160回/分
> 成人：60〜100回/分

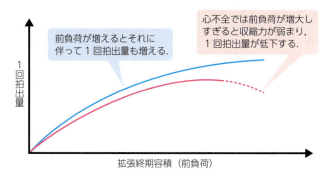

図3-37 フランク・スターリングの法則

● ② フランク・スターリングの法則

1回拍出量は，心室が収縮する直前の心室内の血液量（心室拡張終期容積）によって決定される．フランク・スターリングの法則（Frank-Starling機序）によると，心筋線維が収縮前により引き伸ばされているほど（心臓への流入血液量が多いほど），心筋の収縮力は増大する．心筋がどれだけ引き伸ばされるか（前負荷）は，上大静脈と下大静脈を通過して心臓へ戻ってくる血液の総量（静脈還流量）に依存している．

ただし，心室拡張終期容積が増大することで増加する1回拍出量の容量には限界がある．許容量の限界に達すると，毎分心拍出量は静脈還流量に釣り合うことができず，心拍出量は減少して心不全状態の始まりとなる．

● ③ 心拍の数量に影響する主な因子

心臓は，延髄の心臓中枢から起始して心臓に達する自律神経の影響を受けている．自律神経には，副交感神経と交感神経があり，両者の作用は互いに拮抗している．

● Ⓐ副交感神経（迷走神経）

主に洞房結節と房室結節，心房筋に分布している．副交感神経性の刺激は，インパルス発生の速度を減少させ，心拍数と拍動力を低下させる．

● Ⓑ交感神経

洞房結節と房室結節，心房筋，さらに心室筋に分布している．交感神経性の刺激は心拍数と拍動力を上昇させる．

動脈血圧は，心室から大血管へ拍出される血流に抵抗を与え，1回拍出量に影響を及ぼす．この抵抗（後負荷）は，大動脈の膨張性または弾力性，細動脈の末梢抵抗などによって決定される．

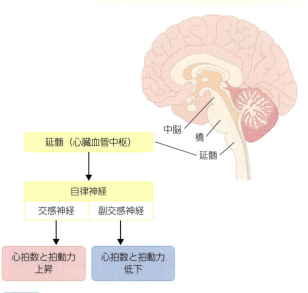

図3-38 心拍数と拍動力に影響する因子

5 血管と循環

1 血管の形態

■ 血管の構造

- 血管は，血液を心臓から末梢に送り出す**動脈**（artery），血液を末梢から心臓に送り戻す**静脈**（vein），動脈と静脈をつなぐ**毛細血管**の3種類に分けられる．
- 動脈・静脈はともに内膜・中膜・外膜の3層構造をなしている．**内膜**は血管の長軸に沿って1層の内皮細胞と少量の結合組織から，**中膜**は平滑筋と弾性線維から，**外膜**は結合組織からなる．

■ 血管の名称と機能

血管名	機能的名称
大動脈	弾性血管（拍動を連続的な血流に変換）
細動脈	抵抗血管（血圧・血流量の調節）
毛細血管	交換血管（物質交換）
大静脈	容量血管（貯血作用）

動脈壁と**静脈壁**の違い
　心臓から強い圧力で拍出される血液を受け取る動脈は，静脈に比べその壁は厚く，弾力性があり，収縮性に富んでいる．
　静脈では，平滑筋からなる中膜が発達していないために，静脈壁は動脈壁に比べてはるかに薄い．

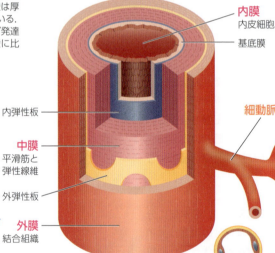

■ 血管の種類：**動脈系**

　動脈と**細動脈**は，心臓から送り出された血液を運ぶ血管．心臓につながる大動脈は直径約3～4cmで，細動脈は直径30～200μm．動脈では，中膜の平滑筋・弾性線維が発達する（弾性動脈）．太い動脈自体には，中膜の平滑筋に栄養を与えるために多くの細動脈が入り込んでいる．細い動脈には平滑筋が発達する（筋性動脈）．

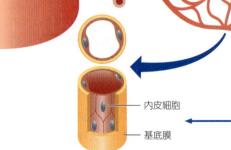

図3-39 血管の構造

①静脈の弁

静脈のところどころには弁があり，心臓に向かう血液が逆流するのを防いでいる．

②細静脈

最も細い静脈は**細静脈**と呼ばれ，毛細血管を集め，静脈に至る．

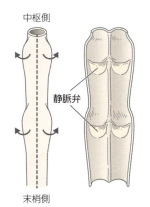
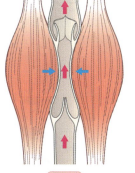
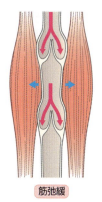

末梢静脈から心臓へ戻る静脈の流れ（静脈還流）は，①筋ポンプ，②呼吸ポンプ，③心臓の吸引作用の 3 駆動力によって支配され，静脈弁が開閉することで血液が末梢に向かって逆流するのを防いでいる．

図3-40 静脈弁の機能

①筋ポンプ
身体の筋が収縮すると，深部静脈の内径が圧迫によって小さくなり，静脈還流量が増加する．
②呼吸ポンプ
呼吸によって生じる胸腔・腹部内圧の変化で静脈還流量が増加する．
③心臓の吸引作用
静脈圧（15mmHg）と右心房圧（3 mmHg）の差によって，静脈血が心臓へ還流する．

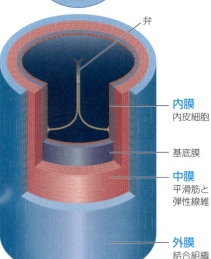

- 弁
- 内膜（内皮細胞）
- 基底膜
- 中膜（平滑筋と弾性線維）
- 外膜（結合組織）

血管の種類：静脈系

静脈は低い圧力で血液が心臓に戻る血管．静脈壁は動脈壁の組織と同様に三つの層をもっているが，中膜の平滑筋と弾性線維がわずかなため，その壁は薄い（切断すると，厚い動脈は管腔構造を保っているが，静脈はつぶれる）．

血管の種類：毛細血管

- 毛細血管の直径は 5～10μmで，赤血球（直径 7～8 μm）がかろうじて通過できる太さである．
- 毛細血管の壁の厚さは約 1 μmとさらに薄く，1 層の内皮細胞の内膜のみからなる．
- 毛細血管壁の表面積を合計すれば，全身で約6,300m^{2}に達する．
- ほとんど全身の臓器・組織に毛細血管は分布するが，皮膚の表皮や眼の角膜，水晶体，軟骨には存在しない．
- 毛細血管には，全血液量の約 5 ％が分布する．細動脈を通過した血液は毛細血管を流れる間に，直径10nmまでの血中物質は毛細血管と細動脈の内皮細胞間隙および小孔から細胞間質へ拡散または濾過して，細胞へ移動する．
- 酸素・二酸化炭素は濃度の高いほうから低いほうに移動し，脂溶性物質は脂質不溶性物質に比べて容易に毛細血管壁を通過する．

■ 動脈・動脈血と静脈・静脈血の関係

　動脈は心臓から出ていく血液を通す血管である．体循環では動脈の中を鮮紅色の酸素に富む**動脈血**が，肺循環では酸素に乏しい暗赤色の**静脈血**が流れている．

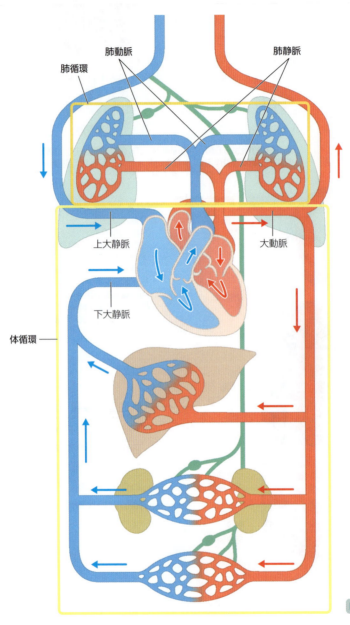

plus α
特別な循環

人体で，「静脈に動脈血が流れ，動脈に静脈血が流れる」という例外は，肺循環と胎児循環の二つである．

図3-41 動脈と静脈

● ①静脈

　静脈は心臓に血液を戻す血管で，体循環では酸素に乏しい静脈血が，肺循環では酸素に富む動脈血が流れている．肺静脈は体内で酸素に富んだ血液（＝動脈血）が流れる唯一の静脈であり，肺動脈は酸素に乏しい血液（＝静脈血）を運ぶ唯一の動脈である．

● ②動脈

　心臓の左心室の収縮によって血液は大動脈を通って全身に送り出される．動脈は次第に分岐して細くなって細動脈に達し，組織に至ると毛細血管（交換血管）となる．毛細血管壁を通して，血液と細胞間で酸素と二酸化炭素，栄養分と老廃物の交換が行われる．静脈血は細静脈・静脈を経て，最終的に大静脈によって右心房へ戻ってくる．

吻合

吻合とは，血管と血管が毛細血管を介さず直接連結していること．手掌や足底，脳，関節，腸の絨毛などにみられ，腸間膜や動きの多い関節周辺にも吻合が多い．程度は極めて低いが，心筋でもみられる．

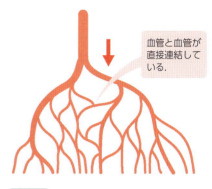

血管と血管が直接連結している．

図3-42 吻合

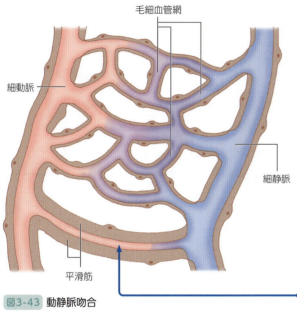

毛細血管網
細動脈
細静脈
平滑筋

図3-43 動静脈吻合

動静脈吻合

- 動脈はだんだん細くなり，細動脈から毛細血管になった後，細静脈になる．ところが，消化管や皮膚，ことに指先などでは，細動脈と細静脈が直接つながるところがある．これが**動静脈吻合**である．動静脈吻合部では，周りの血管よりも分厚く平滑筋が取り巻いて，交感神経の支配が豊富になってくる．

- もしある領域を供給する1本の動脈が閉塞し，血行障害が起きても，吻合動脈が**側副血行路***を形成して代償する．血管閉塞が徐々に生じ，吻合動脈が拡張する時間がある場合は，側副血行路によって十分な血液が供給される可能性が高い．

用語解説 *

側副血行路

もとからある血行路が閉塞して血行障害が生じたとき，別の予備的な血行路が開かれたものを側副血行路という．臓器の血行を保ったり血流量を増加させることができる．

終動脈

- 実質性臓器（肝・肺・腎・脳など）の内部には，動脈枝間の吻合はなく（**終動脈**），毛細血管のみによって血液が供給される．終動脈はもはやほかの動脈との吻合がない動脈であり，そのため，その終動脈が血流を提供している領域には，ほかの動脈からの血液供給がなされない．
- 例えば，大脳動脈輪（ウィリス動脈輪）から発する枝，眼の網膜に分布する中心動脈などである．1本の終動脈が閉塞すると，その流域下の組織は代わりの血液供給をもたないので壊死に至る．
- 冠状動脈は**機能的終動脈**とみなされる（心筋梗塞）．

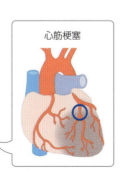

心筋梗塞

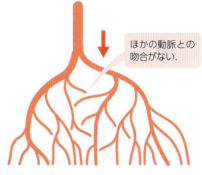

ほかの動脈との吻合がない．

図3-44 終動脈

2 主要な動脈

動脈の始まりとしては，左心室から体循環系の大動脈が派出され，右心室から肺循環系の肺動脈が出る．そのうち，大動脈は多数の枝を出し，さらに大きく分岐することで身体のすみずみへと広がっていく．

■ 上肢の動脈①

鎖骨下動脈は上肢に向かって走る．この動脈はまず腋窩に向かうが，その間に多数の枝を出す．特に重要なのが椎骨動脈で，これは椎骨の横突孔を次々と貫き，大後頭孔から頭蓋内に入る．そのほかの枝は胸壁，頸部および項部に分布する．

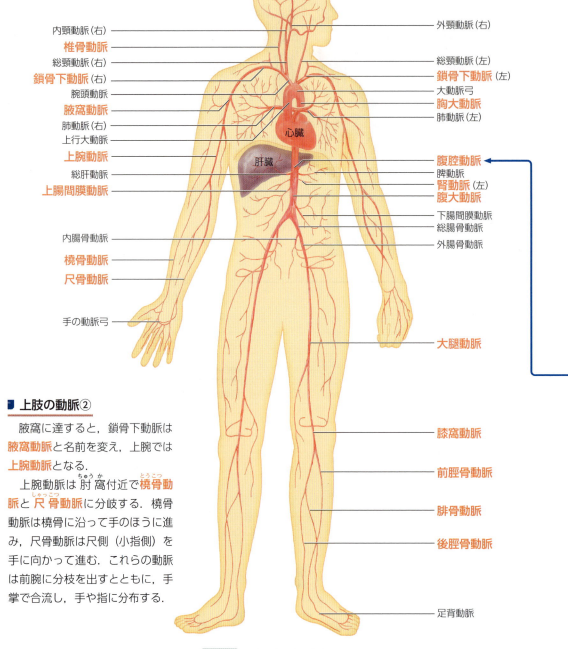

■ 上肢の動脈②

腋窩に達すると，鎖骨下動脈は腋窩動脈と名前を変え，上腕では上腕動脈となる．

上腕動脈は肘窩付近で橈骨動脈と尺骨動脈に分岐する．橈骨動脈は橈骨に沿って手のほうに進み，尺骨動脈は尺側（小指側）を手に向かって進む．これらの動脈は前腕に分枝を出すとともに，手掌で合流し，手や指に分布する．

図3-45 人体の主要な動脈

胸腔・腹膜腔・下肢の動脈

椎骨の前を下に向かって走る太い下行大動脈のうち、横隔膜までを胸大動脈、横隔膜より下の部分を腹大動脈という。

①胸大動脈

胸大動脈は胸腔内で肋間動脈を出す。肋間動脈は各肋骨の下縁に沿って、後ろから前に向かって走る。胸大動脈は横隔膜を貫いて腹膜後隙に入る。

②腹大動脈

腹大動脈は第4腰椎の高さで左右の総腸骨動脈に分かれ、さらに内腸骨動脈と外腸骨動脈に分岐する。内腸骨動脈は骨盤内臓器や腰殿部に枝を出す。外腸骨動脈は恥骨と鼠径靱帯の間隙である血管裂孔を通り、鼠径靱帯の直下で大腿前面に出て大腿動脈となる。

大腿動脈は下行するにつれて大腿の前面から後方に位置を変え、膝窩部で膝窩動脈となり、膝窩のすぐ下で前脛骨動脈・腓骨動脈・後脛骨動脈の3本に枝分かれする。これらの動脈は下腿や足を栄養する。

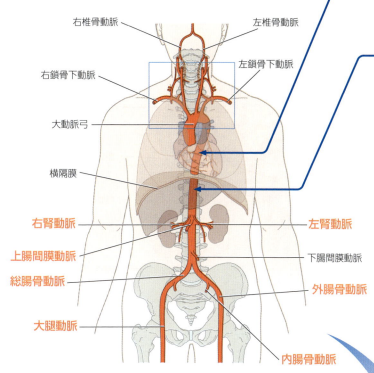

図3-46 大動脈と主要な枝

③腹腔動脈

腹膜腔では、腹大動脈からまず腹腔動脈が分岐する。腹腔動脈は太い動脈で、2〜3cm後に3本に枝分かれし、胃・肝臓・脾臓に分布する。さらに下方で、大部分の腸管を栄養する上腸間膜動脈を出す。また、上腸間膜動脈とほぼ同じ高さから左右に腎動脈が分岐する。

頭頸部の動脈

大動脈弓から、3本の太い動脈が分岐する。まず初めに腕頭動脈が起こるが、これはわずか2〜3cmで右総頸動脈に分かれる。大動脈弓から出る2番目の動脈は左総頸動脈で、その直後に3番目の動脈である左鎖骨下動脈が分岐する。

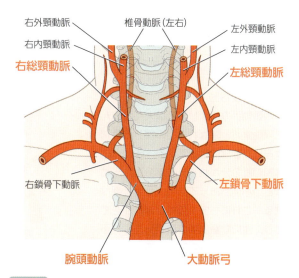

図3-47 大動脈弓と枝

頭頸部の動脈

①外頸動脈・内頸動脈

総頸動脈の下半部は胸鎖乳突筋（➡p.134参照）に覆われているが，上半部では甲状軟骨の外後方にその拍動を触れることができる．この動脈は甲状軟骨の上縁の高さで音叉のような形に前後の動脈に二分する．前方の外頸動脈は甲状腺・喉頭・口腔・咀嚼筋・顔面などに分布し，後方の内頸動脈は眼球と脳の大部分を養う．

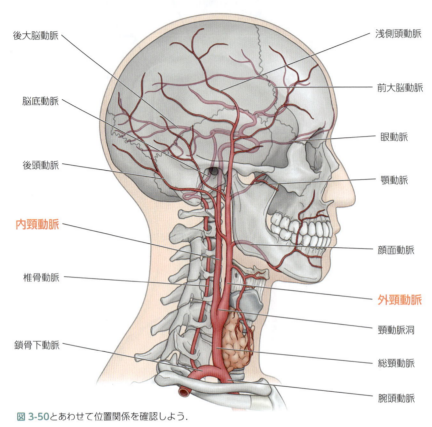

図3-50とあわせて位置関係を確認しよう．

図3-48 頭頸部の主要な動脈

②化学受容器

内頸動脈の始まり部分は丸く膨らんで頸動脈洞と呼ばれ，この部分の壁には神経が豊富に走っている．また，内外頸動脈の分かれる分岐部分に，米粒ほどの小体があって頸動脈小体と呼ばれる．これにも多くの神経線維がきており，主に動脈血中の酸素分圧の低下を感知する化学受容器である．

内頸動脈はさらに分岐することなく，頭蓋に入る．

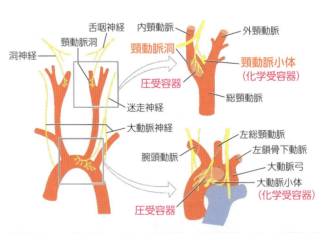

頸動脈洞および大動脈弓における圧受容器・化学受容器の存在する部位を示す．

図3-49 動脈の圧受容器と化学受容器

大脳動脈輪（ウィリス動脈輪）

脳の大部分は**大脳動脈輪**または**ウィリス動脈輪**と呼ばれる動脈の配列によって養われている．左右の**内頸動脈**・**椎骨動脈**の四つが交通動脈によって橋渡しされ，大脳動脈輪の形成にあずかっている．

輪状の結合は，これを構成する動脈の1本が障害されたり，頭や頸が激しく動いたりしたときにも，ほかの動脈を介して血流が回り込むしくみである．これによって，脳は全体として血流を安定確保できるように，二重三重の安全策がとられている．

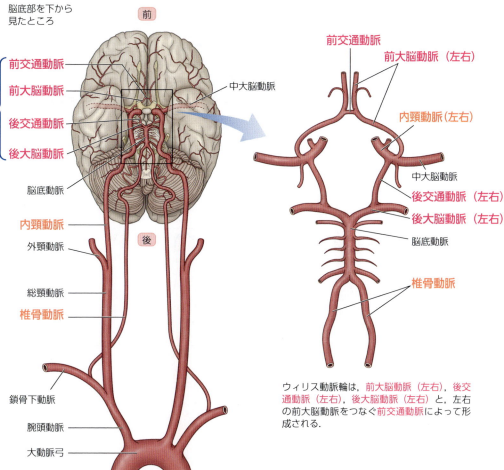

ウィリス動脈輪は，前大脳動脈（左右），後交通動脈（左右），後大脳動脈（左右）と，左右の前大脳動脈をつなぐ前交通動脈によって形成される．

首の後面を走る2本の椎骨動脈は一つになって脳底動脈となり，首の前面を走ってきた内頸動脈と一緒になって，脳底部で大脳動脈輪（ウィリス動脈輪：Circle of Willis）と呼ばれる輪をつくる．

図3-50 大脳動脈輪（ウィリス動脈輪）を形成する動脈と脳への主要な枝

plus α
脳循環

脳内の血流は，左右の内頸動脈と脳底動脈（左右の椎骨動脈が合流）によって供給される．脳循環では，生理的範囲内の血圧変動に対しては，脳血流量を一定に保つための自動調節機構が備わっている．

3 主要な静脈と門脈系

静脈の構成①：体静脈系

毛細血管で酸素を放出して二酸化炭素を取り込み，静脈血を収容（回収）する．

静脈の構成②：肺静脈系

肺胞内で二酸化炭素を放出して酸素を取り入れた動脈血を左右2本ずつ計4本の肺静脈に集め，左心房まで運ぶ．

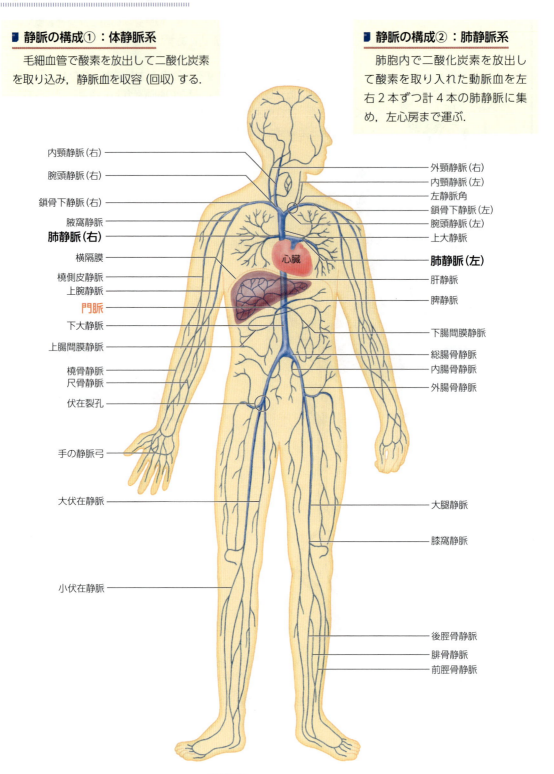

図3-51 人体の主要な静脈

■ 静脈の構成③：（肝）門脈系

　消化器系に広く分布する静脈からの血液を集め，肝臓に運ぶ．直腸の肛門側半分以外の消化管からの静脈はすべて門脈に注ぎ，肝臓を通ることになる．

　腹膜腔内を流れた静脈血は直接右心房に戻らず，門脈*に流れ込む．門脈は消化管から吸収した栄養に富む血液を肝臓に運び，そこで肝動脈の酸素に富んだ血液と混じる．

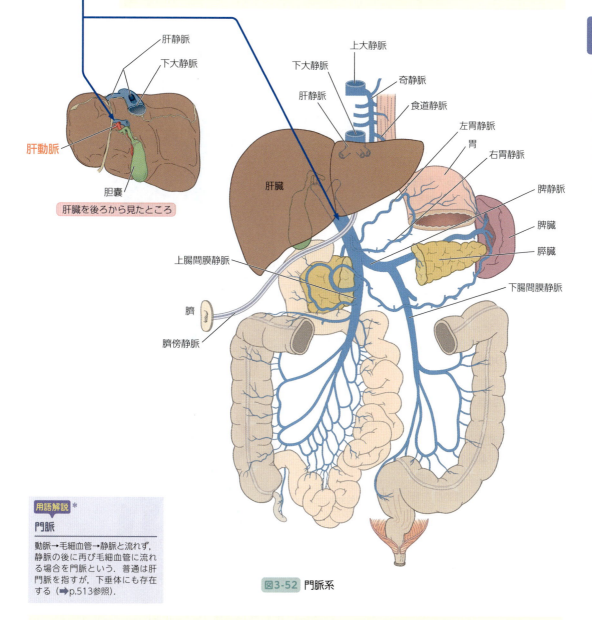

用語解説 *

門脈

動脈→毛細血管→静脈と流れず，静脈の後に再び毛細血管に流れる場合を門脈という．普通は肝門脈を指すが，下垂体にも存在する（→p.513参照）．

図3-52 門脈系

■ 肝臓の血管の働き

　肝臓内では，さまざまな生化学的反応が行われている．肝臓は有害物質を解毒したり，消化管で吸収された多くの物質を変化させ，体細胞を有害物質から守っている（→p.320～323参照）．門脈と肝動脈の血液は，肝内の毛細血管網を流れて肝臓を通過した後，肝静脈を経て下大静脈に合流し，右心房に戻る．

4 胎児循環

胎児は必要とするすべての酸素や栄養を胎盤を通して母体の血液から受け取り，排泄やガス交換も行う．胎児の心拍出量のうち，55％は臍血管を流れる．臍帯には1本の太い臍静脈と2本の細い臍動脈がある．

胎児の血液循環

- 血液は肺をバイパスする短絡経路（シャント：shunt）を通る．右心房には，下大静脈のほか，胎児の身体を循環してきた上大静脈の血液も入り，ミックスされる．
- 一部が卵円孔*を通って左心房に入り，左心室から大動脈へ，一部は右心室に入って肺動脈に入る．

> **用語解説 ***
> **卵円孔**
> 胎児期の心房中隔にある孔．胎児では卵円孔を介して右心房から左心房へと血液が流れる．

胎盤への血液循環

- 胎児の肺はまだ広がっておらず，肺動脈血圧は大動脈血圧よりも数mmHg高いため，肺動脈血はあまり肺循環せずに動脈管を通って大動脈に合流する．大動脈の血液は一部，臍動脈を経て胎盤へ戻る．
- 臍動脈血の酸素飽和度は約60％．
- 胎児では，動脈管と卵円孔が開いているので，左右の心室は並列に位置している．

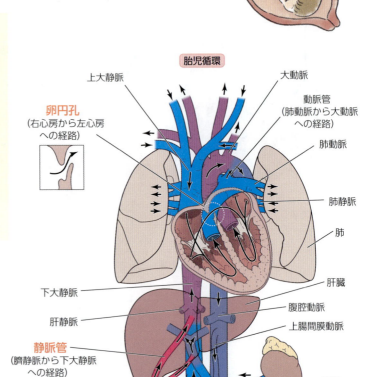

図3-53 胎児循環と出生後の体循環（新生児循環）

■ 成人循環への移行期の循環①

出生時には，胎盤への循環路が閉鎖され，末梢血管全抵抗が急上昇する．大動脈血圧は上がり，肺動脈血圧以上となる．そのため，胎児は窒息状態になり，呼吸中枢が刺激されて数回のあえぎ呼吸が起こる．これにより，肺に空気が入って膨らむ．その際，呼吸運動で胸腔内圧が－30〜－50Torr（mmHg）程度に陰圧となることが肺の膨張を助ける．

■ 胎児循環の臍静脈と臍動脈

- 臍静脈には酸素と栄養分に富む動脈血が流れ，胎児に供給される．
- 臍動脈には胎児から排出された二酸化炭素や老廃物が多く含まれ，胎盤に運ばれる．ヒト臍静脈血の酸素飽和度（➡p.244参照）は80％（成人の動脈血は98％飽和）．
- 胎児の体内で臍静脈血が心臓に戻る際には，未熟な肝臓を通らずに，静脈管（アランチウス管）を通って直接，下大静脈に入り，残りは胎児の肝門脈と混ざる．
- 門脈血と体循環静脈血が混ざった下大静脈血の酸素飽和度は約67％．

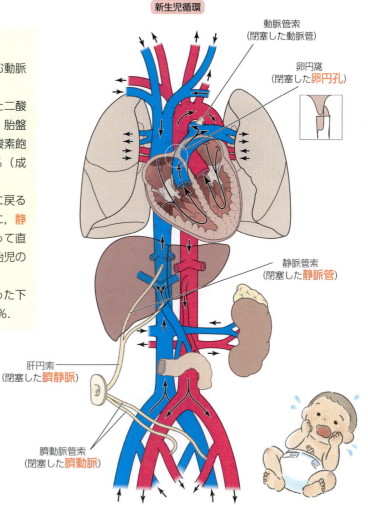

新生児循環

■ 成人循環への移行期の循環②

ひとたび肺が拡張すると，肺の血管抵抗は低下し，肺循環の血流が著しく増大する．肺を経て左心房に戻った血液は左心房圧を上げるため，右心房から左心房に向かって開口していた卵円孔の弁を圧して閉鎖し，右心房と左心房間の通路をふさぐ．さらに，出生後数分で動脈管は収縮する．

このようにして，正常な新生児では生後数日以内で成人の循環型が出来上がる．

5 血管の機能

血圧は，心臓の収縮によって拍出された血液が末梢の血管を押し広げる力であり，血管壁を押し広げる衝動が脈拍である．血圧・心拍数などは，自律神経とホルモンなどの液性因子によって調節される．

> ### 血圧
> 血圧（blood pressure：BP）は通常，心臓の収縮によって押し出された血液が末梢の血管を押し広げる力（圧力）を腕の動脈で測定したもので，mmHg（水銀柱ミリメートル）で表す．
> 心臓の収縮期に伴って血圧は最大になり，これを収縮期血圧という．心臓の拡張期に伴って血圧は最小になり，これを拡張期血圧という．

①血圧の基準値

収縮期血圧および拡張期血圧が，それぞれ130mmHg未満かつ80mmHg未満を正常高値血圧，120mmHg未満かつ80mmHg未満を正常血圧としており，収縮期血圧140mmHg以上，拡張期血圧90mmHg以上，または降圧薬を服用している場合を高血圧と定義している．

表3-1 成人における血圧値の分類と降圧目標　　　　　　　　　　　　　　　　　　　　　　　　（単位：mmHg）

分類	収縮期血圧		拡張期血圧	降圧目標	
正常血圧	<120	かつ	<80	・75歳未満の成人 ・脳血管障害患者 　（両側頸動脈狭窄や脳主幹動脈閉塞なし） ・冠動脈疾患患者 ・CKD患者（タンパク尿陽性） ・糖尿病患者 ・抗血栓薬服薬中	<130/80
正常高値血圧	120〜129	かつ	<80		
高値血圧	130〜139	かつ/または	80〜89		
Ⅰ度高血圧	140〜159	かつ/または	90〜99		
Ⅱ度高血圧	160〜179	かつ/または	100〜109	・75歳以上の高齢者 ・脳血管障害患者 　（両側頸動脈狭窄や脳主幹動脈閉塞あり，または未評価） ・CKD患者（タンパク尿陰性）	<140/90
Ⅲ度高血圧	≧180	かつ/または	≧110		
（孤立性）収縮期高血圧	≧140	かつ	<90		

表中の値は診察室血圧．
日本高血圧学会高血圧治療ガイドライン作成委員会編．高血圧治療ガイドライン2019．日本高血圧学会，2019，p.18, 53より作成．

②血圧に影響を与える因子（血圧調節）

血圧は，**心拍出量**（cardiac output：CO）と**全末梢血管抵抗**（total peripheralvascular resistance：TPR）の積で表される．

したがって，血圧に影響を与える因子は心拍出量と末梢血管抵抗の二つから考えられる．

> **plus α**
> **抵抗血管**
> 細動脈の内径の変化は血管抵抗を制御する重要な因子なので，抵抗血管とも呼ばれる．

$$BP（血圧）＝CO（心拍出量）×TPR（全末梢血管抵抗）$$

Ⓐ心拍出量を高める因子

①**心機能の亢進**：心拍数や心収縮力の増加で表され，交感神経機能亢進・迷走神経機能抑制が関連する．

心機能の亢進

②**体液量の増加**：食塩摂取量の増加，腎のナトリウム排泄能低下などが関連する．循環血液量が増加すれば，静脈還流量が増し，一般には心拍出量が増加する．

体液量の増加

Ⓑ末梢血管抵抗の増加因子

①**血液の粘性**：一般に，血液の粘性が高いときには血圧は高くなり，血液の粘性が低いときには血圧は低くなる．血液の粘性は血漿フィブリノゲン濃度やヘマトクリットの値に大きく影響される．

血液の粘性

②**細動脈の収縮・緊張亢進**：神経系および内分泌系が関与している．

細動脈の収縮・緊張亢進

> **コラム　血圧を測定してみよう！**
>
> ❋ **直接法（観血法）**
> 動脈内にカテーテルを直接挿入し，カテーテルに満たした生理的食塩水を介して電気血圧計に接続して圧曲線を記録し，血圧を知る方法である．
>
> ❋ **間接法（非観血法）**
> ①測定開始前には，背もたれのある椅子を用いて数分間，座位で安静を保つ．
> ②腕の筋肉を弛緩させ，上腕を心臓または第4肋間の高さ（心臓と同じ高さ）に支える．
> ③上腕動脈にマンシェットのラバー中央を当てて巻き付ける（マンシェットの幅は腕周囲の40％が理想的であり，長さは腕の周囲をちょうど1周する程度でよい）．
> ④速やかにカフを膨らませ，脈が触れなくなってから，さらに約30mmHg加圧し，約2mmHg/秒の速度で減圧する．
> ⑤コロトコフ音*が最初に聴取される第1点（閉塞した動脈に血液が流れ出すとき）を収縮期血圧とする．
> ⑥コロトコフ音が消失する第5点（動脈の血液が全くじゃまされずに流れるとき）を拡張期血圧とする．第5点が明らかでない場合は第4点を拡張期血圧とし，第4点の値であることを記載しておく．
> ⑦測定は3分以上の間隔をあけて少なくとも2回行い，その平均をとる．

アネロイド式血圧計

電子血圧計

> **用語解説***
> **コロトコフ音**
> 動脈血流に伴う血管音のこと．圧迫部位を通過する血流がコロトコフ音の強弱や音調の変化に大きな役割を果たしており，音の出現から消失までを第1～5点に区分している．

血管の調節機構（末梢循環の調節）

血管の収縮・拡張を調節する機構には，心臓血管中枢を中心とする**神経性調節**，血中に流れるホルモンなどによる**液性調節**がある．

①神経性調節

血管の収縮と拡張を調節する中枢神経は心臓血管中枢である．この中枢は，脳内の相互に連結したニューロンの塊であり，延髄と橋の内部に存在する．心臓血管中枢からの出力は，自律神経を介して心臓に向かっており，血圧変化に素早く反応できるようになっている．

Ⓐ心臓血管中枢への入力

心臓血管中枢へ血圧変化を伝える入力装置として，圧受容器と化学受容器（→p.192参照），高位中枢が挙げられる．

Ⓑ高位中枢から心臓血管中枢への入力

血圧の変化を引き起こすような恐怖・不安・痛み・怒りなどの感情的状況に影響される．

脳の視床下部は体温を調節し，心臓血管中枢に影響を与える．体温が上昇する（熱が産生される）と血管が拡張し，体温を下げようとする．熱の産生が減少すると血管が収縮し，熱を保持しようとする．

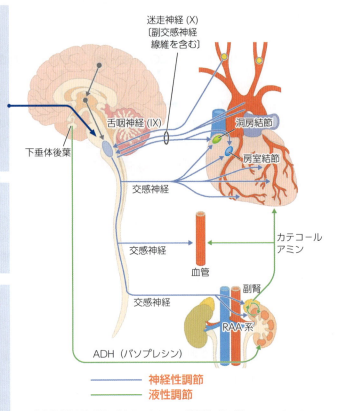

医療情報科学研究所編．病気がみえる Vol.2 循環器．第3版，メディックメディア，2010，p.11より改変．

図3-54 神経性調節と液性調節

Ⓒ心臓血管中枢からの出力

交感神経は血管中膜の平滑筋を支配している．血管内腔の直径と平滑筋の緊張度は交感神経の刺激によって決定されている．神経刺激が減少することで，平滑筋は弛緩して血管壁は薄くなり，内腔は拡大して血管が拡張する．逆に，神経活動が増加した場合，中膜の平滑筋は収縮して血管壁は肥厚し，血管は収縮する．神経性調節に最も影響されやすい血管は，主として平滑筋で構成される壁をもつ細動脈である．

血管平滑筋の収縮・拡張に関わる神経は，自律神経の交感神経と副交感神経である．中枢からの指令によって交感神経が興奮したときには，その終末からノルアドレナリンが放出され，血管を収縮させる．副交感神経の支配は，脳軟膜，陰茎海綿体，外分泌腺などの組織の血管に限られている．副交感神経は，神経に含まれる一酸化窒素（NO）作動性神経線維により血管を拡張させる．アセチルコリンは副交感神経線維に存在するムスカリン受容体に作用して，NOの合成・遊離を抑制し，また近隣の交感神経線維に作用して，ノルアドレナリンの遊離を抑制することにより，副交感神経の血管拡張作用効率を高める．

● ②液性調節

血管平滑筋の収縮・拡張に関わる液性の調節は，神経性調節より長時間にわたって，血圧をはじめ血液量まで変化させる特徴がある．この調節に関与するのは，副腎髄質ホルモン（ノルアドレナリン，アドレナリン）（➡p.525参照）やレニン-アンジオテンシン系（➡p.531参照），下垂体後葉のバソプレシン（➡p.515参照）などである．

ノルアドレナリン，アドレナリンは，行き先の平滑筋細胞受容体のタイプによって収縮・弛緩いずれにも作用し，レニン-アンジオテンシン系やバソプレシンなどは収縮作用をもっている．

脈拍

心臓の収縮によって，血液が大動脈から全身に送り出される．血液が送り出されるたびに動脈内の圧力は変化し，その変化（圧脈波）が末梢へ移動して血管壁を押し広げる衝動が**脈拍**（pulse）である．原則として，心臓の拍動1回に対して一つの脈拍が対応する．

● ①脈拍の触れる位置

脈拍は皮下の浅い動脈で触れることができ，成人で1分間に60〜100回打つ．脈拍からは，脈拍数（脈の速さ）や脈拍のリズム（調律），拍動の強さ（振幅），動脈の緊張度（動脈の性状），左右の違いなどの情報を読み取ることができる．

心拍数と脈拍数
心拍数：心臓が血液を送り出す（心臓が収縮する）回数．
脈拍数：心臓の収縮により拍出された血液が末梢の血管壁を押し広げる（衝動の）回数．

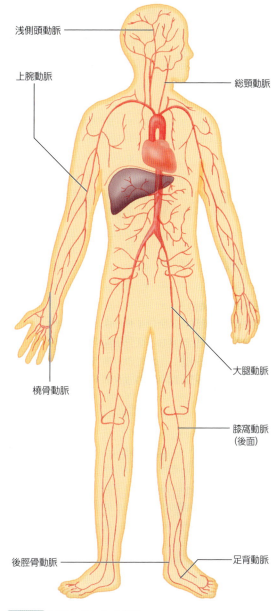

図3-55 脈拍を触れうる部位

物質交換

ヒトの循環器系は閉鎖系であるが，血管内体液は溶質（血液ガス・電解質・栄養成分など）を含めて絶えず血管外に濾出，吸収され，物質の交換が行われている．それをつかさどっているのは毛細管（毛細血管）機能であり，その部分の血流は微小循環と呼ばれる．

①毛細血管の構造と種類

毛細血管は1層の内皮細胞からできており，物質の交換に適している．構造的には，肺にみられるような細胞間が密に接しており，小孔を有するもの，腎の糸球体にみられるような多数の細胞間の窓があるような有窓型毛細血管，また肝臓や脾臓でみられるような血球をも通す間隙のある不連続型毛細血管がある．

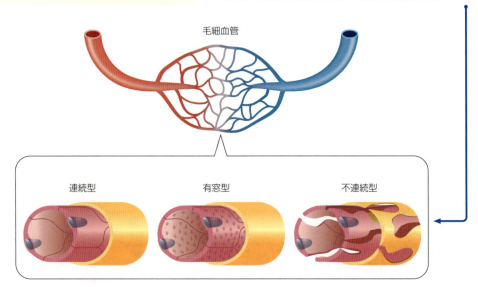

図3-56 毛細血管

②毛細血管の機能

機能的には，脂質・ステロイドのような脂溶性物質や酸素・二酸化炭素など低分子量のガスは，毛細血管壁全体を通過し，水にのみ溶ける水溶性物質（ブドウ糖など）は小孔のみを通過するという差がみられる．

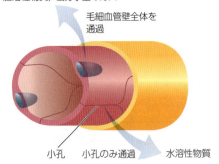

図3-57 毛細血管の機能

③物質交換の様式

毛細血管壁を通じて物質交換が行われる様式としては主に，濾過と吸収のほか，拡散による方法がある．

前者は，毛細血管内外の静水圧差および膠質浸透圧*差によって受動的に起こる（少量ではあるが，タンパク質も含め，粒子の小さい溶媒・溶質は水力学的な流れに沿って濾出する）．

後者は，濃度勾配のある物質がそれぞれの拡張定数および溶媒の種類によって起こる（→p.50参照）．

用語解説 *

膠質浸透圧

コロイド浸透圧ともいう．溶液中に含まれるコロイドに基づく浸透圧．毛細血管における血液と組織液間の水と低分子の移動はその一例．

6 心臓，血管の成長と老化

　心臓の心筋細胞は誕生後に細胞分裂を行わず，大きさは生理的肥大によって成長する．そのため，なんらかの疾患で細胞が減少しても元には戻らない．乳児から成人に向かって成長するとともに，心臓は大きくなって収縮力が増加するため，1回拍出量が増えていき，心拍数は成長に伴い減少していく．

　ヒトの成長は20〜25歳ごろにほぼ完成する．ただし，運動負荷時の心拍出量の増加は，その後の加齢とともに確実に低下するため，心臓の予備能は低くなり，容易に労作性の心不全を来しやすくなる．さらに加齢に伴い心筋壁は肥厚し，間質は線維化を来すようになるため，心筋の拡張機能が低下する．左心房の拡大は，加齢に伴い増えてくる心房細動を代表とする不整脈の発生要因にもなる．また，心筋収縮力は保たれているにもかかわらず，心筋拡張機能が低下することによる心不全症状が出現する．

　大動脈の弾性低下により収縮期血圧の上昇や拡張期血圧の低下が起こり，脈圧が増大する．血管内圧の変化をとらえる圧受容器の感度が低下するため，血圧変動への対処能力も低下する．

コラム　循環器系と呼吸器系

　「息苦しい」と患者が訴えている場合には呼吸器系のトラブルによるものだけでなく，左心不全によって肺水腫が生じたための呼吸困難の訴えである可能性も念頭に置こう．また，全身の浮腫や頸静脈の怒張は，右心不全によるものばかりでなく，肺実質や肺の血管系のトラブルにより右心負荷が生じたための症状として出現することもある．

　このように，「これは循環器系の症状である」とか「これは呼吸器の症状である」などと決めつけずに，呼吸器系・循環器系は常にセットで考える必要がある．

7 リンパ系

リンパ系は，リンパ管とリンパ節からできている．リンパ管には毛細血管から漏れて出た血漿に近い体液の一部が収容される．

リンパ（リンパ液）

リンパ（lymph）は間質液から生じ，リンパ管内を流れる液体である．最後は，胸管および右リンパ本幹を経て静脈系に流入する．

リンパを体外に取り出しておくと凝固する．そのタンパク質濃度は血漿よりも低いが，場所によって差がある．元来，間質液もタンパク質を含んでいる．これは，血漿タンパクの一部が毛細血管壁を経てしみ出たもので，リンパを介して血液に再び戻る．

リンパの主な細胞成分であるリンパ球はリンパ管を経て血液中に入る．そのため，胸管リンパ中にはリンパ球が極めて多い．

リンパ管

リンパ管は盲端*であり，集合して左右の鎖骨下静脈・頸静脈の合流点（静脈角）に注ぐ．

リンパ毛細管は形態的には内皮細胞の管であり，血管毛細管（毛細血管）と同じく，あらゆる組織に分布している．それが次第に集合するにつれ，平滑筋および弾性線維をもつようになるとともに，交感神経支配を受けるようになる．また，リンパ管には末梢静脈と同じく，内皮の弁があり，リンパ流を中心静脈*に向かわせる．

> **用語解説***
> **盲端**
> 管腔において一端が塞がっていることをいう．

> **用語解説***
> **中心静脈**
> 右心房から上下5cm以内の上下大静脈の習慣的名称．

胸管

胸管は第1，2腰椎体の前に位置し，乳糜槽（にゅうびそう）に始まる．胸管は約40cmの長さがあり，頸の付け根のところで左鎖骨下静脈に開いている．胸管は両下肢，骨盤腔，腹腔，胸郭・頭・頸の左半分，左上肢からのリンパ液を排導する．

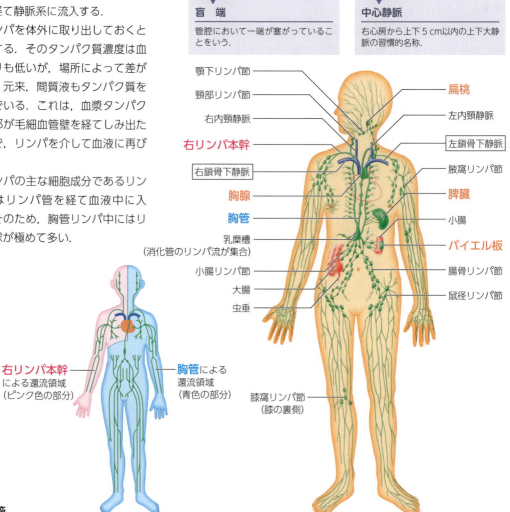

図3-58 人体の主要なリンパ系

リンパ節

リンパ管は毛細リンパ管の網に始まり，次第に集まっていくつかの本幹になり，静脈に注いで終わる．その途中に何回かリンパ節という濾過装置を通過する．

異物や細菌が間質液からリンパ管に流れ込むと，この濾過装置に引っ掛かり，リンパ節炎を引き起こす．リンパ節の防衛力が勝れば，細菌や異物は細胞の食作用で処理されたり，抗体によって無害化される．それがうまく対応しなくなれば，下流に存在するリンパ節が第二の関所として働くことになる．

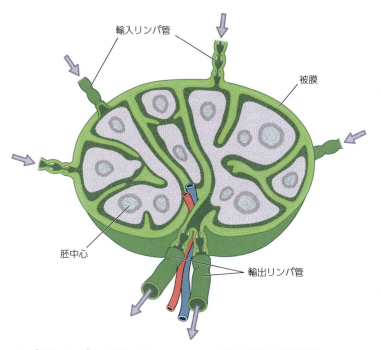

リンパ節は，リンパ管の各所に存在するソラマメのような形をした濾過装置である．

図3-59 リンパ節

リンパ節の機能

リンパ節は細網組織からなり，リンパ球を産生する能力をもつ．つくられた無数のリンパ球がリンパ節の中でいくつかの球状の集団（胚中心）をなし，リンパ小節をつくっている．その中央部には明るい胚中心（明中心）がみられ，抗体およびリンパ球の産生が行われている．

何本かの輸入リンパ管からリンパ節に流れ込んだリンパは，細網組織の隙間を流れたのち，輸出リンパ管を経て流れ去る．

リンパ性器官

リンパ節に似た構造で，明瞭な輸入リンパ管や輸出リンパ管をもたない小型のものをリンパ小節と呼ぶ．これは腸管の粘膜などに多数みられる．リンパ節やリンパ小節，さらに扁桃・胸腺・脾臓・パイエル板をまとめて，リンパ性器官という．

リンパ性器官の機能

リンパ性器官でつくられるリンパ球は，抗体を産生する細胞である．抗体には，リンパ球から血中に放出されて働くものと，リンパ球によって現場に運ばれて働くものがある．したがって，リンパ性器官は単に局所的に生体の防御反応にあずかるだけでなく，リンパ球という抗体の担い手，さらに抗体そのものを血液中に送るという点で全身的な防御の器官でもある．

循環系におけるリンパ管・リンパの働き

①リンパ節における抗菌や抗体産生などの作用とは別に，1日2～4Lのリンパ流量をもっており，血液量および血管外濾液の調節に重要な働きを有する．

②毛細血管壁を濾過したタンパク質の大部分がリンパ流によって血流に戻される働きをもつ．これが障害されると，血漿タンパク濃度を変化させ，血液と間質液の浸透圧較差を正常に保つことができなくなる．

臨床場面で考えてみよう

血液

1. 68歳の男性．8年前に胃全摘術を受けている．1カ月前から階段を上るときに息切れと動悸を自覚し来院した．血液検査にて，赤血球数200万/μL，Hb8.5g/dL，Ht25%，白血球数3,000/μL，血小板数12万/μLであった．この患者の病態について説明し，治療法を述べよ．
2. 45歳，男性．10年前に健康診断でタンパク尿を指摘されていたが放置していた．最近，悪心，頭痛および労作時の息切れと顔面のむくみを自覚し来院した．血液検査にて，赤血球数210万/μL，Hb 6 g/dL，Ht20%，白血球数6,000/μL，血小板数18万/μL，尿素窒素（BUN）100mg/dL，クレアチニン 8 mg/dLであった．この患者の貧血の原因と治療法を述べよ．
3. 一般に，肝硬変の患者が末期になると出血傾向が出てくるのはなぜか．
4. 75歳の女性．胃癌の手術3日後に，40℃の発熱と意識障害を来し，血圧50/30mmHgと低下していたため，敗血症の疑いで集中治療室に入室となった．翌日，下血，歯肉出血，紫斑と，著明な出血傾向を来した．入室時の血液培養検査にて，グラム陽性球菌を認めた．この患者の出血傾向の原因は何か．

循環器系

1. 左心不全があると，なぜ咳が出ることがあるのか．
2. 右心不全があると，肝臓が腫大するのはなぜか．
3. 左心不全が重症化すると，下肢の浮腫など，右心不全にみられる症状が認められるのはなぜか．
4. 冠状動脈が詰まると心筋梗塞になるが，手に走行する動脈の橈骨動脈・尺骨動脈の片方だけが詰まっても手が壊死しないのはなぜか．

重要用語

血漿	好塩基球	線溶	大脳動脈輪（ウィリス動脈輪）
赤血球	芽球	交差適合試験	
白血球	前骨髄球	ヒト組織適合性白血球抗原（HLA）	門脈系
血小板	骨髄球		胎児循環
血清	後骨髄球	体循環	血圧に影響を与える因子
顆粒球	桿状核球	肺循環	血管の調節機構
単球	分葉核球	冠状動脈	リンパ
リンパ球	マクロファージ	刺激伝導系	
好中球	凝固因子	動脈血	
好酸球	凝固反応カスケード	静脈血	

学習達成チェック

- [ ] 血漿と血清の違いを説明できる．
- [ ] 血球と血漿の成分を挙げることができる．
- [ ] 血球の名称と機能を説明できる．
- [ ] 造血に関わるサイトカインを挙げることができる．
- [ ] 止血のメカニズムを説明できる．
- [ ] ABO式，Rh式の血液型について説明できる．
- [ ] 心臓の位置と各部位の名称を挙げることができる．
- [ ] 血液が体内を循環する経路を心臓を中心に述べることができる．
- [ ] 肺循環と体循環の特徴を説明できる．
- [ ] 心臓を栄養する血管を挙げることができる．
- [ ] 心臓の刺激伝導系の名称を説明できる．
- [ ] 心周期と心音，心電図の関係を述べることができる．
- [ ] 心拍数と1回拍出量を調節する因子を挙げることができる．
- [ ] 動脈と静脈の血管の構造と機能を説明できる．
- [ ] 主要な動脈と静脈の名称を述べることができる．
- [ ] 脳，門脈，胎児の循環系について説明できる．
- [ ] 血圧と脈拍の定義を述べることができる．
- [ ] 血圧を調整する因子を挙げることができる．
- [ ] 体表面から脈拍を触れる部位と触れる血管名を挙げることができる．

解剖生理学が臨床につながる！

　30歳男性Cさんは，最近夕方になると疲労感が強くなり頭痛や悪心を伴うこともあったので，仕事を休んで近くの病院を受診した．しかしバイタルサインを測っても，血液検査や頭部CT検査をしても異常は指摘されなかった．

　ところが，ある日の夕方仕事中に倒れて意識を失っているCさんが発見され，救急車で病院に搬送された．しかし，やはりバイタルサインを測っても心電図検査，頭部CT検査でも異常はなく，診察や検査をしているうちに徐々に意識が回復していった．

　あなたは地域医療支援病院で働く看護師である．地域の人々の暮らしぶりや働きぶりを知るのも大切だと考え，Cさんにも話を聞いた．すると，Cさんの職業は農業だが，水田での稲作ではなく，温室で花卉(かき)栽培をしていると言う．「何の花を栽培しているのですか」「温室はどうやって温めているのですか」など詳しく聞いているうちに，Cさんは「最近は燃料費が高騰しているから，昔の薪ストーブを出してきて温室を温めているんだ．薪は裏山で採れるからタダだし，そのせいか時々温室内が煙るんだけどね」などと話した．

　改めてCさんを観察すると，皮膚の色は不自然なピンク色に見えた．医師に診察を依頼し，動脈血を検査すると一酸化ヘモグロビンの濃度が上昇しているのが判明した．一酸化炭素中毒と診断され酸素吸入の治療が開始された．

❶ 一酸化炭素は赤血球の酸素運搬を阻害する

　一酸化炭素（CO）は，赤血球のヘモグロビン（Hb）に結合して**酸素運搬を阻害**する（図3-60）．一酸化炭素中毒では，末梢組織への酸素供給が減少し，細胞のミトコンドリアでの好気性代謝によるATP合成ができなくなり細胞機能が障害される．それが全身疲労感の原因になったり，脳の細胞が障害され頭痛や悪心を訴えたり意識障害に至ったりする．

❷ 酸素と結合したヘモグロビンを含む赤血球の状態をパルスオキシメーターで観察する

　赤血球が「赤」血球と呼ばれるのは，赤血球に含まれるヘモグロビンが赤いからで，ヘモグロビンは血色素と呼ばれることもある．この赤さの程度は，ヘモグロビンに酸素が結合しているのか（図3-8），何が結合しているのかで異なる．酸素（O_2）が結合したヘモグロビンを含む赤血球の赤さが，指趾や顔面の皮膚の色調に反映される．血液が血管内を脈打って流れると，脈のたびに指趾や顔面の色調が微妙に変化する．その微妙な変化は人の目ではわからないことが多いが，**パルスオキシメーター**で観察することができる（図3-61）．新型コロナウイルス感染症でも用いられるパルスオキシメーターは，指趾や顔面の赤さが脈のたびに変化するのを検知して数字に表現する医療機器なのである．

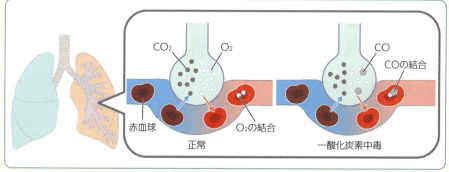

図3-60　ヘモグロビンへの酸素の結合と一酸化炭素の結合

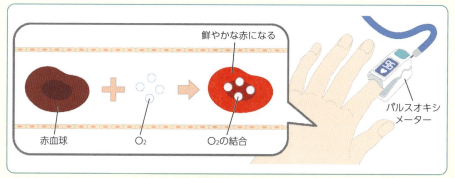

図3-61　パルスオキシメーターでの測定

❸ 一酸化炭素が結合しても一般的なパルスオキシメーターでは判断できない

　赤血球に酸素（O_2）ではなく一酸化炭素（CO）が結合した場合の赤さは，人の目や一般に普及しているパルスオキシメーターでは区別できない．消防署によっては，一酸化炭素を検出できるパルスオキシメーターを装備しているところもあるが，一般的に普及しているものではない．

❹ 患者の話を聞き，診察につなげることも看護の重要な役割

　病院に運び込まれてバイタルサインを測ったり検査をしても，すぐに原因となる疾患が判明するとは限らない．発症の現場環境や経緯を詳しく確認することではじめて診察や検査の方針が修正されることも多い．地域医療に参加する医療従事者となる場合には，地域を知り地域の人々を理解しようとする姿勢が大切である．

4 呼吸器系
酸素を取り入れて，二酸化炭素を排出するしくみ

ここだけ見れば まず呼吸器系がわかる！

- ☑ 新鮮な空気を肺胞に取り込み，酸素は肺胞壁から毛細血管中の赤血球のヘモグロビン（Hb）と結合して組織に運ばれる．
- ☑ 組織で発生した二酸化炭素（CO_2）は，水（H_2O）と反応して炭酸（H_2CO_3）となり，血液のpHを調節して肺に到達すると呼気として排出される．

○呼吸器系器官

○気管分岐部

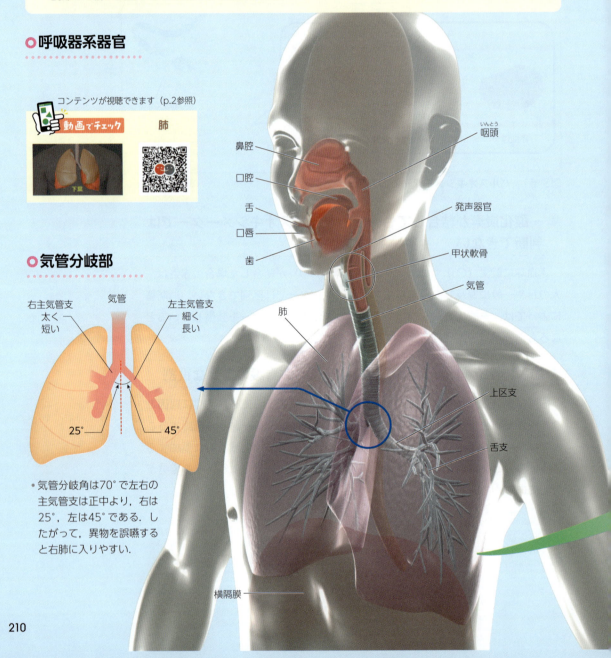

- 気管分岐角は70°で左右の主気管支は正中より，右は25°，左は45°である．したがって，異物を誤嚥すると右肺に入りやすい．

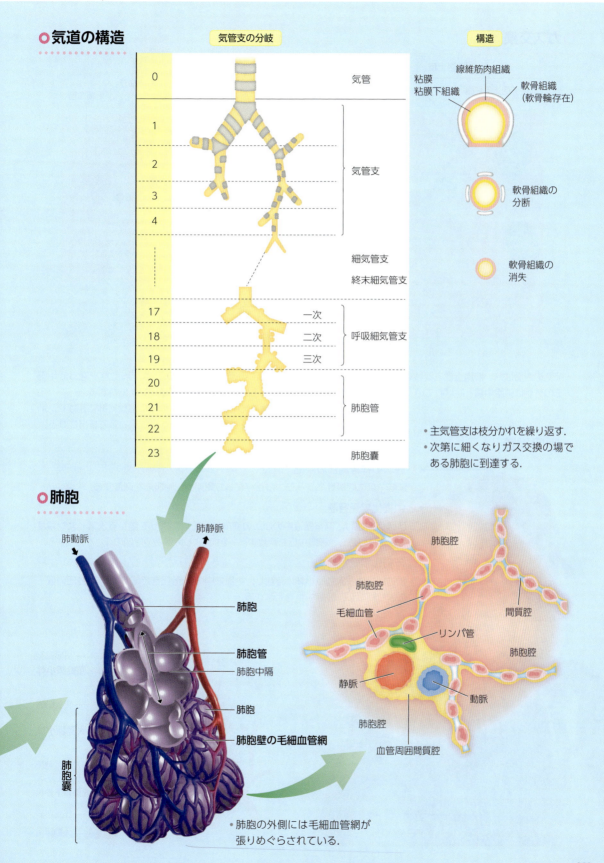

◯ ガス交換

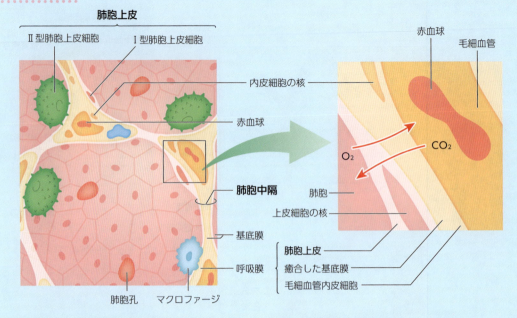

- 肺胞の内面は薄い**肺胞上皮**で覆われている．その外側は**肺胞中隔**と呼ばれている．
- 肺胞に到達した**酸素（O_2）**は，肺胞壁を通って毛細血管中の赤血球のヘモグロビンと結合する．
- 組織で発生したCO_2は，血液に溶けて肺に運ばれ，肺胞壁より拡散し，肺胞腔から呼気として排出される．

◯ 呼吸調節

▶ **呼吸の神経調節の中枢**
- 延髄・橋に呼吸性ニューロン群が存在し，周期的に呼吸筋を刺激する．

▶ **中枢化学受容器**
- 延髄に存在し，脳脊髄液中のCO_2の濃度（分圧）によって変わる水素イオン濃度の変化に対応し，呼吸中枢を刺激する．それにより呼吸数や呼吸の深さを促進する．

▶ **末梢化学受容器**
- 頸動脈小体・大動脈小体に存在し，動脈血中のO_2分圧を感知する．O_2分圧の低下により興奮し，呼吸中枢を刺激する．

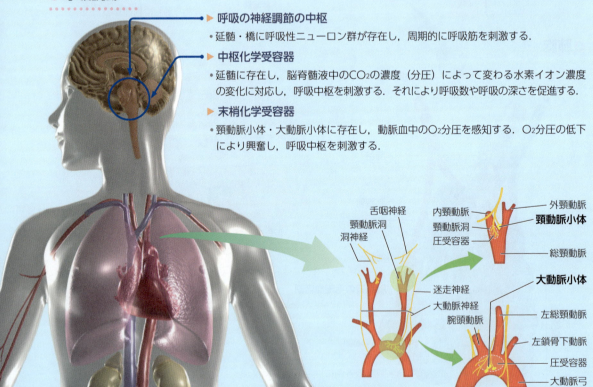

● 呼吸：呼吸筋・換気

▶ 吸息時*
- **横隔膜**が収縮し，平坦になる．
- **外肋間筋**が収縮して，肋骨が上方に持ち上がることで，胸郭が広がる．

*横隔膜の収縮による呼吸を腹式呼吸，外肋間筋の収縮による呼吸を胸式呼吸というが，多くの場合どちらも生じている．

▶ 呼息時
- 筋間の収縮はほとんど関与せず，肺が縮もうとする力（弾性）によって元に戻る*．

*随意的に腹直筋・腹横筋，内肋間筋を収縮して息を吐くこともできる．

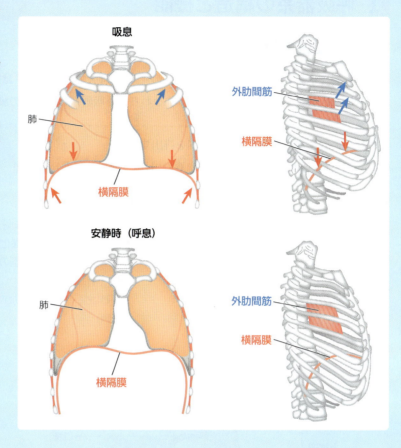

● 胸膜と胸膜腔

- 肺の表面を覆う**臓側胸膜（肺胸膜）**は肺門で折り返し，**壁側胸膜**となる．この二つの膜に挟まれた空間を**胸膜腔**という．
- 胸膜腔には，ごく少量の漿液が存在する．そのため，二つの膜はぴったりとくっつきながら互いに滑らかに動く．吸気で胸膜腔が広がると，臓側胸膜も外側に引っ張られて肺が広がり，空気が流入する．

▶ 自発呼吸時の胸腔内圧
- 大気圧に対して常に陰圧．

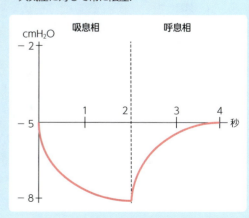

1 呼吸器系の構造と機能

1 呼吸器系の役割

生命を維持するエネルギー産生に酸素（O_2）は不可欠である．ヒトは空気の21％を占める酸素を肺から取り込んで利用して生きている．すなわち，呼吸器系はすべての臓器の機能に関わっているといえる．主な役割は下記の通りである．

①呼吸：酸素を取り込み，二酸化炭素を排出する．
②二酸化炭素（CO_2）の排出による血液のpH値（酸塩基平衡）の調節．

呼吸

酸素は鼻孔・鼻腔から入って肺胞に到達する．さらに肺胞壁を通過して毛細血管内に取り込まれて各組織・細胞に供給される．酸素を利用する過程で生じた二酸化炭素は，血液によって運ばれて呼気として外界に排出される．その過程を呼吸と呼ぶ．

呼吸に必要な機能

- 換気：息を吸う・吐く呼吸筋の動き（➡p.236参照）
- ガス交換：酸素と二酸化炭素の交換（➡p.242参照）
- 拡散：肺胞と毛細血管の間の酸素や二酸化炭素の移動（➡p.243参照）
- 呼吸調節：呼吸筋を動かす中枢からの指令（➡p.247参照）

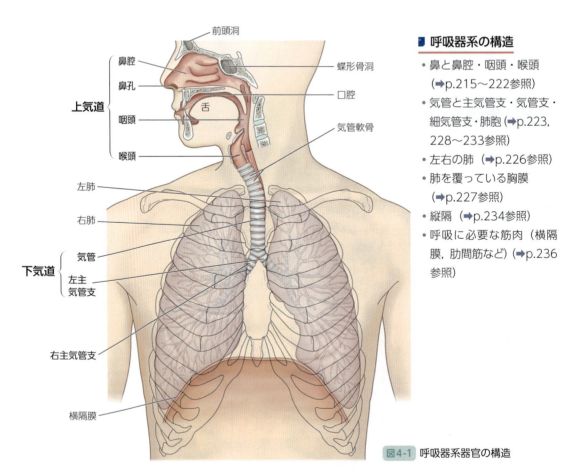

呼吸器系の構造

- 鼻と鼻腔・咽頭・喉頭（➡p.215〜222参照）
- 気管と主気管支・気管支・細気管支・肺胞（➡p.223, 228〜233参照）
- 左右の肺（➡p.226参照）
- 肺を覆っている胸膜（➡p.227参照）
- 縦隔（➡p.234参照）
- 呼吸に必要な筋肉（横隔膜，肋間筋など）（➡p.236参照）

図4-1　呼吸器系器官の構造

2 気道の構造と機能

- 鼻腔から肺胞に至るまでの空気の通路を総称して**気道**という.
- 肺内では，空気は，主気管支から順に枝分かれした気管支，細気管支を通って，ガス交換の場である肺胞に到達する.

1 鼻と鼻腔

▌鼻（nose）

- 外鼻（いわゆる鼻として顔面に隆起している部分）と鼻腔からなる.
- 鼻の付け根にあたる鼻根部には硬い鼻骨がある. ほかの部分は軟骨からなり軟らかい.

▌鼻腔（nasal cavity）

- 鼻中隔で仕切られ，左右に分けられる.
- 鼻前庭に続く鼻腔は，血管の豊富な粘膜で覆われる.
- 外側壁には上中下の鼻甲介が突出している.

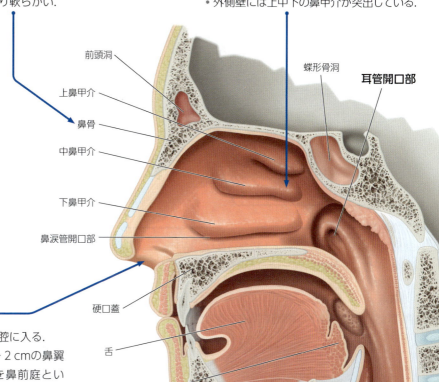

▌外鼻孔・鼻前庭

- 空気は外鼻孔から鼻腔に入る.
- 外鼻孔から内方1～2cmの鼻翼に囲まれたところを鼻前庭という. ここまでは表面は皮膚であり，鼻毛が生えている.

▌鼻と鼻腔の機能

● ①加温・加湿・濾過

空気は鼻腔を通過する間に加温・加湿・濾過される（➡p.224参照）.

図4-2 鼻と鼻腔

plus α

鼻中隔

鼻中隔の前下部では動脈の枝が吻合し，粘膜内に密な血管網をつくっている．ここをキーゼルバッハ部位と呼ぶ．粘膜の軽い損傷でも出血し，鼻出血の好発部位となっている．

● ②におい（➡p.426，427参照）
- 鼻はにおいの感覚器官でもある．
- 鼻腔の奥，上鼻甲介より上部の粘膜には，においを感知する特殊な神経細胞（嗅細胞）があり，**嗅部**と呼ばれる．
- この神経線維は篩骨の篩板を通り抜けて嗅球に達し，シナプスをつくって次の神経（嗅索）に連絡し，におい物質による刺激を脳に伝える．

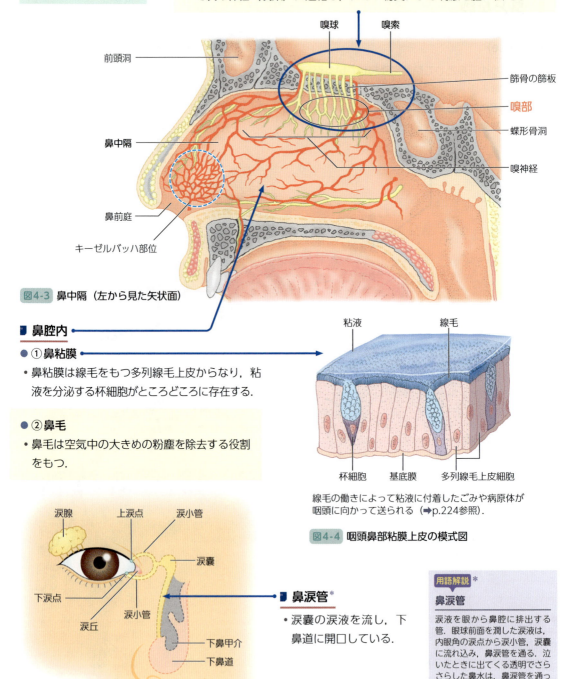

図4-3 鼻中隔（左から見た矢状面）

鼻腔内

● ① **鼻粘膜**
- 鼻粘膜は線毛をもつ多列線毛上皮からなり，粘液を分泌する杯細胞がところどころに存在する．

● ② **鼻毛**
- 鼻毛は空気中の大きめの粉塵を除去する役割をもつ．

線毛の働きによって粘膜に付着したごみや病原体が咽頭に向かって送られる（➡p.224参照）．

図4-4 咽頭鼻部粘膜上皮の模式図

鼻涙管*

- 涙嚢の涙液を流し，下鼻道に開口している．

図4-5 涙器の構造

用語解説 *

鼻涙管

涙液を眼から鼻腔に排出する管．眼球前面を潤した涙液は，内眼角の涙点から涙小管，涙嚢に流れ込み，鼻涙管を通る．泣いたときに出てくる透明でさらさらした涙水は，鼻涙管を通って流れてきた涙液である．

副鼻腔

副鼻腔（paranasal sinuses）は，骨の内部にある空洞である．空気が入っていて，内面は鼻腔粘膜の続きで覆われる．次の四つがあり，それぞれ鼻腔に通じている．

① 上顎洞
② 前頭洞
③ 篩骨洞
④ 蝶形骨洞

副鼻腔があることで頭蓋は軽くなり，鼻腔とともに音声に共鳴を与える．

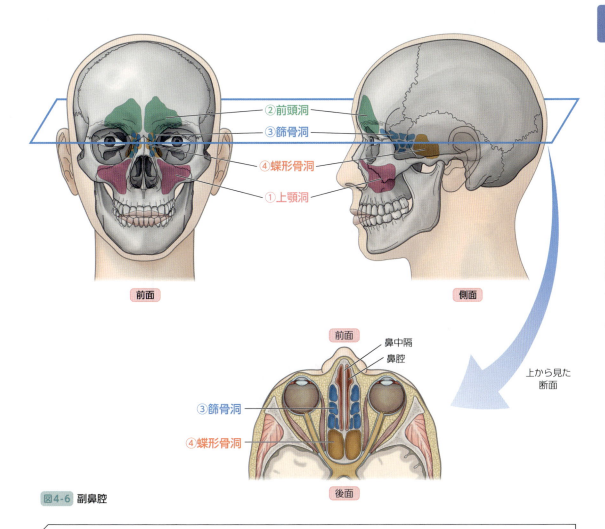

図4-6 副鼻腔

副鼻腔炎

鼻腔の炎症が副鼻腔に広がると，副鼻腔炎となる．炎症が起こって鼻腔にある副鼻腔の開口部が閉塞すると，副鼻腔で産生された粘液が鼻腔に排出されずに貯留する．副鼻腔内の空気が吸収されると副鼻腔は分泌物で満たされ，いわゆる「蓄膿症」となる．

上顎洞の鼻腔への開口部は洞の上部に位置するので，分泌物を排出しにくく「蓄膿症」になりやすい．副鼻腔炎は，頭痛として感じられたり，副鼻腔の部位に圧痛や叩打痛を生じる．

2 咽頭

咽頭の位置

咽頭（いんとう）(pharynx) は，頭蓋底直下，鼻腔の後方から始まり，口腔の後方を通って喉頭の後方，食道の入り口まで続いている．第6頸椎の高さとなり，長さは12〜16cmで，一般に「のど」といわれる部位である．

咽頭の構造

部位により三つに分けられる．
① **上咽頭（咽頭鼻部）**：鼻腔後方．
② **中咽頭（咽頭口部）**：口腔後方．
③ **下咽頭（咽頭喉頭部）**：喉頭後方．

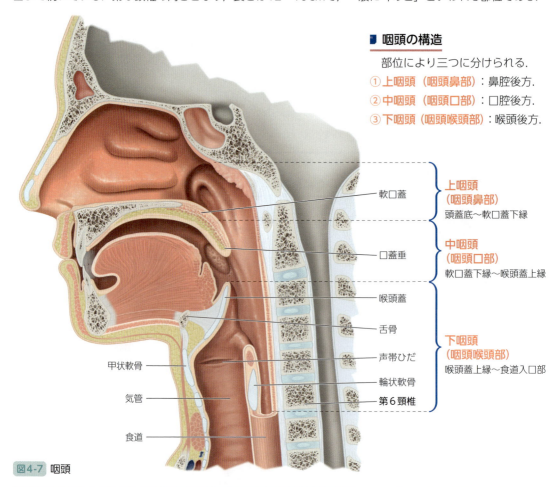

上咽頭（咽頭鼻部）
頭蓋底〜軟口蓋下縁

中咽頭（咽頭口部）
軟口蓋下縁〜喉頭蓋上縁

下咽頭（咽頭喉頭部）
喉頭蓋上縁〜食道入口部

図4-7 咽頭

呼吸と嚥下

- 咽頭は，空気と食べ物の両方が通過し，呼吸器系の一部であると同時に，消化器系の通路となっている．
- 飲食物を飲み込むときには，食物が鼻腔に流れ込まないように，軟口蓋（なんこうがい）の後縁は後上方に引き上げられ，咽頭鼻部は口部から遮断される．また，食物が気管に入らないよう，喉頭蓋が気道にふたをする．食塊は喉頭の後方にある食道に移動する．
- 咽頭の表面は粘膜層であり，中間に線維組織，その下に筋組織がある．咽頭下部にいくほど線維組織は薄くなり，筋組織の層が厚くなっている．筋組織は不随意の括約筋からなり，嚥下（えんげ）機能に重要な役割を果たしている．この機能がうまく働かずに食塊が喉頭に入り込むと，むせた状態になって反射的に咳が出て排出される．この反射が低下していると，気道に唾液や食塊が入ってしまう（誤嚥（ごえん））．

咽頭の機能

誤嚥防止など，交通整理を行いながら空気と食塊を通過させる以外に，咽頭は次のような機能を備えている．

- **①加温・加湿・濾過**

    空気は咽頭を通過する間にも加温・加湿・濾過される（➡p.224参照）．

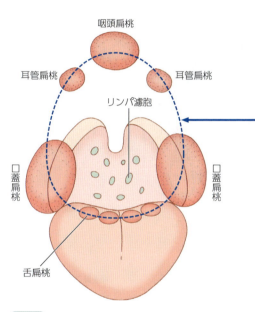

図4-8 ワルダイエル扁桃輪（咽頭輪）

- **②生体防御**

    咽頭には免疫をつかさどる扁桃と呼ばれるリンパ組織が存在し，外界から侵入してくる細菌やウイルスに対し，一次的な防御機構の役割を果たしている．

- **Ⓐワルダイエル扁桃輪**

    咽頭鼻部の上部には咽頭扁桃，耳管扁桃，咽頭口部には口蓋扁桃，舌根部には舌扁桃が存在する．これらは，外界から鼻腔・口腔を通って侵入してくる病原体を取り囲むような位置にあり，ワルダイエル扁桃輪（咽頭輪）と名付けられている．

> **plus α**
> **アデノイド顔貌**
> 咽頭扁桃は幼児期に最も発達しているが，時に病的に肥大して鼻腔からの呼吸を困難にする．そのような子どもは口呼吸を行うため，いつも口を開け，鼻唇溝が消失して特徴的な顔つきとなる．これをアデノイド顔貌と呼ぶ．

呼吸と嚥下

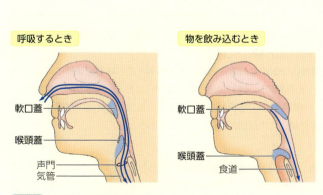

図4-9 呼吸時と嚥下時の咽頭のしくみ

> **plus α**
> **誤嚥性肺炎**
> 口腔内容物（食物・唾液），咽頭分泌物や食道から逆流した胃内容物が，喉頭から気道に流入することで生じる．意識障害患者や痙攣発作を伴う患者が，嘔吐した後に発症することがある．嚥下障害があり，咳嗽反射が低下している高齢者では，食事の際の誤嚥に加え，唾液や咽頭分泌物，逆流した胃内容物が下気道に微量垂れ込む（不顕性誤嚥という）．それによって誤嚥性肺炎を発症する．誤嚥性肺炎には，胃液などの誤嚥により肺組織が化学的に傷害されて炎症反応が起きる化学性肺炎と，下気道に病原微生物が侵入して生じる感染性の誤嚥性肺炎がある．

● ③鼓膜内外の圧較差（かくさ）の調節

鼓膜の内側にある中耳腔（鼓室）(B) から耳管と呼ばれる管が伸び，咽頭鼻部に開口している（→p.215図4-2参照）．鼓室は鼓膜で外耳道（外界）(A) と境されているが，耳管が咽頭つまり外界に通じているので，鼓室内も外界と同じ気圧に保たれる．

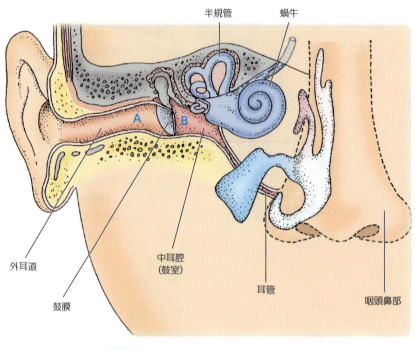

図4-10 鼓膜内外の圧較差

高いところに急に移動すると耳が詰まったように感じる理由

高いところに移動すると外気圧（外耳道圧）(A) が下がる．しかし，鼓室の圧 (B) がそのままであるため鼓膜が外側に押される．すると音が到達しても鼓膜は通常通り振動できないため，耳が詰まったように感じる．このようなときに，唾を飲み込むと元に戻る．これは，嚥下運動により耳管開口部が引っ張られて，それまで閉じていた耳管が開き，圧の高まった空気が外に出て鼓膜内外の圧較差がなくなることによる．高度が下がって外気圧が上がると，鼓室にも空気が入ってくるため，AとBの圧は等しくなる．

風邪をひいているときに飛行機に乗ると，着陸後いつまでも耳痛が続くことがある．これは咽頭粘膜の腫脹や分泌物により耳管開口部が開かず，鼓室の圧 (B) と外界の圧 (A) に差が生じるからである．上空では，鼓室の圧の高まりから空気は容易に出ていく．しかし，耳管開口部の粘膜が腫れていると，着陸時に外気圧が高まってもなかなか空気は耳管に入っていかない．AがBより高いため鼓膜が内側に押されて痛みが長く続く．

> 風邪などで咽頭粘膜に炎症が生じ耳管開口部が狭まっているときに飛行機に乗ると，上昇時の圧はA＜B，下降時の圧はA＞Bとなる．

3 喉頭

喉頭の位置と構造

喉頭（larynx）は，咽頭の下方で舌根・舌骨の高さから気管まで続いている．靱帯や膜様構造物で連結した，いくつかの軟骨（喉頭軟骨）で構成されている．

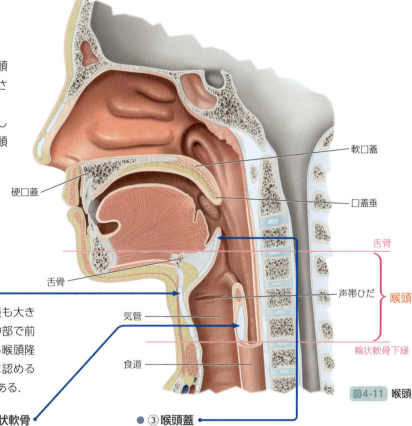

図4-11 喉頭

- ① **甲状軟骨**
  - 喉頭軟骨の中で最も大きな軟骨．その正中部で前方に突出している喉頭隆起が，成人男性に認める「のどぼとけ」である．

- ② **輪状軟骨**
  - 甲状軟骨の下方にある，指輪のような輪状の軟骨．前方では狭く，広い後方部の上部で披裂軟骨と関節をつくる．
  - 輪状軟骨の下縁から気管が始まる．

- ③ **喉頭蓋**
  - 文字通り喉頭の上開口部にふた（蓋）をする軟骨で，しゃもじのような形をしている．
  - 食塊や液体が飲み込まれるときには，喉頭全体が上方に引っ張られ，喉頭蓋が傾いて喉頭の入り口をふさぐため，飲食物は気道に入らずに食道に流れていく．嚥下時には，呼吸は瞬間的に中断されることになる．

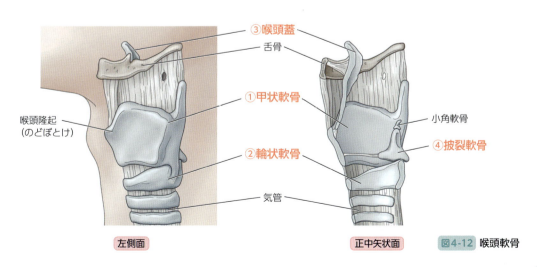

図4-12 喉頭軟骨

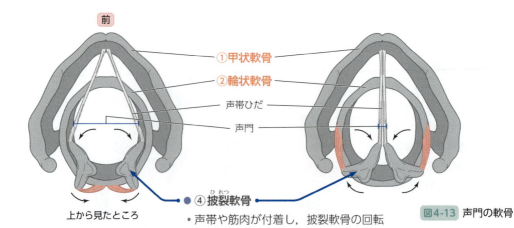

図4-13 声門の軟骨

・声帯や筋肉が付着し，披裂軟骨の回転により，声帯が開いたり閉じたりする．

喉頭の機能

①発声

- 喉頭の粘膜は，**声帯**（vocal cord）と呼ばれるひだを形成している．
- 左右の声帯の間にある隙間を声門裂という．声門裂と声帯を含めて声門と呼ぶ．
- 披裂軟骨が内側に回転すると左右の声帯ひだが接近し，声門裂が狭くなる．ここを空気が通り抜けるときに声帯が振動し，音（声）が発生する．
- 普通に呼吸しているときは，披裂軟骨は外側に回転して声帯は外転しており，声門は開大して空気が容易に出入りする．
- 声の高さは声帯の長さと緊張の程度により，声の大きさは声門裂を通過する空気の力によって変わる．

②嗄声

声門粘膜の変化や声帯の機能障害によって声がかすれることをいう．風邪や声帯の使い過ぎで声帯が腫脹し，嗄声を認めることはよくある．大声を出すことが多い職業の人では声帯結節（謡人結節）を生じることがあり，声門裂がきちんと閉じずに嗄声を生じる．声門付近に出現した喉頭癌も嗄声の原因となる．

発声に必要な喉頭筋を支配しているのは反回神経で，肺癌によって反回神経麻痺を生じると嗄声になる．そのため，特に喫煙者に風邪症状を伴わない嗄声や長引く嗄声が起きると，精査が必要となる．

③声変わり

思春期になると，甲状軟骨の発達に伴って声帯の長さや厚みが増すため，声が低くなる．

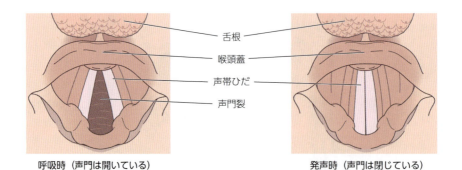

図4-14 声門の開閉

④加温・加湿・濾過

空気は喉頭を通過する間にも加温・加湿・濾過される（➡p.224参照）．

4 気管と主気管支

気管の位置

- 喉頭に続いて気管（trachea）が始まる．
- 気管は食道の前を通って縦隔を下降する．
- 第5胸椎の高さにおいて，心臓の後方（気管分岐部）で左右の主気管支に分かれる．
- 左主気管支の長さは約5cmである．右主気管支の長さは約2.5cmで左に比べて太く，分岐角度が小さい（より真っすぐ下向きに走行している）．したがって，誤って気管に入った異物は右主気管支から右肺に入りやすい．

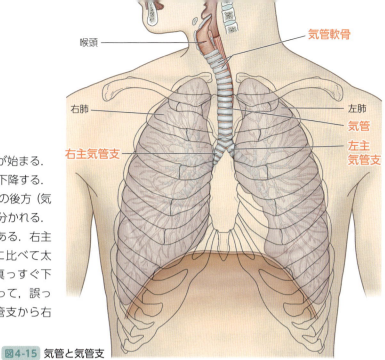

図4-15 気管と気管支

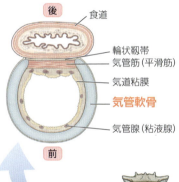

気管の構造

- 気管の長さは約10〜12cm，直径2〜2.5cmで，内腔は粘膜で覆われている．
- 気管の壁には，馬蹄形をした気管軟骨が一定の間隔で15〜20個並び，気道がつぶれないように補強している．
- 気管軟骨の間は輪状靱帯がつないでいる．
- 食道と接している気管後面には軟骨がなく，結合組織と平滑筋でできた膜性壁となっている．そのため，大きい食塊を飲み込んでも，食道は前方に広がることができる．

主気管支・葉気管支

- 主気管支はそれぞれ左右の肺門から肺内に入ってすぐに分岐し，右は3本，左は2本の葉気管支となる（➡p.228参照）．
- 主気管支は，空気の移動路になるほか，空気の加温・加湿と清浄化（濾過）機能を有し，咳嗽反射もある（➡p.225参照）．

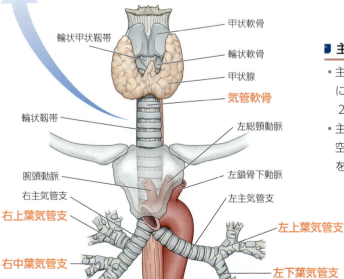

図4-16 気管・気管支とその隣接構造

5 気道の生体防御機構

鼻孔や口から吸い込まれた大気中の空気には塵や埃のほか，細菌やウイルスなどの病原体も含まれる．そこで，生体には身体を守る防御機構が備わっている．

■ 機械的バリア

- 表面を覆う粘膜が，微生物の侵入に対して機械的バリアとなって働く．
- 粘膜表面には粘液が分泌され，塵や微生物などの小粒子は粘液に吸着される．
- 粘液にはリゾチームという酵素が含まれ，細菌の細胞壁を溶かす働きをする．

■ 加温・加湿・濾過

① 鼻前庭
- 外から入ってきた空気は鼻の入り口（**鼻前庭**）にある鼻毛で濾過され，大きめの粉塵はここで除去される．

② 鼻腔内
- 空気は，鼻腔内の粘膜にある豊富な血管で温められ，湿った粘膜の上を通過する間に加湿される．
- 鼻腔には**鼻甲介**が三段に突出していて鼻腔内の空気と粘膜の接触面積は大きく，加温・加湿・異物の除去が効果的に行える．

③ 鼻粘膜〜咽頭
- 鼻粘膜の細胞には50〜100本以上の線毛があって前方から後方へと波打ち，粉塵や微生物の付着した粘液を鼻腔の後方，**咽頭**のほうにそっと押し流している．粘液は飲み込まれるか痰として吐き出される．

④ 気管
- 空気の加温・加湿は気管でも行われる．気管に達した空気は体温と同じくらいに加温され，ほぼ100％の湿度となっている．
- 気管の粘膜上皮で最も多くみられる細胞は線毛細胞であり，管腔面に多数の線毛をもつ．線毛は喉頭方向に向かって運動し，微生物や粉塵などの異物が付着した粘液を，口腔など外部に排出する．

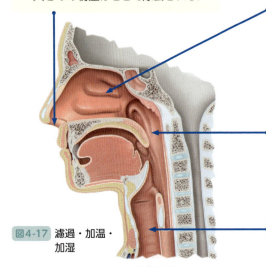

図4-17 濾過・加温・加湿

■ 線毛運動による有害物の排出

- 微生物や粉塵などの異物が付着した粘液を，口腔など外部に排出する．

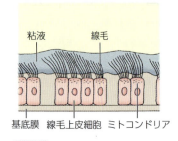

図4-18 気道の線毛運動と粘液層

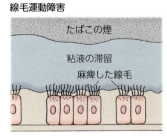

線毛運動障害

たばこの煙は線毛上皮細胞の傷害や線毛運動障害を生じさせる．そのため，喫煙者は呼吸器感染症に罹患しやすい．

図4-19 線毛運動障害

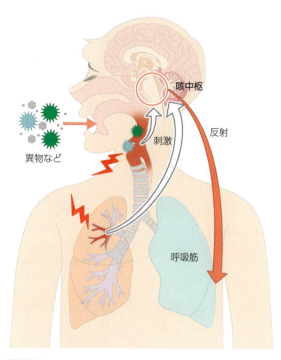

図4-20 咳嗽反射

咳嗽反射

- 咽頭・喉頭・気管・気管支の太い気道粘膜には刺激受容器が存在する．
- 異物や煙などの化学的あるいは機械的刺激がこの受容器に届くと，迷走神経を介した反射によって咳が起こる．これを咳嗽反射という．
- 咳は，生体防御反応の一種で，急激な空気の呼出によって異物が口から排出され，取り除かれる．
- 最も敏感なのは喉頭と気管分岐部である．風邪や気管支炎などで粘膜に炎症が起こると，それが刺激となって咳が出る．

plus α
咳と痰

風邪や細菌感染で気管支に炎症が起きると，気管支腺からの分泌が増え，また，粘膜の線毛運動が弱くなるために気管支に粘液が貯留する．たまった粘液が刺激となって咳を誘発する．咳とともにたまった粘液が飛び出してくる．これが痰である．喫煙者では，たばこの煙によって線毛上皮が傷害されたり線毛運動が弱められるため，分泌粘液（痰）が多くなり，それを排出するために始終咳をするようになる．

生体防御機構が働かない

①口呼吸
口呼吸では，前述のような加温・加湿・濾過が行われないまま，空気が肺に入ることになる．

②気管切開
気管切開された患者では，体温よりも低い温度の乾燥した空気が濾過されることなく直接気管から体内に流入する．そのため，下記を引き起こす可能性があり，微生物による感染を生じやすい．

①気道内線毛上皮細胞の傷害や線毛運動障害
②喀痰の粘稠化
③気道粘膜の刺激による気管支平滑筋の攣縮

③人工呼吸器回路の工夫
気管挿管が施行されている患者に空気を送り込む人工呼吸器回路には，吸気中の細菌や異物を除去するフィルターが挿入され，加温・加湿装置も取り付けられている．ネブライザーも加湿のために併用される．

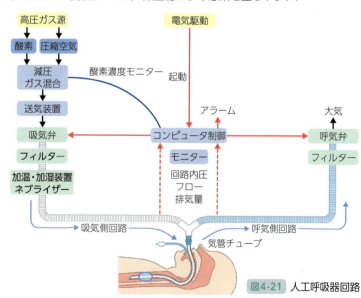

図4-21 人工呼吸器回路

3 肺の構造

1 肺と胸膜・胸膜腔

■ 肺の形状・位置

　肺（lung）は，円錐を縦に割ったような半円錐形で左右一対の，中身の詰まった実質臓器である．胸郭内におさまっており，胸腔の約80％を占める．

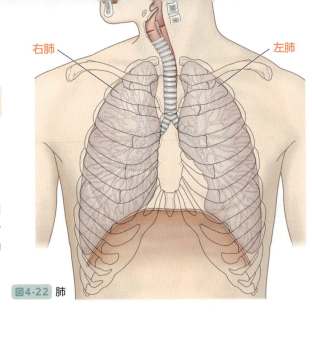

図4-22 肺

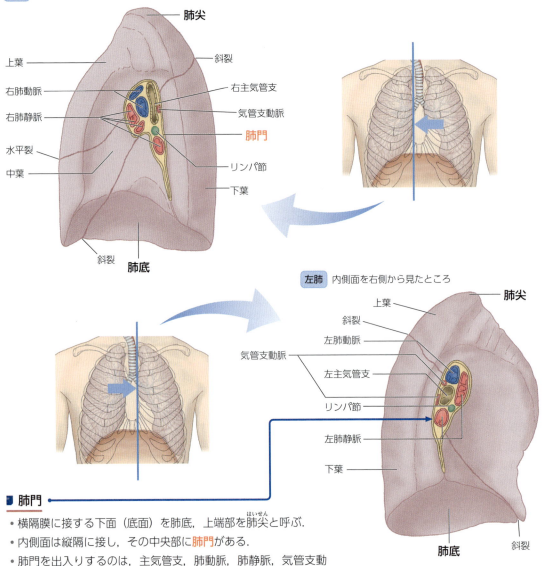

■ 肺門

- 横隔膜に接する下面（底面）を肺底，上端部を肺尖と呼ぶ．
- 内側面は縦隔に接し，その中央部に肺門がある．
- 肺門を出入りするのは，主気管支，肺動脈，肺静脈，気管支動脈，気管支静脈，リンパ管，交感神経と副交感神経である．

図4-23 肺と肺門

胸膜

- 肺の表面は漿膜（臓側胸膜）によって覆われている．
- 臓側胸膜は肺門で折り返して壁側胸膜となり，胸壁・縦隔・横隔膜を裏打ちする．

胸膜腔

- 臓側胸膜と壁側胸膜で囲まれた閉じたスペースを胸膜腔という．
- 胸膜腔には少量の漿液が存在し，その潤滑作用により，両胸膜は呼吸のたびにぴったりとくっつきながら，滑らかに横隔膜や胸腔の動きに追従する．

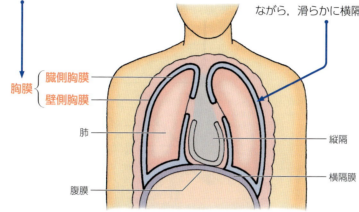

図4-24 胸膜の模式図（前面）

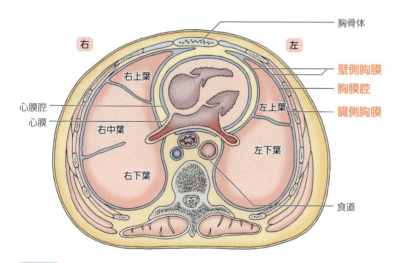

図4-25 肺門部の水平断（下から）

plus α
気胸

肺や胸壁が損傷されて胸腔内に空気が入った状態である．胸腔の圧は大気圧と等しくなり，肺は小さく縮んでしまう．明らかな外傷がなくて生じた気胸を自然気胸という．肺の表面に存在する気腫性肺嚢胞（肺尖部に多い）が破れて，肺内の空気が漏れ出すことによって生じる．自然気胸はやせ形の背の高い男性に多い．自然気胸の再発を繰り返すと，気腫性肺嚢胞を取り除く手術が必要となることもある．

肺葉

- 肺には，臓側胸膜が入り込んだ深い切れ込みがあり，肺葉に分かれる．右肺は上葉・中葉・下葉の3葉に，左は上葉と下葉の2葉に分かれている．
- 心臓が左側に片寄って存在しているため，右肺の容積がやや大きい．

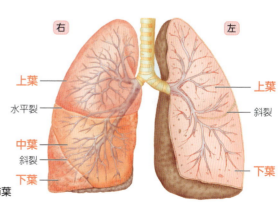

図4-26 肺葉

■ 肺内部

- 肺の内部は，気管支と細気管支，肺胞，結合組織，血管，リンパ管，神経からなる．

①葉気管支
②区域気管支
④終末細気管支
⑤呼吸細気管支
肺胞嚢

■ 肺小葉

- 肺の表面には，径1cmほどの多角形の小区画が臓側胸膜から透けて見える．
- それぞれの区画は肺小葉と呼ばれる単位で，結合組織の隔壁で仕切られピラミッド型をしている．肺の外側に見えるのは，その底面である．

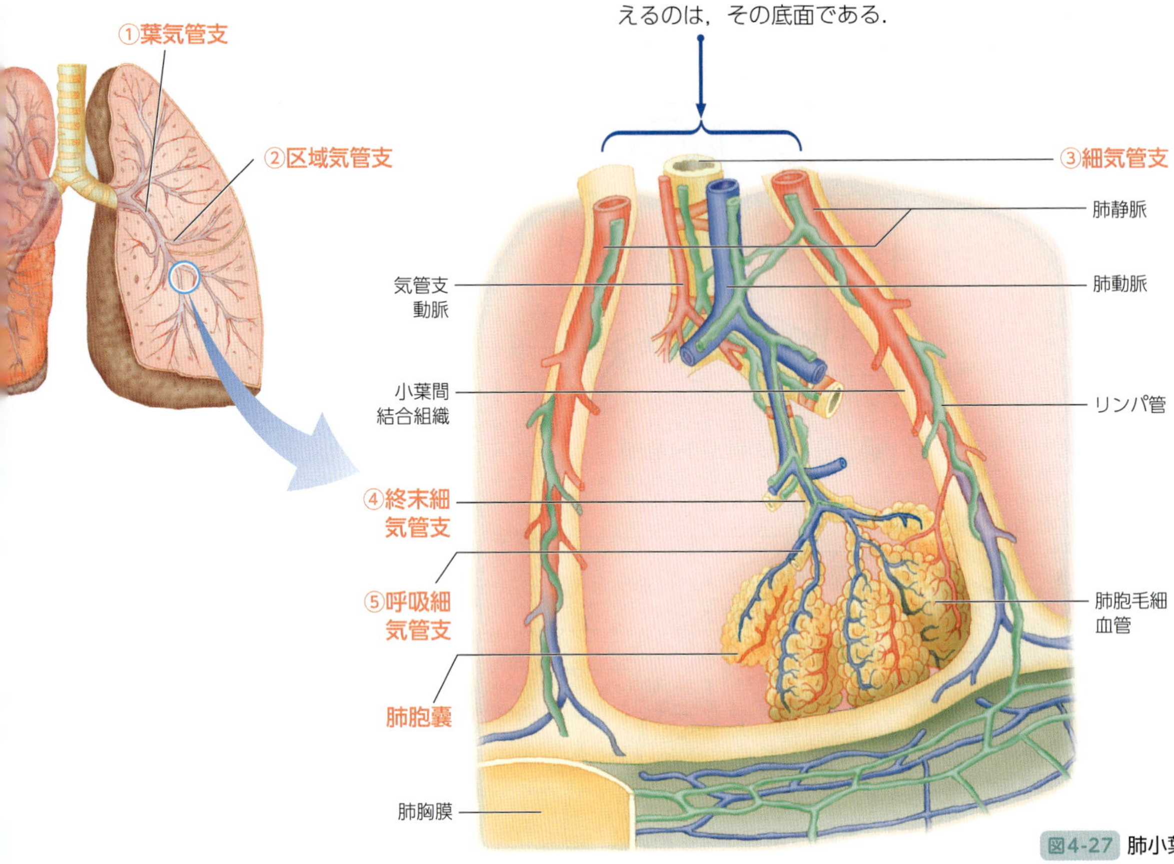

③細気管支
肺静脈
気管支動脈
肺動脈
小葉間結合組織
リンパ管
肺胞毛細血管
肺胸膜

図4-27 肺小葉

■ 肺内の気道

主気管支は，肺門から肺内に入ると分岐を繰り返しながら次第に細くなり，ガス交換の場である肺胞に至る．

● ①葉気管支（内径7mm）

右主気管支は，右上葉にいく上葉支（上葉気管支），中葉にいく中葉支，下葉にいく下葉支の3本にまず分かれる．左は上葉支と下葉支の2本に分かれる．

● ②区域気管支と区域気管支枝（内径2～7mm）

葉気管支は，さらに2～3分岐して区域気管支となる．この区域気管支によって空気が送られる肺の部分を肺区域という（→p.230参照）．右肺は10区域，左肺は8区域に分かれている．

区域気管支がさらに数回分岐するところまでは，区域気管支の枝（区域気管支枝）と呼ばれる．気管支軟骨は次第に小さくなり，形や配列も不規則になる．

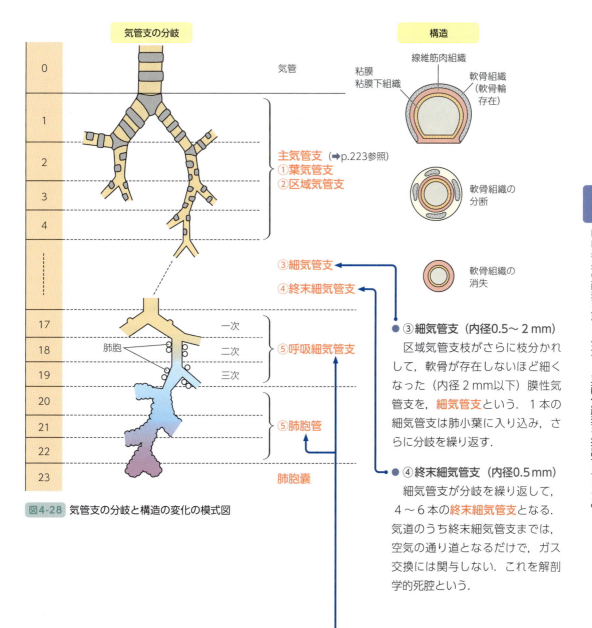

図4-28 気管支の分岐と構造の変化の模式図

● ③**細気管支**（内径0.5〜2 mm）
区域気管支枝がさらに枝分かれして，軟骨が存在しないほど細くなった（内径2 mm以下）膜性気管支を，**細気管支**という．1本の細気管支は肺小葉に入り込み，さらに分岐を繰り返す．

● ④**終末細気管支**（内径0.5 mm）
細気管支が分岐を繰り返して，4〜6本の**終末細気管支**となる．気道のうち終末細気管支までは，空気の通り道となるだけで，ガス交換には関与しない．これを解剖学的死腔という．

● ⑤**呼吸細気管支**（内径0.3 mm）と**肺胞管**（内径0.1 mm）
終末細気管支は分かれて**呼吸細気管支**となり，呼吸細気管支は数本の肺胞管に分かれる．その先は袋状の**肺胞**で終わる．呼吸細気管支の壁からは肺胞がところどころ飛び出しており，**肺胞管**と**肺胞嚢**の壁はすべて直接肺胞につながっていて，ガス交換の場となっている．

主気管支から呼吸細気管支に至るまで，気管支は20回余りの枝分かれを繰り返して肺胞に到達する．そのため，気管を通ってくる細菌や埃の混じった空気が直接肺胞に流入することはない．途中で気管支の壁にくっつき，粘液とともに粘膜の線毛運動によって知らないうちに喉頭に運ばれ，痰として喀出されたり食道に飲み込まれている（➡p.224参照）．

杯細胞と気管支腺の2種類の組織が気管支で粘液を分泌している．

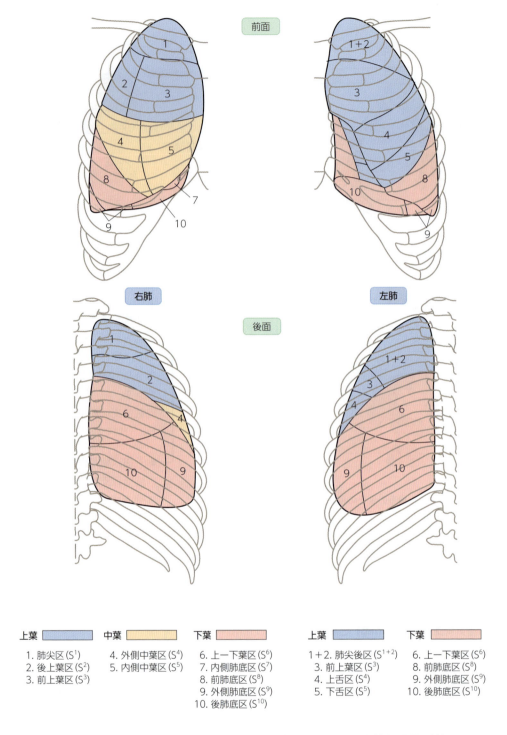

図4-29 肺区域

肺胞

①肺胞の構造

肺胞の大きさは直径250〜300μmで，肺の実質にびっしりと詰まっている．肺胞は空気で満たされているため，肺実質のほとんどは空気で，肺はふわふわとしたスポンジのように軟らかい．

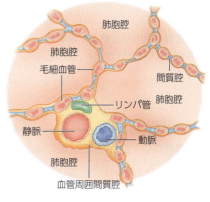

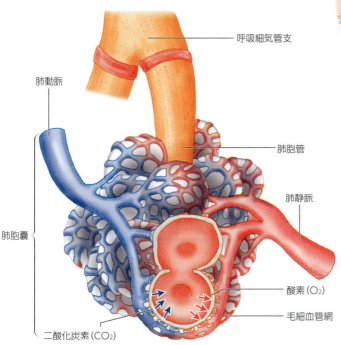

図4-30 肺胞とその断面図

②肺胞の表面積

肺の中が小さな部屋で細かく仕切られているほど，ガス交換を行う肺胞壁の面積は広くなる．肺胞の数は両肺で3〜5億個にも及ぶと計算され，肺胞の表面積を合計すると両肺で80〜100m^{2}となる．これはテニスコートのほぼ半分の広さである．

肺気腫では，肺胞壁が壊れて呼吸面積が減少し，身体に酸素を取り入れたり二酸化炭素を排出する機能が低下する．

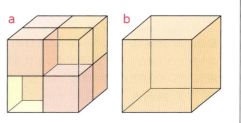

中がたくさん仕切られているほう（a）が箱（肺胞）の表面積は大きい．

図4-31 肺胞の表面積

肺気腫
　ガス交換の場となる肺胞壁が破壊され，拡大した気腔が生じる．bのように，小部屋がなくなって大広間になる）．肺胞が弾性を失って異常な気腔の拡大を生じた状態である．そのため，ガス交換が行われる肺胞の有効面積が減り，肺全体の換気能力が失われる．長年の喫煙や大気汚染などの外的要因に，体質・年齢などの内的要因が絡んで起こると考えられている．

● ③肺胞の内面

　肺胞の内面は薄い肺胞上皮で覆われている．その外側は肺胞中隔と呼ばれ，肺胞上皮の基底膜と少量の結合組織の中に毛細血管網が密に張りめぐらされている．

● ④肺胞上皮細胞

　肺胞をつくっている肺胞上皮には，Ⅰ型肺胞上皮細胞とⅡ型肺胞上皮細胞の2種類がある．

- Ⓐ Ⅰ型細胞
- 表面が比較的平滑で，核の部分以外は扁平な膜状の形で広がっている．
- Ⓑ Ⅱ型細胞
- Ⅰ型細胞の間に散在する膨隆した厚みのある細胞で，表面に短い微絨毛を認める．
- Ⅱ型細胞は，サーファクタントと呼ばれる表面活性物質を分泌し，肺胞の虚脱を防いでいる．

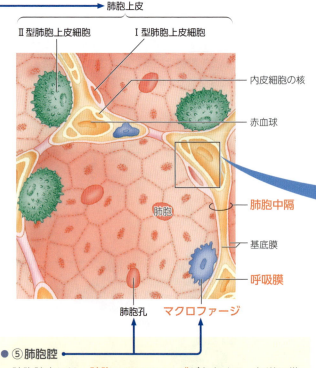

● ⑤肺胞腔

- 肺胞腔内には，肺胞マクロファージが存在する．気道に備わっている空気清浄システムでも除去できなかった吸気中の塵芥や病原微生物を貪食している．
- 肺胞壁には，小孔がところどころ開口していて隣同士の肺胞腔をつないでおり，圧のバランス調節に役立っている．

サーファクタント（界面活性剤）

　肺胞には表面張力が働き，常に縮もうとしている．その力を弱めるのがサーファクタントである．サーファクタントが欠乏すると，肺が膨らみにくくなり，膨らんでも縮みやすくなる（コンプライアンスの低下〔➡p.241参照〕）．そのような状態になるのが，新生児呼吸促迫（窮迫）症候群（infant respiratorydistress syndrome：IRDS）や急性肺障害（acute lung injury：ALI），急性呼吸促迫（窮迫）症候群（acute respiratory distress syndrome：ARDS）である．

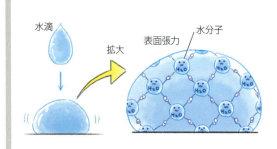
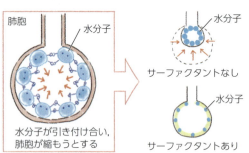

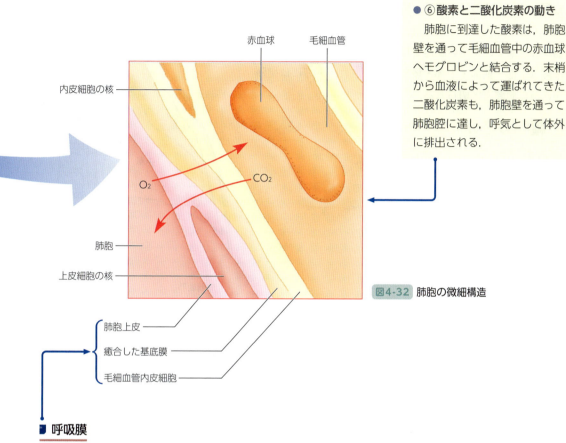

● ⑥酸素と二酸化炭素の動き

肺胞に到達した酸素は，肺胞壁を通って毛細血管中の赤血球ヘモグロビンと結合する．末梢から血液によって運ばれてきた二酸化炭素も，肺胞壁を通って肺胞腔に達し，呼気として体外に排出される．

図4-32 肺胞の微細構造

呼吸膜

- 肺胞内の空気と肺胞毛細血管内の血液は，肺胞壁によって隔てられている．肺胞腔内の酸素は毛細血管へ，毛細血管内の二酸化炭素は肺胞腔内へ，それぞれの気体の濃度勾配（分圧差）によって移動する（単純拡散➡p.50参照）．
- 酸素と二酸化炭素が通過する壁は，肺胞の上皮細胞，毛細血管内皮細胞と，これら二つの細胞の間にある基底膜からできている．この3層からなる非常に薄い壁を呼吸膜と呼ぶ．
- 壁は薄ければ薄いほど気体が拡散しやすい．呼吸膜の厚さはわずか0.2〜0.3μmである．血中に入った酸素の大半は，赤血球膜を通過してヘモグロビンと結合する．赤血球は直径約7.5μm，厚さ約2μmであるため，酸素の拡散には呼吸膜よりも血液からヘモグロビンに到達するところが障壁となる．

4 縦　隔

縦隔とは，左右の肺と胸骨，胸椎に囲まれた空間を指す．心臓や心臓に出入りする大血管，気管・気管支，食道などの臓器が存在する．特定の臓器を指すのではない．

縦隔は上部・前部・中部・後部に区分され，下方には横隔膜があって腹腔と区切られる．

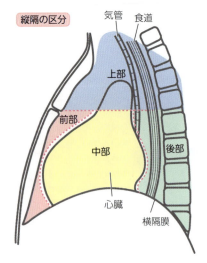

1 縦隔の区分

- **縦隔上部**　前後は胸骨柄から第1〜4胸椎．
- **縦隔前部**　胸骨後面から心血管の前面まで．
- **縦隔中部**　心臓の前面から食道の前面（腹側）まで．
- **縦隔後部**　食道から第5〜12胸椎前面まで．

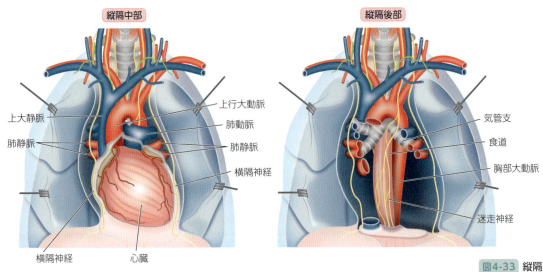

図4-33 縦隔

2 縦隔に含まれる器官

縦隔上部
胸腺，気管，食道，大動脈弓，上大静脈，腕頭静脈，奇静脈，胸管，横隔神経，迷走神経，交感神経幹．

縦隔前部
胸腺，リンパ節，内胸動脈．

縦隔中部
心臓，上行大動脈，肺動脈，肺静脈，上大静脈，横隔神経．

縦隔後部
気管支，食道，胸部大動脈，奇静脈，半奇静脈，胸管，迷走神経，交感神経幹．

5 呼吸のプロセス

呼吸器系の重要な機能は，酸素を生体に供給して二酸化炭素を取り除くことである．そのためには少なくとも，①換気，②外呼吸，③ガスの運搬，④内呼吸の四つが必要である．

この過程を総称して**呼吸**という．さまざまな臓器や筋肉など身体の内部で，食物に含まれる栄養素である糖やタンパク質，脂肪に酸素を結合してエネルギーを発生させる代謝活動を**細胞性呼吸**という．細胞性呼吸では，エネルギーとともに二酸化炭素と水が作られる．この二酸化炭素は外呼吸で体外に排出される．

①換気

新しい空気を肺に吸い込んで肺胞腔に酸素を取り入れ，肺にある空気を吐いて二酸化炭素を肺胞腔から体外に排出する（➡p.236参照）．

②外呼吸

肺胞腔と血液との間で，酸素と二酸化炭素の交換を行う（➡p.242参照）．

外呼吸は，外界の空気中の酸素を身体に取り込み，身体の中で不要になった二酸化炭素を体外に出すことをいう．

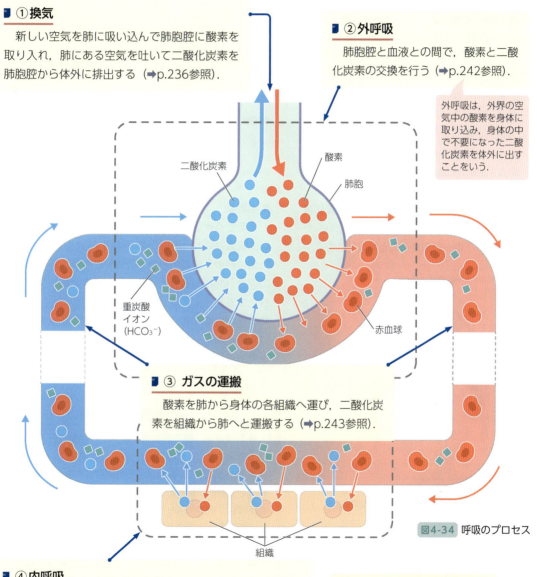

③ ガスの運搬

酸素を肺から身体の各組織へ運び，二酸化炭素を組織から肺へと運搬する（➡p.243参照）．

④内呼吸

身体の各組織において，血液と組織の間で，酸素と二酸化炭素の交換が行われることを内呼吸という（➡p.246参照）．

図4-34 呼吸のプロセス

呼吸のプロセス

1 換 気

換気に伴う空気の移動

①吸息

横隔膜と外肋間筋が同期して収縮すると，胸壁が広がって胸腔の前後径が増大し，横隔膜は下方に動いて胸腔が上下に広がるため，胸腔の容積が増す．肺表面の臓側胸膜は，少量の胸水によって胸壁の壁側胸膜と離れないようになっているため，壁側胸膜とともに臓側胸膜も外向きに引っ張られて，中の肺が広がる．その結果，肺胞の内圧が下がり，肺胞内に空気が吸い込まれる．

肺胞内圧が大気圧と同じになるまで，空気は流入する．これが**吸息**である．肺が自分の力で膨らむのではなく，胸腔容積が増すことで受動的に広げられ，その結果，空気が肺内に移動する．肺の膨らみ方は一様ではなく，肺の中心よりも表面のほうが，肺尖よりも肺底部のほうが広がる．臓側胸膜と壁側胸膜が互いに自由に滑るため，そのように不均一に広がることが可能となる．

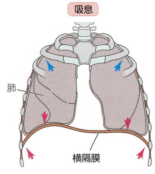

呼吸と横隔膜

横隔膜のドームの部分が引き下げられ，両端は持ち上がって外に向かって開く．

外肋間筋の収縮により斜め上方に肋骨が持ち上がり，胸郭の前後径と横径が広がる．横隔膜は収縮し，平坦化する．

図4-35 呼吸運動と横隔膜，肋間筋の動き（吸息）

②呼息

息を吐くときには，筋肉の収縮はほとんど関与しない．吸気が終わって呼吸筋が弛緩すると，胸壁は元の位置に戻って胸腔の容積も元通りとなる．肺には固有の弾性（肺が縮もうとする力）があるため，引っ張られたゴムが元に戻るように，胸腔の容積に合わせて受動的に小さくなる．その結果，肺胞内の圧は大気圧よりも高くなり，肺から外へ気体が出ていく．これが**呼息**であり，通常は全く努力を要しない．

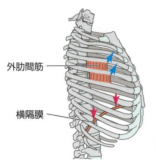

図4-36 呼吸運動と横隔膜，肋間筋の動き（安静時〔呼息〕）

腹式呼吸と胸式呼吸

呼吸は通常，呼吸調節系によって不随意に行われており，意識することはない．しかし，深呼吸したり息をこらえるというように，呼吸は自分で調節することもできる．意識して腹部が膨らむように息を吸うと横隔膜はより大きく下降し，安静時よりも多くの吸気が流入する．このような横隔膜主体の呼吸を**腹式呼吸**という．

これに対し，大きく胸を張り胸郭の運動が増す呼吸様式を**胸式呼吸**という．緊張すると無意識に胸式呼吸になりやすい．呼吸の際には胸郭の挙上と横隔膜の下降は常に起きており，腹式呼吸では横隔膜のみ，また胸式呼吸では肋間筋のみが使われるわけではない．

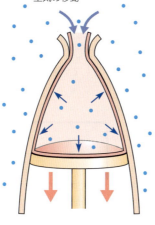

呼気の終わり	吸気時	吸気の終わり
容器の中と外はつながっていて気圧は等しい.	容積が増したときの空気の移動 容器の容積が増すと内気圧が下がり、その分容器内に空気が流入する.	内外の気圧が等しくなると空気の流入は止まる.

図4-37 吸気・呼気時の胸壁と横隔膜の動き

● ③胸腔内圧

胸腔内圧は常に大気圧よりも低いため，肺胞は虚脱しないで広がっている．胸腔内圧は，吸息時には大気圧よりも5～9Torr（mmHg）低く，呼息時には3～6Torr低い．大気圧よりも内圧が低い場合，「陰圧になっている」と表現される．

● ④障害の発生

喘息発作時のように気道が収縮して狭くなっていたり，肺気腫で呼気時に気道がつぶれやすい場合，あるいは慢性気管支炎で気道内に粘液や液体が詰まっていると，努力して空気を呼出することになる．

努力性呼気の場合は内肋間筋が収縮して肋骨を押し下げ，腹筋が収縮して腹腔内の圧を上げて横隔膜を押し上げ，胸腔を狭くすることで肺内の空気を外に押し出す．肺の弾性が失われた場合も，強制的な呼気が必要となる．

plus α
吸息時と呼息における肺内の圧の変化

吸息では，横隔膜と外肋間筋が収縮して胸郭が広がるにつれて肺は外向きに引っ張られる．すると，肺内（気管～肺胞）の圧が大気圧よりも下がり（陰圧になり），空気が肺に流れ込む．吸息は，肺内の圧が大気圧と同じになったら止まる．その後，横隔膜と外肋間筋は弛緩し，肺はその弾性（肺が自然に縮もうとする力）によって肺胞内の圧が大気圧よりも高まり（陽圧になり），肺から外へ空気が出ていく（呼息）．一方，胸腔内圧は常に陰圧を保っている．

■ 通常の呼吸とは異なる空気の移動

呼吸に伴う滑らかな空気の移動以外に，不意に空気が肺を出入りする場合がある．

- **咳やくしゃみ**：肺から声門に向かって一気に空気が移動する．咳の場合には空気は口腔から排出されるが，くしゃみでは鼻腔から流れ出る．呼吸器系防御反射の一つである．
- **しゃっくり**：横隔膜の痙攣によって起こり，突然の短い吸気が繰り返される．
- **あくび**：深い吸気がなされ，すべての肺胞が換気される．
- 泣いたり笑ったりするときの空気の動きも，通常の呼吸とは異なる．

肺内の空気容積（肺気量分画）

- 肺と気道は常に空気で満たされているが，呼吸の状態によって空気量は変化する．肺に含まれる空気の容積や肺を出入りする空気の量を肺気量といい，年齢や性別，身長，健康状態によって異なる．
- さまざまな状態での肺内の空気容積を分類したものを肺気量分画という．スパイロメーターという機器を用いて検査すると，グラフとして記録される．このグラフをスパイログラム（呼吸曲線）という．

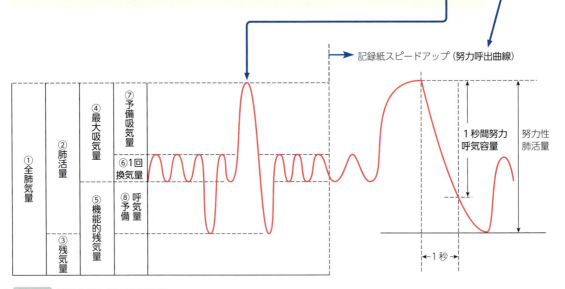

図4-38 呼吸曲線と努力呼出曲線

スパイロメーター

スパイロメーターには，検査室で行う大型のものと，ベッドサイドでも使用できる簡易型のものがある．肺気量を測定するときには，鼻をクリップでふさぎ，空気はすべて口から出入りするようにして，その量を測定する．肺気量の各分画は右の表4-1の通りである．

スパイロメーターでは口から出入りする空気の量を測定しているので，息を吐ききった後に肺の中に残っている残気量は測ることができない．したがって，全肺気量・機能的残気量もスパイロメーターでは測定できない．残気量を測定するには，血液中に移行しないヘリウムを用いたヘリウム希釈法や，密閉された箱（体プレチスモグラフ）の中で被検者に呼吸させ，気密箱内の圧と容積の変化から肺の容積を計算する方法が用いられる．

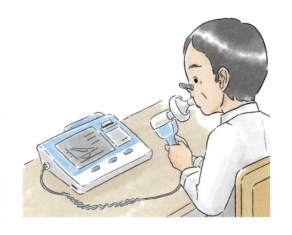

努力呼出曲線

最大吸気位から努力呼出したとき，つまり息を最大限吸っておいてから思いきり強く速く息を吐き出したときの肺気量変化を経時的に記録したものを，**努力呼出曲線**という．

- **1秒間努力呼気容量**（forced expiratory volume in one second：FEV_1）：最初の1秒間に呼出された空気の量をいう．
- **1秒率（$FEV_1\%$）**：肺から呼出できる空気全部（＝肺活量）のうち，1秒間で呼出することができた空気の量（1秒間努力呼気容量）の割合．

1秒間努力呼気容量・1秒率は閉塞性肺疾患の重症度の指標として用いられるが，検査時に最大限の努力がなされないと正確な値を得ることができない．

表4-1 肺気量分画

名称	内容	標準値（日本人男性）
①全肺気量 (total lung capacity：TLC)	思いきり息を吸ったとき，肺に最大限入っている空気の量． TLC＝VC＋RV	4,900 mL
②肺活量 (vital capacity：VC)	最大限に息を吸った状態から思いきり息を吐き出したとき，肺外に呼出される空気の量．	3,550 mL
③残気量 (residual volume：RV)	息を吐ききった状態でも，肺胞はつぶれずに肺胞中に空気が入っている．最大呼出をした後に肺内に残っている空気の量．	1,350 mL
④最大吸気量 (inspiratory capacity：IC)	静かに呼吸しているときの息を吐いた状態から，思いきり息を吸って最大限に吸入できる空気量．	2,400 mL
⑤機能的残気量 (functional residual capacity：FRC)	静かに息を吐いたとき，肺に残っている空気の量． FRC＝TLC－IC	2,500 mL
⑥1回換気量 (tidal volume：TV)	静かに呼吸しているとき，肺を出入りする1回あたりの空気量．	約500 mL
⑦予備吸気量 (inspiratory reserve volume：IRV)	静かに息を吸った状態からさらに吸入できる空気量． IC＝TV＋IRV	1,950 mL
⑧予備呼気量 (expiratory reserve volume：ERV)	静かに息を吐いた状態からさらに呼出できる空気量．	1,150 mL

肺機能の異常：閉塞性・拘束性換気障害

拘束性換気障害
　肺活量が予測値（年齢・性別・身長から算出）が80％未満に低下した状態．代表的な疾患に肺線維症（間質性肺炎）がある．

①閉塞性肺疾患
　1秒間努力呼気容量・1秒率が低下する．1秒率が70％よりも低下していると，閉塞性換気障害と診断される．

閉塞性換気障害
　気管支喘息の発作時や，肺気腫・慢性気管支炎による慢性閉塞性肺疾患（COPD）でみられる．気管支喘息では，気道の炎症による分泌物の増加や気管支平滑筋の攣縮により気道が一過性に狭窄し，気流が制限されて1秒率が低下する．一方，肺気腫などでは，肺の弾性組織が破壊され気道がつぶれやすくなって1秒率が低下する．吸気よりも呼気が困難になると，残気量（RV）が増大し全肺気量（TLC）は増加する．COPDが進行すると肺活量も低下して，混合性換気障害へと移行する．

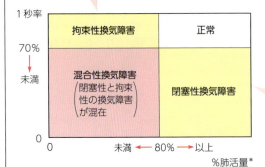

＊被検者の性別，年齢，身長から予測される肺活量に対する実測値の比である．

図4-39　肺機能と換気障害

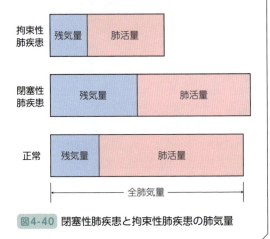

図4-40　閉塞性肺疾患と拘束性肺疾患の肺気量

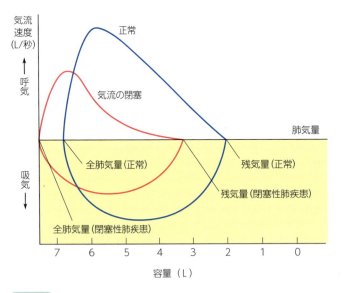

図4-41　フローボリューム曲線

フローボリューム曲線
　最大吸気位から最大呼気位まで，最大限の努力で呼出したときの肺気量と気流速度の関係を表している．特定の肺気量に対して気流速度が妥当か判断できる．閉塞性肺疾患・拘束性肺疾患それぞれに特徴的なフローボリューム曲線があり，疾患の存在やその程度を診断するのに用いられる．

コンプライアンス

肺胞の膨らみやすさ（一定の圧をかけたときにどれくらい容積が増えるか）を**コンプライアンス**（C）という．圧変化（ΔP）に対する容量変化（ΔV）の比で求める．

$$C = \Delta V / \Delta P$$

風船で例えてみよう．

A. 分厚く硬い風船

肺線維症の硬い肺は膨らみにくい．
→苦しい

B. 薄く軟らかい風船

肺気腫の肺は膨らみやすいが，外に空気が出づらい．
→苦しい

同じ圧（P_1）をかけて吹いたとき，膨らむ分量に差がある．

口から離したとき，戻りやすさに差が出る．

図4-42 コンプライアンス

圧の差：$P_1 - P_0 = \Delta P$
風船Aの容量の差：$V_1 - V_0 = \Delta V_A$
風船Bの容量の差：$V_2 - V_0 = \Delta V_B$
上述の$C = \Delta V / \Delta P$を使用すると，一定の圧（ΔP）をかけたときに元に比べてどれだけ大きく膨らんだか（ΔV）は，風船AのC（$\Delta V_A / \Delta P$）よりも，風船BのC（$\Delta V_B / \Delta P$）のほうが大きい．

①疾患時のコンプライアンス

- コンプライアンスが大きいほど，伸展しやすい．
- コンプライアンスは，肺気腫（閉塞性肺疾患）では増加し，肺線維症（拘束性肺疾患）では低下する．
- 新生児呼吸促迫（窮迫）症候群（IRDS）のように表面活性物質が不足していると，表面張力が増加して肺胞は縮みやすくなり，コンプライアンスは低下する．
- コンプライアンスが低いと，わずかの空気の増加で肺胞の圧が上がって大気圧と同じになるため，肺胞は膨らまず換気量は低下する．

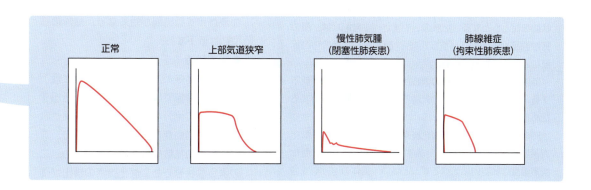

2 外呼吸

- 大気中には酸素が21％含まれており，換気により肺内に取り込まれる．組織で産生された二酸化炭素は静脈血によって肺に運ばれる．酸素と二酸化炭素は単純拡散によって呼吸膜を通過し，酸素は毛細血管内へ，二酸化炭素は肺胞内へ移動する．このように，血液と肺胞との間で**ガス交換**が行われることを**外呼吸**という．
- 血流が肺胞壁の毛細血管を離れる時点で，血中の酸素濃度と二酸化炭素濃度は肺胞内の空気中の濃度とそれぞれほぼ同じになる．

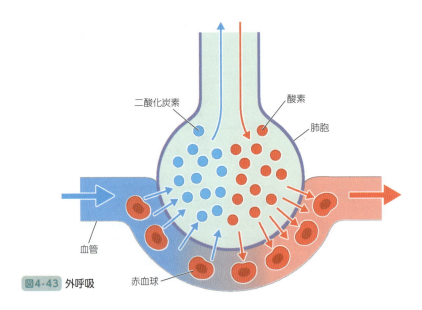

図4-43 外呼吸

拡散能

ある物質が膜によって隔てられていて，その濃度分布に差がある場合，この濃度差が駆動力となって，物質は濃いほうから薄いほうへ移動する．これを拡散という．気体の場合も同様に，圧の高いほうから低いほうに移動して平衡状態を保とうとする．拡散のしやすさ（拡散能）は，膜の拡散面積や膜の厚さ（拡散距離），膜を挟んだ濃度差の程度によって変わってくる．

肺線維症では，肺間質の厚さが増すために拡散能が低下する．肺胞が破壊される肺気腫では，拡散面積が減少するため拡散能が低下する．

肺の拡散能は微量の一酸化炭素を用いて測定し，一酸化炭素肺拡散能力（DL_{CO}）で表す．肺毛細血管内の二酸化炭素濃度は肺胞内に比べてずっと高い．気体の溶けやすさや，膜を通る際の拡散しやすさなど，気体固有の性質もあり，二酸化炭素の拡散能は酸素の20倍にも上る．

●①運動時

運動時には多くの酸素を必要とする．心拍出量が増えるため，肺毛細血管を流れる血液量が増え，流速も増加する．このため，呼吸膜を介して肺胞内の酸素と血液が接する時間が短くなり，酸素の**拡散能**は低下する．

●②疾患時

肺線維症など，拡散能がもともと低下している疾患では，酸素の消費が増加する運動時に十分な酸素が血液に供給されず，低酸素血症が著明となる．一方，二酸化炭素の拡散能は非常に高いため，このような状態でも二酸化炭素の排出が問題となることは少ない．

3 ガスの運搬

■ 酸素の運搬

肺で血液に酸素が取り込まれた後，2通りの方法で酸素は運搬される．
①赤血球内の**ヘモグロビン**と結合する（**オキシヘモグロビン**〔酸素化ヘモグロビン〕となる）方法，②血漿中に溶解して運ばれる方法である．

● ①運搬する酸素の量

- 酸素は水溶液に非常に溶けにくく，酸素分圧1Torrあたり血漿1dL（＝100mL）に溶解する酸素はわずか0.003mLにすぎない．
- 一方，ヘモグロビン分子は1gあたり酸素1.39mLと結合できる．通常，血液1dLあたりヘモグロビン15gが含まれるとして，約20.8mLの酸素を運搬することができる．

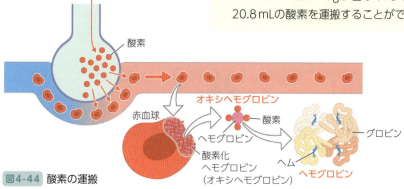

図4-44 酸素の運搬

■ 二酸化炭素の運搬

二酸化炭素の運搬は，①血漿に溶解した溶存炭酸ガス，②重炭酸（炭酸水素）イオン（HCO_3^-），③タンパクと結合したカルバミノ化合物の3通りの状態で行われる．

①炭酸ガスは酸素に比べて20倍も溶解度が高く，肺で放出される二酸化炭素の10％は炭酸ガスの状態で運ばれたものである．

②**重炭酸イオン**は，次のような化学反応によって産生される．

$$CO_2 + H_2O \rightleftarrows H_2CO_3 \rightleftarrows H^+ + HCO_3^-$$

● ①ホールデン効果

末梢血中に酸素を失ったヘモグロビン（デオキシヘモグロビン）が多く存在すると，遊離した水素イオン（H^+）の一部はヘモグロビンと結合するため，反応式は右方向に進んで多くの二酸化炭素が運搬される．酸素を失う（酸素分圧が低下する）ことで二酸化炭素輸送能が増すことを，**ホールデン効果**という．

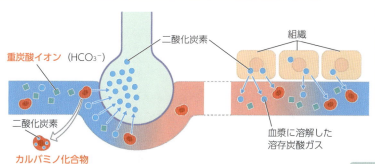

図4-45 二酸化炭素の運搬

③**カルバミノ化合物**は，二酸化炭素と血液タンパクのアミノ基が結合して形成される．結合するタンパク質として，ヘモグロビンのグロビンが大きな役割を果たしている．カルバミノ化合物として運搬される二酸化炭素は全体の約30％であり，残りの約60％は重炭酸イオンとして運ばれる．

酸素解離曲線

ヘモグロビンが酸素に結合している割合を，**酸素飽和度**という．酸素飽和度と血中の**酸素分圧**（Po_2）との関係を示したグラフが**酸素解離曲線**である．正常時は，動脈血中の酸素分圧（Pao_2）は100Torrで，酸素飽和度は97.5〜100％である．血液の酸素含量（mL/dL）は，以下の式で求められる．

$$\{1.39 \times Hb\ (g/dL) \times 酸素飽和度（\%）/ 100\} + 0.003 \times Po_2$$

①酸素解離曲線

- 酸素解離曲線はS字状をしている．
- 肺では，血液中のPo_2が高く，ヘモグロビンはより多くの酸素と結合している．
- 末梢組織を流れる血液はPo_2が低いので，ヘモグロビンから酸素が離れて組織に供給される．
- 曲線の上端部分がほぼ平坦であるため，例えば，高い山に上って多少Po_2が低下しても，酸素飽和度はほとんど変化なく酸素含量は保たれる．
- 血中のPo_2が低いと，肺胞腔内にある空気の酸素分圧との較差が大きくなり，呼吸膜における拡散が効果的に行われる．Po_2が50Torrに達するまでは，酸素はヘモグロビンと直線的に，急速に結合する．

水素イオン濃度の低下，二酸化炭素の減少，2,3-DPGの減少，温度の低下は，酸素解離曲線を左に偏位させる（酸素はヘモグロビンから離れにくくなる）．

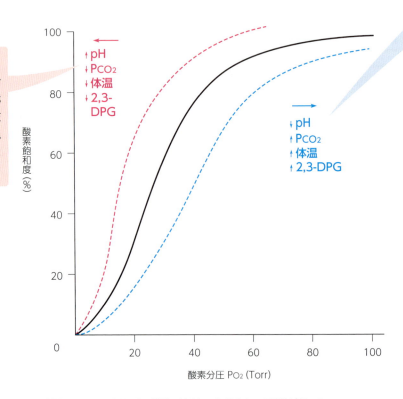

pH，体温，Pco_2，2,3-DPGの増減に対応して矢印方向への移動が起こる．

図4-46 酸素解離曲線

②酸素解離曲線の偏位

酸素解離曲線は，血液のpHや二酸化炭素濃度，赤血球内の2,3-ジホスホグリセリン酸（2,3-DPG）濃度，温度の影響を受ける．このように，水素イオンと二酸化炭素によって酸素解離曲線が偏位することを，**ボーア効果**という．

①血液のpHが低下する，つまり血液中の水素イオン（H^+）濃度が高くなると，水素イオンはヘモグロビンと結合してその立体構造を変化させ，酸素と結合しにくくする（酸素親和性の低下）．その結果，酸素解離曲線は右に偏位する．つまり，血液が酸性に傾いた状態では，正常のときと比べてP_{O_2}は変わらなくとも酸素がヘモグロビンから離れやすくなり，より多くの酸素が組織に供給される．

②血液中の二酸化炭素濃度が増加すると，pHが低下し，また二酸化炭素がヘモグロビンに結合することでその酸素親和性が低下し，曲線は右に偏位する．

③2,3-DPGは赤血球内の代謝産物で，低酸素状態で増加する．2,3-DPGは酸素と競合してヘモグロビンに結合するため，2,3-DPGの増加も酸素解離曲線を右に偏位させる．また組織の温度が高くなった場合（発熱時）にも，酸素はヘモグロビンから離れやすくなる．

酸素が離れた状態の脱酸素化ヘモグロビン（デオキシヘモグロビン）は紫色をしている．そのため，低酸素状態では動脈血は黒っぽくなり，皮膚は青ざめて見え，チアノーゼを呈する．

> **plus α**
> **ボーア効果**
> 代謝が活発な組織では二酸化炭素が多く産生され，pHは低下して酸性になり，温度が上昇している．そのようなところでは，酸素解離曲線が右に偏位しており，同じP_{O_2}でも酸素飽和度は減少する．つまり，酸素がヘモグロビンから離れやすくなり，毛細血管から組織に供給される．
> 肺では二酸化炭素が排出され，水素イオン濃度が低下する（反応式が左に進む）ため，酸素解離曲線は左に偏位する．同じP_{O_2}でもヘモグロビンの酸素飽和度が増加して，血液中の酸素含量は増加する．

酸塩基平衡

体液の水素イオン濃度（すなわちpH）が正常範囲を逸脱すると，細胞の機能は障害される．そのため，生体には種々の酸塩基調節機構が備わりpHを一定に保っている．肺からの二酸化炭素排出もその一つである．

代謝により水素イオンが増加する（代謝性アシドーシス）と，下記の反応式は左方向に進み，二酸化炭素が生成される．この二酸化炭素を肺から排出することで，代償性の呼吸性アルカローシスを生じ，結果的にpHを正常近くに保つことができる．

$$CO_2 + H_2O \rightleftarrows H_2CO_3 \rightleftarrows H^+ + HCO_3^-$$

一方，呼吸器系の異常が生じて二酸化炭素の排出が障害されると，反応式は右方向に進み，水素イオン濃度が増加してpHは低下する（呼吸性アシドーシス）．

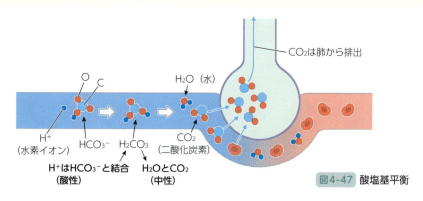

図4-47 酸塩基平衡

4 内呼吸

　血液によって肺から運搬された酸素と，組織で生成された二酸化炭素の交換が血液と組織の間で行われることを**内呼吸**という．肺で行われるガス交換（外呼吸）とは反対に，血液から酸素が組織に供給され，二酸化炭素が組織から血液に排出される．

　酸素と二酸化炭素の移動は，この場合も単純拡散によって行われる．拡散量は，組織の面積と，血液と組織間の濃度勾配（分圧較差）に比例し，血液と組織細胞間の障壁の厚さに反比例する．

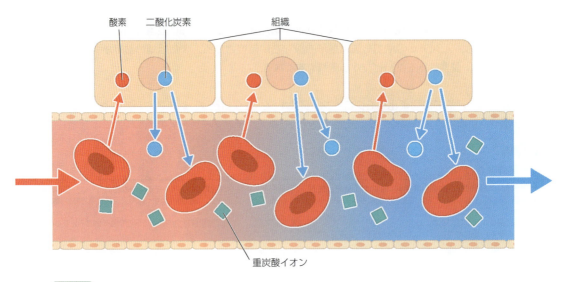

図4-48　内呼吸

6 呼吸の調節

　生体が必要とする酸素の量は，身体の状況によって変わってくる．産生される二酸化炭素の量も常に一定ではない．しかし生体では，換気量を注意深くコントロールして，必要な酸素を供給し，不要な二酸化炭素を排出しながら，血中の酸素分圧と二酸化炭素分圧をいつもほぼ一定に保っている．こうした呼吸調節は，私たちが意識して行っていることではない．

　呼吸調節系の基本は，①呼吸状態の情報収集を行う**受容器**，②その情報に基づいて呼吸数と深さに関する指令を出している**呼吸中枢**，③その指令に基づいて換気を実行する**効果器（呼吸筋）**の3要素からなる．

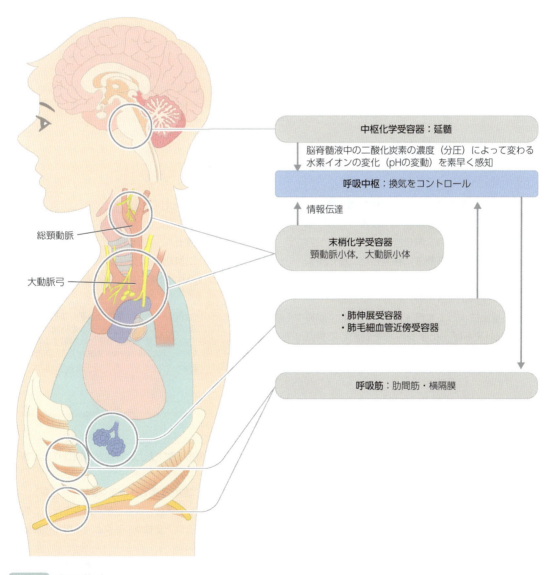

図4-49　呼吸調節系

1 化学受容器と呼吸器系の受容器

受容器は，中枢，末梢，呼吸器系に存在する．

■ 中枢化学受容器

延髄にある**中枢化学受容器**は，脳脊髄液中の二酸化炭素の濃度（分圧）によって変わる水素イオン濃度の変化に反応し，呼吸中枢に情報を伝えて換気をコントロールしている．すなわち，二酸化炭素分圧が上がると換気が促進され，肺からの二酸化炭素排出が増加する．逆に二酸化炭素分圧が低下すると換気は抑制される．

> 二酸化炭素分圧があまりに高すぎると，呼吸は逆に抑制される．これを**CO_2ナルコーシス**という．

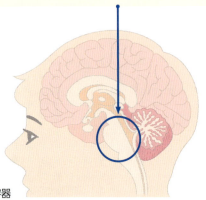

図4-50 中枢化学受容器

● ① 血中から脳脊髄液への二酸化炭素の移動

脳脊髄液と血液は血液脳関門によって分けられているが，血中の二酸化炭素はこの関門を容易に通過する．脳脊髄液に移動した二酸化炭素はそこで，

$$CO_2 + H_2O \rightarrow H_2CO_3 \rightarrow H^+ + HCO_3^-$$

という反応によって水素イオンを放出し，脳脊髄液のpHを下げ，化学受容器を刺激して換気を促進する．

● ② 脳脊髄液でのpHの変動

脳脊髄液には血液と比べるとタンパク質が少ないため，pHの変化に対する緩衝作用に乏しい．したがって，二酸化炭素分圧の変化がpHの素早い変動につながり，瞬時に換気の調節が行われる．

> 化学受容器の反応性が低下したり，重症の心不全などで，肺でガス交換された血液が血液脳関門に到達するまで時間がかかったりすると，血液中の二酸化炭素分圧の変化を感知するのが遅れ，チェーン・ストークス（Cheyne-Stokes）呼吸となる（➡p.251 表4-2参照）．

CO_2ナルコーシス

PCO_2が高くなりすぎ（通常80Torr以上），二酸化炭素が中枢に対して麻酔効果を示し，呼吸が抑制された状態である．

慢性閉塞性肺疾患（COPD）の患者では，二酸化炭素の排出がしにくく，二酸化炭素分圧は高くなりがちである．このような患者で，低酸素血症を補うために普段から努力性呼吸を行っている場合，安易に酸素投与を行って酸素分圧を上げすぎると，生体は努力する必要がなくなったと理解して換気を低下させる．すると，二酸化炭素分圧がさらに上昇して，CO_2ナルコーシスを生じ，呼吸抑制を来すことがある．

二酸化炭素分圧が上昇しても，低酸素血症が存在すれば酸素投与が必要であるが，呼吸抑制を来さず，かつ必要量の酸素が摂取できるよう，注意深く酸素投与量を設定する必要がある．

■ 末梢化学受容器

末梢化学受容器は2種類存在する（➡p.192参照）．内頸動脈・外頸動脈の分岐部にある頸動脈小体と，大動脈弓にある大動脈小体である．頸動脈小体のほうが呼吸調節により関わっている．どちらも主に動脈血中の酸素分圧を感知している．二酸化炭素分圧やpHの変化による影響も受けるが，わずかである．酸素分圧が低下すると，それに反応して呼吸中枢に情報を送り，換気量を増加させる．

頸動脈小体は舌咽神経（第Ⅸ脳神経）を介して，大動脈小体は迷走神経（第Ⅹ脳神経）を介して延髄の呼吸中枢に情報を送っている．末梢化学受容器の反応は，動脈血の酸素分圧が70Torr以下になると強くなり，50Torr以下で最大となる．

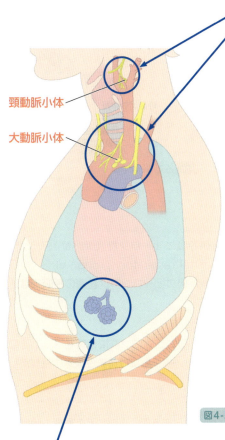

図4-51 末梢化学受容器と呼吸器系にある受容器

■ 呼吸器系にある受容器

肺には，化学的刺激以外の情報を受けて，呼吸中枢へ連絡する受容器が存在する．

● ①肺伸展受容器

気管支の平滑筋には，伸展受容器と呼ばれる受容器がある．肺が過膨張すると，肺伸展受容器も伸展して信号を送り，吸気を終了して呼息への切り替えを促す．これをヘリング・ブロイエルの反射（Hering-Breuer reflex）と呼ぶ．

● ②肺毛細血管近傍受容器（J受容器）

J受容器は肺胞壁の毛細血管に近接して存在する．肺水腫・肺うっ血などで間質液が増加すると反応し，迷走神経を介して呼吸中枢に信号を送る．肺水腫・心不全時の浅くて速い呼吸や，呼吸困難感の出現に関与している．

● ③刺激受容器

気道に存在する刺激受容器が，たばこの煙をはじめ有害な煙や異物によって刺激されると，咳嗽反射（➡p.225参照）によって咳やくしゃみ，気道の収縮，換気の増加が起こる．

2 呼吸中枢

呼吸中枢は，呼吸数と呼吸の深さを調節している．中枢と末梢にある化学受容器や肺にある各種受容器から送られてくる情報をもとに，呼吸の状態を認識し，酸素分圧や二酸化炭素分圧を一定に保つように呼吸筋（横隔膜や肋間筋など）へ指令を出し，呼吸を促進したり抑制している．呼吸中枢は脳幹部の延髄に存在し，橋にある持続性吸息中枢と呼吸調節中枢からの刺激を受けて指令内容を変えている（➡p.367参照）．

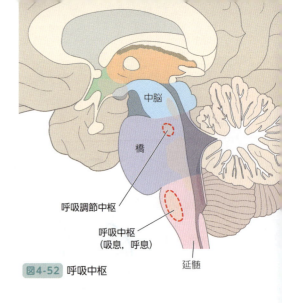

図4-52　呼吸中枢

呼吸中枢

延髄呼吸中枢は延髄網様体にある．主に吸気に関係する背側呼吸ニューロン群（dorsal respiratory group：DRG）と，呼気に関係する腹側呼吸ニューロン群（ventral respiratory group：VRG）からなる．呼気は，通常，受動的に行われるため，呼気に関係する腹側呼吸ニューロン群は普通の呼吸では活動性がなく，努力性呼出（強制呼気）時に働く．

呼吸調節中枢

橋上部には，呼吸リズムを調節する呼吸調節中枢がある．背側呼吸ニューロン群に情報を送ってその活動を終息させ，吸気時間を短くする．その結果，呼吸回数は増加する．橋下部には持続性吸息中枢があり，持続性の強い吸息を起こす働きをしている．

その他

呼吸運動は延髄と橋によって調節されているが，それ以外に間脳や視床下部，小脳などの影響も受ける．また，大脳皮質の随意制御によって，意識して呼吸を変えることができる．しかし，意思の力による呼吸調節には限界がある．どんなに努力しても息を長く止め続けることができないのは，酸素分圧の低下や二酸化炭素分圧の上昇を化学受容器が感知し，呼吸中枢が吸息開始の指令を出すからである．

3 呼吸調節の効果器である呼吸筋

呼吸中枢から出された運動刺激は，横隔神経・肋間神経を介して呼吸筋に伝えられる．呼吸筋とは呼吸を行う筋肉の総称で，胸郭を拡大して肺を広げる．安静時には，主に横隔膜と外肋間筋が収縮して吸気を行う（➡p.236参照）．

努力呼吸の際には，吸気には胸鎖乳突筋や斜角筋が，呼気には，内肋間筋，腹直筋，内腹斜筋，外腹斜筋，腹横筋も用いられる．これらを呼吸補助筋という．

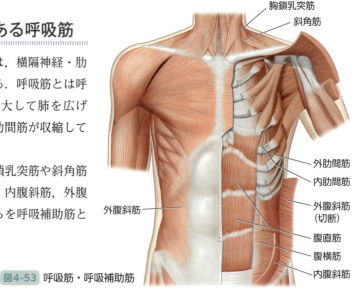

図4-53　呼吸筋・呼吸補助筋

4 呼吸のさまざまな異常

受容器での情報収集に基づく呼吸中枢への入力と呼吸中枢からの出力に問題が生じると，呼吸の回数・深さ・リズムに異常を来す．呼吸のさまざまな異常パターンを下表にまとめた．

表4-2 呼吸の異常

	呼吸の種類	状　態	呼吸のパターン	症状出現時の状況と代表的な疾患
呼吸数の異常	頻呼吸	深さは変わらないが，呼吸数が増加する（24回/分以上）．		発熱，肺炎，呼吸不全，代償性呼吸性アルカローシスなど
	徐呼吸	深さは変わらず，呼吸数が減少する（12回/分以下）．		頭蓋内圧亢進，麻酔・睡眠薬投与時など
	無呼吸	呼吸が一時的に停止した状態．		睡眠時無呼吸症候群
深さの異常	過呼吸	呼吸数は変わらないが，呼吸の深さが増加する（1回換気量の増加）．		神経症，過換気症候群
リズムの異常	チェーン・ストークス呼吸	無呼吸の状態が数秒から10秒以上継続した後，徐々に呼吸が開始して過呼吸の状態になり，再び徐々に浅くなって無呼吸となる．		呼吸中枢の機能低下，特に二酸化炭素に対する反応性の低下が起こっているときに出現：脳出血，脳腫瘍，脳外傷，尿毒症，重症心不全，アルコール中毒
	ビオー呼吸	周期性はなく不規則な呼吸で，さまざまな深さの呼吸が突然中断したり，出現する．		髄膜炎，脳腫瘍，脳外傷，頭蓋内圧亢進，延髄の疾患
	クスマウル呼吸	異常に大きい呼吸が規則的に続く状態．		糖尿病ケトアシドーシス，尿毒症性昏睡

正常な呼吸回数
　成　人：14〜20回/分，1回換気量500mL程度，規則的
　小　児：20〜30回/分
　新生児：30〜50回/分

> **コラム** 新型コロナウイルス感染症

　2020年から始まった新型コロナウイルス感染症（COVID-19）は，社会にも医療の世界にも大きな影響を与えた．2021年の夏には，重症者が増えて入院できるベッドがなくなり，自宅療養する人たちがパルスオキシメーターで動脈血酸素飽和度（→p.244参照）を測定しながら状態観察を行っていた．肺炎が進行する場合，緊急な対応を必要としたからである．

　新型コロナウイルス感染症は，SARSコロナウイルス2（SARS-CoV-2）が気道感染することによって発症する．感染しても無症状の人もいるが，急性呼吸促迫（窮迫）症候群（ARDS）や血栓塞栓症などを起こして重症化し，死亡する人もいる．気道や肺はその感染経路となっているが，コロナウイルスの侵入や症状の発現と，全身の血圧を調節するレニン-アンジオテンシン-アルドステロン系（→p.276参照）に接点があることを知っているだろうか．

　レニン-アンジオテンシン-アルドステロン系の血圧調節には，肺が大きく関与している．肺の血管内皮細胞膜には，アンジオテンシン変換酵素（ACE）およびアンジオテンシン変換酵素2（ACE2）が存在し，血圧調節に関わっている．

　SARS-CoV-2は，このACE2と結合して，細胞内に侵入して増殖することが知られている．これは，2002年に中国から始まり世界に拡がった「重症急性呼吸器症候群（severe acute respiratory syndrome：SARS）」の原因となったコロナウイルスの感染様式と同じである．

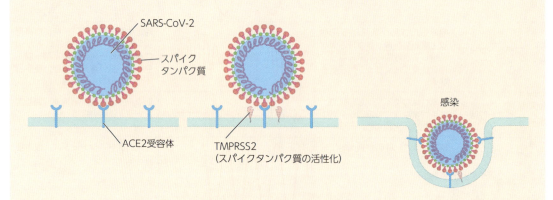

　ACE2は，鼻腔，気道粘膜の上皮細胞，肺胞上皮細胞の細胞膜にも存在して，新型コロナウイルスの侵入門戸となっている．ACE2は血管内皮細胞の細胞膜に存在しているため，肺はもとより全身の血管炎や血管内血栓形成を生じる．COVID-19の重症化に，肺炎だけでなく肺血栓塞栓症や脳梗塞，心筋梗塞など，循環障害や臓器障害を伴うのはそのためである．

　本章では，肺の働きとして，①酸素を取り入れて二酸化炭素を排出するガス交換と，②血液のpHを調整する酸塩基平衡について主に記載した．肺は外界とつながっているため，そのほかにも，感染防御のための免疫に関わる機能や，炎症反応に関わるサイトカインという物質の産生，血管平滑筋を収縮・弛緩する血管作動物質の代謝など，さまざまな働きをしていることを覚えておきたい．

7 呼吸器系の成長と老化

　加齢に伴い横隔膜など呼吸筋の筋力が低下し，肺の弾性力が低下して，肺活量や1秒量が減少し，残気量は増加する．背筋力が低下して背中が丸くなるといった胸郭の変化も，肺機能に影響する．さらに嚥下反射や咳反射が低下し，異物が気道に入りやすくなる．

　また，気管支粘膜の線毛運動低下により気管支分泌物が貯留しやすくなり，免疫力の低下から，肺炎などの感染症にかかりやすくなる．喫煙者では，こうした加齢による変化がより急速に進行する．

臨床場面で考えてみよう

　肺気腫で通院している患者が「息苦しい」と訴えた．外来のベッドに横になってもらい，急いで酸素投与を開始したところ，呼吸数が減少し，呼びかけても応答しなくなった．身体の中でどのようなことが起きているのか．

重要用語

呼吸	肺胞	オキシヘモグロビン（酸素化ヘモグロビン）
鼻腔	肺気腫	
咽頭	サーファクタント	重炭酸イオン
喉頭	細胞性呼吸	酸塩基平衡
声帯	換気	内呼吸
気管	吸息	低酸素血症
主気管支	呼息	受容器
葉気管支	コンプライアンス	呼吸中枢
肺	外呼吸	効果器
細気管支	ヘモグロビン	

学習達成チェック

- ☐ 鼻や口から入る空気が肺に至るまでに通過する呼吸器官を挙げることができる．
- ☐ 呼吸器系の加温・加湿・濾過（感染防御）機構を述べることができる．
- ☐ 胸腔における胸膜と肺の位置関係が説明できる．
- ☐ 肺胞の構造を述べることができる．
- ☐ 呼吸の機能を説明できる．
- ☐ スパイロメーターで測定する肺気量分画の意味を説明できる．
- ☐ 肺活量，％肺活量，1秒間努力呼気容量，1秒率の臨床応用について述べることができる．
- ☐ 外呼吸，内呼吸を説明できる．

解剖生理学が臨床につながる！

　87歳女性Dさんは，パーキンソン病で治療を受けている．あなたは訪問看護師として，週に一度訪問している．最近，食事の際にむせることが多くなったことを家族は心配しており，訪問すると，前の日の夕食の際に咳き込んで少し嘔吐もあったと報告を受けた．Dさんはベッドに横になっており，昼寝を始めたところとのことである．

　血圧は112/70mmHg．指にはめたパルスオキシメーターは，動脈血酸素飽和度94％，脈拍数90回/分を示している．体温は37.0℃．わざわざ起き上がるのは大変かと思い，寝巻の前を開けて心音を聴いたが，普段と変わりなかった．呼吸音も聴取したが，特に異常な音は聴かれなかった．

　普段は36℃台の体温が高めなのが気になったが，微熱なので様子をみようと思った．動脈血酸素飽和度はこれまでも変動があり，96～97％であることが多かったが94％のこともあった．聴診して気になる異常所見がなかったので，「微熱はあるが，呼吸状態は普段と変化なし」と記録して，次の訪問に向かった．

　ところが，翌朝早くに家族から電話があった．深夜に苦しそうな咳をして，今朝の体温は39℃を超えていたとのことである．在宅主治医に連絡したところ，往診後に「右下葉の肺炎と考えて，抗菌薬を開始したので，状態観察と明日からの抗菌薬の点滴をお願いしたい」という連絡がきた．

　「もっと早くに気付くことができなかっただろうか」とあなたは思った．どのようなことに注意する必要があっただろうか？

❶ 動脈血酸素飽和度は万能ではない

　酸素飽和度は，赤血球内のヘモグロビンが酸素に結合している割合を指す．肺胞に取り入れた空気の中の酸素は単純拡散によって呼吸膜を通過し，さらに毛細血管の中に入ってそこにある赤血球のヘモグロビンと結合する（図4-32）．したがって，肺胞腔内に酸素が十分に存在すれば酸素飽和度は保たれる．Dさんの観察で漏れていたのは，**呼吸回数**である．肺炎などで酸素が足りなくなると，生体は呼吸回数を増やしてより多くの酸素を取り入れようとする．Dさんの普段の呼吸回数は12～20回程度であったと思われるが，このときは28回/分であった．酸素飽和度は普段と変わらなくても，呼吸回数を増やすことで酸素を取り込めなくなっている状況を補っていたのである．パルスオキシメーターの動脈血酸素飽和度だけを見て安心してはいけない．呼吸回数は大事なバイタルサインである．看護記録には，必ず呼吸回数を記録しよう．

❷ 肺葉の位置によって聴診部位が異なる

　肺炎が起きていると医師が指摘した右肺の下葉を図4-54で探してみよう．背側に位置していることがわかる．臥位で寝ている患者を起こして背中の聴診

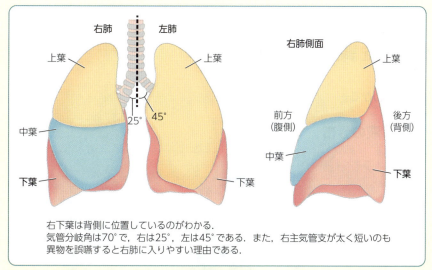

図4-54　上葉・中葉・下葉の位置・気管分岐部

をするのをためらうこともあるかもしれないが，誤嚥しやすい場合や嘔吐のエピソードがあって肺炎が疑われる場合には，より丁寧に呼吸音を聴く必要がある．前だけでなく，背中にも聴診器を当てよう．

また反対に，右の中葉や舌区の肺炎の異常音は，背中だけを聴いていてはわからない．右主気管支は太く短いため，誤嚥した異物は右に入りやすいことも覚えているとよい（図4-54）．

5 体液
体内の水分を調節するしくみ

ここだけ見れば まず体液がわかる！

●体液の分布

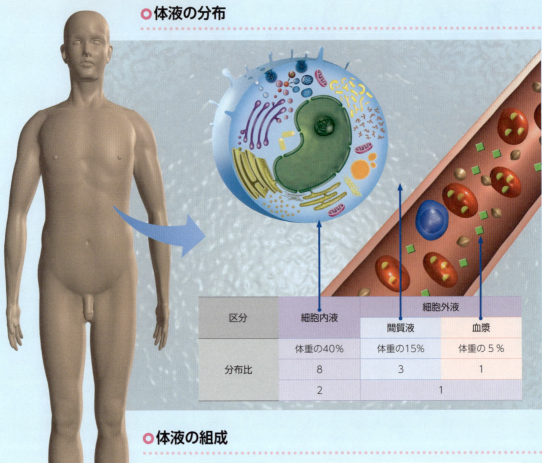

区分	細胞内液	細胞外液	
		間質液	血漿
	体重の40%	体重の15%	体重の5%
分布比	8	3	1
	2	1	

●体液の組成

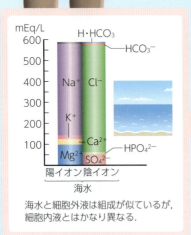

海水と細胞外液は組成が似ているが，細胞内液とはかなり異なる．

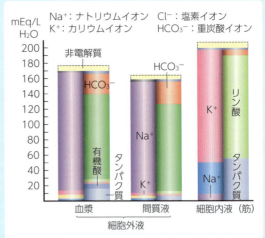

血清電解質濃度基準値

Na⁺	135〜149 mEq/L
K⁺	3.6〜5.0 mEq/L
Cl⁻	96〜108 mEq/L

溶液中で正（＋）または負（−）のイオンになり，電気的性質をもつ物質を電解質という．

酸塩基平衡の障害の分類

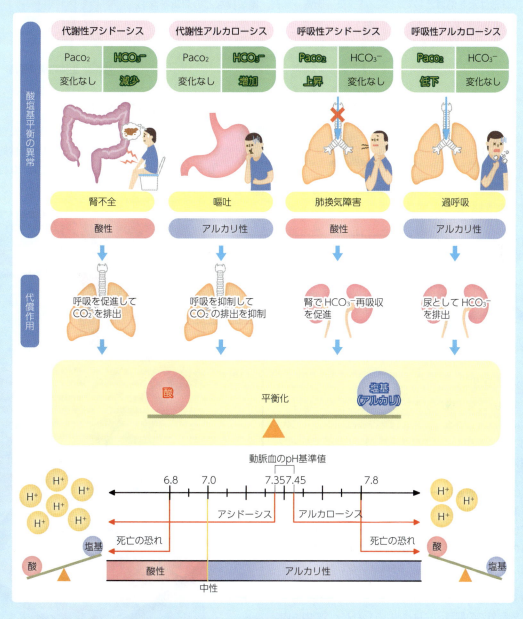

化学ではpH7を中性とし，7以上をアルカリ性，7以下を酸性という．

人体では動脈血のpHが7.40±0.05（7.35〜7.45）の場合が正常，7.35以下を酸血症（アシドーシス），7.45以上をアルカリ血症（アルカローシス）と呼ぶ．アシドーシス，アルカローシスともに治療を要する病態である．

1 体液の調節

1 水分と電解質平衡

■ 生体の構成要素

生体の構成要素は，酸素65％，炭素18％，水素10％であり，水，タンパク質，脂質，糖質，無機質などでできている．この生体に含まれている水分を体液という．体液は水を溶媒として，タンパク質，脂質，糖質，電解質などの溶質を含む．

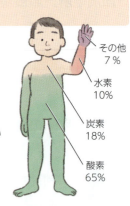

図5-1 生体の構成要素

図5-2 各年齢・性別の水分量

■ 各年齢・性別の水分量

水は若年成人男性では体重の約60％，女性では脂肪組織が多いため約50％，乳児では約70％，60歳以上になると，男性52％，女性42％に減少する[1]．

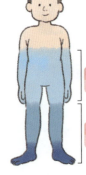

図5-3 細胞内液と細胞外液

■ 体液の組成

細胞が正常に機能するため，体液の組成と量は一定に保たれている．体液は細胞内液と細胞外液に大別され，後者は組織間液（間質液）と血漿（血液の液体成分）に分かれる．

● ①隔壁の透過性

間質液と血漿は血管壁で，間質液と細胞は細胞膜で仕切られているが，これらの隔壁は透過性を有するので細胞外液と細胞内液の間では溶質の移動が生じ，恒常性が維持される（ホメオスタシス）．

● ②間質液

細胞外液の間質液には，リンパ（リンパ管内，内耳の内リンパと外リンパ），脳脊髄液と眼房水，漿液（腹膜腔内，心膜腔内，腹膜腔内）が含まれる．

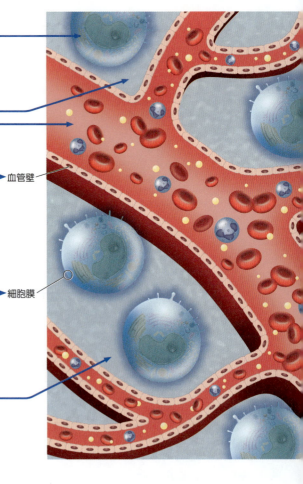

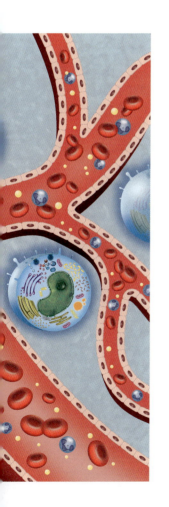

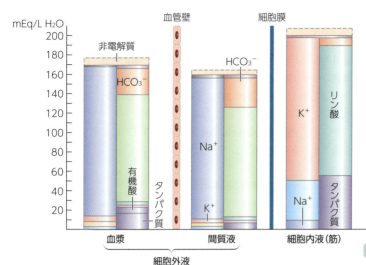

図5-4 体液の組成

電解質の種類

溶液中で正（＋）または，負（－）のイオンになり，電気的性質をもつ物質を電解質という．体内にはナトリウムイオン（Na^+）・カリウムイオン（K^+）・水素イオン（H^+），塩素イオン（Cl^-），重炭酸イオン（HCO_3^-），カルシウムイオン（Ca^{2+}）など，各種の電解質が存在する．

電解質の機能

電解質が人体内で担う機能を次に示す．
① 浸透圧を一定に保ち，水の分布を調節する．
② 血液のpH（水素イオン指数）を一定に保つ．
③ 興奮性組織（神経・筋）を活動させる．

電解質の濃度

細胞が正常な機能を営むためには，最適の電解質濃度が維持されなければならない．ヒトの電解質濃度は，pH同様，一定の範囲に保たれている．

表5-1 血清電解質濃度基準値

Na^+	135～149mEq/L
K^+	3.6～5.0mEq/L
Cl^-	96～108mEq/L

コラム　単位の話

サッカーJリーグの観戦者は何万人であったとは言うが，何トンの人が観戦したとは言わない．数の表記の単位は，表記の目的により異なる．

電解質濃度は，何グラムといった重量単位ではなく，溶液1L当たりのミリ等量（mEq/L）やミリモル（mmol）という単位で示す．1mEq/Lはmmol量（原子量）を原子価で割った値である．ナトリウムの原子量は23，原子価は1なので1mEq/Lとは，$23×10^{-3}÷1＝23×10^{-3}$，つまり溶液1Lあたり23mg含まれていることを意味する．mEqで表すと，溶液中の陽イオンと陰イオンの合計は常に等しくなる．

血液の生化学検査では，電解質の表記は常にミリ等量を用いる．血漿中のナトリウムイオンの基準値は，0.135～0.149等量だが，小数点が付くと計算が大変になるので，ミリ等量を用いる．

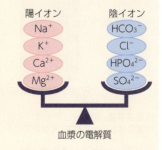

血漿の電解質

> **コラム**　高齢者の熱中症

　毎年夏になると，熱中症の患者が救急搬送されるという報道が増えるのは知っているだろう．熱中症（暑熱環境にいる，またはいた後の体調不良）の患者の大半は高齢者である．なぜ高齢者は熱中症になりやすいのだろうか．
①体重に対する水分の割合が低い．女性（青壮年）の約50％に対し，60歳以上の高齢者女性では42％に低下する．それゆえ，発汗量が増えると脱水になりやすい．
②体温が上昇すると発汗量は増える．しかし，発汗能力は60歳代になると20歳代の85％に低下する．したがって，体温が上昇しても，発汗して体温を低下させる機能が低下しているため，高体温になりやすい．
③体温が上昇すると口渇感が起こり，水分を補給しようとするが，高齢になると視床下部の働きが低下するため，口渇感を感じにくくなり，飲水行動につながらない．
④持病（基礎疾患）として，高血圧や心不全，糖尿病があると，血液が熱を体表に運ぶ機能が低下するため，体熱を放散させて体温を低下させる機能が弱まる．
　これらの理由から高齢者は熱中症になりやすい．

水の出納（すいとう）

●①水分の摂取

　人体の水分量は一定に保たれている．摂取する水分のほとんどは飲食物に由来する．それ以外に体内で代謝の過程で産生される水があり，**代謝水**という．例えば，ブドウ糖の酸化によってATPが産生される過程では，以下のように水が生成される．

$$C_6H_{12}O_6 + 6O_2 \rightarrow 6CO_2 + 6H_2O$$

●②水分の排泄

　体外に水が排泄される経路は，①尿，②蒸発（呼気，皮膚からの不感蒸泄），③大便，④汗である．暑い日に水分を補給せずに運動した場合や，食中毒で下痢・嘔吐（おうと）が続いた場合，水は欠乏し，**脱水**に陥る．腎機能や循環機能が低下すると，尿量が減少して体液量が増え，**浮腫**（ふしゅ）（むくみ）が生じる．

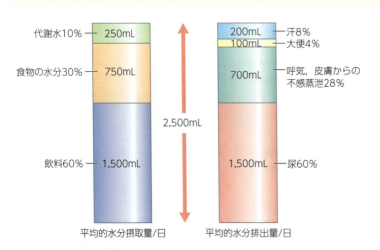

平均的水分摂取量/日　　平均的水分排出量/日

摂取する量（intake，略して「イン」）と排泄する量（output，略して「アウト」）は通常等しい．これを「インとアウトのバランスがとれている」という．

図5-5　人体における水の出納

> **plus α**
> **臨床における水分出納**
> 臨床では，インとアウトの両者の平衡（バランス）を計算する場面によく出合う．この場合，アウトには胃管やドレーンから排出される液体が加わることが多い．

2 浸透圧

半透膜を介して生じる水の移動（拡散）を**浸透**といい，溶質の濃度の低いほうから高いほうへ移動する．この移動を阻止するため溶液に加わる力を**浸透圧**という．

▌張度

細胞容積への作用を示す指標に**張度**がある．細胞が含有する水分量を変化させることにより細胞の形を変化させる溶液の能力を意味する．張度を形成する溶質を特に有効浸透圧物質といい，細胞内に多いK^+と細胞外に多いNa^+は一部が細胞膜を通過できるので，細胞内外の濃度勾配（浸透圧）を形成し，水の移動が生じる．

図5-6 浸透圧

U字管の中央に半透膜を固定し，左側に食塩水，右側に水を同じ高さまで入れる．半透膜は水（溶媒）は通すが，溶質（Na^+，Cl^-）は通さない性質をもつため，時間が経過すると，水がこの膜を通って左側に移動し，右側の液面が低くなる．食塩水の液面が高くならないようにするためには，食塩水の側に圧力をかければよい．この圧力を浸透圧という．

- ① **高張**
  1.8%NaCl溶液の浸透圧は高浸透圧のため，細胞から水が吸い出されて細胞は収縮する．これを**高張**という．

- ② **等張**
  0.9%NaCl溶液や5％ブドウ糖液の浸透圧は血漿と等しいため，細胞（赤血球）を浮遊させても細胞内外に浸透圧差がない．そのため細胞容積は変化しない．これを**等張**という．

- ③ **低張**
  0.45%NaCl溶液の浸透圧は低浸透圧のため，細胞を浮遊させると浸透により水が細胞内に移動して膨張する．これを**低張**という．

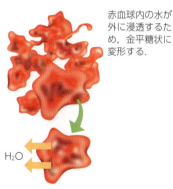
赤血球内の水が外に浸透するため，金平糖状に変形する．

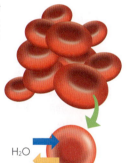
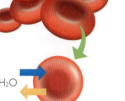

赤血球内に水が浸透するため，膨張し，最終的には細胞膜が破れる（溶血）．

コンテンツが視聴できます（p.2参照）

膠質浸透圧

図5-7 高張・等張・低張

▌膠質浸透圧

間質液と血漿の間を通過できない血漿内のタンパク質（アルブミン）も両者の間に濃度勾配を生じさせ，水の移動を起こす．この水を血管内に引きとめる力を**膠質浸透圧**という．膠質浸透圧と血液の**静水圧**（水を押し出す力）が均衡を保っているため，血漿量は一定の値を保っている．

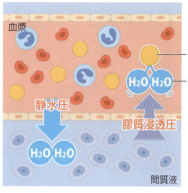

図5-8 膠質浸透圧

3 酸塩基平衡

体内で生化学反応を最適の条件で進行させる（代謝）ためには，最適の温度とpHを維持する必要がある．健常者の体液のpHは，**7.40±0.05（7.35～7.45）** という非常に狭い範囲で維持されている．

pH（水素イオン指数）

尿pHが5と8では水素イオン濃度が10^3倍異なる．図6-9（→p.280, 281）を見ると，水素イオンは分泌されても再吸収されない．

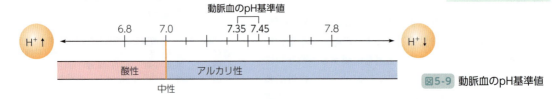

図5-9 動脈血のpH基準値

酸やアルカリを添加して，ある溶液のpH変化を和らげる作用を**緩衝作用**という．緩衝作用をもつ物質を緩衝物質または**バッファー**といい，水素イオン（H^+）と結合したりH^+を遊離できる．

血漿の緩衝作用（化学的緩衝作用）

血漿には，①炭酸，②ヘモグロビン，③タンパク質，④リン酸の4種類のバッファーによる緩衝系が存在し，これらが作用する方法はよく似ているが，①と②による緩衝系が主に働く．

炭酸による緩衝作用を以下に示す．

血漿の中に存在する主な酸と塩基は，弱酸の炭酸（H_2CO_3）とアルカリ性イオンの重炭酸イオン（HCO_3^-）である．

①強酸が生じた場合

体内に乳酸などの強酸（$H^+ \cdot A^-$とする）が生じると，以下の反応により弱酸の炭酸に変わる．そのため，血漿のpH低下は最小限にとどまる．

$H^+ \cdot A^-$ + $NaHCO_3$ → H_2CO_3 + $Na \cdot A$
強酸　　　弱塩基　　　弱酸　　　塩

②強塩基が生じた場合

もし強塩基（$B^+ \cdot OH^-$とする）が生じても，強酸の場合と同じように弱塩基の重炭酸塩が生じ，pHの上昇は軽度となる．

$B^+ \cdot OH^-$ + H_2CO_3 → $BHCO_3$ + H_2O
強塩基　　　弱酸　　　弱塩基　　　水

呼吸器系による緩衝作用（生理的緩衝作用）

組織を構成する細胞の代謝で生じた二酸化炭素は，拡散によって血液に入った後，次のように変化する．

$$CO_2 + H_2O \rightleftarrows H_2CO_3 \rightleftarrows H^+ + HCO_3^-$$

二酸化炭素　　水　　炭酸　　水素イオン　　重炭酸イオン

正常では，体内に生じた二酸化炭素は速やかに肺から排出される．一方，血中に生じたH^+は水になって血中にとどまる．結局，H^+の量的変化は生じないので，pHは不変である．このような呼吸によるpHの調節は，分単位の極めて短時間で行われる．

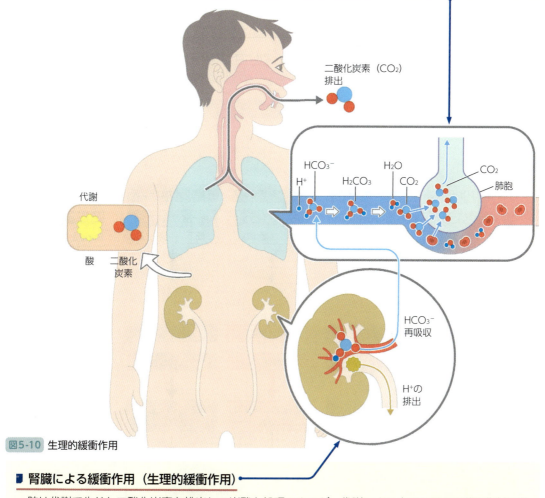

図5-10 生理的緩衝作用

腎臓による緩衝作用（生理的緩衝作用）

肺は代謝で生じた二酸化炭素を排出して炭酸を処理できるが，代謝により生じたほかの酸や塩基を体外に排出できるのは腎臓だけである．腎臓は尿細管でH^+を能動的に排出し，HCO_3^-を再吸収する（または新生する）．これらにより，数時間から数日かけてゆっくりとではあるが，強力にpHを正常化する．尿のpHは4.5〜8.0で大きく変動する．これは，体内で不要な酸性イオンやアルカリ性イオンを排出する量の多少を反映している．

■ アシドーシスとアルカローシス

化学的にはpH7.0を中性とし，それより数値が高くなる（H⁺の量が減る）とアルカリ性，低くなる（H⁺の量が増える）と酸性という．

人体では動脈血のpHが7.35以下の場合を**アシドーシス**，7.45以上の場合を**アルカローシス**と呼ぶ．pHが6.8以下，または7.8以上の場合は死亡する恐れが強まる．pHを正常に保つのは，前述の三つの機構である．

臨床で最も多くみられるのは代謝性アシドーシスであり，糖尿病や腎不全，消化器疾患（下痢）による代謝障害が原因となる．いずれにおいても，血漿中のHCO_3^-が減少し，呼吸性の代償作用（肺からの二酸化炭素の排出促進）が起こると，動脈血二酸化炭素分圧（$Paco_2$）*は低下する．

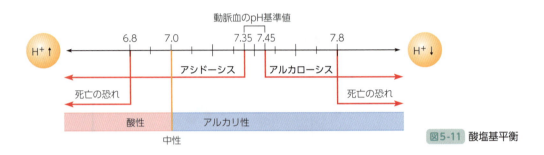

図5-11 酸塩基平衡

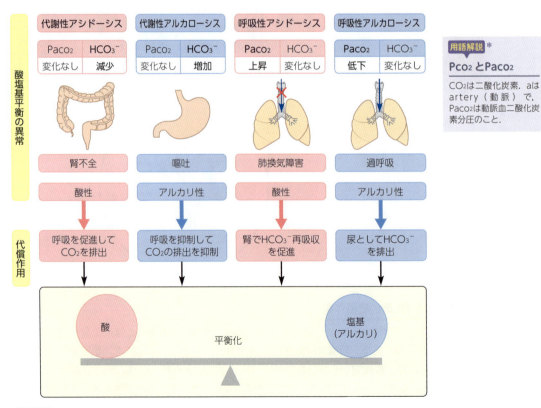

図5-12 アシドーシスとアルカローシス

呼吸性と代謝性

①呼吸性アシドーシス・アルカローシス

代謝により生体は絶えずH^+を産生している．代謝により生じる酸の99％は炭酸で，残りの１％はタンパク質から生じた硫酸やリン酸，糖質や脂質の中間代謝産物（ケトン，乳酸など）である．炭酸は，栄養素の酸化による二酸化炭素が水と反応して生じるが，H^+とHCO_3^-に解離して体液中に存在する（→p.263参照）．二酸化炭素は肺で体外に排出されるため，呼吸数の減少により**呼吸性アシドーシス**，呼吸数の増加により**呼吸性アルカローシス**が生じる．

②代謝性アシドーシス・アルカローシス

代謝で生じる酸も，H^+を解離して血液のH^+濃度を上昇させる．このような場合と，呼吸以外の要因で体液pHが低下する場合をすべて**代謝性アシドーシス**という．大量の嘔吐により胃酸が失われたときや，重炭酸ナトリウムなどのアルカリ性の薬物を摂取して，体液のH^+濃度が低下した場合は**代謝性アルカローシス**という．

表5-2 酸塩基平衡の障害の分類

種類	原発性要因	代償性変化	主な原因
代謝性アシドーシス	重炭酸イオン減少	二酸化炭素分圧低下	腎不全，糖尿病性昏睡
代謝性アルカローシス	重炭酸イオン増加	二酸化炭素分圧上昇	嘔吐
呼吸性アシドーシス	二酸化炭素分圧上昇	重炭酸イオン増加	肺換気障害
呼吸性アルカローシス	二酸化炭素分圧低下	重炭酸イオン減少	過呼吸症候群

糖尿病では，ケトン体が増えるため，ケトアシドーシスともいう．

引用・参考文献

1) 猿田享男. 老年者の水・電解質代謝. 日本臨床. 1981, 39（3），p.547-552.

重要用語

体液	ミリ等量（mEq/L）	低張
細胞内液	浸透圧	膠質浸透圧
細胞外液	張度	緩衝作用
間質液	等張	アシドーシス
電解質	高張	アルカローシス

学習達成チェック

☐ 細胞外液の重要な成分を二つ述べることができる．
☐ 血漿の浸透圧と等張な輸液を二つ述べることができる．
☐ 膠質浸透圧の原因となる血漿内の物質名を述べることができる．
☐ 血漿のpHの基準値とアシドーシス，アルカローシスの関係を述べることができる．
☐ 血漿のpHを一定範囲内に保つ緩衝作用で，腎臓と肺の機能を説明できる．

解剖生理学が臨床につながる！

32歳の女性Eさんは，高血圧で治療を受けている．職場での集団感染で新型コロナウイルス感染症に罹患して1歳の娘Fさん，40歳の夫Gさんと自宅で療養をしていた．発症翌日からの咽頭痛がひどく食事摂取ができなくなっていたが，飲水はかろうじて可能であった．EさんとFさんは食事が十分にとれないため，治療を希望して訪問診療を依頼した．

Eさんは，咽頭痛が強く水を1,000 mL飲むことがやっとで，食事を摂取することはできなかったが，口腔内は潤っていて血圧低下や頻脈はないため，痛み止めを処方して経過をみることとなった．娘のFさんは2日前より嘔吐があり，哺乳はできていたが固形物は食べられていなかった．前日には頻回の下痢が出現していた．活気はまだあり，ミルクも200 mLほど飲めたため制吐薬を処方して経過観察となった．

Eさんは痛みがとれることで，軟らかい食べ物も摂取可能となり，少し落ち着いて過ごすことができるようになった．娘のFさんは何度か嘔吐があり，その後も水様下痢が続き，排尿もなかった．手足も冷たくなっていたが，Eさんも夫のGさんも再診のタイミングや経口補水の方法がわからず，Fさんを寝かせながら哺乳瓶でミルクを飲ませ自宅療養していた．翌朝，Fさんの反応が悪くなり，不規則な呼吸と視線が合わない様子もあったため救急車を要請したところ，高度の脱水による緊急入院となった．

① 二つの脱水を区別する

体液の分布は，主に血管内を満たす細胞外液と細胞内液の二つに分かれており（図5-3），その喪失の仕方により脱水は以下の二つに区別することができる．脱水の状況によって必要な補液の内容も変わってくるため，その区別が重要となる（表5-3）．

❶ **高張性（細胞内）脱水**：摂取不足による**主に水のみの喪失**

所見：口渇感，意識障害，腋窩乾燥，口腔内乾燥，ツルゴール反応の低下，高ナトリウム血症

❷ **血管内脱水**：嘔吐・下痢や高度の摂取不足による**水と塩分（ナトリウム）の喪失**

表5-3 高張性（細胞内）脱水と血管内脱水の区別

	喪失部分		
高張性（細胞内）脱水	細胞外液	細胞内液（体重の40%）	細胞内外の主に水が欠乏 →血漿浸透圧の上昇（高ナトリウム血症）
血管内脱水	喪失部分	細胞内液（体重の40%）	細胞外の主にナトリウムが欠乏→循環血漿量の低下
	細胞外液		

所見：頻脈，血圧低下，毛細血管再充満時間（CRT）の延長，尿素窒素/クレアチニン（BUN/Cre）の上昇

今回，Eさんは飲水が困難なだけの**高張性脱水**のみであるため，咽頭痛を鎮痛薬で軽減して飲水量を増やすことで対応可能であった．一方，娘のFさんは飲水困難な状況に加えて，嘔吐や下痢も伴っていたため高度な脱水となり，高張性脱水に加えて**血管内脱水**も伴っていた．喪失している内容がわかり，脱水の徴候を理解することで適切な内容の補液を実施することができる．

❷ 小児は成人より脱水になりやすい

小児では，成人に比べて次の五つの理由で感染症などの影響を受けて脱水になりやすい．

①低年齢であるほど，身体を占める総水分量（細胞外液量）が大きく，より多くの水分が必要となる．

②小児は，成長で身体の細胞の増殖や代謝が良いため，必要な水分量が多い．また，体重当たりの体表面積も多いため水の排泄量（不感蒸泄）が多く，より多くの水分が必要となる．

③小児の腎臓は未発達であるため，尿の濃縮が十分にできず，水分を喪失しやすい．

④小児は成人よりも免疫能が完成されておらず，感染症に罹患しやすく，水分の摂取低下や下痢・嘔吐による排泄量の増加が起きて脱水になりやすい．

⑤口渇を適切に表現できない，自分で飲水行動がとれない．

したがって，小児の脱水では成人よりもより細かく観察して，その程度に応じて早期の点滴加療を要することとなる．**表5-4**の分類において，中等度以上の脱水の場合は一般的に補液の適応となる．

表5-4　脱水の重症度

	軽度	中等度	重度
体重の減少	＜5％	5～10％	10％＜
尿量	減少	減少・濃縮尿	無尿
皮膚	乾燥	ツルゴール反応低下	
大泉門		陥凹	
粘膜	口唇乾燥	口腔粘膜乾燥	
眼	流涙あり	眼窩陥凹	眼窩陥凹著明
毛細血管再充満時間（CRT）	迅速	2～3秒	3秒以上
意識障害		傾眠傾向	あり・痙攣
循環	軽度頻脈	頻脈	脈200回/分＜，血圧低下

土畠智幸．脱水のマネジメント．医学界新聞第2821号（2009年3月9日発行）．医学書院．https://www.igaku-shoin.co.jp/paper/archive/y2009/PA02821_08．（参照2024-10-18）より転載．

6 泌尿器系
尿を作るしくみ

ここだけ見れば まず **泌尿器系**がわかる！

ヒトの泌尿器系

消化器系臓器を取り除いた図（男性）．

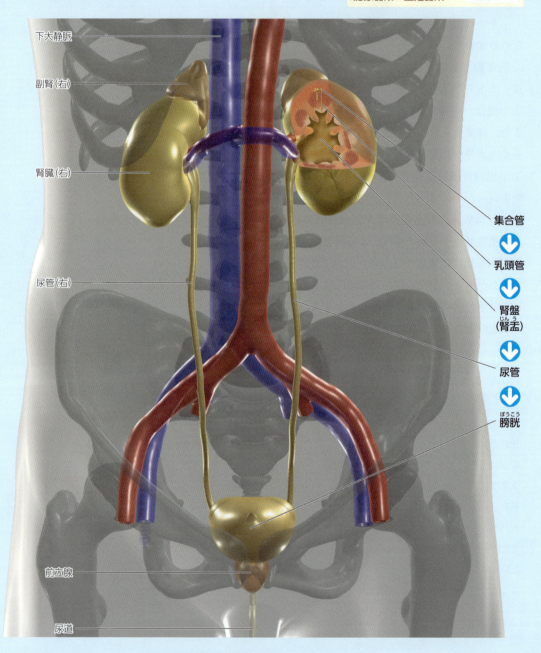

ネフロンの構造と機能（尿の生成）

腎臓の機能的な単位であるネフロンは左右の腎臓に約100万個ずつある．

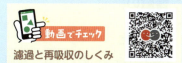

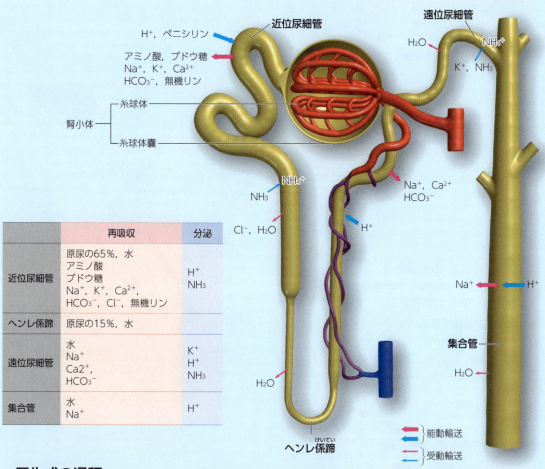

	再吸収	分泌
近位尿細管	原尿の65%，水 アミノ酸 ブドウ糖 Na^+，K^+，Ca^{2+}， HCO_3^-，Cl^-，無機リン	H^+ NH_3
ヘンレ係蹄	原尿の15%，水	
遠位尿細管	水 Na^+ Ca^{2+}， HCO_3^-	K^+ H^+ NH_3
集合管	水 Na^+	H^+

尿生成の過程

- 原尿は1日約150L．
- 尿は1日約1.5L．

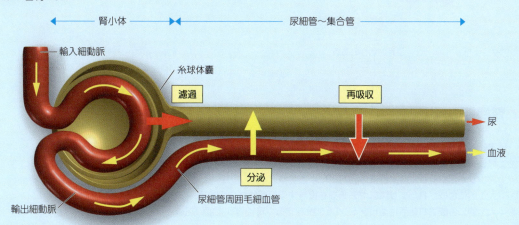

○腎臓の機能

▶ ①尿の生成
尿の生成により体液の恒常性を維持する（➡p.269参照）．

▶ ②レニンの分泌
レニンを分泌し，血圧を調節する．

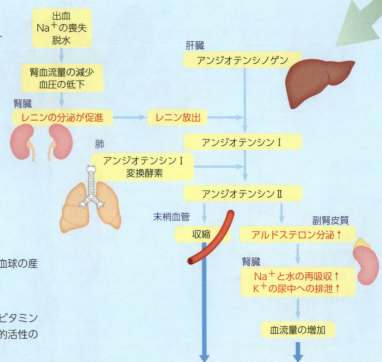

▶ ③エリスロポエチンの分泌
エリスロポエチンを分泌し，赤血球の産生を刺激する．誘因は低酸素血症．

▶ ④ビタミンDの活性化
紫外線により皮膚で形成されるビタミンD前駆体を最終的に変換して生理的活性のあるビタミンDに変える．

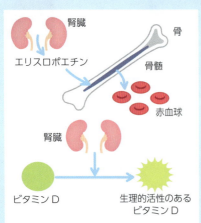

○腎機能の低下

腎機能が低下すると上述の①～④を障害された病態が生じるため，治療を行う．
①：アシドーシスへの治療．
②：アンジオテンシンⅠ変換酵素の阻害薬による加療．
③：人工的に合成されたエリスロポエチンを投与する（腎性貧血の加療）．
④：人工的に合成された活性型ビタミンD_3を投与する（腎性骨軟化症の加療）．

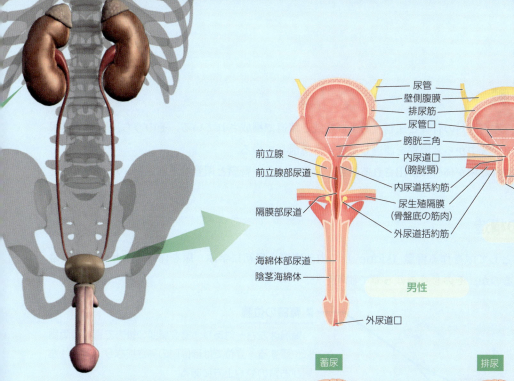

下部尿路機能

①蓄尿，②排尿

下部尿路機能が障害されることにより生じる症状

①頻尿・尿失禁，②排尿困難

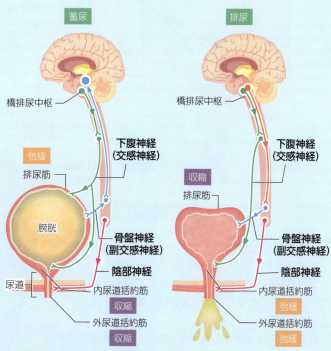

①遠心性神経			
種類	中枢の部位	経由する神経	作用
副交感神経	仙髄副交感神経中枢 (S_2〜S_4)	骨盤神経	膀胱排尿筋収縮
交感神経	胸腰髄 (Th_{11}〜L_2)	下腹神経	膀胱排尿筋弛緩 内尿道括約筋収縮
体性神経	仙髄陰部神経核(オヌフ核) (S_2〜S_4)	陰部神経	外尿道括約筋収縮 骨盤底筋群収縮
②求心性神経			
骨盤神経内を経て仙髄後根から脊髄へ入り上行する．			

1 腎臓

泌尿器系は，左右一対の腎臓と尿管，および膀胱と尿道で構成されている．そのうち，腎臓は泌尿器系の中心で，血液中から老廃物を濾過して尿中へ排泄している．

腎臓で産生された尿が体外に排出される経路を尿路という．腎臓と尿管を上部尿路，膀胱と尿道を下部尿路という．

1 腎臓の構造

血液を原料として尿を作る腎臓（kidney）の内部構造を最初に学ぶ．尿を作るとなぜ体液の恒常性が維持できるのか，そのしくみは5章で説明した．

■ 腎臓の位置

腎臓は左右一対あり，壁側腹膜の後方で脊柱の両側に位置する．立位ではほぼ肘の高さになり，普通は左腎が右腎のやや上方にある．

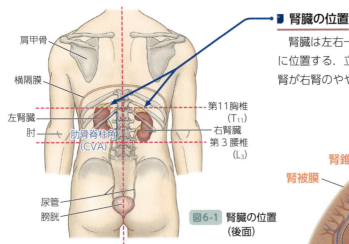

図6-1 腎臓の位置（後面）

臨床では肋骨脊柱角（costovertebral angle：CVA）という名称が付いている．肘の高さの背中側に腎臓はある．

■ 腎臓の形状と構造

大きさは縦12cm，横6cm，厚さ3cmで，ソラマメ形である．内側中央のくぼんだ部分を腎門*といい，ここから尿管・腎動脈・腎静脈・神経が腎臓に出入りする．

腎臓の表面は線維性の腎被膜が覆い，その周囲を脂肪被膜が取り囲んで，衝撃から守っている．

> **用語解説***
> 腎門
> 肺の肺門（➡p.226参照），肝臓の肝門（➡p.318参照）とともに，血管やリンパ管，神経などが通る．

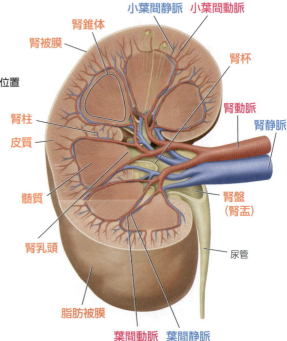

脳や脊髄でも皮質は外側，髄質は内側を指す．

図6-2 腎臓の前頭面

■ 腎臓の部位

縦断面では，大きく三つの部位に分かれる．最外側を皮質，その内側を髄質，最内側の腔所を腎盤（腎盂）という．髄質内の円錐状の部分を腎錐体，腎錐体と腎錐体の間を腎柱，腎錐体の腎盤側を腎乳頭と呼ぶ．腎盤の腎乳頭と接する部分を腎杯という．

腎臓で作られた尿は，腎乳頭から腎杯へ排泄され，腎盤を経て尿管へ流入する．

■ 血管

腎臓の重量は体重の約0.5%にすぎないが、循環血液量の約25%が常時流れている血流の豊富な器官である。

● ①動脈系

腹大動脈から分岐した<u>腎動脈</u>は腎門から腎臓内に入り、さらに分岐する。その後、<u>葉間動脈</u>となって腎柱を通過し、皮質と髄質の境界で腎錐体に沿って走る<u>弓状動脈</u>となる。そして、<u>小葉間動脈</u>となり糸球体に流入する。

● ②静脈系

静脈系は、動脈系の逆である。糸球体を出た毛細血管は<u>小葉間静脈</u>、<u>弓状静脈</u>、<u>葉間静脈</u>を経て<u>腎静脈</u>となり、腎門を経て下大静脈へ流入する。

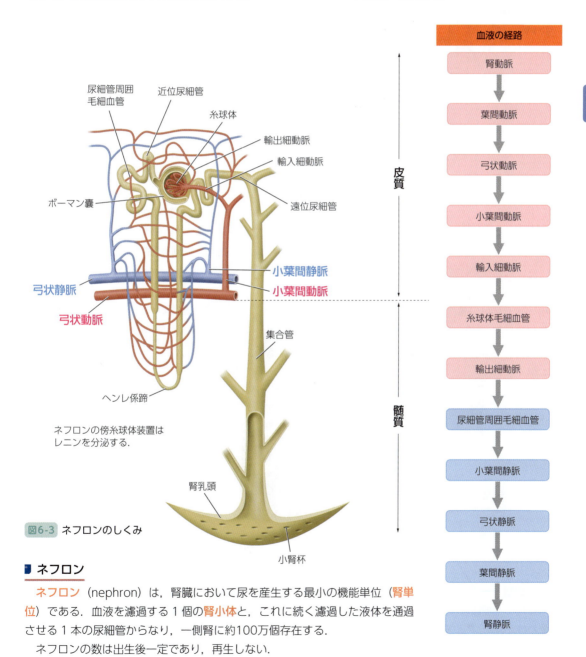

図6-3 ネフロンのしくみ

■ ネフロン

ネフロン（nephron）は、腎臓において尿を産生する最小の機能単位（<u>腎単位</u>）である。血液を濾過する1個の<u>腎小体</u>と、これに続く濾過した液体を通過させる1本の尿細管からなり、一側腎に約100万個存在する。

ネフロンの数は出生後一定であり、再生しない。

腎小体

腎小体は**糸球体**と**糸球体嚢**(ボーマン嚢：Bowman's capsule)に分かれる．

①糸球体

糸球体は，小葉間動脈に続く毛細血管の集合体で，それを包み込むのが糸球体嚢である．

②糸球体嚢

糸球体嚢は，**尿細管**という構造の末端にある．引き続き，**近位尿細管**，**ヘンレ係蹄**(ヘンレのループ：Henle's loop)を経て**遠位尿細管**となり，輸入細動脈に接近して緻密斑を形成した後，合流して**集合管**となり腎乳頭の開口部より腎杯に達する．

③傍糸球体細胞・メサンギウム細胞

輸入細動脈の細胞内にレニン顆粒を含む**傍糸球体細胞**があり，緻密斑ならびに糸球体外メサンギウム細胞とともに傍糸球体装置*を形成する．糸球体中心部の毛細血管外腔側には，**メサンギウム細胞**が局在する．毛細血管を支持し，細動脈*や毛細血管の収縮に関係する．

> **用語解説***
> **傍糸球体装置**
> 糸球体輸入細動脈の傍糸球体細胞，遠位尿細管の緻密斑，糸球体外メサンギウム細胞で構成される．

> **用語解説***
> **細動脈**
> 別名は抵抗血管．血管抵抗を変え，血流量を調節する(➡p.186参照)．

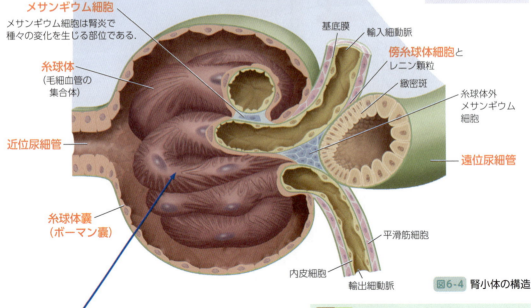

図6-4 腎小体の構造

④足細胞

糸球体の毛細血管の内皮細胞と基底膜の外側は，**足細胞**で覆われている．内皮細胞には小さな孔が規則正しく開き，足細胞の間にも小さな隙間があり，原尿の濾過孔となる．

> **plus α**
> **特別な毛細血管**
> 糸球体毛細血管は，人体では細静脈ではなく，細動脈に流入する唯一の毛細血管である．

尿細管

尿細管の管腔内には，表面積を増大させる微絨毛があり，原尿成分の再吸収に役立つ．微絨毛は近位尿細管で最も発達している．

①ネフロンの種類

ネフロンの大半（85％）は皮質内に存在し，**皮質ネフロン**という．皮質と髄質との境界に存在する少数（15％）のネフロンは，**傍髄質ネフロン**という．両者は機能が異なり，水やナトリウムを排泄するのが皮質ネフロン，再吸収するのが傍髄質ネフロンである．

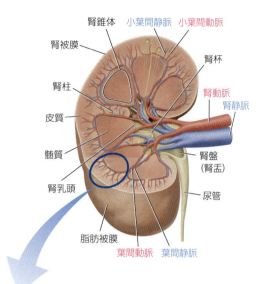

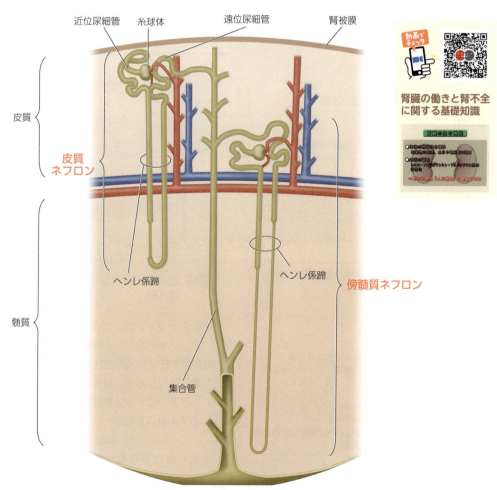

ヘンレ係蹄の部位が腎臓の皮質にあるか，髄質にあるかに注意しよう．

図6-5 皮質ネフロンと傍髄質ネフロン

2 腎臓の機能

腎臓が尿を生成するのは，体液の恒常性を維持するためである．また，血圧と関係するレニン，造血作用のあるエリスロポエチンを分泌し，ビタミンDを活性化するのも，腎臓の役割である．

> **plus α**
> 体液の恒常性
> 例：血漿の浸透圧
> 275〜295mOsm/kgH₂O

■ 尿の生成による調節
①体液の量と浸透圧を一定に保つ．
②血液のpHを一定に保つ（動脈血のpH＝7.40±0.05）．
③不要な代謝産物（尿素・尿酸など）や薬物を排出する．
これらの詳細は後述する（➡p.278参照）．

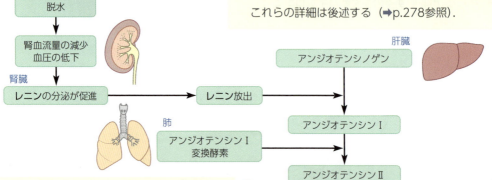

■ レニンの分泌による血圧調節

● ①レニン分泌
傍糸球体細胞からレニン（renin）分泌を促進する因子は複数ある．出血などによる血圧の低下や，ナトリウムの喪失によって分泌されたレニンは，肝臓で生成されて血中に含まれるアンジオテンシノゲンをアンジオテンシンⅠ（angiotensinⅠ）に変換させる．

● ②アンジオテンシンⅠ
アンジオテンシンⅠは，主に肺に存在するアンジオテンシンⅠ変換酵素によって，アンジオテンシンⅡに変わる．

> アンジオテンシンⅠ変換酵素の働きを阻害する薬（アンジオテンシン変換酵素阻害薬*）とアンジオテンシンⅡ受容体拮抗薬は，高血圧の治療に広く用いられている．

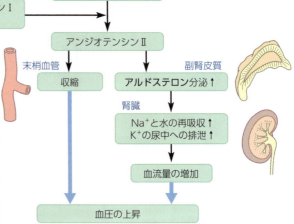

図6-6 血圧調節（レニン-アンジオテンシン-アルドステロン系）

● ③アンジオテンシンⅡ
アンジオテンシンⅡは直接細動脈を収縮させ，収縮期血圧と拡張期血圧をともに上昇させる強力な昇圧作用がある．さらに，副腎皮質に作用してアルドステロン分泌を促進する．

● ④アルドステロン
アルドステロン（aldosterone）は遠位尿細管細胞や集合管細胞に働いてナトリウムイオン（Na⁺）の再吸収を促進する．Na⁺とともに水も再吸収されるので尿中への水分喪失量が減り，血液量が増える．この結果，血圧は上昇する．

> **plus α**
> アンジオテンシンⅠ変換酵素
> アンジオテンシンⅠ変換酵素は，血管内皮細胞に含まれるが，特に肺に多い．

> **用語解説** *
> アンジオテンシン変換酵素阻害薬
> 単なる降圧薬ではなく，心肥大改善などの臓器障害をも改善する．糖尿病，心不全，痛風などの合併症をもつ高血圧の第一選択薬である．主な副作用は空咳だが，中止すると速やかに消失する．

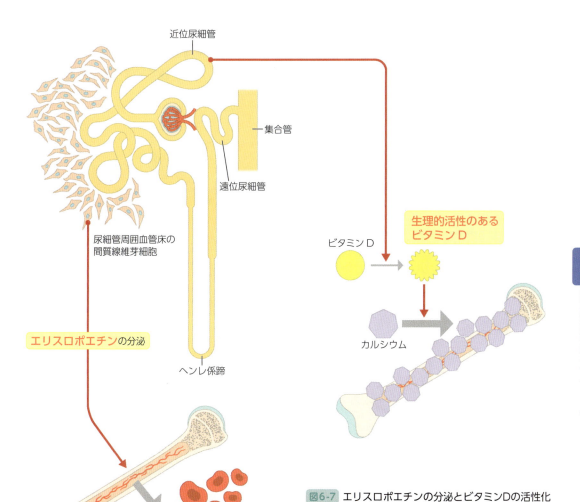

図6-7 エリスロポエチンの分泌とビタミンDの活性化

ビタミンDの活性化

　紫外線の作用によって皮膚で生じたビタミンD前駆体は，肝臓で変換された後，最終的に腎臓の近位尿細管細胞で生理的活性のあるビタミンDに変わる．

エリスロポエチンの分泌による赤血球生成の刺激

　低酸素血症になると，尿細管周囲血管床の間質線維芽細胞からエリスロポエチンが分泌される．これは，骨髄の分化途上の幹細胞を増加させ，最終的に赤血球数が増える．

　なお，ヒトではエリスロポエチンの85％が腎臓で作られ，残りの15％が肝臓由来である．

尿毒症の際にみられる貧血やビタミンD抵抗性のカルシウム代謝障害は，エリスロポエチンや活性型ビタミンD_3の欠乏による．現在は，合成されたエリスロポエチンや活性型ビタミンD_3の投与によって治療されている．

plus α
剤　形

エリスロポエチンは注射薬，活性型ビタミンD_3は内服薬または注射薬で投与する．

3 尿の生成

尿は糸球体で血管内の水と溶質が濾過されて原尿となった後，尿細管による再吸収と分泌を受けて完成する．そして，集合管に集まり，腎乳頭の乳頭管から腎杯・腎盂を経て尿管へ流れ込む．

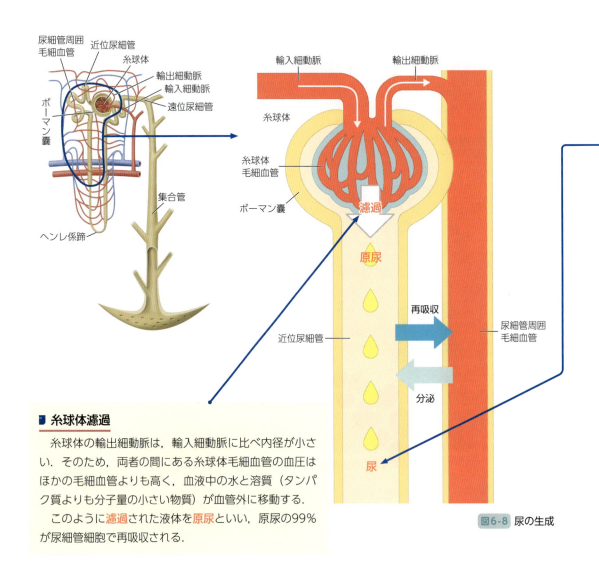

図6-8 尿の生成

■ 糸球体濾過

糸球体の輸出細動脈は，輸入細動脈に比べ内径が小さい．そのため，両者の間にある糸球体毛細血管の血圧はほかの毛細血管よりも高く，血液中の水と溶質（タンパク質よりも分子量の小さい物質）が血管外に移動する．

このように濾過された液体を原尿といい，原尿の99％が尿細管細胞で再吸収される．

● ①濾過圧の低下

血圧が低下し，上腕動脈の収縮期血圧が60 mmHg以下になると，濾過圧は0となって尿の生成は停止する．激しい運動をすると血圧は上昇するが，交感神経系の機能亢進によって腎臓の血管が収縮し，濾過圧が低下する．

● ②タンパク尿

病変によって糸球体毛細血管の構造に変化が生じると，タンパク質が原尿中に移動するため，タンパク尿となる．ただし，正常な人でも1日当たり微量（150 mg以下）のタンパク質が尿に排泄される．

1日の尿量

成人で1日当たりの尿量が100mL以下の場合を無尿，400mL以下の場合を乏尿という．ともに腎機能の高度障害を意味し，特に前者では危篤状態にあることが多い．

逆に，3,000mL以上の場合を多尿という．尿崩症などの疾患が疑われる．

正常な場合の尿量は，発汗量と水分摂取量によって大きく変動する．普通は600～2,000mLである．

> **尿閉・無尿への導尿**
> 膀胱内に尿が貯留しているのに排尿できない状態を尿閉といい，導尿すると，多量の尿が除去できる．
> 無尿の場合，一時的な導尿をしても尿は得られない．持続導尿では1日当たり100mL以下の尿が排出されるが，時間当たりに換算すると約4mLにすぎない．

尿の組成

生成された尿の約95％は水が占める．残りの成分は食事，運動量，気温などにより変化する．固形成分は約5％で，クレアチニン，尿酸や尿素など窒素代謝の最終産物を多く含む．淡黄色の色の成分はウロクロムやウロビリンである．そのほかに無機成分としてNa^+，K^+，Cl^-も含まれる．

コラム　肉眼的血尿とはなんだろう？

腹痛や排尿痛などの自覚症状がなくて，ある日突然真っ赤な尿が出る場合，肉眼的血尿と表現する．普通はびっくりするが，続く場合は少なく，何もしなくても自然に消失する場合が多いため，ホッと安心する．そんなときあれこれ考えて，「最近無理をしすぎて過労気味だった」などと自分なりの解釈で納得して一件落着としてしまう．しかし，しばらくしてから多くの場合再発するため，そのときに初めて受診しようという気持ちが生まれる．

受診して内科医に相談しても，そこでの検査で顕微鏡的血尿がなければ，「大丈夫でしょう．様子をみましょう」と言われる可能性がある．それでは最悪のコースにつながるかもしれない．泌尿器系の悪性腫瘍の初発症状として最も重要なのが，無症候性肉眼的血尿だからである．腎臓・尿管・膀胱の精密検査を行う必要がある．内科医でも腹部超音波検査の得意な先生は，この検査で異常を発見し，泌尿器科医に紹介する場合もある．

尿1,000mLに血液1mL以上混入すれば肉眼的血尿として判別できる．そのため，無症候性肉眼的血尿が精査の対象となるのは，ぜひ覚えておいてほしい．

センナを含む便秘薬を服用した場合に，赤色から黄褐色の尿になる場合もあるが，これは問診で確認すればすぐにわかる．

尿細管の再吸収

糸球体濾液には，血液のうち血球成分とタンパク質以外の成分が含まれる．そのため，生命維持に必要な水・ブドウ糖・アミノ酸・電解質などを**再吸収**して血液中に回収しなければならない．

水は浸透圧差によって受動的に再吸収されるが，そのほかの物質はアデノシン三リン酸（ATP）のエネルギーを利用して濃度勾配に逆らう能動輸送（→p.52参照）で再吸収される．原尿の65％が近位尿細管で，15％がヘンレ係蹄で，残りが遠位尿細管と集合管で再吸収されるため，最終的に尿として排泄されるのは原尿の1％にすぎない．

> **plus α**
> **回収先**
> 再吸収された水などは尿細管上皮細胞から尿細管周囲毛細血管に移行し，体循環に入る（→p.273参照）．

①栄養素・電解質の再吸収

アミノ酸・ブドウ糖などの栄養素や，ナトリウムイオン・カリウムイオン・カルシウムイオン・重炭酸イオン・塩素イオン（塩化物イオン）などの電解質のほとんど，無機リンは近位尿細管で再吸収される．

②水の再吸収

水は近位尿細管・ヘンレ係蹄下行脚・遠位尿細管・集合管で再吸収される．

> 抗利尿ホルモンは集合管における水の再吸収を促進し，アルドステロンは遠位尿細管や集合管でのNa^+再吸収を促進する．

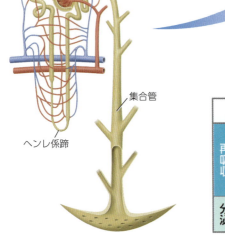

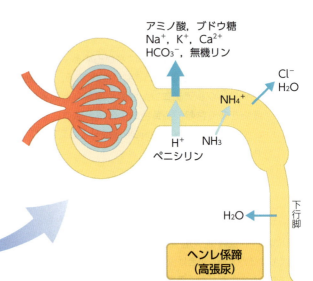

	近位尿細管	ヘンレ係蹄
再吸収	原尿の65％，水 アミノ酸 ブドウ糖 Na^+, K^+, Ca^{2+}, HCO_3^-, Cl^-, 無機リン	原尿の15％，水
分泌	H^+ NH_3	

尿細管の分泌

生体に不要な物質は尿細管に分泌される.

アンモニア（NH_3）は拡散（濃度勾配に従う受動輸送）によるが，水素イオンやクレアチニン，ペニシリンなどの薬物は能動輸送による.

● ①水素イオン（H^+）

近位尿細管から分泌され，血液のpHを一定の範囲に保つために極めて重要である.

● ②重炭酸イオン（HCO_3^-）

血液のpHを調節する緩衝系として働く重要な物質である. 近位および遠位尿細管で再吸収される.

> **plus α**
> **重炭酸イオン**
> 重炭酸イオンは代謝性アシドーシスの際，欠乏する（➡p.264，265参照）. 補正のために，炭酸水素ナトリウム溶液を投与する. 7.4％と8.0％の2種類がある.

● ③カリウムイオン（K^+）

近位尿細管で再吸収されるが，遠位尿細管や集合管では分泌される.

● ④アンモニア（NH_3）

近位および遠位尿細管で分泌される.

> **plus α**
> **アンモニア**
> 体内におけるタンパク質の代謝産物のアンモニアは肝臓で尿素に変換され，尿中へ排泄される. 尿細管で分泌されるアンモニアは毒性が高いが，H^+と結合したアンモニウムイオン（NH_4^+）は毒性が低い.

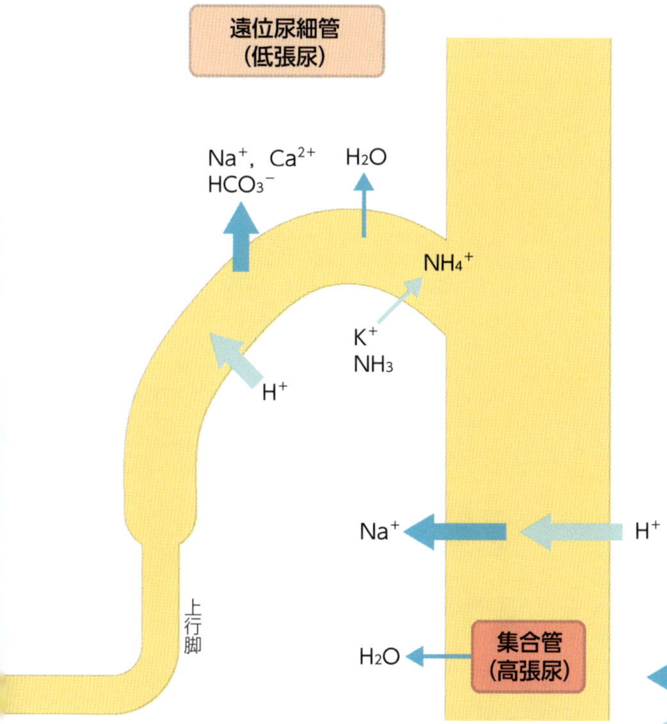

遠位尿細管	集合管
水 Na^+ Ca^{2+} HCO_3^-	水 Na^+
K^+, H^+ NH_3	H^+

図6-9 尿細管における再吸収と分泌

尿失禁・便失禁

🌸 なぜ「失禁」という？

　尿や便を出すのを排泄，そして医学用語では尿や便を漏らすことを尿失禁・便失禁という．少し控えめな人なら口にするのをためらう言葉である．では，なぜ尿を漏らすのを尿漏れといわず，尿失禁というのだろうか．

　医学用語の多くは，明治時代に外国語から翻訳された．その当時の優れた人たちは，江戸時代にみっちり漢学を学んでいたため，「禁制」という言葉もすでに使っており，「抑制するまたはある行為を差し止める場合」という意味で用いていた．それができない状態を失禁制と呼び，略して失禁になったという．

　解剖学では一般的な用語と異なるものが数多くあったが，翻訳の際，漢学の知識があればストレートに理解できるため，専門家集団の中では異議を唱える人がいなかったと思われる．

🌸 言葉への配慮

　現在，経験豊富な看護者や介護者は排泄の問題が解決すれば，患者や介護の利用者のQOLが飛躍的に向上するのを知っているため，専門家として日常的に尿失禁や便失禁という言葉を使っている．ただ，患者は専門家ではないため，「尿失禁」や「便失禁」という言葉に抵抗を感じるかもしれない．

　看護師を志し，日々学んでいく中で，専門的な用語を覚えていくことはもちろん重要だが，患者の視点に近い現在だからこそ，寄り添える言葉掛けができることもある．その視点もずっと大事にしてほしい．

2 尿 管

尿管は通路であり，腸管のように吸収する作用はない．

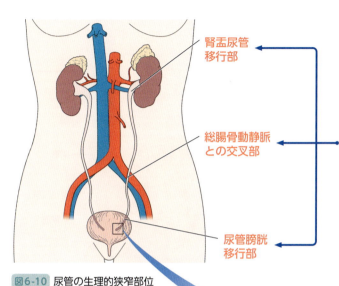

図6-10 尿管の生理的狭窄部位

■ 構造

尿管（ureter）は腎臓で作られた尿を膀胱に輸送する導管である．全長は約25cm，内腔は移行上皮で覆われ，その外側を平滑筋，線維被膜が包む．すべて腹膜外（後腹膜腔内）に位置する．

● ①生理的狭窄部

上端を腎盂尿管移行部，後腹膜腔を下降する途中の骨盤腔内で総腸骨動静脈の直上を通過する部位を交叉部，下端を尿管膀胱移行部という．上記の三つの部位は生理的狭窄部位といい，尿管結石が詰まりやすい（嵌頓という）．

■ 機能

● ①尿の輸送

尿管は吸収や分泌には関与しない．尿の通路である．周期的に腎盂で生じる蠕動運動により，下方へ尿を輸送する．腎臓から膀胱への尿の輸送は重力によらず蠕動運動によるため，無重力状態でも尿が逆流（尿管下方から上方に移動すること）しない．

● ②尿の逆流防止

尿管膀胱移行部で尿管は斜めに膀胱壁を通過する．この部位は特殊な弁構造になっており，排尿時に尿管口は閉鎖される．したがって膀胱内の尿が尿管に逆流することもない．この構造に異常が生じたのが，膀胱尿管逆流という疾患である．

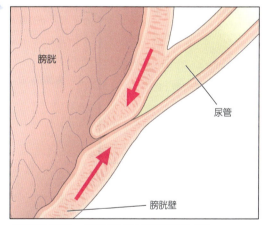

尿管口は閉鎖し，膀胱内の尿は尿管に逆流しない．

図6-11 排尿時の尿管膀胱移行部

■ 尿管の閉塞

尿管が結石や凝血塊で急に閉塞されると，その部位より上方では尿管内圧が上昇し，最終的には腎盂・腎杯の内圧が高まる．その結果，腎被膜の緊張が増加する．さらに蠕動運動が亢進して尿管の平滑筋が強い収縮（攣縮）を起こすため，強い疼痛（疝痛*）が生じる．

用語解説*

疝痛

腹部臓器の壁をなす平滑筋の攣縮に起因する痛みで，発作的に起こり，周期性をもって反復する．しばしば「仙痛」と誤って記載されるので，正しい字を覚えておこう．

3 膀胱

膀胱は尿の貯蔵庫である．収縮すると，尿を体外に排出することができる．

▍構造

膀胱（urinary bladder）は恥骨後部，直腸の前部に位置する3層の平滑筋（排尿筋）でできた袋状の器官で，上方と後面が腹膜と接している．女性では，さらに後上方に子宮がある．

①内腔の上皮

内腔は腎杯・腎盂・尿管同様，移行上皮で覆われる．尿がない場合は4〜6層だが，尿がたまるにつれて伸展し，多量の尿をためた状態では上皮は1〜2層に変化する．容量は成人で約400mLである．

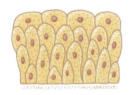
空虚時の膀胱粘膜上皮

充満時の膀胱粘膜上皮

②膀胱三角

尿管の膀胱内開口部を尿管口といい，底部正中より約1.5cm外側に位置する．両側尿管口と内尿道口（膀胱と尿道の境）で形成される三角形を膀胱三角と呼ぶ．排尿時，この部が漏斗状となり，円滑な排尿と関係する．

▍機能

尿を貯留する蓄尿と，体外に排出する排尿という二つの相反する働きをもつ．詳細は後述する（➡p.286, 287参照）．

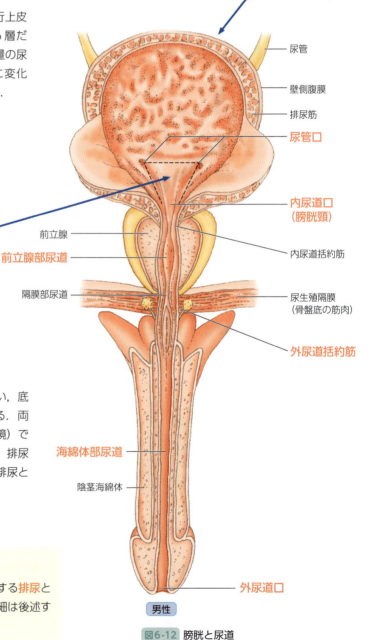

男性

図6-12 膀胱と尿道

4 尿道

尿の最終通路である**尿道**（urethra）は，男女差が極めて大きな臓器である．

男性の尿道は泌尿器（尿路の一部）と生殖器（精路の一部）を兼ねる．女性の尿道は泌尿器のみである．

■ 男性の構造

- 男性の尿道の全長は約15〜20cmである．
- 膀胱の出口を**内尿道口**（膀胱頸）といい，次いで**前立腺部尿道**となり，この部位の周囲を前立腺が取り巻いている．
- 中央部に精丘という小隆起があり，左右に射精管が開口している．
- 精丘を過ぎると尿道は急に狭くなる．この部位を**隔膜部尿道**といい，外側を横紋筋（**外尿道括約筋**）が取り囲む．
- 隔膜部尿道を過ぎるとまた広くなり，出口（**外尿道口**）に至る．この部分を**海綿体部尿道**という．
- なお，海綿体部尿道の最内側部は尿道球腺（クーパー腺）が開口するので，**球部**ともいう．亀頭内部の尿道を特に舟状窩と呼ぶ．

> 男性では，加齢とともに前立腺の内腺が肥大し，尿路が圧迫されて排尿障害が起こることがある．

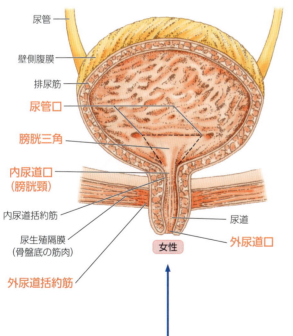

■ 機能

尿道は膀胱と協調して，蓄尿と排尿に関与する．単なる尿の通路ではない．

■ 女性の構造

- 男性に比べ全長は約3cmと短い．腟前庭で陰核の下，腟口の上に，外尿道口が開口する．
- 膀胱排尿筋（平滑筋）は外尿道口付近の結合組織まで連続しており，尿道の中央部ほぼ1/3の外側を横紋筋（外尿道括約筋）が取り囲む．

> 男性に比べ女性の尿道は短く，直線的である．そのため，女性では外尿道口から逆行性に細菌が尿道や膀胱に侵入しやすく，膀胱炎を起こしやすい．

5 排尿の生理

下部尿路（膀胱・尿道）の働きを調節するのは，①**下腹神経（交感神経）**，②**骨盤神経（副交感神経）**，③**陰部神経（体性神経）**である．

1 蓄尿の機構

■ 遠心性神経

膀胱内に尿がたまると膀胱内圧は上昇し，膀胱平滑筋は伸展する．この求心性刺激は交感神経により胸腰髄の交感神経中枢（Th$_{11}$〜L$_2$）と仙髄オヌフ核（S$_2$〜S$_4$）に伝わり，膀胱排尿筋が弛緩し，外尿道括約筋は収縮する（**蓄尿反射**）．つまり膀胱内に尿がたまると，交感神経と陰部神経は自動的に興奮するので，尿は漏れない．

■ 求心性神経

一方，求心性の刺激は骨盤神経を経て脊髄に入り，上行して脳幹部の橋 排尿中枢（pontine micturition center：PMC）と大脳皮質に伝わる．この刺激を受けて，大脳は尿意を自覚しながらPMCを抑制し，排尿直前まで次に述べる排尿反射が生じないようにしている．

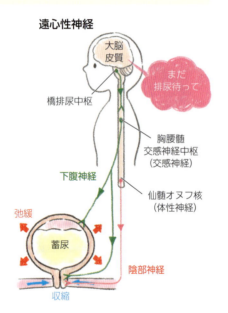
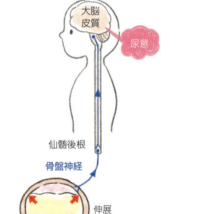

図6-13 蓄尿

表6-1 下部尿路の末梢神経

遠心性神経			
種類	中枢の部位	経由する神経	作用
副交感神経	仙髄副交感神経中枢 （S$_2$〜S$_4$）	骨盤神経	膀胱排尿筋収縮
交感神経	胸腰髄 （Th$_{11}$〜L$_2$）	下腹神経	膀胱排尿筋弛緩 内尿道括約筋収縮
体性神経	仙髄陰部神経核(オヌフ核) （S$_2$〜S$_4$）	陰部神経	外尿道括約筋収縮 骨盤底筋群収縮
求心性神経			
骨盤神経内を経て仙髄後根から脊髄へ入り上行する．			

2 排尿の機構

排尿の流れ

排尿するときには，①大脳皮質によるPMCへの抑制が解除され，次にPMCを中枢とする排尿反射が生じる．②PMCから出る遠心路は仙髄の副交感神経中枢（S₂〜S₄）を興奮させ，膀胱排尿筋の収縮を起こし，さらに交感神経核とオヌフ核を興奮させて内尿道括約筋と外尿道括約筋を弛緩させる．

排尿の調節

尿意が生じても我慢できる（禁制を保持できる）のは，大脳が皮質脊髄路によって仙髄の排尿反射中枢を抑制できるからである．このような排尿調節ができるようになるには，生後2〜3年かかる．睡眠中に抑制不能となるのが夜尿症である．

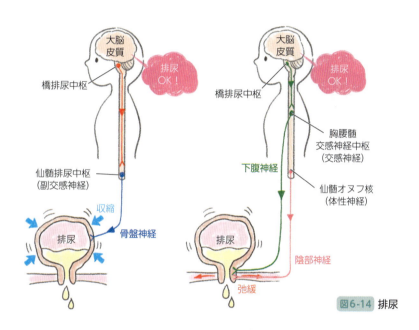

図6-14 排尿

3 骨盤底筋群

骨盤底筋群の構造

肛門と外陰部（男性は陰茎根，女性は腟）との間を会陰という．尿道，会陰，肛門とその周囲を骨盤内から見下ろした部位を骨盤底という．この部位には骨盤隔膜（肛門挙筋などからなる）や尿生殖隔膜（尿道括約筋などからなる）という複数の筋が存在する．

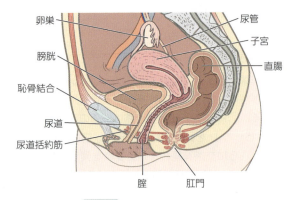

図6-15 女性の骨盤底筋群（矢状断）

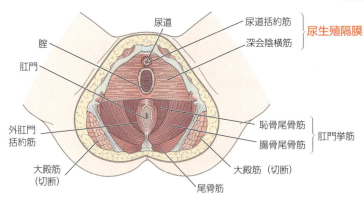

図6-16 女性の骨盤底筋群（下方から）

骨盤底筋群の働き

筋群は陰部神経の支配を受け，随意的に収縮する．特に女性では，外尿道括約筋とともに禁制の保持に重要な役割を果たす．

骨盤底筋群の弛緩

加齢や出産，体重増加などによって骨盤底筋群が弛緩すると，咳やくしゃみなどで腹圧が増大したとき，尿が不随意的に外尿道口から漏出する尿失禁（腹圧性尿失禁）が起こる．

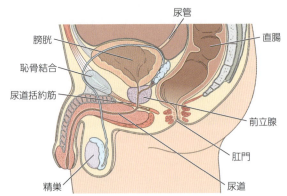

図6-17 男性の骨盤底筋群（矢状断）

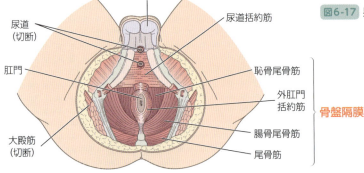

図6-18 男性の骨盤底筋群（下方から）

6 泌尿器系の成長と老化

▍腎臓の成長

胎生24日ごろ中胚葉に生じた前腎は，中腎を経て第5週早期には後腎となり，発達して，10〜11週ごろから尿の産生を始める．

新生児は2カ月ほど尿を濃縮できないが，生後2カ月には約400 mL排尿し，思春期までに成人と同じ量を排尿する．

▍膀胱の成長

胎生7週ごろ膀胱が生じる．新生児では極めて小さいが，次第に容量が増える．神経系の発達とともに尿道括約筋の随意的な制御が可能となり，大半は2歳半から3歳ごろに昼間の禁制保持（おむつはずし）が可能になる．

▍泌尿器系の老化

加齢とともに腎臓の体積は縮小し，80歳までに腎血流量は40歳ごろの約50％に減少する．それに伴い，糸球体濾過率と尿の希釈・濃縮力も低下する．

軽度の尿失禁（尿漏れ）は高齢者の約1/3にみられる．

臨床場面で考えてみよう

1. 生来健康な20歳の男性．夜間腹痛で目覚め，我慢できないので救急外来を受診した．痛みは左側腹部から左腰背部にかけて間欠的に生じ，採尿すると肉眼的血尿であった．痛みはなぜ間欠的に持続するのか（また，どのような治療が行われるか）．

重要用語

皮質	糸球体	無尿	尿道
髄質	糸球体嚢（ボーマン嚢）	乏尿	外尿道括約筋
腎杯	尿細管	多尿	骨盤底筋群
腎盤（腎盂）	集合管	尿閉	尿失禁
腎門	濾過	尿管	
ネフロン（腎単位）	再吸収と分泌	膀胱	

学習達成チェック

- [ ] ネフロンの構造を述べることができる．
- [ ] 糸球体の濾過と尿細管の再吸収，分泌により尿が生成される過程を述べることができる．
- [ ] 尿に含まれる物質を挙げることができる．
- [ ] 無尿，乏尿，多尿を定義することができる．
- [ ] アルドステロンが腎臓に及ぼす影響について説明できる．
- [ ] 排尿の機構を述べることができる．
- [ ] 尿道の構造について男性と女性の差を説明できる．

解剖生理学が臨床につながる！

　75歳男性，長く喫煙歴のあるHさんは，肺気腫を指摘されていた．これまでは治療を受けたことがなかったが，1カ月前ごろから100m程度歩くと息切れが出現し，休憩しないと歩けないようになっていた．2週間前から肺炎の治療のために入院し，吸入薬と在宅酸素を導入し，3日後に退院の方針となっていた．

　あなたは病棟の担当看護師で，1日3回の検温，血圧，脈拍数，経皮的動脈血酸素飽和度，呼吸数の確認を行っていた．当日は夜勤で，夕方に訪室したあなたは，Hさんから「尿があまり出ていない」と報告を受けた．しかし，水分摂取量を確認したところ，それまでと大きく変わらなかったため，「水分はとれているので，そのうち尿も出ると思いますよ」と返事をし，退室した．

　その夜間，大きな音がしたため訪室すると，トイレの前でHさんが倒れていた．尿が出ずに腹部の張りを感じ，尿意が頻回となっていたHさんは，酸素をつけずにトイレに行った際に，息苦しくなったため座り込もうとし，転倒したのだという．

　当直の医師に報告したところ，吸入薬の副作用で，前立腺肥大症を来し，そのために尿閉になっていたことがわかった．挿入が困難であることが予想されたため，医師が膀胱留置カテーテルを挿入したところ，大量の尿の流出を認め，腹部の張りは改善したが，転倒の影響で大腿骨頸部骨折を受傷したことが判明した．

　「あのとき，適切な対応ができていれば骨折なんてしなかったのではないか」とあなたは思ったが，どのようなことに注意する必要があったのだろうか？

❶ 乏尿・無尿・尿閉を見極める

　成人の1日の平均尿量は約1,500mLである．それよりも尿量が少ない場合には，尿が作られていないのか（**乏尿**または**無尿**），それとも尿は作られているが，なんらかの原因で排尿ができないのか（**尿閉**）を見極めなければならない．それによって対応が異なる．

　乏尿または無尿は，水分摂取ができていないときや，腎機能障害があるとき，尿閉は腹部膨満感や下腹部痛があるときなどに疑われるが，超音波検査を用いれば簡易に評価することができる．

❷ 原因を適切に評価する

　乏尿，無尿は前述のように**脱水状態**，**腎機能障害**などが原因となるが，その評価には医師にも相談が必要なため詳細は割愛する．尿閉の原因は，主に**神経因性膀胱**，**前立腺肥大症**，**薬剤性**の三つがある．排尿に至るためには，大脳，脳幹，脊髄，末梢神経へと信号（インパルス）が伝達され，膀胱の平滑筋が収縮することが必要である．これらのステップのいずれかが障害を受けることで

排尿障害を起こしうる．

　例えば，脳梗塞やパーキンソン病，糖尿病などの神経が障害を受ける疾患では，神経因性膀胱から尿閉となることが少なくない．前立腺肥大症を悪化させたり，その薬自体の効果で尿閉を起こしうるものとして，抗コリン薬，抗うつ薬，抗ヒスタミン薬，オピオイドなどがあるが，それらの薬が新規に開始された際には排尿障害の出現に注意することが必要である．

③ カテーテル挿入困難例は事前把握を

　尿閉を認めた際には，導尿またはカテーテルの留置が必要となる．前立腺疾患，泌尿器疾患術後，骨盤骨折に伴う尿道損傷などが疑われる場合には，挿入困難であることが予測されるため，医師に事前に相談をすることが必要である．

7 消化器系
食物を摂取して消化・吸収し排泄するしくみ

ここだけ見れば まず消化器系がわかる！

○咀嚼
- 摂取された食物は，口腔内で噛み砕かれ，唾液と混和され，飲み込みやすい塊（食塊）となる．

○舌
- 舌の粘膜には，味の受容体である味細胞を含む**味蕾**がある．

○唾液腺
- 最も大きな唾液腺は耳下腺である．

○歯
- 歯は食物を咀嚼するための硬い器官で，萌出は生後6〜8カ月ごろから始まり，2年半くらいで合計20本の**乳歯**がそろう．
- **永久歯**は，合計32本となる．

○肝臓
- 横隔膜のすぐ下に位置し，**肝鎌状間膜**によって**右葉**と**左葉**に区分される．
- 血液を多く含むために暗赤色を帯びている．
- 肝臓の下面には血管（固有肝動脈と**門脈**）やリンパ管などが通る肝門があり，後上面からは肝静脈が出ており下大静脈に注がれる．
- 肝臓にはさまざまな働きがあるが，大きくは①代謝機能（糖質代謝・脂肪代謝・タンパク質代謝），②胆汁の生成および胆管への外分泌機能，③血液の貯蔵と濾過のための脈管機能の三つに分けられる

○胆嚢
- 肝臓の下面のくぼみに位置する袋で，肝臓から分泌された胆汁を貯留している．

○膵臓
- 膵臓の右側は，十二指腸下行部に密着する．
- 膵臓は，消化酵素に富む膵液を分泌する外分泌腺と，インスリンやグルカゴンなどのホルモンを分泌する**膵島**（ランゲルハンス島）という内分泌腺をもつ．

耳下腺
口腔
舌下腺　顎下腺
横隔膜
総胆管
膵管
十二指腸
脾臓
横行結腸
上行結腸　　　空腸
回腸　　　　　下行結腸
盲腸　　　　　S状結腸
虫垂　　　　　直腸
肛門へ

- ☑ 消化器系は，食物を摂取し食物中の栄養素を吸収可能な形に分解して，吸収するシステムである．
- ☑ 私たちは食物を摂取することで，活動のエネルギーや身体の構成に必要な物質を得ている．
- ☑ 食物の残りかすや消化吸収の過程で産出される不要な物質は，便となって体外に排出される．

● 食欲の調節

- 摂食行動は，視床下部にある**摂食中枢**と**満腹中枢**によってコントロールされている．

○ 咽頭

- 咽頭鼻部の後壁上部には**咽頭扁桃**があり，側壁には**耳管**，咽頭口部に**口蓋扁桃**，咽頭前面に**喉頭**がある．
- 咽頭は，食物と空気の通路を切り替える働きをする．
- 通常，**喉頭蓋**は開いている．食塊を飲み込むときは，**軟口蓋**が鼻腔への逆流を防止し，同時に喉頭蓋が喉頭口をふさぎ，気管への食物の誤嚥を防ぐことができる．

○ 食道

- 咽頭から胃への食塊の通り道である．消化吸収の機能はないが，食物を胃に送り，それを逆流させない役割がある．
- 食道には，3カ所の**生理的狭窄部**（食道起始部，大動脈弓との圧迫部位，横隔膜貫通部）がある．

○ 胃

- 筋肉の袋であり，胃の入り口を**噴門**，十二指腸へ続く胃の出口を**幽門**という．
- 嚥下された食塊は，胃で粉砕され，胃液と混和して消化され，**糜粥**となって十二指腸に送られる．
- 胃液のpHは1.5〜2.0の酸性であり，粘膜の保護やビタミンB_{12}の吸収，胃壁の防護などの役割がある．
- 蠕動運動により，食塊を幽門に向けて運ぶ．
- 胃壁は，内側から粘膜，粘膜下組織，筋層，漿膜で構成されている．

○ 小腸

- 十二指腸，空腸，回腸に区分される．
- **十二指腸**は，中央に胆汁と膵液が流入するファーター乳頭があり，幽門輪から**トライツ靱帯**までである．
- 食べた物は，腸液，胆汁，膵液の働きによって消化され，小腸で吸収される．
- 小腸壁は，内側から粘膜，粘膜下組織，筋層，漿膜で構成されている．
- 小腸粘膜は，**輪状ひだ**をもち，粘膜の表面には一面に**絨毛**がある．

○ 大腸

- 盲腸，結腸，直腸から成り立っている．
- **結腸**は，**上行結腸**，**横行結腸**，**下行結腸**，**S状結腸**に区分される．
- 直腸付近には，**内肛門括約筋**（不随意筋）と，**外肛門括約筋**（随意筋）がある．
- 大腸は，水分を吸収したり，食物残渣を便に形成して体外へ排泄したりする働きがある．

①口腔における摂取と消化

歯で食物を噛み砕き（咀嚼），唾液腺から分泌される**唾液**を舌で絡ませ，炭水化物や糖分を分解する．

唾液

- 唾液は99％以上が水分で，1日に1,000～1,500mL分泌される．
- 唾液の働きは，口腔内の湿潤，食物の咀嚼や嚥下の促進，味覚の刺激，炭水化物の加水分解などである．

②胃における消化

食物を一時停滞させ，酸度の強い**胃液**と筋層の**蠕動運動**によって消化する．

胃液

- 1日に約1,500mL分泌される．
- **胃液**のpHは1.5～2.0の酸性であり，粘膜の保護やビタミンB_{12}の吸収，胃・壁の防護などの役割がある．
- ペプシノゲンは胃内の塩酸と混ざることによってペプシンとなり，タンパク質を低分子のペプチドに分解する．

膵液

- 無色透明で，pH7.0～8.0の弱アルカリ性であり，1日に700～1,000mL分泌される．
- 糖質，脂肪，タンパク質の消化に重要な役割を果たす．

胆汁

- 胆汁は1日に600～1,200mL排出される．
- 胆汁は，胆嚢を介してから十二指腸に流出する．
- 食物中の脂肪粒子を乳化して消化しやすくしたり，脂肪の最終産物を腸粘膜へ移送したり吸収を促進したりする．

③十二指腸における消化

胆汁や膵液によってさらに消化を進める．

○ 消化・吸収・排泄

摂取された食物は，消化器系臓器（消化管と付属器）のさまざまな働きによって消化される．身体組織に必要な栄養分が吸収され，不要な物質は体外へ排泄される．

○ 腸液

- 小腸は**腸液**を1日に約2,400 mL分泌する．
- 幽門から大十二指腸乳頭（ファーター乳頭）までにある十二指腸腺からの分泌液はアルカリ性だが，そのほか小腸の腸腺からの分泌液は弱アルカリ性である．
- 腸内の消化産物を希釈し，消化・吸収を促進する．

○ ④ 小腸における消化と吸収

腸液によって消化が完了し，ほとんどの栄養素を吸収する．

○ ⑤ 大腸における吸収と排泄

身体に必要な水分と電解質を吸収し，消化されなかった食物残渣を**便**として排泄する．

1 食欲

1 食欲と摂食行動

▌食欲・摂食行動の影響

- 摂食行動は，食欲あるいは空腹感によって引き起こされ，満腹感によって中止される．
- 食欲や摂食行動は，生理的な空腹感・満腹感だけでなく，怒りや悲しみなどの感情や精神状態，気温や場所などの生活環境，そのほか人を取り巻くさまざまな状況によって影響を受ける．
- 人は，食欲がないときには食品の選択や調理の工夫によって食欲を刺激したり，ボクシング選手の減量のように，空腹感を我慢して食事量を減らしたりすることもある．
- 食欲と摂食行動は，そのときの意思や状況判断によっても左右される．

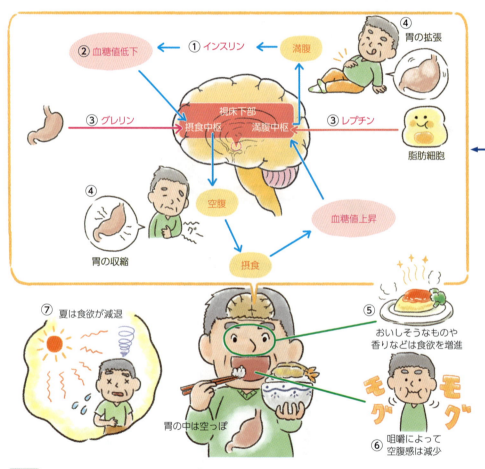

図7-1 食欲と摂食行動

▌食欲

- 消化器系が機能するためには，まず，食物が摂取されなければならない．食物の摂取には，「食べたい」という欲求（食欲）と，「食べる」という行為（摂食行動）が関与している．

2 食欲の調節

- 摂食行動は，視床下部の外側核にある**摂食中枢**と，腹内側核にある**満腹中枢**によってコントロールされている．
- 摂食中枢が刺激されると摂食行動が起こり，満腹中枢が刺激されると摂食行動が中止される．

3 食欲と摂食行動の影響要因

①体液・ホルモン因子の関与
- インスリンやグルカゴン，あるいは，脳幹から放出されるノルアドレナリン，ドパミン，セロトニンなどの神経伝達物質も，摂食行動の調節に関与している．

②体内の栄養状態
- 血中のブドウ糖やインスリンの濃度低下，遊離脂肪酸の濃度上昇が空腹感を引き起こす．栄養素やホルモンの減少が摂食中枢を刺激して摂食行動を促し，血中の代謝産物の濃度を正常化させる．

③食欲中枢の刺激物質
- 脂肪細胞から分泌される肥満遺伝子産物のレプチンは，満腹中枢を刺激して摂食行動を抑制する．レプチンは，脂肪量が増えると放出量が増えレプチン抵抗性が起きるため，食欲を抑えきれなくなる．
- 成長ホルモン分泌促進ペプチドのグレリンは胃から分泌され，摂食行動を亢進させる．

④胃腸管の拡張・収縮
- 食物の摂取によって胃が拡張すると，胃壁の伸展阻害シグナルが迷走神経を通って視床下部に伝達され，摂食中枢を抑制して食欲を減退させる．反対に，胃が空になると強い収縮が起こり（飢餓収縮），交感神経から延髄を介して摂食中枢に伝わり，空腹感が起こる．

⑤視覚・聴覚・嗅覚
- おいしそうな食べ物，工夫を凝らした盛り付け，好ましい香り，食感や舌触りの良さなどの感覚は，大脳皮質に伝えられ，食物に対する記憶と照合されて，食欲が起こる．

⑥口腔受容体
- 食物を噛む，唾液を出す，味わう，飲み込むなどの口腔の働きによっても視床下部の摂食中枢が抑制され，空腹の程度が減少する．これは，例えば，食事をよく噛んで食べると少量でも満足感が得られたり，ほとんど栄養成分を含まないガムを噛むだけでも空腹感がなくなったりするなどの経験からも理解できる．

⑦気温
- 寒いときは過剰に食べ，暑いときは食べる量が減少する傾向にある．

---

plus α　やせ
脂肪の蓄積が減少して，体重が標準体重よりも20%以上少なくなった状態．食物摂取の障害，栄養素の吸収や利用の障害などで起こる．

plus α　肥満
過度の脂肪が蓄積されて，体重が標準体重よりも20%以上増加した状態．過食と運動不足が原因であることが多い．

plus α　血中レプチン濃度
レプチンは摂食行動を抑制するはずであるが，肥満者で高値を示し，BMI（body mass index）や体脂肪率と正の相関が認められている．これはレプチンへの抵抗性や分泌不足によるものと考えられる．

> **コラム** 「食欲の秋」の理由
>
> 　食欲の秋とは，四季のうち秋が最も食欲が増す季節であるいう意味である．では，なぜ秋に食欲が増すのであろうか．
>
> 　要因には，秋にはいろいろな食べ物が収穫されて食欲が増すため，気温の低下により基礎代謝が上がり，エネルギーを補給するためなど諸説ある．そのうちの一つとして，セロトニンの影響が示唆されている．
>
> 　人はリラックスしたりすることでセロトニンの分泌が促進される．セロトニンは脳内の神経伝達物質で，ドパミンやノルアドレナリンを制御し，感情のコントロールや精神の安定などに関与している．セロトニンは，必須アミノ酸であるトリプトファンから合成され，目から太陽光のような強い光が入ると，脳幹が刺激され分泌が促進される．そのため，夏は日差しが強く，日照時間も長いため，セロトニンが分泌されやすい．しかし，秋は日差しの強さも

2 咀　嚼

　摂取された食物は，口腔の運動によって噛み砕かれる．これを**咀嚼**（そしゃく）という．咀嚼によって，口腔内の食物は唾液と混和され，飲み込みやすい塊（食塊（しょっかい））となる．

> **plus α**
> **口　臭**
> 口腔から発生する悪臭．不十分な口腔内清掃，においの強い食物の摂取，口腔・咽頭鼻部・食道・胃・気道の疾患，肝不全，腎不全，糖尿病などが原因であることが多い．

1 口腔の構造と機能

　食物を摂取するとき，最初に働くのが**口腔**（こうくう）である．

■ 口腔の構造

- 口腔の開口部を**口唇**（こうしん）（上唇・下唇），その左右の端を**口角**（こうかく）という．
- 口腔の表面は**重層扁平上皮**（じゅうそうへんぺいじょうひ）の粘膜で覆われ，口腔前庭と固有口腔に区分される．

● ①固有口腔

- 固有口腔は，歯で区切られた内側の領域をいう．
- 固有口腔の上部の天井部を**硬口蓋**（こうこうがい），後方の天井部を**軟口蓋**（なんこうがい）といい，軟口蓋後縁から垂れ下がっている突起を**口蓋垂**（こうがいすい）という．
- 固有口腔の床部分は口腔底と呼ばれ，舌がその大部分を占めている．

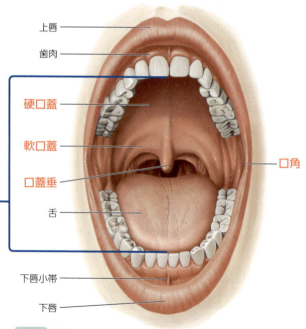

図7-2　口腔

● ②口腔前庭

- 口腔前庭は，外側を口唇と頬，内側を歯と歯肉によって囲まれた空間をいう．

やや弱まり，日照時間も減るため，セロトニンの分泌が減少しやすくなる．セロトニンの分泌減少により感情のコントロールや精神の安定などが十分にできないと，身体はセロトニンを増やそうとし，トリプトファンを欲する．

トリプトファンは，身体で生成することができない．乳製品や大豆製品，肉，ナッツ類などといったタンパク質製品で多く摂取できる．さらに，パンやご飯などのブドウ糖を多く含む食品と一緒に食べると，吸収効率が良くなる．そのため，精神を安定させるセロトニンを増やすために，トリプトファンを摂取できるおかず（タンパク質製品）と，パンやご飯などの主食を食べるということが理由として考えられている．

舌

- 舌尖，舌体，舌根に区分される．舌の表面には数種類の乳頭がある．

①乳頭（→p.427参照）

- 舌尖や舌体部分のやや白っぽく見える細かい無数の突出を糸状乳頭という．
- 糸状乳頭の間の赤味を帯びた丸い塊を茸状乳頭という．
- 舌体の外側にある細長いひだ状のものを葉状乳頭，分界溝の前にある6～12個の乳首状のものを有郭乳頭という．

②舌粘膜

- 舌粘膜は重層扁平上皮であり，味の受容体である味細胞を含む味蕾（→p.427，428参照）が点在している．

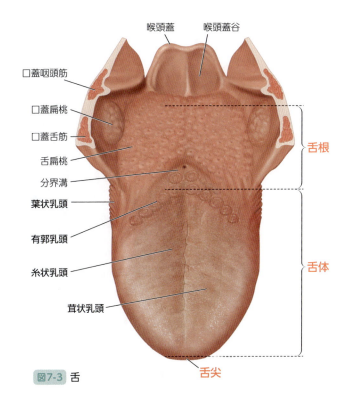

図7-3 舌

舌苔

舌粘膜は，唾液，舌運動・咀嚼運動による機械的摩擦，口腔内常在細菌叢の作用などによって清浄に保たれている．しかし，これらの作用や栄養が障害されると乳頭上皮の新生と脱落が阻害され，苔が生えたようになる．

唾液腺

①顎下腺・舌下腺

- **顎下腺**は口腔底の皮下，**舌下腺**は口腔底の粘膜下にあり，二つの大唾液腺の導管は舌の下面と歯肉のなす角の部分の舌下小丘に開いている．
- 舌下腺と顎下腺からは漿液性と粘液性の唾液が分泌される．

②小唾液腺

- 口唇腺，頬腺，舌腺，口蓋腺など，短い導管をもつ小唾液腺が粘膜中に無数に存在する．

③耳下腺

- 最も大きな唾液腺は**耳下腺**で，外耳の前方から下方にかけての頬の皮下に広がる．その導管は，上顎の第2大臼歯に相当する場所で，頬粘膜を貫いて口腔前庭に開く．
- 耳下腺からは漿液性の唾液が分泌される．

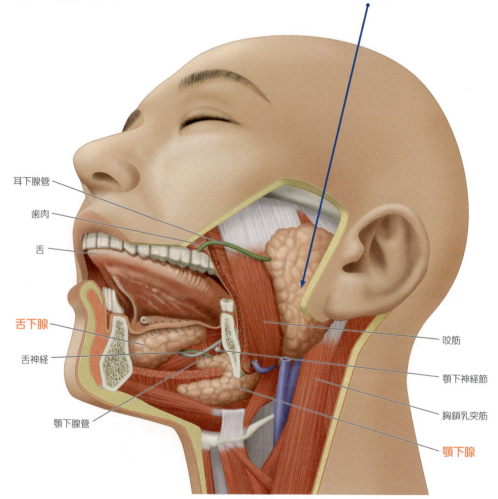

図7-4 唾液腺

唾液の量・成分

- 唾液は透明で中性に近い液体で，1日に1,000〜1,500 mL分泌される．
- 唾液には，粘性が低く消化酵素の**プチアリン**（α-アミラーゼ）に富んだ漿液性の唾液と，**ムチン**という糖タンパク質を含む粘性の高い唾液の2種類がある．
- 唾液にはリゾチーム，血液型物質，電解質などが含まれるが，99％以上は水分である．

唾液の分泌

- 唾液分泌の調整には交感神経も関与するが，主に副交感神経の支配を受けて反射的に行われる．
- 分泌は，①頭性分泌相と②胃性分泌相，腸性分泌相のそれぞれの働きにより行われる．

①頭性分泌相

- 口腔内に食物が入ると，口腔粘膜に分布している触覚や温冷覚，味覚などの知覚神経が刺激され，その刺激が顔面神経と舌咽神経の求心性ニューロンによって延髄の唾液分泌中枢に伝えられる．
- 唾液中枢は，唾液分泌の信号を遠心性ニューロンを介して唾液腺に伝え，分泌量を増加させる（無条件反射）．
- 食物を見たり，においを嗅いだりしても，唾液の分泌が増える．過去の食事に関わる体験が記憶されている場合に起こり，大脳皮質の記憶部位からの信号が唾液分泌中枢を刺激することによって引き起こされる（条件反射）．

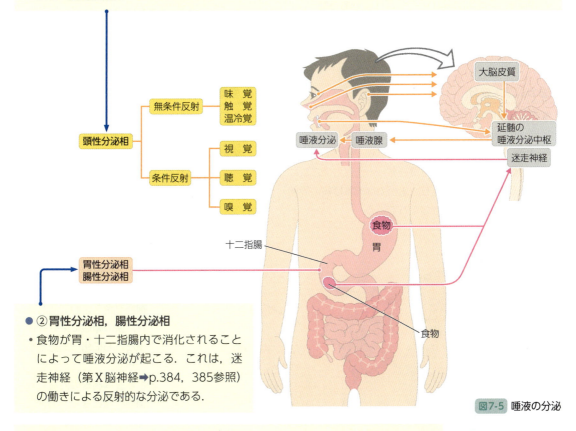

図7-5 唾液の分泌

②胃性分泌相，腸性分泌相

- 食物が胃・十二指腸内で消化されることによって唾液分泌が起こる．これは，迷走神経（第Ⅹ脳神経→p.384，385参照）の働きによる反射的な分泌である．

唾液の働き

- 唾液の働きは，口腔内の湿潤，摂取された食物の咀嚼や嚥下の促進，味覚受容体の刺激，α-アミラーゼによる炭水化物の加水分解，毒物・刺激物の中和希釈，リゾチームによる感染防御機能などである．
- 老化によって唾液腺細胞の萎縮や脂肪組織への置換などが原因となり，唾液の分泌量が減少する．
- 唾液量の減少は口腔内の乾燥を招き，味覚も低下させる．

plus α

加齢と唾液の量

加齢により唾液の分泌量は減少する．主な原因は，唾液腺細胞の萎縮や脂肪組織への置換，線維化などである．また，義歯の不適合や咀嚼筋力の低下などによる咀嚼機能の低下も原因となる．

2 歯

歯の位置

- 歯（tooth）は食物を咀嚼するための硬い器官で，上顎と下顎に弓状に並び，口腔前庭と固有口腔を区分する位置にある．

乳歯

- 歯の萌出は生後6～8カ月ごろから始まる．最初に下顎の切歯が生え，2年半くらいで上下左右に各5本，合計20本の乳歯がそろう．
- 乳歯は2歳半～3歳で生えそろい，6歳ごろになると，乳歯列の奥に最初の永久歯である第1大臼歯が生える．永久歯は12～13歳ごろまでに生える．乳歯が次々に抜け落ち，かわって永久歯が生えてくる．

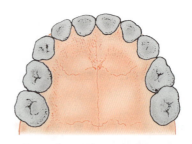
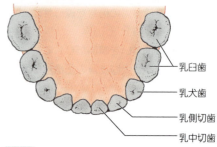

図7-6 乳歯（上顎と下顎の歯）

歯の構造・成分

- 歯肉より外に出ている部分を歯冠といい，歯槽の中に埋まっている部分を歯根，歯冠と歯根の接合部を歯頸という．
- 歯の主体は硬組織のぞうげ質であり，歯冠ではこれにエナメル質の層がかぶさり，歯根ではぞうげ質の周囲にセメント質が薄い層をつくっている．

歯槽

- 歯の歯列弓の土台に当たるところは，上顎骨と下顎骨の堤防状の塊となって歯槽突起と呼ばれ，結合組織と粘膜でできた歯肉に覆われている．
- 歯の1本1本は，歯槽突起に開いている歯槽という穴に植え込まれている．

歯髄腔

- 歯の芯の部分を歯髄腔といい，結合組織，血管，神経を含む歯髄で満たされ，歯の組織に栄養を運ぶとともに歯の知覚をもたらす．
- 歯髄腔は歯根の先端で細い歯根管となり，歯根尖孔につながる．

歯根膜

- 歯槽と骨壁との隙間を埋める歯根膜は，歯を顎骨の中に固定し，硬いものを嚙んだときでも，その衝撃を緩和するクッションの役割をする．

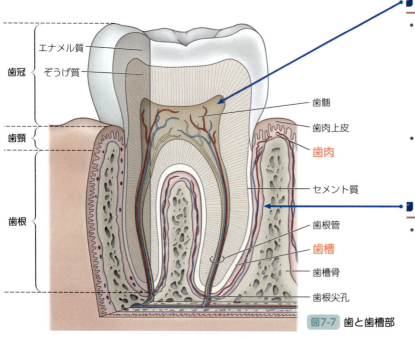

図7-7 歯と歯槽部

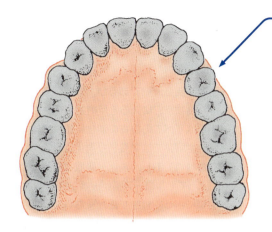

■ 永久歯

- 12歳ごろになると第2大臼歯，20歳前後に第3大臼歯（智歯*）が一番奥に生え，成人の歯は，上下左右各8本，合計32本となる．
- 高齢者には歯を喪失する者が多いが，不十分な歯のメンテナンスが原因である．

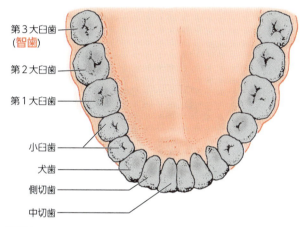

図7-8 永久歯（上顎と下顎の歯）

用語解説*
智歯

「親知らず」ともいわれ，多くの場合，18歳ごろから口腔内に顔を出し始め，正常な位置，方向に生えるものはおおよそ24歳ぐらいまでに萌出が完了する．硬いものを食べていた古代，智歯は食物の咀嚼に重要な役割を果たしていたが，食べるものが軟らかくなってきた現代では退化傾向にあり，智歯が生えてこない人もいる．

plus α
智歯の病気

ヒトの進化に伴う顎の狭小化によって智歯が正常に生えてこないことがあり，歯と歯肉との間に歯垢（食べかす）がたまりやすく，虫歯（齲歯）や炎症（智歯周囲炎）を生じやすい．智歯周囲炎とは，智歯の周りが赤く腫れる病気で，ひどい場合は口が開けられなくなり，顎の骨や頸部のリンパ節にまで炎症が及んで高熱が出ることがある．

コラム　キシリトールと虫歯予防

　虫歯を予防するには，歯磨きやフッ素入りの歯磨き粉の使用，規則的な食生活，定期的な歯科受診などが重要である．最近ではこれにキシリトールの含まれた食品（ガムやタブレット〔錠菓〕）の摂取も，虫歯予防効果があることがわかっている．

　虫歯予防効果としては，キシリトールは，歯垢（プラーク）の中のミュータンス菌の代謝阻害や，虫歯の原因である酸を作らせない働きがある．また，天然の甘味料であり，砂糖（ショ糖）と同程度の甘味度であるキシリトールは，甘さによって唾液の分泌を促進する（ガムは唾液量が増えるためさらに効果的）ことと，歯の再石灰化が促進され，虫歯になりにくい口腔内の環境をつくりだす働きがある．

　キシリトールは，口腔内に長時間とどまることで効果を上げるため，ガムやタブレットで摂取するとよい．キシリトール含有量は，高いほど予防効果が高いと考えられている（50％以上が推奨されている）が，キシリトール製品にほかの砂糖などが含まれている場合，効果が減弱する．

3 咀嚼

咀嚼筋

- 咀嚼は**咀嚼筋**（咬筋，側頭筋，内側翼突筋，外側翼突筋）によって行われ，三叉神経（第Ⅴ脳神経 ➡p.384，385参照）の支配を受ける．
- 咀嚼筋も老化に伴う萎縮を来すが，咬合力の大きな低下にはならない．

咀嚼機能

- 咀嚼は随意運動であるが，意識状態に異常がなければ，食物が口に入ると反射的に行われる．
- 咀嚼はすべての食物の消化に重要である．特に，果物や生野菜では栄養物が消化されないセルロース膜で覆われており，消化・吸収されるためには，咀嚼によってセルロース膜が破壊されなければならない．
- 咀嚼によって食物が細かくなれば，消化酵素が働く食物粒子の全表面積が増えたり，胃や腸への食塊の移送が容易になったりする．

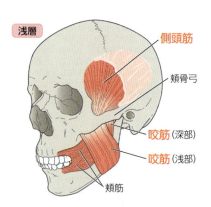

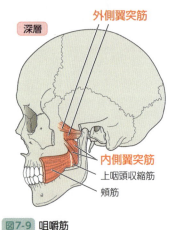

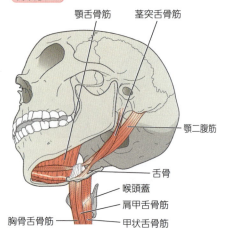

図7-9 咀嚼筋

> **用語解説**
> **舌骨上筋群と舌骨下筋群**
> 狭義の咀嚼筋は上述の4種類である．舌骨上筋群（顎二腹筋，顎舌骨筋，茎突舌骨筋）や舌骨下筋群（胸骨舌骨筋，肩甲舌骨筋，甲状舌骨筋）は嚥下に関係する．嚥下障害患者のリハビリテーションで行う嚥下体操で，頸部や肩の運動をするのは，これらの筋を動かすためである．

咀嚼の動き

口の中に食物が入ると，咀嚼筋の反射が抑制されて下顎が下がる．この運動は頸部の筋肉である舌骨上筋群と舌骨下筋群*によって行われ，外側翼突筋が補助的に働く．

→ 下顎が下がると咀嚼筋が伸展し，その反射によって自動的に下顎が引き上げられて口を閉じる．このときには咬筋，側頭筋，内側翼突筋が働き，上下の歯が噛み合わされて，食物を噛み砕く．

→ 再び咀嚼筋の収縮が抑制されて下顎が下がり，また反張収縮が起こる．この運動が何度も繰り返される．

これらの動きと硬い歯，舌の複雑な運動などによって，口腔に入った食物は切断され，押しつぶされながら唾液と混ざり合う．

3 嚥下

咀嚼された食物は，食塊となって口腔から咽頭，食道を通って胃へ送られる．これを嚥下（えんげ）という．

1 咽頭の構造

■ 咽頭の形状と区分

- 口腔と鼻腔の後部（頸椎の前面）にあり，前後に押しつぶされた形の円筒状の管である．
- 長さは，成人では約12cmである．
- 咽頭鼻部（上咽頭），咽頭口部（中咽頭），咽頭喉頭部（下咽頭）に区分される．

plus α
口腔の感染防御機能
口腔の舌扁桃や口蓋扁桃には感染防御機能があり，咽頭扁桃や耳管扁桃とともに，呼吸器と消化器への感染を防御している（→p.219参照）．

通路としての消化管

■ 咽頭鼻部

- 咽頭鼻部の後壁上部には咽頭扁桃が形成され，側壁には耳管が開口している．

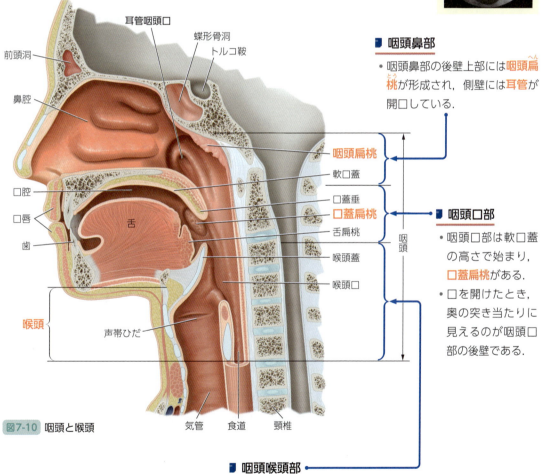

図7-10 咽頭と喉頭

■ 咽頭口部

- 咽頭口部は軟口蓋の高さで始まり，口蓋扁桃がある．
- 口を開けたとき，奥の突き当たりに見えるのが咽頭口部の後壁である．

■ 咽頭喉頭部

- 喉頭口より下の部分が咽頭喉頭部であり，食道に続いている．
- 咽頭と食道との境界は，第6頸椎の高さと決められている．
- 咽頭の前面には気道となる喉頭（larynx）がある．

2 咽頭の働き

呼吸時 / 嚥下時

軟口蓋と喉頭蓋の位置の違いに着目しよう．

図7-11 呼吸時と嚥下時の咽頭

呼吸と嚥下

■ 呼吸と嚥下

咽頭は，口腔－咽頭－食道という消化器系の通路であるとともに，鼻腔－咽頭－喉頭－気管という呼吸器系の通路ともなっており，食物と空気の通路を切り替える働きをする．

通常，喉頭蓋は開いており，気道を確保するよう軟口蓋と喉頭蓋が反射的な動きをしている．しかし，食塊を飲み込むときは，軟口蓋が背側に動いて鼻腔と耳管への逆流を防止し，同時に喉頭蓋によって喉頭口がふさがれ，声門の閉鎖と呼吸の停止が起こる．これによって食塊が食道へ送り込まれ，気管は食物の通路から遮断されて，誤嚥を防ぐことができる．

3 嚥下

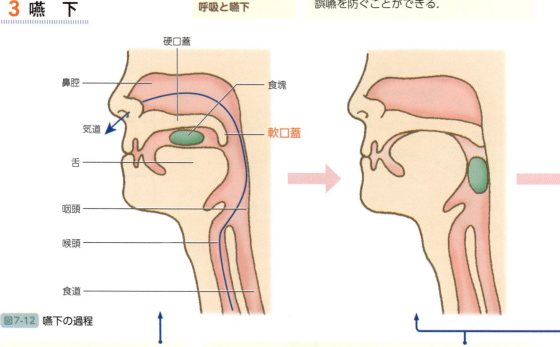

図7-12 嚥下の過程

■ 第1相（口腔咽頭相）

- 三叉神経，顔面神経，舌下神経が関与している．
- 口腔から咽頭への食塊の移送であり，随意的な運動である．
- 食物が咀嚼されると，食塊は舌の上に集められ，軟口蓋に押しつけるような舌の上後方への圧力によって咽頭へ送り込まれる．

■ 第2相（咽頭食道相）

- 三叉神経，舌咽神経，迷走神経，舌下神経などを介して行われる．
- 咽頭から食道口までの移送であり，反射による不随意な運動である．
- 食塊が咽頭に送り込まれると，咽頭後壁，扁桃，軟口蓋，口蓋垂などにある嚥下受容体が刺激され，嚥下反射が起こる．
- 嚥下反射は，嚥下受容体への刺激が三叉神経と舌咽神経を通って延髄に伝えられ，延髄の嚥下中枢によって調整される．

嚥下反射

一連の嚥下反射は，嚥下受容体への刺激が三叉神経と舌咽神経を通って延髄に伝えられ，延髄の嚥下中枢によって調整される．

①軟口蓋が挙上し，上咽頭収縮筋が収縮して咽頭と鼻腔との通路をふさぐ．これによって食塊の鼻腔への逆流を防ぐ．

②両側の口蓋咽頭襞が内側に引き上げられることによって，口蓋咽頭襞が矢状方向に細い間隙をつくり，適度な大きさに咀嚼された食塊の通路となる．

③喉頭の声帯が強く接合し，喉頭は上前方に牽引され，喉頭蓋が喉頭口をふさぐ．これによって呼吸運動が一時停止し，喉頭への食塊の誤嚥*を防ぐ．

④喉頭の上方向への運動によって食道の開口部が挙上され，引き伸ばされる．同時に上部食道括約筋が弛緩して，食塊が食道に送られやすいようにする．

⑤上部食道括約筋が弛緩すると同時に，咽頭全体の筋が収縮して速い蠕動波が起こり，中部・下部咽頭筋を通って食道に伝わる．これによって食塊が食道に送り込まれる．

⑥食塊が左右の鎖骨を結ぶ高さを過ぎる時点で，咽頭，喉頭のさまざまの筋が弛緩し，呼吸が始まる．

用語解説*
誤嚥
正常な嚥下の過程において，食物が喉頭および気管に入り込むこと．

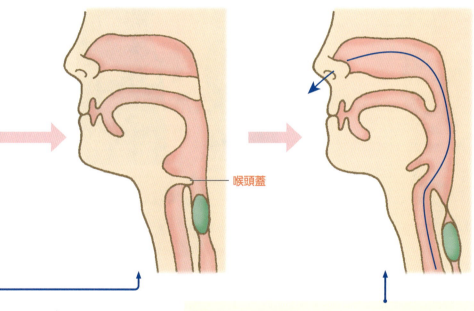

喉頭蓋

plus α
誤嚥性肺炎
本来気管に入ってはいけない物（食物，液体，胃内容物，咽頭分泌物など）が気管に入り，そのために生じる肺炎．健康な若い人では，異物が気管に入ると激しく咳き込んで，その異物を気管の外に出すことができるが，高齢者や脳梗塞などにより咳反射が低下している人は，異物を出すことができず肺炎を起こしやすい．

第3相（食道相）

- 嚥下の第3相は，食道から胃までの移送であり，不随意な運動である．
- 食塊が食道に送り込まれると，一次性蠕動運動によって胃に移送される．
- 食塊が食道内に停滞した場合は，二次性蠕動運動が起こる．
- 二次性蠕動運動は，食道の筋層間神経叢（アウエルバッハ神経叢）や迷走神経反射によって起こる．
- 人は，嚥下を1日に約600回行っている（飲水や摂食に伴うものが200回，摂食とは無関係に覚醒時に行われるものが350回，睡眠中に行われるものが50回といわれる）．

4 食道の構造

食道の位置・形状

- 咽頭を通過した食塊は，**食道**（esophagus）を通って胃に送り込まれる．
- 食道は，第6頸椎と輪状軟骨の高さで咽頭の下端に続き，気管の後部を下行して心臓の後ろを通り，横隔膜の直下，第10〜12胸椎の高さで胃の噴門部に移行する．
- 食塊が通過しているとき以外は前後に押しつぶされた形で，内腔はほとんど閉鎖されている．
- 成人では，長さ25〜30 cm，左右径は約2 cmの長い管である．
- 食道以下の消化管粘膜には，味覚受容器や温度感覚受容器は存在せず，食物の味や温度は知覚されない．

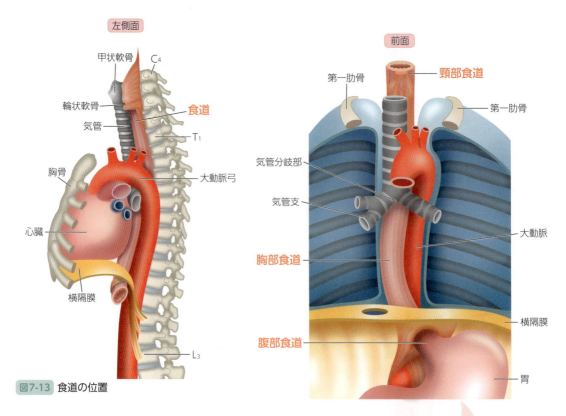

図7-13 食道の位置

食道括約筋

- 食道の口側3〜4 cmの部位の輪状咽頭筋は強く収縮しており，上部食道括約筋と呼ばれる．
- 食道の下端，胃との接合部から2〜5 cmの部位では食道輪状筋が収縮しており，下部食道括約筋と呼ばれる．
- 上部食道括約筋と下部食道括約筋は，食塊の移送に大きく関与する．

食道の血液供給
頸部食道と胸部食道の上端は下甲状腺動脈，胸部食道の大部分は左右の気管支動脈と食道固有動脈，胸部食道の下端と腹部食道は左胃動脈と下横隔膜動脈から血液が供給されている．

食道の成長と老化

- 食道は，出生後から徐々に成長する．
- 食道は，老化によって組織萎縮や壁内神経叢の機能低下などを来し，蠕動運動が低下する．また，一過性の下部食道括約筋の弛緩により，胃液の逆流が生じやすい．

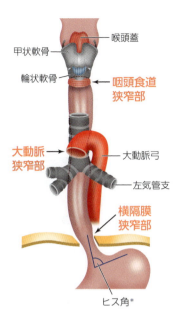

図7-14 食道の生理的狭窄部

生理的狭窄部

- 食道には，咽頭に続く食道の起始部（食道入口部）と大動脈弓によって圧迫される部位（気管分岐部の後ろ），横隔膜貫通部の3カ所に生理的狭窄部があり，食塊の停滞などが起こりやすい．

用語解説 *
ヒス角
食道と胃の接合部において，食道と胃底部でつくり出す角度．鋭角であることで，胃内容物の食道への逆流を防止している．

plus α
食道炎
食道下部1/8の粘膜は，強い酸性でタンパク分解酵素を含む胃液の消化作用を防御できないため，胃液が逆流すると食道炎を引き起こす．

plus α
食道癌の発生部位
日本では，食道癌のほとんどが胸部食道に発生し，90％以上は扁平上皮癌である．

食道壁

- 食道壁は，内側から粘膜（重層扁平上皮），粘膜下組織，筋層，外膜で構成されている．

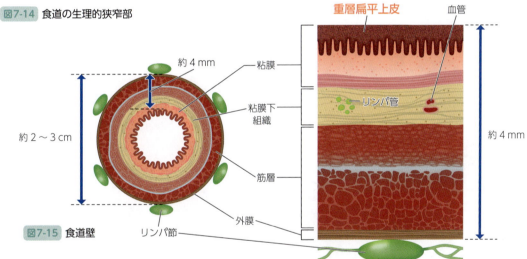

図7-15 食道壁

5 食道の機能

逆流防止

- 食道には消化吸収の機能はないが，口腔で咀嚼された食物を胃に送り，それを逆流させない役割がある．
- 胃からの逆流防止には，下部食道括約筋の収縮，横隔膜食道靱帯，ヒス角，食道胃粘膜移行部の粘膜襞（粘膜のひだ）などが関与している．

蠕動運動

- 一次性蠕動運動により，食塊が咽頭から食道に送られると，迷走神経を介して食道筋が上から下へと順に収縮して食塊を移送させる．
- 二次性蠕動運動により，食塊が食道内に残ると，機械的刺激によってその部位から胃に向かって食道筋の蠕動が起きる．

4 消化

摂取された食物は，消化管（口腔，食道，胃，小腸，大腸，肛門）と付属器（歯，舌，唾液腺，肝臓，胆嚢，膵臓）の働きによって，体内に吸収できるような物質まで分解される．これを**消化**（digestion）という．

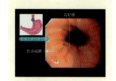
食道・胃・十二指腸

1 胃の構造

■ 胃の位置

胃（stomach）は筋肉の袋であり，胸腔と腹腔の境界である横隔膜の左下に位置し，腹腔の左上部の大部分を占める．

■ 胃の成長
- 胃の形状は，新生児期は球形状で，2～3歳で釣鐘状，10～12歳で成人特有の形へと変化する．
- 胃は，出生後から徐々に成長する．

胃の血液供給
　胃に血液を供給する動脈は主に5種類で，いずれも腹腔動脈から分岐している．小弯側に左右の胃動脈，胃底部に短胃動脈，大弯側には左右の胃大網動脈が分布している．

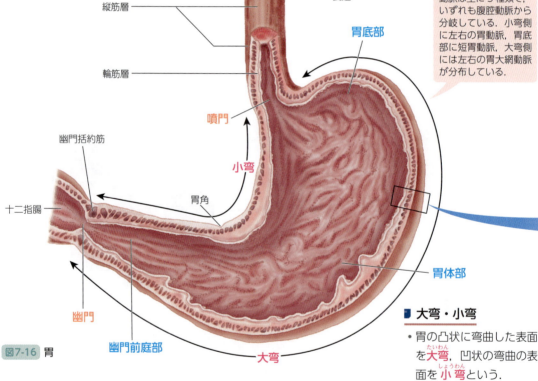

図7-16 胃

■ 噴門・幽門
- 食道に続く胃の入り口を**噴門**，十二指腸へ続く胃の出口を**幽門**という．
- 胃の長さ（噴門から幽門まで）は約25cm，食塊で充満したときの容積は1,200～1,600mLであるが，胃内に食塊がないときは収縮している．

■ 大弯・小弯
- 胃の凸状に弯曲した表面を**大弯**，凹状の弯曲の表面を**小弯**という．
- 小弯は1/3で屈曲し，角切痕（胃角）をつくる．

■ 胃底部・胃体部・幽門前庭部
- 胃は**胃底部**（噴門の高さを越えて上方に膨隆する部分），**胃体部**と，**幽門前庭部**（角切痕から幽門までの部分）に区分される．

■ 大網
- 胃の前面と後面を覆った臓側腹膜は，合わさって**大網**を形成し，大弯から垂れ下がって結腸や小腸の上を覆っている．

動画でチェック 胃の構造

胃壁の構造
- 胃壁は，内側から粘膜，粘膜下組織，筋層，漿膜で構成される．

胃粘膜
- 胃粘膜は単層円柱上皮であり，噴門部で食道粘膜との境界がつくられている．
- 胃粘膜には，胃小窩という無数のくぼみがあり，各小窩に数個の胃腺が開いている．
- 胃粘膜の萎縮は，老化のみでは起こらない．

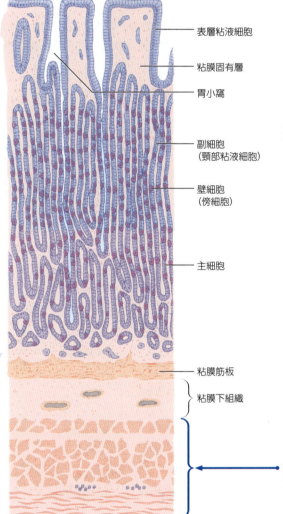

- 表層粘液細胞
- 粘膜固有層
- 胃小窩
- 副細胞（頸部粘液細胞）
- 壁細胞（傍細胞）
- 主細胞
- 粘膜筋板
- 粘膜下組織
- 漿膜

図7-17 胃壁

胃腺
- 胃腺は，胃底部と胃体部に分布する胃底腺と，幽門前庭部に分布する幽門腺の2種類がある．
- 胃底腺には，塩酸と内因子を分泌する壁細胞（傍細胞），大量のペプシノゲンを分泌する主細胞，粘液と少量のペプシノゲンを分泌する副細胞（頸部粘液細胞）が存在する．
- 幽門腺は，大部分が粘液細胞である．
- 幽門前庭部には，ガストリン細胞（G細胞）と呼ばれる内分泌細胞が散在し，胃酸分泌を促進するホルモンであるガストリンが分泌されている．
- 胃腺は，粘膜下組織にある粘膜下神経叢（マイスネル神経叢）に支配される．

筋層
- 胃の筋層は平滑筋であり，ほかの消化管と同様に，内層の輪状筋と外層の縦走筋の2層からなっている（噴門から胃体部までは最内層に斜走筋層があり3層である）．
- 幽門では，幽門前庭部よりも輪状筋が厚く，通常は収縮しているため，幽門括約筋と呼ばれる．
- 胃の筋層は，輪状筋と縦走筋の間にある自律神経性の筋層間神経叢（アウエルバッハ神経叢）によって支配されている．

plus α
胃の切除と吸収障害
胃を1/2以上切除すると，鉄の吸収障害による鉄欠乏性貧血を起こしやすい．また，胃を全部切除すると，内因子の欠乏によってビタミンB_{12}の吸収障害が起こり，放置すれば，5〜10年後に巨赤芽球性貧血（悪性貧血）を起こす．

7 消化器系●食物を摂取して消化・吸収し排泄するしくみ

2 胃の機能

嚥下された食塊は，胃で機械的に粉砕され，胃液と混和して化学的に消化され，**糜粥**（びじゅく）（かゆ状につぶされたもの）となって十二指腸に送られる．

■ 胃液の分泌

- 成人では胃液は1日に約1,500 mL分泌される．
- 成分は粘液，消化酵素，内因子，電解質などであり，塩酸を含むため胃液のpHは1.5～2.0の酸性である．
- 胃液は，刺激の作用部位によって，①頭性分泌相，②胃性分泌相，③腸性分泌相の3相で分泌が調節される．

■ 胃液の働き

- 胃液は，粘膜の保護，タンパク質の消化の開始，ビタミンB_{12}の吸収などに働く．
- 胃液の粘液成分は，胃液に含まれる消化酵素から胃壁を防護する役割がある．
- 胃液は，食塊を滑らかにして，移送の潤滑剤としても作用する．
- ペプシノゲンは，分泌されたままでは消化酵素として働かないが，胃内の塩酸と混ざることによって活性のある**ペプシン**となり，タンパク質を低分子のペプチドに分解する．
- リパーゼやアミラーゼも分泌されるが，機能的に重要ではない．
- 内因子は，回腸でのビタミンB_{12}の吸収に不可欠な物質である．
- 老化によって胃酸の分泌量の減少や濃度の低下などを来し，胃の消化能力は低下する．

● ①頭性分泌相

- 食物が口に入ると，口腔粘膜や舌粘膜に分布している触覚や温冷覚，味覚などが刺激される．その刺激が迷走神経に伝えられると反射的に胃液が分泌される．
- 食物が口に入る前でも，食物に対する視覚や嗅覚による刺激が大脳皮質から迷走神経に伝えられ，その結果，壁細胞が直接刺激されて胃液が分泌される．

● ②胃性分泌相

- 食塊が胃に入ると，壁細胞への直接刺激による神経分泌反射や，胃の拡張に伴う迷走神経反射が起こり，胃液が分泌される．
- 食塊中のタンパク質の分解産物が幽門前庭部の粘膜に接すると，G細胞からガストリンを分泌させる．ガストリンは血液を介して壁細胞を刺激し，塩酸の分泌が促進される．

● ③腸性分泌相

- 糜粥が十二指腸に入り，糖質や脂肪，タンパク質の分解産物が十二指腸粘膜に接すると，数種類の腸ホルモンが放出される．その中の**セクレチン**は胃液分泌に拮抗し，胃液分泌を抑制する．
- 糜粥による小腸反射が腸神経系に伝達され，胃液の分泌を抑制する．

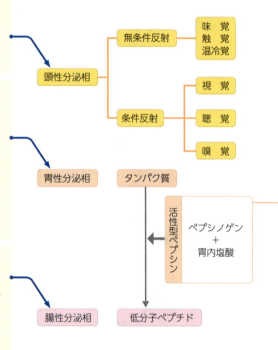

頭性分泌相と胃性分泌相では胃液分泌が促進され，腸性分泌相では胃液分泌が抑制されることに着目しよう．

図7-18 胃液の分泌

胃の運動

胃の運動には，弛緩，**蠕動運動***，蠕動性収縮がある．

- 食塊が胃に入ると，胃は反射的に弛緩し，その後伸展し，胃液が分泌され，蠕動運動が起こる（食塊が咽頭に送られて食道の蠕動運動が始まることが引き金）．

- 蠕動運動は胃体部から前庭部に進むにつれて強くなり，食塊を幽門に向けて運ぶ．

用語解説*
蠕動運動
消化管の縦走筋と輪状筋が協調して動くことによって，消化管内の食塊に対して，口側が収縮し，肛門側が弛緩する．その収縮輪が口側から肛門側に伝わることによって，食物は肛門側へ押し進められる．

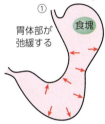
① 胃体部が弛緩する

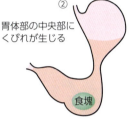
② 胃体部の中央部にくびれが生じる

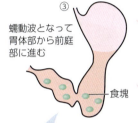
③ 蠕動波となって胃体部から前庭部に進む

図7-19 胃の運動

胃の形
内容物の量によって，胃の形や大きさが変わる．

胃の受け入れ弛緩
迷走神経が関与しているため，迷走神経を切除している場合には起こらない．

- 前庭部では逆方向の蠕動運動も起き，食塊は圧縮され分断される．
- 次々と起こる蠕動によって食塊がさらに分断され，胃液と混和される．
- 胃液と混和された食塊は濁ったミルク色の半液体状の糜粥となり，幽門前庭部の強い蠕動性収縮によって十二指腸へ送り出される（1回の収縮で約3mL）．

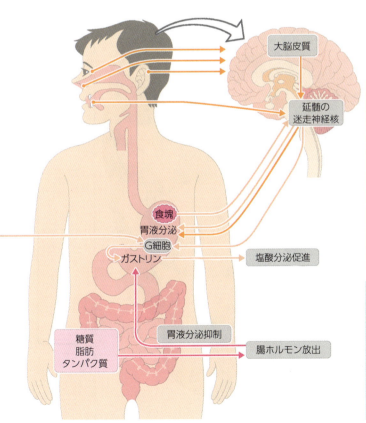

胃での停滞時間

- 胃での停滞時間は食物の種類によって異なる．液状の食物は食後10分ほどで十二指腸に送られる．固形物では時間がかかり，炭水化物，タンパク質，脂肪の順で長くなる．
- 1食分の食事は，食後約4時間だが，脂肪は6時間以上かかることもある．

plus α
胃下垂
胃の立位X線造影検査上，胃が左右腸骨稜を結ぶ線（ヤコビー線）よりも下がっている状態のこと．病的意義は少なく，やせた女性に多いのが特徴である．

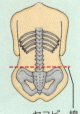
ヤコビー線

3 小腸の構造

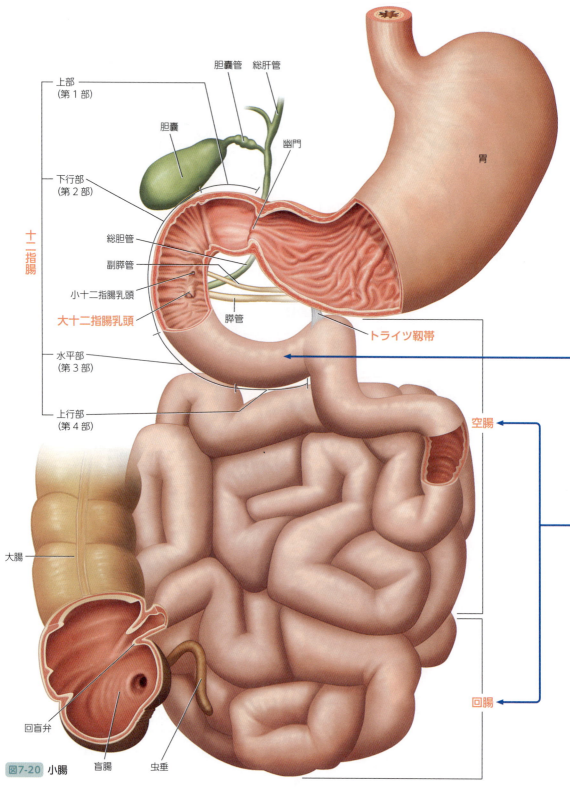

図7-20 小腸

■ 小腸の形状・区分

- 小腸（small intestine）は，幽門に続く直径3〜4cm，長さ6〜7m（縦走筋が収縮した状態では3〜4m）の，長く軟らかい管状の器官である．
- 明確な境界はないが，十二指腸，空腸，回腸に区分され，右下腹部で大腸につながる．
- 十二指腸は後腹壁に固定されているが，空腸と回腸は可動性で腹膜腔にある．

■ 小腸の成長

- 新生児の小腸は1.5〜2mであるが，成人までに6〜7mに成長する．
- 小腸は，出生後から徐々に成長する．

plus α　小腸の運動
分節運動，振子運動，蠕動運動がある．

plus α　小腸の切除
広範囲の小腸の切除が行われる場合，少なくとも1m以上の小腸が残っていないと，高度の下痢や栄養障害を起こす．

小腸の血液供給
十二指腸は胃十二指腸動脈と上腸間膜動脈から分岐するさまざまな血管から，空腸・回腸は上腸間膜動脈の15〜18本の分枝から血液供給を受けている．

小腸の構造

■ 十二指腸

- 十二指腸（duodenum）は，長さは約25cm，上部の3〜4cm以外は後腹膜腔に位置し，幽門輪の肛門側からトライツ靱帯までの腸である．
- 十二指腸下行部の中央あたりに，総胆管と膵管がY字状に合流して，胆汁と膵液が十二指腸に流入する部位があり，十二指腸の内側の開口部を大十二指腸乳頭（ファーター乳頭）という．
- 大十二指腸乳頭には，輪状の平滑筋（胆膵管膨大部括約筋〔オディ括約筋〕）があり，胆汁と膵液の流入を調節している．

■ 空腸・回腸

- 空腸（jejunum）は，後腹膜腔に位置していた十二指腸がトライツ靱帯の位置で十二指腸空腸曲をつくり空腸に移行するところから始まる．
- 空腸と回腸（ileum）の明確な境界はなく，腹膜腔内にある小腸の口側2/5を空腸，肛門側の3/5を回腸という．
- 回腸の下端は円形または卵円形の隆起をつくり，回盲弁として盲腸の中へ折れ曲がって突出している．

■ 腸間膜

- 十二指腸に腸間膜はないが，空腸と回腸は腸間膜によって後腹壁に吊り下げられている．
- 腸間膜は腹壁から離れて存在する腹部臓器と腹壁との間の膜である．
- 腸間膜は2枚の漿膜が合わさっており，中には脂肪，その臓器に分布する神経，血管，リンパ管などを含む．狭義の腸間膜は小腸間膜を意味する．

小腸壁の構造

①小腸壁
- 小腸壁は，胃壁と同様に，内側から粘膜，粘膜下組織，筋層，漿膜で構成されている．

②絨毛
- 小腸粘膜は，輪状ひだをもち，粘膜の表面には一面に絨毛がある．
- 絨毛の上皮細胞には無数の微絨毛があるため，小腸粘膜の表面積は著しく広い．
- 絨毛は上皮層と粘膜固有層からできており，高さ0.5〜1.2 mm，厚さ約0.1 mmで，指状に突出している．
- 絨毛と絨毛の間には，腸陰窩と呼ばれる小穴があり，内部にある腸腺から粘液を分泌する．
- 絨毛の表面は栄養物を吸収する吸収上皮細胞であり，無数の微絨毛をもっている．
- 絨毛は単層円柱上皮で覆われている．

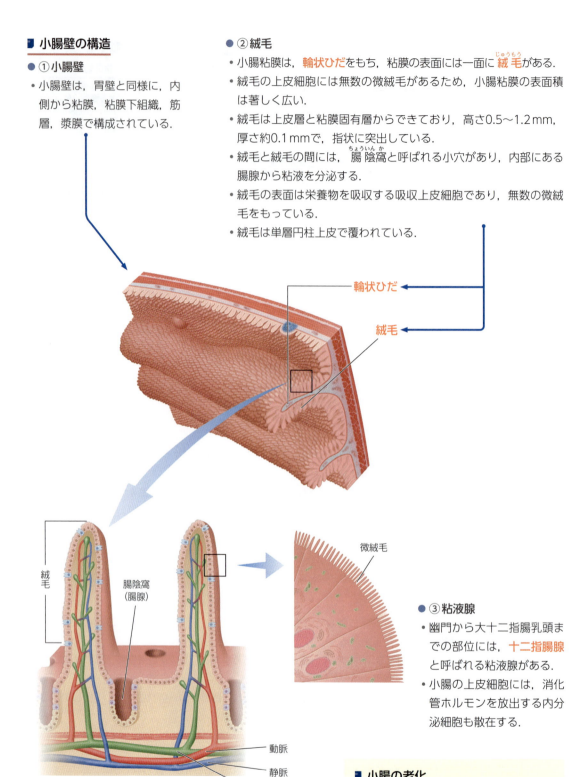

図7-21 小腸壁

③粘液腺
- 幽門から大十二指腸乳頭までの部位には，十二指腸腺と呼ばれる粘液腺がある．
- 小腸の上皮細胞には，消化管ホルモンを放出する内分泌細胞も散在する．

小腸の老化
- 小腸は老化によって絨毛の短縮や粘膜下層の線維化などが起こり，運動能低下と消化吸収能の軽度低下を来す．

4 小腸の機能

胃から送られてきた糜粥は，腸液，胆汁，膵液の働きによって消化され，ほとんどの栄養物が吸収される．そして，その残りかす（残渣）は大腸に送られる．

■ 腸液の分泌

- 小腸の分泌液を腸液といい，1日に約2,400 mL分泌される．
- 十二指腸腺からの分泌液はアルカリ性であり，胃酸による消化作用から十二指腸を保護する役割がある．
- 小腸の腸腺からの分泌液は，弱アルカリ性である．
- 腸液の分泌は，神経性・体液性の機序によって調節される．

①神経性機序
- 神経性の機序では，腸管内の糜粥に粘膜面の触覚刺激あるいは炎症性刺激が反応し，粘膜下神経叢を介した腸内反射が引き起こされて，腸液の分泌が促進される（迷走神経刺激によっても促進される）．

②体液性機序
- 体液性の機序については，セクレチンやコレシストキニン*などの消化管ホルモンが，血行を介して腸液の分泌を促進する．

> **plus α**
> **小腸の生体防御機能**
> 腸内には多数の細菌が常在しているが，通常，それらの細菌が腸管粘膜を通過することはない．胃腸管の粘膜には，病原微生物や異物，物理的・化学的刺激に対して，常在細菌叢，粘液，粘膜上皮細胞，リゾチームなどが段階的に機能し，有害因子の侵入を阻止する働きがある．

> **plus α**
> **バクテリアルトランスロケーション**
> 長期間の絶食や，ショックによる腸管の虚血などの場合，腸管粘膜の萎縮が起こり，生体の防御機能が維持できなくなり，菌血症を引き起こすことがある．これをバクテリアルトランスロケーション（bacterial translocation：細菌転置）という．

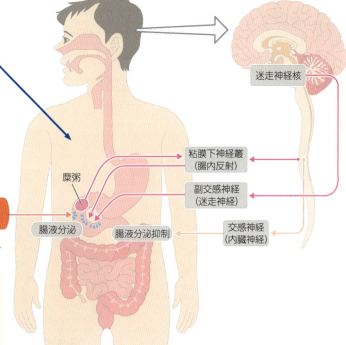

十二指腸腺，腸腺から腸液が分泌される．

図7-22 腸液の分泌

> **用語解説 ***
> **コレシストキニン・パンクレオザイミン**
> 十二指腸から分泌されるホルモンで，胆嚢の収縮を促進するものをコレシストキニン，膵液の分泌を促進するものをパンクレオザイミンとしていたが，二つのホルモンは同一物質であることがわかり，コレシストキニン・パンクレオザイミンと呼ぶようになった．現在では，単にコレシストキニンと呼ばれる．

③腸液の成分
- 腸液の成分は，粘液，消化酵素，電解質などであり，腸内の消化産物を希釈し，その消化・吸収を促進する．
- 腸液中にはほとんど消化酵素は含まれていない（小腸上皮細胞の微絨毛の刷子縁〔膜〕は，消化酵素を含んでいる）．
- 消化されなかった食物残渣は多くの腸液を含んで液状となり，回腸から大腸に送られる．

5 肝臓の構造

肝臓の形状・区分

- 肝臓（liver）は，横隔膜のすぐ下に位置し，前から見ると直角三角形のような形で，直角部分を右上，斜辺を下に向け，右上腹部のほとんどを占めている．
- 重さは成人で約1,200〜1,400g，血液を多く含むために暗赤色を帯びている．
- 解剖学的には，肝臓は，肝鎌状間膜（かんかまじょうかんまく）によって右葉（うよう）と左葉（さよう）に区分される．
- 肝臓は，老化によって肝細胞数の減少や代謝能の低下を来す（老化による肝臓の形態学的加齢変化がみられるが，機能的変化は，通常大きな問題とならない）．

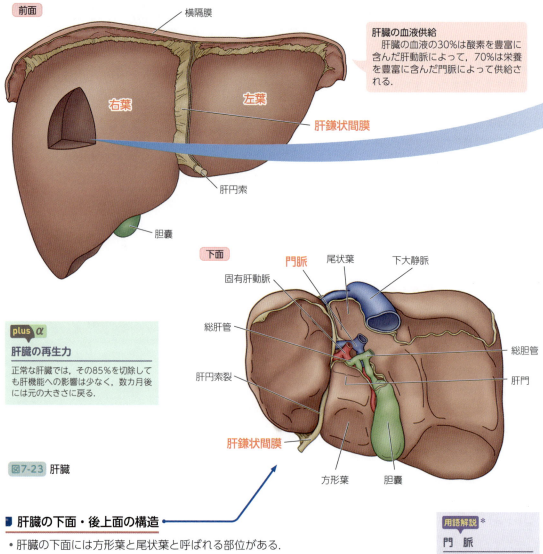

肝臓の血液供給
肝臓の血液の30％は酸素を豊富に含んだ肝動脈によって，70％は栄養を豊富に含んだ門脈によって供給される．

plus α　肝臓の再生力
正常な肝臓では，その85％を切除しても肝機能への影響は少なく，数カ月後には元の大きさに戻る．

図7-23 肝臓

肝臓の下面・後上面の構造

- 肝臓の下面には方形葉と尾状葉と呼ばれる部位がある．
- 肝臓の下面には，血管（固有肝動脈と門脈*）やリンパ管，総胆管，神経が通る出入り口があり，肝門と呼ばれる．
- 肝臓の後上面からは数本の肝静脈が出ており，下大静脈に注がれる．

用語解説*
門脈
腹腔内の消化器官，脾臓，膵臓からの静脈血をすべて集めて肝臓に運ぶ静脈血管．

■ 肝小葉の構造

● ①肝小葉

- 肝臓の基本機能単位は肝小葉(かんしょうよう)であり，50万個の肝小葉で構成されている．
- 1個の長さは約2mm，直径は0.8〜2.0mmで，多角形の円筒構造をなしている．

● ②血管の走行

- 中心には肝静脈から下大静脈につながる中心静脈があり，肝小葉と肝小葉の間には小葉間動脈（酸素を運搬する固有肝動脈の枝），小葉間静脈（栄養分を運搬する門脈の枝），小葉間胆管（肝細胞で生成された胆汁を運搬し，総肝管へ注ぐ）が走っている．
- 1個の肝小葉には約50万個の肝細胞があり，これらは中心静脈から放射状に並び，肝細胞索をつくっている．その間には洞様毛細血管と呼ばれる血管が走っている．
- 小葉間動脈と小葉間静脈の血液は，肝小葉の周辺部で洞様毛細血管に流入し，肝細胞を灌流しながらさまざまな代謝が行われ，中心静脈を経て下大静脈に注がれる．

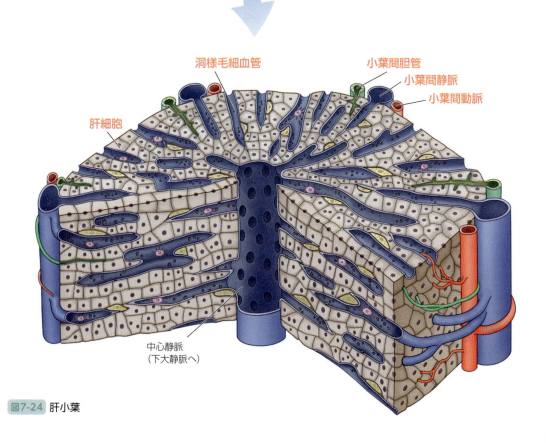

図7-24 肝小葉

6 肝臓の機能

- 小腸で消化・吸収された栄養素は，門脈を介して肝臓へ運ばれ，身体に必要な物質に合成されたり，エネルギーとして貯蔵される．
- 肝臓にはさまざまな働きがあるが，大きくは①代謝機能，②血液の貯蔵と濾過のための脈管機能，③胆汁の生成および胆管への外分泌機能の三つに分けられる．
- 肝臓の老化による機能低下は，アルブミン産生や一部の胆道系酵素の活性なども影響を受ける（老化による肝臓の形態学的加齢変化がみられるが，機能的変化は，通常，大きな問題とならない）．

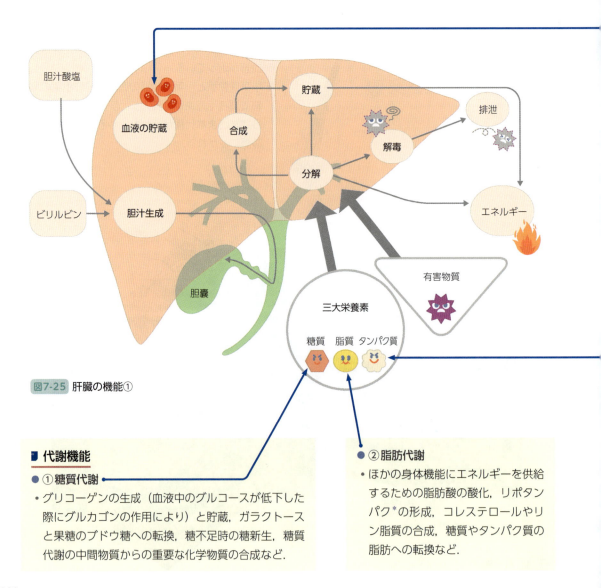

図7-25 肝臓の機能①

■ 代謝機能
● ①糖質代謝
- グリコーゲンの生成（血液中のグルコースが低下した際にグルカゴンの作用により）と貯蔵，ガラクトースと果糖のブドウ糖への転換，糖不足時の糖新生，糖質代謝の中間物質からの重要な化学物質の合成など．

● ②脂肪代謝
- ほかの身体機能にエネルギーを供給するための脂肪酸の酸化，リポタンパク*の形成，コレステロールやリン脂質の合成，糖質やタンパク質の脂肪への転換など．

肝臓の主な機能まとめ

代謝機能	血液の貯蔵と濾過のための脈管機能	胆汁の生成と胆管への外分泌機能
糖質代謝 脂肪代謝 タンパク代謝 その他の物質代謝 ・ビタミンの貯蔵 ・鉄の貯蔵 ・血液凝固因子の生成 ・有害な物質の無毒化または不活化	血液の貯蔵 リンパの生成 血液浄化作用	胆汁の生成 胆汁の分泌 ・脂肪の消化・吸収の促進 ・老廃物の排泄 胆汁酸塩の腸肝循環

血液の貯蔵と濾過のための脈管機能

①血液の貯蔵
- 伸縮可能で血管に富む肝臓は，大量の血液を貯蔵することができる．
- 肝臓は，過剰血液の貯留場所や循環血液量が減少したときには血液供給器官として機能する．

②リンパの生成
- 肝小葉の洞様毛細血管は非常に透過性が高く，大量のリンパが生成される（肝臓生成のリンパは，全リンパの約半分といわれている）．

③血液浄化作用
- 類洞周囲腔のクッパー星細胞は，**貪食作用**（どんしょく）によって血液の浄化を行う．
- 胃や腸から門脈を介して流入する血液中の細菌が洞様毛細血管を通過する際にクッパー星細胞に接触すると，その細菌はクッパー星細胞の内側に入って一瞬に消化される．

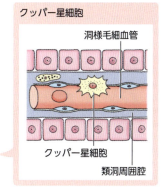

クッパー星細胞／洞様毛細血管／クッパー星細胞／類洞周囲腔

③タンパク代謝
- アミノ酸の脱アミノ化，不要なアミノ酸からの尿素の生成（アンモニアの除去），血漿タンパク（アルブミン，フィブリノゲン）の生成，アミノ酸の合成およびアミノ酸からの重要な化学物質の合成など．

④その他の物質代謝
- ビタミン（ビタミンA，D，B_{12}など）の貯蔵，鉄の貯蔵，血液凝固因子（フィブリノゲン，プロトロンビン，第Ⅴ因子，第Ⅶ因子，その他）の生成，薬物・不要なホルモン・その他の有害な物質の無毒化または不活化など．

用語解説＊

リポタンパク

高密度（比重）リポタンパク（HDL）は組織や血管の細胞からコレステロールを肝臓に運び，胆汁中に排泄するため「善玉コレステロール」ともいわれる．低密度リポタンパク（LDL）はコレステロールや脂肪を細胞に運ぶため，場合によっては動脈硬化を引き起こすので，「悪玉コレステロール」ともいう．

消化器系●食物を摂取して消化・吸収し排泄するしくみ

■ 胆汁の生成および胆管への外分泌機能

● ①胆汁
- 胆汁は，肝小葉の肝細胞で生成される．
- 胆汁は，約97％が水分であり，胆汁酸塩，ビリルビン，コレステロール，電解質，HCO_3^- などを含む．
- 肝細胞で生成された胆汁は，肝細胞間にある毛細胆管へ分泌され，小葉間胆管，左右の肝管を経て総肝管へ注がれ，一部はそのまま十二指腸に向かい，その他は胆嚢を介してから十二指腸に流出して，脂肪の消化と吸収に重要な役割を果たす．

● ②胆汁酸塩
- 胆汁の主成分である胆汁酸塩は，コレステロールから作られるコール酸やデオキシコール酸など，胆汁酸のナトリウム・カリウム塩である．
- 胆汁中の胆汁酸塩は，食物中の大型の脂肪粒子を乳化して消化しやすくしたり，脂肪の最終産物の腸粘膜への移送と吸収を促進したりする．
- 胆汁は，老廃物を排除する手段としても利用される．
- 胆汁中の胆汁酸塩のほとんどは小腸で再吸収され，門脈を経て肝臓に到達し，肝細胞に吸収されて胆汁として再分泌される．
- 胆汁酸塩の再循環を腸肝循環と呼ぶ．

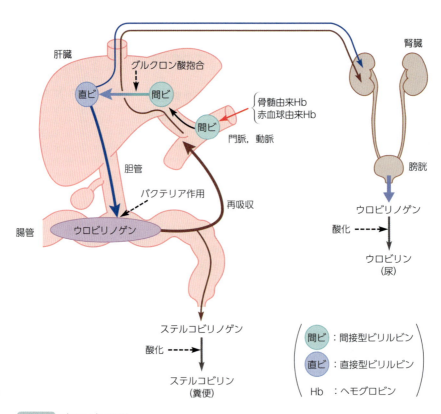

図7-26 ビリルビン代謝

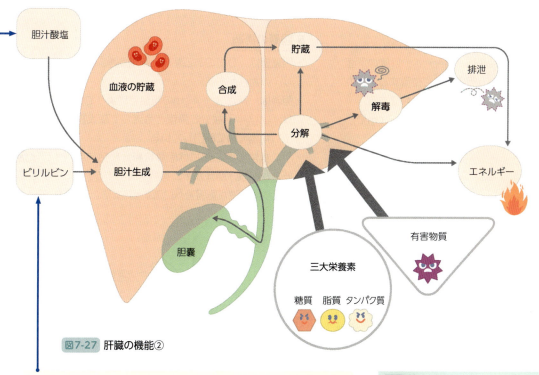

図7-27 肝臓の機能②

- ③ビリルビン
  - ビリルビンは胆汁色素の主な成分である.
  - ヘモグロビン分解の最終産物であるビリルビン（非抱合型あるいは間接型ビリルビン）は肝臓に運ばれ，肝細胞内でグルクロン酸抱合によって抱合型（直接型）ビリルビンに変換される.
  - 間接型ビリルビンは腎臓の糸球体で濾過されない.
  - 直接型ビリルビンは尿中や糞便中に排泄される.

plus α

黄疸

血中ビリルビンがうまく排泄できず，正常時よりビリルビンが増加・蓄積し，皮膚や粘膜にビリルビン色素が沈着して黄色く見える状態. 原因別に, ①肝臓に運ばれるビリルビンが多すぎて処理できない（肝前性黄疸）, ②肝臓の機能が低下してビリルビンを処理できない（肝性黄疸）, ③胆道が詰まって胆汁を十二指腸に排出できない（肝後性黄疸）に分類できる.

コラム　お酒の強い人と弱い人の違い

アルコールは，胃と小腸で吸収され，肝臓で代謝される．お酒の強い人と弱い人の違いは，アルコールの代謝能力の違いである．すなわち，摂取したアルコールをどんどんと代謝（アルコールをアセトアルデヒドに分解すること）できる人はお酒の強い人，代謝に時間を要する人はお酒の弱い人ということである.

7 胆嚢の構造

胆嚢の形状

- 胆嚢（gall bladder）は，肝臓の下面のくぼみ（胆嚢窩）に位置するナスのような形をした壁の薄い袋である．
- 長さ7～8cm，幅2.5～3cmで，容量は30～50mLである．

胆嚢の構造

- 胆嚢壁は，ひだのある粘膜と平滑筋層，漿膜からできており，弾力性がある．
- 胆嚢は，長さ3～4cmの胆嚢管によって総肝管につながり，総胆管となって膵管と合流して膨大部を形成し，大十二指腸乳頭に開口している．
- 十二指腸の開口部には胆膵管膨大部括約筋（オディ括約筋）があり，胆汁が十二指腸へ流出するタイミングを調整したり，腸液が総胆管へ逆流するのを防止したりしている．

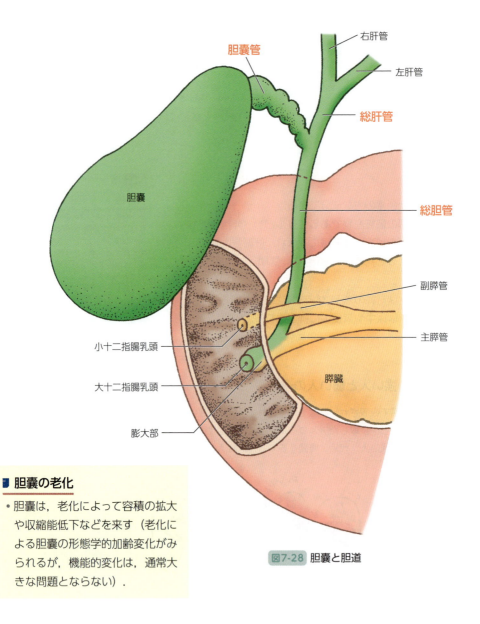

図7-28 胆嚢と胆道

胆嚢の老化

- 胆嚢は，老化によって容積の拡大や収縮能低下などを来す（老化による胆嚢の形態学的加齢変化がみられるが，機能的変化は，通常大きな問題とならない）．

8 胆嚢の機能

食物中の脂肪は，肝臓で生成されて胆道*（左右の肝管と総肝管，胆嚢管，総胆管，胆嚢）を介して十二指腸に排出される胆汁によって消化が促進される．

> **用語解説** *
> **胆道（胆管系）**
> 肝臓で合成された胆汁を十二指腸に輸送する経路．広義では毛細胆管，小葉間胆管を含むすべての経路を指す．狭義では肝臓外の左右の肝管から十二指腸までをいう．

▎胆汁の流れ

- 肝臓から分泌された胆汁の一部は総肝管から十二指腸に向かうが，半分以上の胆汁は，胆嚢管を通って胆嚢に貯留される．
- 胆嚢で胆汁中の水分や電解質が吸収されて5〜20倍に濃縮され，粘液が加わって，食物の摂取に応じて十二指腸に流出する．
- 胆汁は1日に600〜1,200 mL排出される．

▎胆汁の排出

- 上部消化管で食物が消化され始め，脂肪が十二指腸へ流入すると，胆嚢ではリズミカルな収縮によって胆汁の排出運動が始まる．しかし，効果的に排出するためには胆膵管膨大部括約筋の弛緩が必要であり，胆嚢からの胆汁排出は，①頭性分泌相と②腸性分泌相によって調節されている．

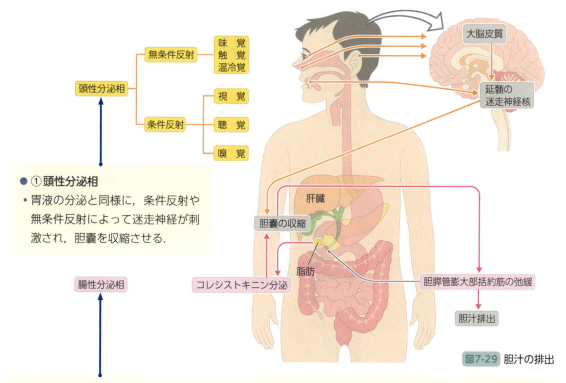

● ①**頭性分泌相**
- 胃液の分泌と同様に，条件反射や無条件反射によって迷走神経が刺激され，胆嚢を収縮させる．

図7-29 胆汁の排出

● ②**腸性分泌相**
- 食物中の脂肪が十二指腸に達すると，コレシストキニンが分泌され，門脈から大循環を介して胆嚢を収縮させ，胆膵管膨大部括約筋を弛緩させて胆汁の排出を促す．
- 脂肪の摂取が少ない場合は胆嚢からの胆汁排出は少量であるが，脂肪が十分にあるときは，胆嚢は通常，1時間以内に胆汁を完全に排出する．

9 膵臓の構造

■ 膵臓の位置と形状

- 膵臓（pancreas）は，第2腰椎の高さで胃の背部，後腹膜腔＊に位置している．
- 扁平で細長く，長さは14〜18cm，幅は太い部位で約3cm，重さは65〜75gである．
- 膵臓の右側は十二指腸下行部に密着し，後面を走行する上腸間膜静脈までを膵頭部という．
- 上腸間膜静脈より左側は膵体部，その先は膵尾部と呼ばれ，徐々に細くなって脾臓に隣接する．

用語解説＊
後腹膜腔
腹部臓器の表面を覆う臓側腹膜と腹部の外壁を覆う壁側腹膜に囲まれた部位を腹膜腔といい，腹膜腔の後方を後腹膜腔という．

膵臓の血液供給
膵頭部は，胃十二指腸動脈と上腸間膜動脈から分岐する上下の膵十二指腸動脈から，膵体部と膵尾部は脾動脈の分枝から血液供給を受ける．

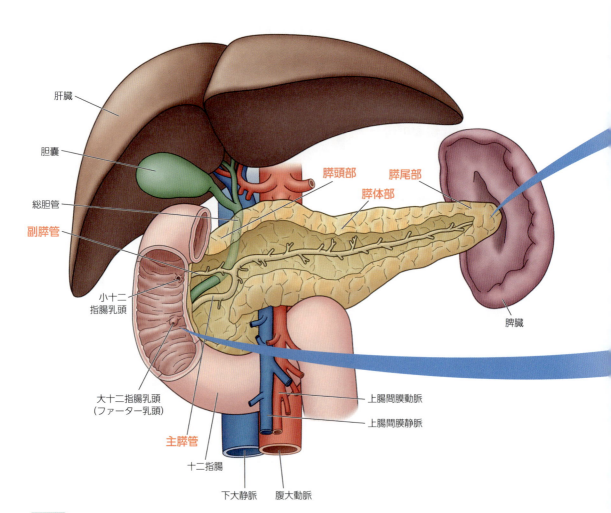

図7-30 膵臓

外分泌腺と内分泌腺

- 膵臓の実質は，消化酵素に富む膵液を分泌する外分泌腺と，インスリンやグルカゴン，ソマトスタチンなどのホルモンを分泌する膵島（ランゲルハンス島）という内分泌腺からなる．
- 食物の消化に関与する外分泌腺は，腺房細胞（せんぼう）が数個集まって房状になった腺房と，それに続く導管細胞で囲まれた導管で形成される．
- 消化酵素は腺房細胞で作られ，導管に分泌される．

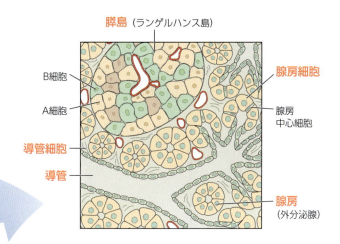

plus α
膵臓の内分泌機能

膵島のA（α）細胞から血糖値を上昇させる働きをもつグルカゴン，B（β）細胞から血糖値を下げる働きをもつインスリン，D（δ）細胞からはグルカゴンやインスリンの分泌を抑制するソマトスタチンが分泌される．

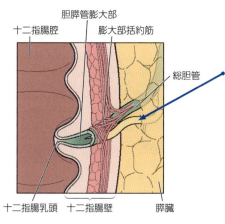

膵管

- 腺房は，分岐した導管の先にブドウの粒のようについており，細い導管はより太い導管へと導かれ，太い膵管となる．
- 膵管は，主膵管と，副膵管からなる．
- 主膵管は総胆管と合流して膨大部を形成し，大十二指腸乳頭に開口する．
- 副膵管は総胆管の前面を走行して小十二指腸乳頭に開口する．

膵臓の老化

- 膵臓は，老化によって重量の低下や萎縮，膵管の拡張などを来す（老化による膵臓の形態学的加齢変化がみられるが，機能的変化は，通常，大きな問題とならない）．

10 膵臓の機能

食物中の糖質，脂肪，タンパク質は，膵臓で生成される膵液によって消化される．

■ 膵液の分泌

- 膵液の分泌には，迷走神経終末から分泌されるアセチルコリン，十二指腸粘膜と上部空腸粘膜から分泌されるコレシストキニン，十二指腸と小腸の粘膜から分泌されるセクレチンが関与し，①頭性分泌相，②胃性分泌相，③腸性分泌相によって調節されている．

● ①頭性分泌相

- 胃液の分泌と同様に，食事のときの咀嚼や嚥下に伴う無条件反射や，食事のことを考えることによって起こる条件反射によって迷走神経が刺激され，アセチルコリンが放出される．
- 腺房細胞と導管細胞から中等量の膵液分泌が引き起こされるが，水分や電解質は少量であるため，十二指腸までは流出しない．

● ②胃性分泌相

- 食塊が胃に入ると，迷走神経を介して膵液の分泌が促され，ガストリンの放出によっても膵液分泌は促進される．
- 分泌量は不十分であり，十二指腸に到達する消化酵素は少量である．

● ③腸性分泌相

- 上部小腸に達した食塊に反応して分泌されるコレシストキニンは，血流によって膵臓に移行し，腺房細胞に作用して大量の消化酵素を分泌させる．一方，小腸に酸性度の高い食塊が入るとセクレチンが放出され，腸管から吸収されて血液中に移行する．
- セクレチンは，膵臓の導管細胞を刺激し，高濃度の重炭酸イオンと低濃度の塩素イオン（塩化物イオン）を含む大量の膵液を分泌させる．しかし，腺房細胞には作用しないため，この場合の分泌液に消化酵素はほとんど含まれない．

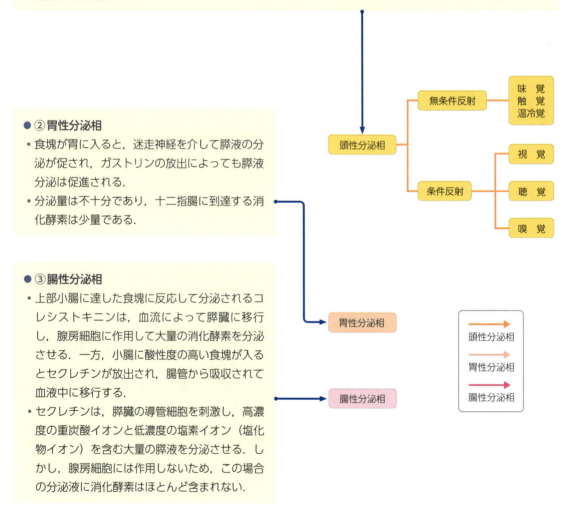

■ 膵液の成分

- 膵液は無色透明で，pH7.0〜8.0の弱アルカリ性であり，1日に700〜1,000mL分泌される．
- 主な成分は，水，電解質，重炭酸，消化酵素である．

■ 膵液の働き

- 膵液は，重炭酸イオンを大量に含むため，胃から十二指腸に運ばれた酸性の糜粥を中和し，小腸内で膵酵素が働くための環境を整える．
- 膵液中の消化酵素は，糖質，脂肪，タンパク質の消化に重要な役割を果たす（➡p.330，331，332参照）．

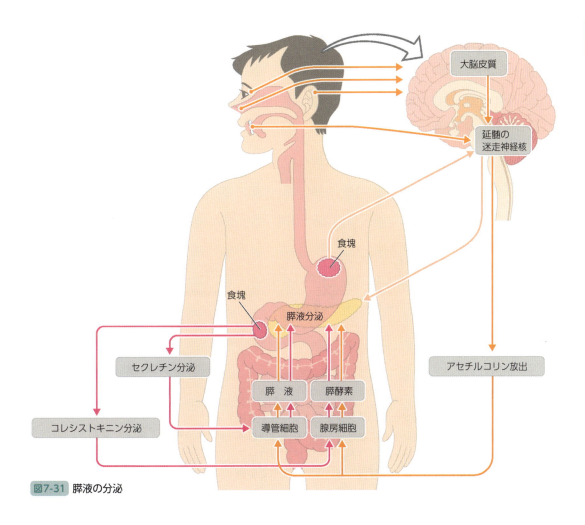

図7-31 膵液の分泌

5 吸　収

消化によって生じた種々の物質は，消化管の粘膜細胞の膜を通してその細胞内に取り入れられ，血行・リンパ行性に移行する．これを**吸収**という．

1 糖質の消化と吸収

■ 糖質の種類
- 食物中の糖質には，砂糖として使われる**ショ糖（スクロース）**，乳汁中にある二糖類の**乳糖（ラクトース）**，穀物に多く含まれる多糖類の**デンプン**の3種類がある．

■ アミラーゼ
- 糖質は，まず最初に，唾液に含まれるアミラーゼによって，デンプンが麦芽糖（マルトース）やデキストリンに加水分解される．

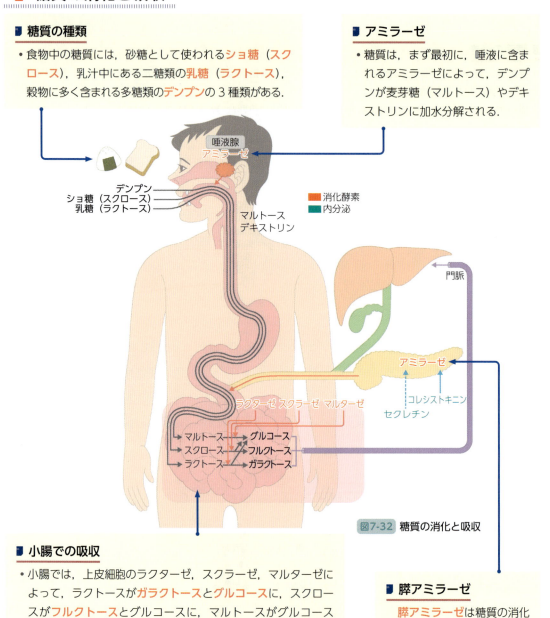

図7-32　糖質の消化と吸収

■ 小腸での吸収
- 小腸では，上皮細胞のラクターゼ，スクラーゼ，マルターゼによって，ラクトースが**ガラクトースとグルコース**に，スクロースが**フルクトース**とグルコースに，マルトースがグルコースに，それぞれ分解される．これら糖質の最終産物はすべて単糖類であり，腸管粘膜細胞から速やかに吸収される．
- 腸管粘膜細胞の刷子縁にある担体により，グルコースの吸収はナトリウムの能動輸送とともに行われる．

■ 膵アミラーゼ
膵アミラーゼは糖質の消化に関与し，デンプン，グリコーゲン，その他ほとんどの糖質を加水分解して，二糖類と三糖類を形成する．

2 脂肪の消化と吸収

脂肪の種類

- 食物中の脂肪は，大部分が中性脂肪（トリグリセリド）である．

膵リパーゼによる分解

- 胆汁の働きに助けられて，膵リパーゼは，ほとんどのトリグリセリドをモノグリセリドと遊離脂肪酸に分解し，一部はグリセロールと遊離脂肪酸に分解する．

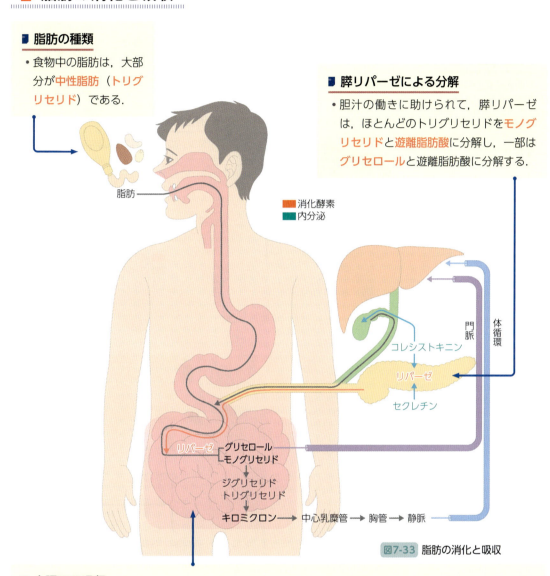

図7-33 脂肪の消化と吸収

小腸での吸収

- ほとんどの脂肪の消化は小腸で行われる．
- グリセロールは両媒性（水溶性かつ脂溶性）であるため，細胞膜を容易に通過し，粘膜細胞から直接門脈血内に移行する．
- モノグリセリドと脂肪酸は，脂溶性のため刷子縁を通過できないが，ミセル（脂肪の消化最終産物である脂肪成分を溶解して，脂肪の消化が邪魔されないよう機能）が作用し，モノグリセリドと脂肪酸は濃度勾配によって細胞内部に受動的に吸収される．
- 吸収されたモノグリセリドは，種々の酵素によって，ジグリセリドとトリグリセリドに再合成され，リポタンパクに包まれたキロミクロンになる．
- キロミクロンは，粘膜細胞から開口分泌（膜の融合による放出）によってリンパ管内に入り，乳糜管，胸管，静脈系を介して肝臓に運ばれる．

3 タンパク質の消化と吸収

■ 食物中のタンパク質
- 食物中のタンパク質は，ペプチド結合によって互いに結合した**アミノ酸**の長い鎖で形成されている．

■ 胃酸による分解
- タンパク質は，胃酸によって活性化されたペプシンによって**ポリペプチド**に分解される．

■ 消化酵素
- タンパク質の消化に関与するのは，**トリプシン**，**キモトリプシン**，**カルボキシペプチダーゼ**であり，ポリペプチドをトリペプチド，ジペプチドに変化させる．

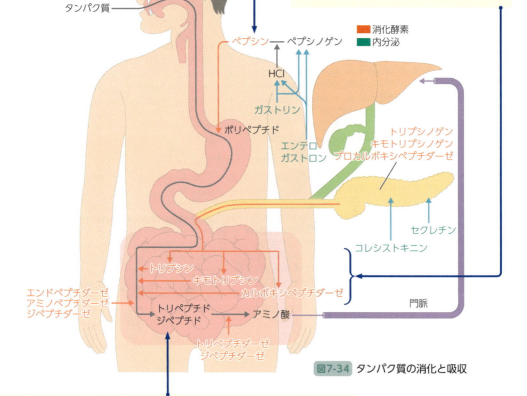

図7-34 タンパク質の消化と吸収

■ 小腸での吸収
- 腸上皮細胞の微絨毛に存在するエンドペプチダーゼやアミノペプチダーゼなどによって，**トリペプチド**や**ジペプチド**，一部はアミノ酸にまで分解される．
- ほとんどのタンパク質はトリペプチドやジペプチドの形で吸収される．
- アミノ酸の吸収は，グルコースと同様に担体が使用され，ナトリウムの能動輸送とともに行われる．

4 ビタミン・水の吸収

■ ビタミンの吸収

- ビタミンA，D，E，Kは脂溶性であり，脂肪とともに主に小腸上皮細胞から吸収される．
- 水溶性ビタミンの多くは受動的な拡散によって粘膜細胞に吸収され，ビタミンB_1，B_{12}，Cなどは，それぞれ特異的な担体による能動輸送によって吸収される．
- ビタミンB_{12}の吸収には，胃粘膜から分泌される内因子が不可欠である．

■ 1日の水分量

● ①摂取する水分量

- 人が食物などから摂取する1日の水の量は約1,500mLである．

plus α
鉄の吸収

食物中の鉄の多くはFe^{3+}であり，体内に吸収されにくい．胃酸の作用を受けるとFe^{2+}となって吸収されやすくなる．

● ②消化管を流れる水分

- 唾液（約1,500mL）
- 胃液（約1,500mL）
- 胆汁（約600mL）
- 膵液（約700mL）
- 腸液（約2,400mL）

が食物から摂取する水分に加わる．消化管を流れる1日の水分は8,000mL以上となる（糞便中に含まれる水分は約200mLにすぎず，約98％の水分が再吸収されている）．

■ 水分の移動と再吸収

- 水分の再吸収は，小腸で大部分が吸収され，最終的に大腸でも吸収される．
- 水の輸送は，高張性の糜粥が胃から十二指腸へ送り出されるときには，血漿中から小腸への水の移動が起こる．

plus α
下痢

腸管の消化液分泌が亢進したり水分吸収が不十分だったりすると下痢を引き起こす．

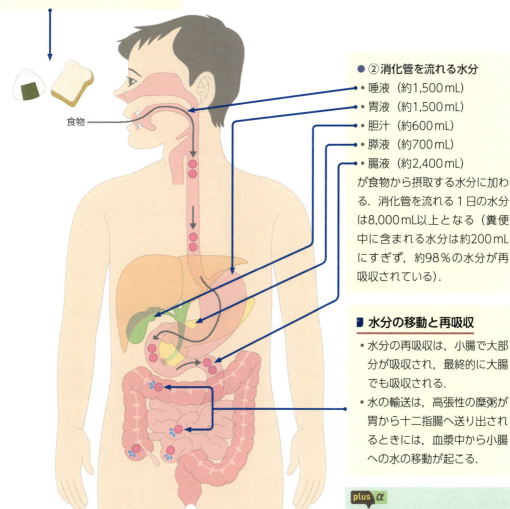

図7-35 体内の水分量と水分の再吸収

6 排泄

- 小腸で消化されずに，大腸に送られた食物残渣は，大腸内の多くの細菌によって分解され，身体に必要な水分と電解質が再吸収される．
- 大腸内を移動する間に食物残渣は粥状から半粥状に変化し，固形化して便となり，肛門から体外へ排出される．

1 大腸の構造

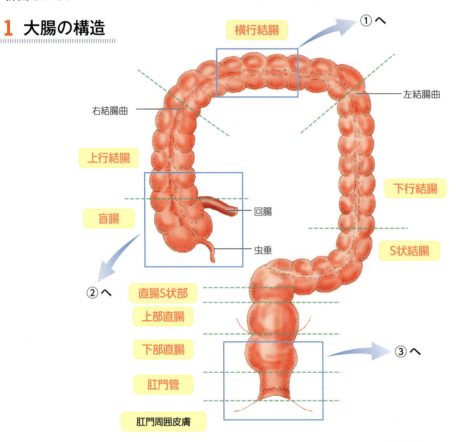

図7-36 大腸

■ 大腸の形状と位置
- **大腸**（large intestine）は，回盲弁から肛門までの約1.5mの管状の器官で，盲腸，結腸，直腸から成り立っている．
- ①粘液
- 大腸の粘液は潤滑剤として働き，便が消化管末端である肛門の方向へ移動するのを助けている．

■ 大腸の成長と老化
- 大腸は，出生後から徐々に成長する．
- 大腸は，老化によって固有筋層・結合組織の萎縮が原因となり，運動能が低下する．

大腸の血液供給
上行結腸と横行結腸の口側2/3は上腸間膜動脈から，横行結腸の肛門側1/3と下行結腸，S状結腸は下腸間膜動脈から血液が供給されている．
直腸は3カ所，すなわち，上部直腸は上直腸動脈，下部直腸は中直腸動脈，直腸肛門接合部は下直腸動脈から血液供給を受けている．

①結腸

- 結腸は、**上行結腸**（盲腸に続いて腹腔の右側を上に伸び、右結腸曲に至る部分）、**横行結腸**（右および左の結腸曲に挟まれた部分）、**下行結腸**（左結腸曲からほぼ腸骨稜の高さに至る部分）、**S状結腸**（S字状の部分で、腸間膜が終わる第2仙椎下縁の高さまでの部分）に区分される。
- 結腸の外側は、縦走筋が集まって3本の結腸ヒモを形成している。
- 結腸の内側には小腸のような絨毛はない。

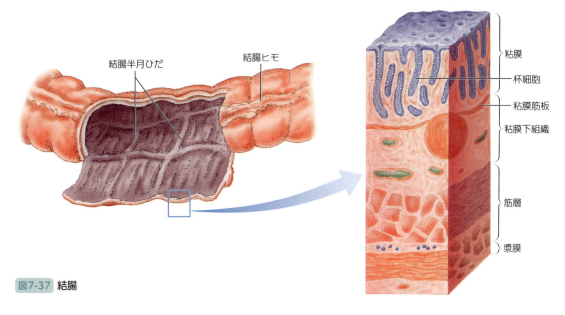

図7-37 結腸

②盲腸

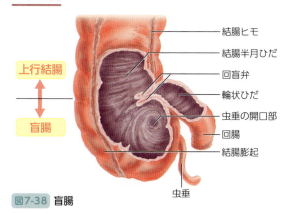

図7-38 盲腸

- 盲腸（colon）は、回盲弁に続く袋状（嚢状）の部分で、**虫垂***がぶら下がっている。

用語解説*
虫 垂
進化の過程で機能しなくなった痕跡器官で、消化に関する機能はない。しかし、リンパ小節が多数存在し、感染防御に関与する。

③直腸

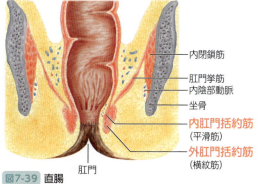

図7-39 直腸

- 直腸（rectum）は、S状結腸に続く恥骨直腸筋付着部上縁までの部分で、これに**肛門管**が続く。
- 肛門管の外側には、**内肛門括約筋**（意思に従って動かすことのできない筋：不随意筋）と、**外肛門括約筋**（意思に従って動かすことのできる筋：随意筋）がある。通常これらは、排便時以外は収縮している。

2 大腸の機能

■ 水分の吸収・便の形成

- 大腸には，小腸で十分に吸収されなかった水分を吸収し，消化されなかった食物残渣を便に形成して体外へ排泄する働きがある．
- 口から摂取した食物は，約4時間で盲腸に達する．
- 食物の残渣は大腸に12〜24時間以上とどまっている．
- 大腸自体は消化酵素を産生しないが，大腸内の細菌がいくつかのビタミン（ビタミンK，各種のビタミンB複合体）を合成する．大腸は，食物残渣からこれらのビタミン，ある種の電解質，水分を吸収し，便を形成する．

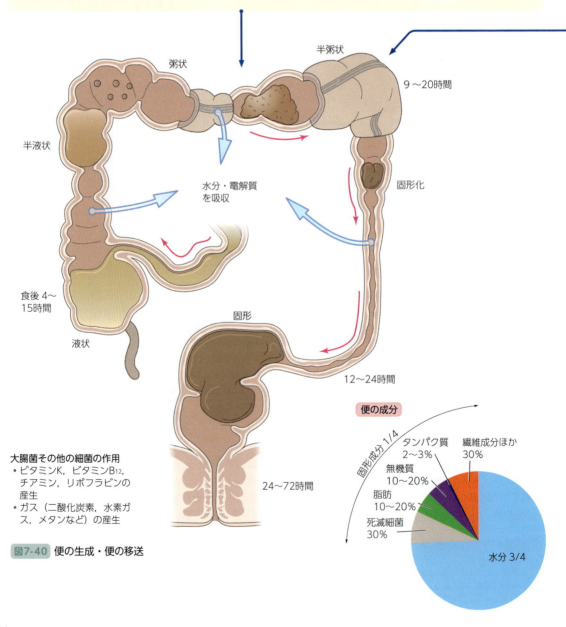

図7-40 便の生成・便の移送

便の移送

- 便は，結腸の蠕動と総蠕動によって直腸へと移送される．
- 蠕動はゆっくりとした動きで，内容物を直腸へ送る（胃結腸反射）．1日に3〜4回，食事中や食後，食物が胃や小腸を満たすことをきっかけに起こる．
- 直腸へ移送された便によって排便反射が起こり，摂取した食物は，約24〜72時間後に便として排泄される．

大腸の老化

- 老化によって，便意の感受性や排便反射，排便時に必要な筋力の低下，腸内細菌叢の変化などにより便秘になりやすい．

plus α

便秘

腸管内に便が長時間停滞すると，便中の水分が過剰に吸収されて便が硬くなり，便秘となる．

コラム　腸内細菌と健康

🍀 腸内の細菌

　腸内（主に大腸）には，約100兆個の細菌が存在するといわれている．これらの細菌は，腸内フローラ（腸内細菌叢）と呼ばれ，乳酸菌やビフィズス菌などの善玉菌と，大腸菌やウェルシュ菌などの悪玉菌，バクテロイデスや連鎖球菌などの日和見菌に分けられる．腸内細菌のうち，日和見菌が一番多く，次に善玉菌で，悪玉菌は一番少ない．これらは，バランスをとりながら腸内に生息している．腸内フローラは，年齢や食生活，薬剤，ストレス，居住地などの影響を受ける．腸内細菌の役割は，消化できなかった食物を分解し栄養に変えることや，腸内の免疫細胞を活性化し免疫機能を高めることなどである．

🍀 腸内フローラのバランス

　腸内フローラのバランスが崩れると，さまざまな健康問題を引き起こすと指摘されている．

　例えば，悪玉菌の増加は，腐敗活動により毒性物質を生成し，下痢や肌荒れ，アレルギーなどを引き起こす．腸内フローラを最適に保つには，善玉菌を増やすとよい．善玉菌は腸内で糖分や食物繊維から発酵活動を行い，腸内を弱酸性に保ち，悪玉菌の増殖を抑えている．このように，善玉菌が多い状態を維持し，悪玉菌の増殖を抑えることが，腸内フローラのバランスを保つ上で重要である．

　善玉菌は，腸内で定住することができないと考えられており，日常的にヨーグルトや乳酸菌飲料，納豆，漬物などのビフィズス菌や乳酸菌を含む食品を摂取するとよい．テレビのコマーシャルなどで，善玉菌は生きたまま大腸まで到達しないと効果がないとイメージされているが，善玉菌は死滅した状態であっても免疫調整作用や腸内環境の改善作用などに有効な成分が残る可能性が指摘されている．

3 排便の機序

■ 排便までの流れ

- 直腸へ便が移動すると，直腸の収縮反射（**排便反射**）が起こる．
- 排便反射の際，意識的に外肛門括約筋を弛緩すると排便が行われる．

■ 直腸内反射

- 直腸には普通，便は滞留していない．
- 結腸の大蠕動によって便が直腸に移動し，内圧が40〜50mmHgになると，直腸壁の粘膜内にある受容器が反応して，求心性インパルスを送る．排便反射の一つである直腸内反射では，このインパルスが筋層間神経叢を通って広がり，下行結腸，S状結腸，直腸に蠕動波を起こす．その結果，直腸が収縮して便を肛門に向けて送り出し，内肛門括約筋が弛緩するが，これは比較的弱い反射である．

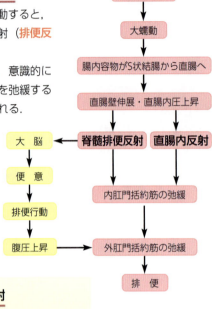

■ 脊髄排便反射

- 脊髄排便反射では，インパルスが脊髄（第2〜4仙髄）に伝達され，**骨盤神経**（遠心路）を通って反射的に下行結腸，S状結腸，直腸，肛門に戻る．このメカニズムによって非常に強い結腸の蠕動波が起こり，同時に内肛門括約筋が弛緩する．
- 脊髄に入った求心性インパルスは，上行して大脳皮質にも伝わり，便意となる．

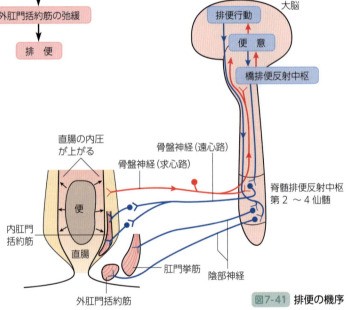

図7-41 排便の機序

■ 排便

- 私たちは便意を感じてもトイレに行くまでの間，外肛門括約筋を意識的に収縮させて，一時的に排便を我慢する．
- 排便の体勢を整えたところで外肛門括約筋を弛緩させて便を排出する．
- 排便のとき，深呼吸や声門の閉鎖，腹筋の収縮や努責などによって結腸の便を下方に押しやったり，便が下方に突出するように肛門の上方で骨盤床を外下方に引き下げたりと，排便を促すほかの動作を同時に行っている．
- 排便に不適当な場面で便意を感じたとき，私たちは，外肛門括約筋の収縮をさらに強めることができる．これが数分間続くと排便反射は消えてしまい，排便が行われない．

臨床場面で考えてみよう

1. 以下の事例では咀嚼と嚥下の障害が起こる．どのような障害か．
   - 事例1：口蓋裂のある乳児
   - 事例2：舌の1/3を切除された舌癌の患者
   - 事例3：右片麻痺を伴う脳梗塞の患者
   - 事例4：食道癌の患者
   - 事例5：食道アカラシアの患者
2. 胃を切除した患者は，1回に摂取する食事の量を少なくする必要がある．なぜか．
3. 黄疸のある患者では，尿と便の色を観察することが大切である．どのような変化が認められるのか，また，なぜ変化するのか．
4. 胆嚢結石症患者が脂肪を多く含む食品を摂取した後，強い腹痛を訴えた．なぜか．
5. 脊髄損傷の患者は便秘になりやすい．なぜか．

重要用語

食欲，レプチン
口腔，舌，唾液腺
歯，乳歯，永久歯
咀嚼，咀嚼筋
咽頭
食道
嚥下
消化
胃，噴門，幽門
胃底腺，幽門腺

胃液，蠕動運動
十二指腸，空腸，回腸，大十二指腸乳頭
絨毛，微絨毛，腸陰窩，腸腺，十二指腸腺，腸液
肝臓，肝小葉
胆汁，胆汁酸塩，ビリルビン
胆嚢，胆嚢管，総肝管，総胆管
膵臓，膵管，膵液
吸収

ショ糖（スクロース）
乳糖（ラクトース）
デンプン
中性脂肪（トリグリセリド）
ミセル
アミノ酸
大腸，盲腸，結腸，直腸
排便反射

学習達成チェック

- [ ] 食欲の調節機構を述べることができる．
- [ ] 唾液の成分と機能を説明できる．
- [ ] 歯の構造を述べ，乳歯と永久歯の名称を挙げることができる．
- [ ] 嚥下の機構を述べることができる．
- [ ] 胃，小腸，大腸の構造名を挙げることができる．
- [ ] 消化管や付属腺から分泌される消化酵素の名称と，各々が作用する物質を説明することができる．

解剖生理学が臨床につながる！

70歳男性，Iさんは，**アルコール性肝硬変**という病気で在宅療養している．Iさんは元より病院嫌いではあるが，その強い意志と家族の支えで断酒を継続できている．しかし，病気は進行し，さまざまな症状が現れるようになった．あなたは訪問看護師として，週に２回訪問している．

ある日あなたは，「数時間前に**血便**が見られた」と電話相談があり，緊急訪問した．Iさんの血圧は95/50mmHgで，脈拍は100回/分，意識は清明であった．家族が撮影しておいてくれた便の写真を確認したところ，確かに赤い便で，黒い便ではなかった．Iさんは，何回か経験したことのある痔の出血だと解釈し，気に留めていなかった．しかし，普段は130/80mmHgぐらいの血圧が低く，頻脈もみられたため，あなたは渋るIさんを説得し，時間外救急を受診するように手配した．そして，Iさんは受診先の病院で，食道にできた血管のコブから出血する**食道静脈瘤破裂**だと診断され，緊急の内視鏡による止血術を施された上で入院した．

入院後の経過は良く，１週間ほどで退院し，在宅療養を再開した．食道静脈瘤破裂は再発しなかったが，皮膚や白目が黄色くなる**黄疸**の症状が目立つようになった．黄疸が進むにつれ，Iさんは「身体中がかゆいが，塗り薬が全然効かない」と訴えるようになった．Iさんの身体には，あちこちにかきむしった傷やかさぶたがあり，とても痛々しかった．あなたは塗り薬が効かないならかゆみ止めを内服すればよいのではないかと考えて，在宅担当医にかゆみ止めの処方を提案したところ，**重曹清拭**を指示された．重曹清拭とは，炭酸水素ナトリウムを溶かしたお湯を使ったおしぼりで，身体を優しく拭き清めることである．指示通りに重曹清拭を行ったところ，Iさんのかゆみはかなり軽くなり，かきこわしの傷もほぼなくなった．

❶ 肝硬変は多彩な症状が出現する

肝硬変は，読んで字のごとく，「肝臓が硬く変わってしまった」状態である．多彩な症状を呈するが，p.195 **図3-52**のように肝臓を中心とした解剖生理を意識すると病態を理解しやすい．

今回の事例では，肝臓へ流入する**門脈**という血管の圧が高くなることで食道の静脈にコブができ，それが破裂して血便を来した．さらに，肝硬変では，血小板（➡p.168参照）や凝固因子（➡p.169参照）が減っていることが多く，出血が止まりにくい状態にあるため，静脈瘤破裂は致死的な症候といえる．

また，進行した肝硬変では，**ビリルビン**（➡p.323参照）という黄色い色素を，代謝したり排泄したりできなくなり，黄疸になってしまう．

火を通したお肉が元に戻らないように，肝硬変も元の正常な状態に戻らない．そのため，症状のコントロールが診療や看護の中心となる．

❷ 上部消化管出血が必ず黒色便になるとは限らない

　一般的に，上部消化管（食道～十二指腸）での出血は**黒色便**，下部消化管（空腸～直腸）での出血は**赤色便**といわれているが，例外も決して珍しくない．上部消化管での出血は，肛門までの到達時間が長く，その間に消化液による変性を受けて，赤から黒へと変化する．しかし，出血が大量の場合や，肛門までの到達時間があまりにも短い場合は，赤い色のまま排泄される．黒くないから上部消化管の出血ではないと断じてはならない．

　一方，内服している薬の副作用で便が黒くなっていることがある．黒色便を見た際は，内服薬の中に鉄剤やタンニン酸アルブミンなどがないかを確認するとよい．

❸ バイタルサインの確認はどんな場面でも重要

　今回の事例でファインプレーだったのは，本人の解釈モデル*に惑わされることなく，バイタルサインの変化を冷静に分析したことである．

　過去に痔の出血を経験している患者は，血便の症状を軽視する傾向にある．患者の話に耳を傾けるのも大切だが，医療職である以上は客観的な所見も重要視する必要がある．バイタルサインは，誰でもどこでも測定できる普遍的かつ客観的なデータである．在宅診療の場に限らず，バイタルサインを確認する習慣をつけよう．

　今回の事例では，**ショック**になりつつある状態であり，理想的には救急搬送のほうがよりよかっただろう．ただ，痔の出血と思い込んでいたIさんは病院受診に消極的だったようであり，妥協案として救急外来受診を提示したことも，訪問看護の現場においては評価されるべき判断である．

> **用語解説** *
> **解釈モデル**
> 患者が自らの病気をどのようにとらえているか，どのようなことを心配しているのか，どのような治療を望んでいるかなどを解釈するための枠組み．「症状の原因はなんだと思いますか？」と質問することが多い．

❹ 黄疸に伴うかゆみには重曹清拭が有効

　蕁麻疹や虫刺されなどのかゆみは，アレルギーが原因であり，アレルギー反応を抑える外用薬や内服薬がよく用いられる．しかし，黄疸に伴うかゆみは，アレルギーが原因ではないため，抗アレルギー薬があまり効かない．

　黄疸によるかゆみには，重曹清拭が効果的であることが知られている[1,2]．重曹清拭は，準備や方法が非常に簡便で，看護師だけでなく，患者自身や家族でも行うことができる．今回の事例では，Iさんの家族に方法を指導し，訪問日以外も重曹清拭が行われた．

引用・参考文献
1) 安原由子．疑問Q&A 黄疸の患者さんに重曹清拭を行なうことがありますがなぜですか？ Expert Nurse. 2008, 24（1），p.15-16.
2) 花田妙子編．困ったときの消化器疾患患者の看護．医学書院，2002, 236p.

8 神経系
情報を収集して判断し，伝達するしくみ

ここだけ見れば まず神経系がわかる！

○ 神経系の分類

▶ 構造に基づく分類

神経系	中枢神経系	脳，脊髄
	末梢神経系	脳神経，脊髄神経

▶ 機能に基づく分類

末梢神経系	体性神経系	遠心性神経＝運動神経
		求心性神経＝知覚（感覚）神経
	自律神経系	遠心性神経＝交感神経 　　　　　　副交感神経
		求心性神経＝内臓の感覚神経

コンテンツが視聴できます（p.2参照）

動画でチェック
脳神経

○ 神経組織

神経細胞

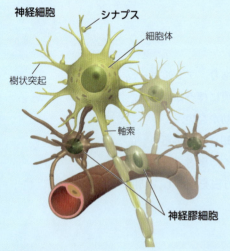

シナプス
細胞体
樹状突起
軸索
神経膠細胞

▶ シナプス
- 次のニューロンや効果器に情報を伝える場所．
- 神経終末部から神経伝達物質が放出される．

▶ 神経細胞（ニューロン）
- 情報を伝える．
- 細胞体・樹状突起・軸索から構成される．

▶ 神経膠細胞
- 情報は伝えず，神経細胞を支持する．

○ 神経系の全体像

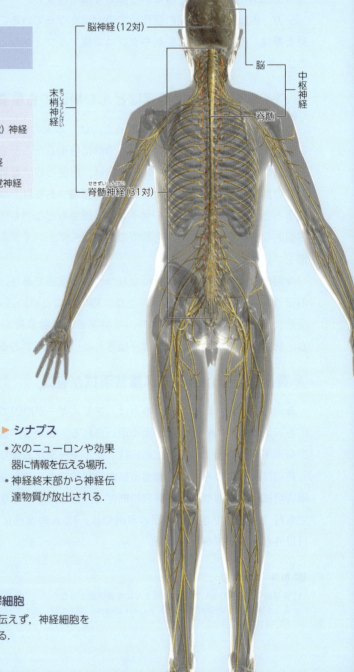

脳神経（12対）
脳
中枢神経
脊髄
末梢神経
脊髄神経（31対）

☑ 身体の各器官系を調節し，生体の恒常性を維持している．
☑ 感覚器や各器官からの刺激は中枢神経系に送られ，ここで統合される．そして筋や腺などの効果器に指令を送る．
☑ ヒトでは思考・学習・記憶・感情などの高次神経機能を営む大脳が進化している．

神経の興奮伝導

細胞内外の電解質が移動し，**活動電位**が発生する．これが軸索を伝わることによって興奮が伝わる（神経インパルス）．

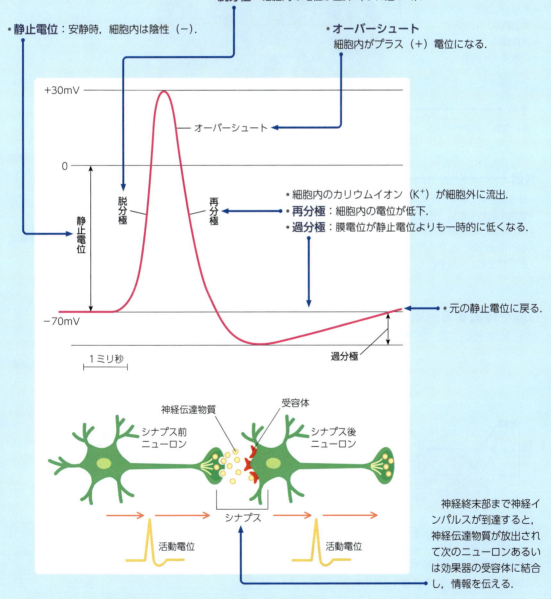

- **静止電位**：安静時，細胞内は陰性（−）．
- 刺激がくると細胞外からナトリウムイオン（Na^+）が細胞内に流入．
- **脱分極**：細胞内の電位が上昇（0に近づく）．
- **オーバーシュート** 細胞内がプラス（＋）電位になる．
- 細胞内のカリウムイオン（K^+）が細胞外に流出．
- **再分極**：細胞内の電位が低下．
- **過分極**：膜電位が静止電位よりも一時的に低くなる．
- 元の静止電位に戻る．

神経終末部まで神経インパルスが到達すると，神経伝達物質が放出されて次のニューロンあるいは効果器の受容体に結合し，情報を伝える．

○ 中枢神経系：脳と脊髄

脳

▶ 大脳
- 大脳皮質
- 大脳辺縁系：本能行動．
- 大脳基底核：運動機能（錐体外路系）．

▶ 間脳
- 視床：感覚情報の中継地．
- 視床下部
- 自律神経系の制御．
- ホルモン調節．
- 体温調節．
- 摂食調節．
- 血漿浸透圧調節．

▶ 小脳
- 運動機能（錐体外路系）．

脊髄
- 延髄から続く約45cmの神経組織．
- 頸髄・胸髄・腰髄・仙髄・尾髄からなる．
- 各レベルから脊髄神経が出ている．
- 脳への上行路，脳からの下行路の通り道．
- 膝蓋腱反射の反射中枢．

▶ 大脳皮質
- 一次運動野：反対側の随意運動．
- 一次体性感覚野：反対側からの体性感覚情報．
- 聴覚野：内耳からの音の情報．
- 視覚野：網膜からの視覚情報．
- 連合野：統合作用のある高次の精神機能部位．

▶ 脳幹
- 中脳
- 姿勢反射．
- 視覚・聴覚反射の中枢．
- 感覚・運動経路の中継地・通過部位．
- 橋
- 呼吸調節中枢．
- 延髄
- 循環，嘔吐，嚥下など自律機能に関する反射中枢．
- 呼吸中枢．

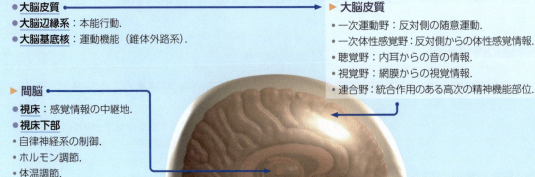

○ 脳を保護する組織

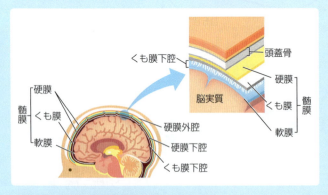

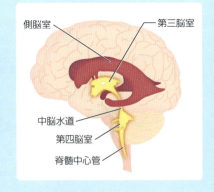

- 脳は骨，髄膜，脳脊髄液で保護されている．
- 髄膜は，外側から硬膜，くも膜，軟膜で構成されている．
- 脳室や脳の表面（くも膜下腔）を脳脊髄液が循環している．
- 脳脊髄液は脳室周囲の脈絡叢から作られる．

●末梢神経系:脳神経と脊髄神経

▶脳神経(12対)

- 前頭部からⅠ,Ⅱ……Ⅻと番号が付いている(ローマ数字で表記する).
- 感覚機能のみの神経もあれば,感覚・運動・自律機能と混在している神経もある.

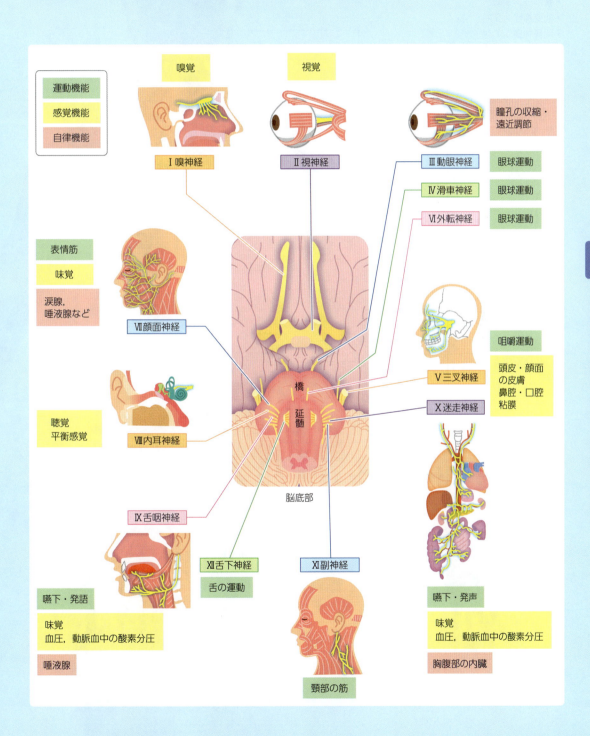

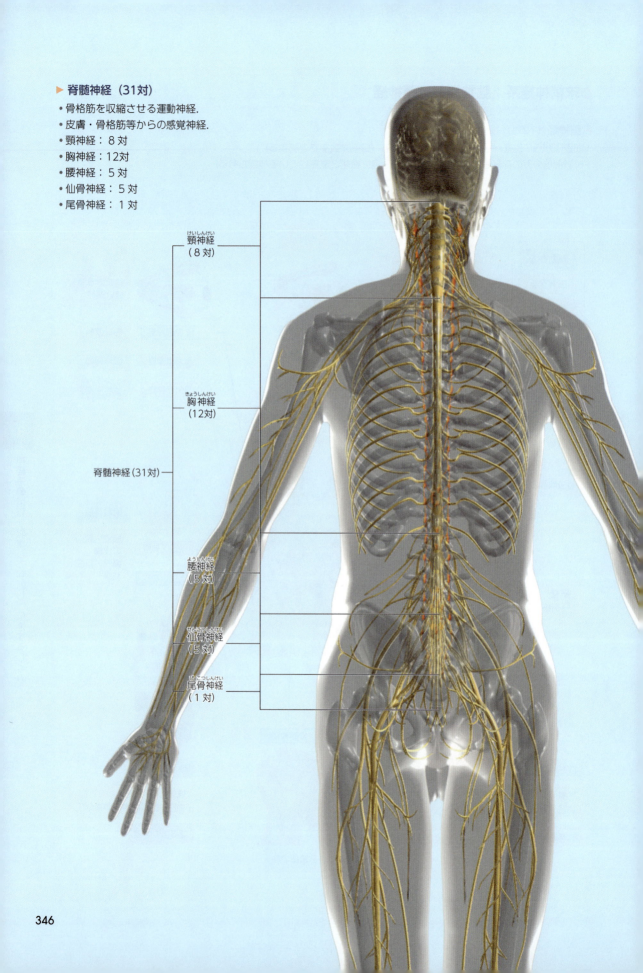

○自律神経系

内臓諸器官を不随意的に調節している．

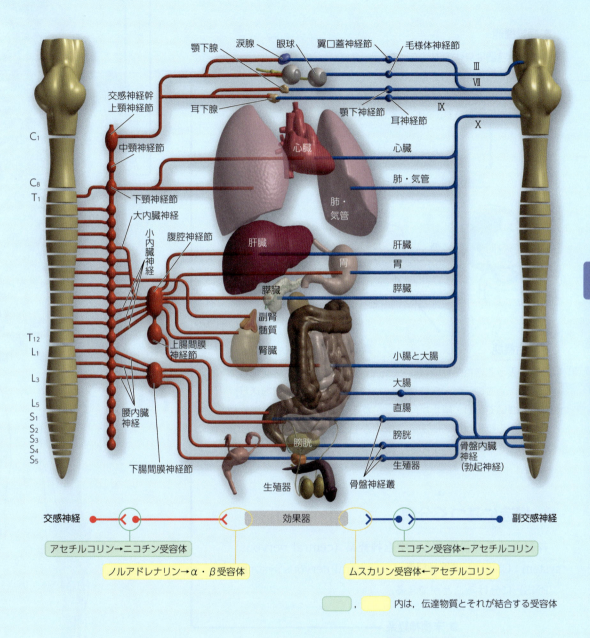

1 神経系の分類

神経系には**感覚・統合・運動**という三つの機能がある．

■ 感覚機能

- 感覚受容器は身体の内外で起こる変化，いわゆる**刺激**を感知する働きがある．
- 感覚入力は神経インパルスと呼ばれる電気信号に変換され，脳に伝えられる．

> **刺激**
> 外部環境では温度，光音など，内部環境では電解質の濃度，圧，水素イオン指数（pH）など．

■ 統合機能

脳に入ってきた感覚情報について，過去の記憶・経験などに基づいて分析・解析が行われ，次の行動が瞬時に決定される．

■ 運動機能

感覚入力・統合機能に基づいて末梢器官に信号を送り，筋肉を収縮させたり，腺組織からの分泌を調節したりする．

1 構造に基づく分類

神経系はその構造から，**中枢神経系**（central nervous system：CNS）と**末梢神経系**（peripheral nervous system：PNS）に分けることができる．

■ 末梢神経系

- 中枢神経系の外に存在し，身体の種々の器官と中枢神経系を連絡する役割を果たしている．
- 脳から起始する脳神経（12対）と脊髄から起始する脊髄神経（31対）からなる．

図8-1 神経系の分類

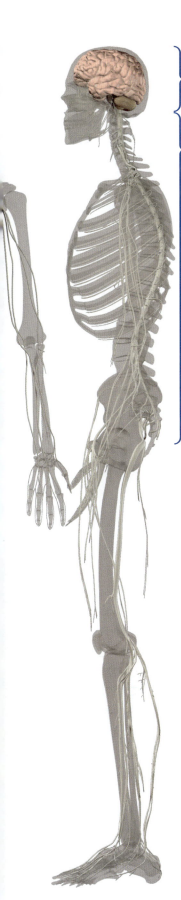

- 脳
- 脊髄

中枢神経系

- 脳と脊髄から構成される．
- これらは一続きの組織で，それぞれ頭蓋骨と脊椎に覆われて保護されている．

2 機能に基づく分類

末梢神経系はその機能面から，**体性神経系**と**自律神経系**に分けることができる．いずれも**求心性（感覚）神経**と**遠心性（運動）神経**から構成される．

体性神経系

運動や感覚に関与する神経系の総称で，遠心性（運動）神経は骨格筋へインパルスを伝え，求心性（感覚）神経は皮膚や筋などからの感覚性インパルスを中枢神経系に伝える．

自律神経系

内臓の平滑筋や心筋，腺を支配する神経系で，遠心性は内臓器官にインパルスを伝え，内臓など内部環境の感覚情報は求心性神経によって中枢神経系に伝えられる．

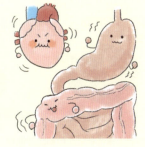

2 神経組織の構造と機能

- 神経組織には主に2種類の細胞がある．
- 一つは**ニューロン**と呼ばれ，神経インパルスを伝導している．分裂機能はない．
- もう一つの細胞は**神経膠（グリア）細胞**と呼ばれ，興奮伝導の働きはなく，ニューロンを支持・保護している．ニューロンと異なり，生涯分裂機能を有する．中枢神経系では4種類の神経膠細胞，末梢神経系ではシュワン細胞と外套細胞がその役割を担っている．

1 神経膠細胞

中枢神経系

- 中枢神経系内にニューロンの5〜10倍以上（50倍ともいわれている）多く存在する．
- **星状膠細胞（アストロサイト）**，**希突起膠細胞（オリゴデンドロサイト）**，**小膠細胞（ミクログリア）**，**上衣細胞**の4種類があり，それぞれの特徴と働きは下図の通りである．

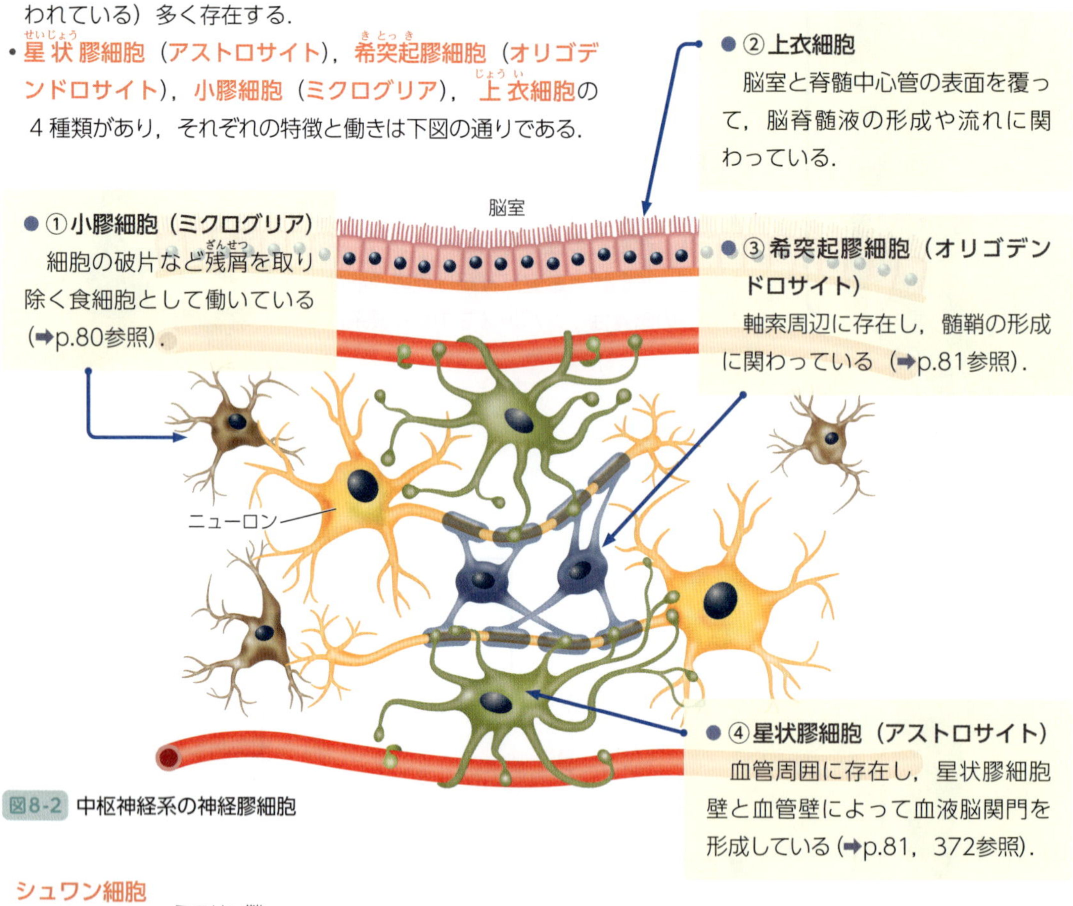

● ②上衣細胞
　脳室と脊髄中心管の表面を覆って，脳脊髄液の形成や流れに関わっている．

● ①小膠細胞（ミクログリア）
　細胞の破片など残屑を取り除く食細胞として働いている（➡p.80参照）．

● ③希突起膠細胞（オリゴデンドロサイト）
　軸索周辺に存在し，髄鞘の形成に関わっている（➡p.81参照）．

● ④星状膠細胞（アストロサイト）
　血管周囲に存在し，星状膠細胞壁と血管壁によって血液脳関門を形成している（➡p.81，372参照）．

図8-2 中枢神経系の神経膠細胞

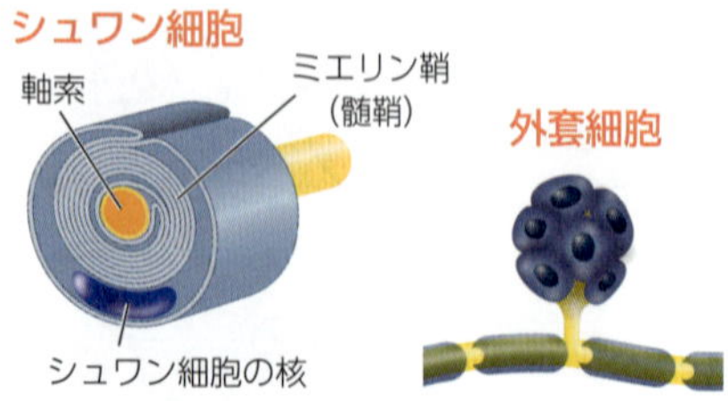

図8-3 末梢神経系の神経膠細胞

末梢神経系

- 末梢神経系では，シュワン細胞と外套細胞が神経膠細胞として働いている．
- **シュワン細胞**は一つの軸索に付随して，髄鞘を形成する．
- **外套細胞**は，神経節で細胞体を取り囲み，保護ならびに栄養供給を行っている．

2 ニューロン（神経細胞）

- ニューロン（**神経細胞**：neuron）の機能は神経インパルスを運ぶことである．
- ニューロンには分裂機能がないため，一つのニューロン全体が新しく置き換わることはない．
- ニューロンの栄養源はグルコースであるが，ほかの組織と違って，グルコースを直接細胞内に取り込むしくみがあるため，インスリンは必要としない．

■ ニューロンの基本的な構造

ニューロンは**細胞体**，複数の**樹状突起**，1本の**軸索**の三つの部分から構成される．

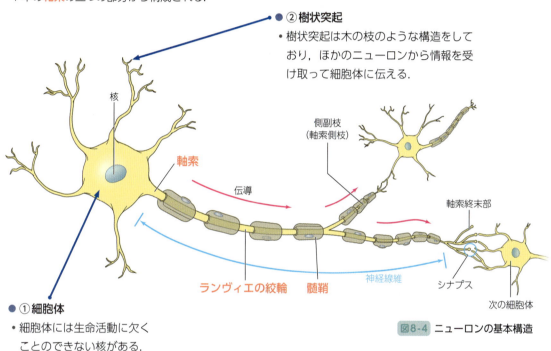

図8-4 ニューロンの基本構造

● ②樹状突起
- 樹状突起は木の枝のような構造をしており，ほかのニューロンから情報を受け取って細胞体に伝える．

● ①細胞体
- 細胞体には生命活動に欠くことのできない核がある．

● ③軸索
- 線維とも呼ばれ，細胞体からの情報を遠位に伝える．
- 軸索の末端は枝分かれして，多くの**軸索終末部**をつくっている．ここには神経伝達物質と呼ばれる化学物質が貯蔵されている．

● ④髄鞘
- 軸索の多くの部分は**髄鞘**と呼ばれる脂肪性物質に囲まれ，絶縁体の役割を果たしている．髄鞘がある軸索を**有髄神経**，髄鞘がない軸索を**無髄神経**という．
- 髄鞘があると神経インパルスの伝導速度が速くなる．
- 髄鞘が途切れている無髄領域は，**ランヴィエの絞輪**と呼ばれている．

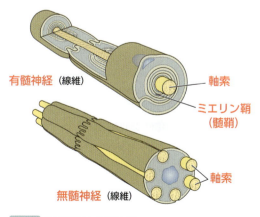

図8-5 有髄神経と無髄神経

情報の伝達

- ニューロンは，身体のある部位から別の部位に情報を速やかに運ぶ．これは，ニューロンが刺激に反応して興奮し，電気的な信号の形，つまり**神経インパルス**として次々に伝えるためである．
- この現象は細胞膜の特徴的な構造によって起こり，一連の電気的変化を**活動電位**という．

①静止電位

- 細胞外にはナトリウムイオン（Na^+）や塩素イオン（Cl^-）が多く，細胞内はカリウムイオン（K^+）が多い．
- ニューロンが興奮していない（安静）状態では，細胞内は細胞外より，陰性（マイナスに帯電）になっている（細胞によって異なるが，通常は－90～－60mV）．これを陰性に**分極**しているという．
- 細胞内に陰イオンが多いことに加え，K^+が細胞内に少しずつ漏れ出ているために生じる．

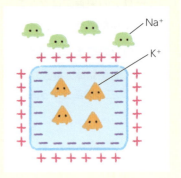

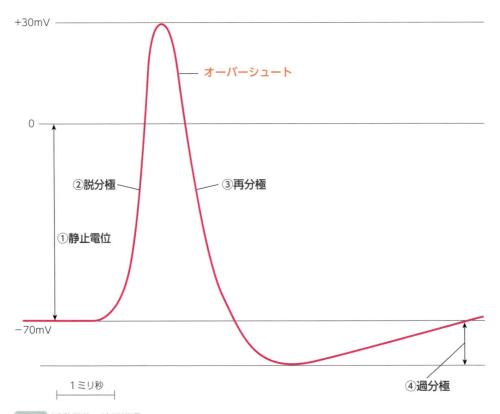

図8-6 活動電位の時間経過

plus α
チャネル

細胞膜には特定のイオンを透過させる輸送体があり，チャネルという．チャネルはある大きさと電荷をもったイオンを選択的にふるい分けて通すフィルターの役割があると考えられている．

- ②脱分極
  - 刺激がくると細胞膜の性質が変化し，細胞外のNa$^+$が細胞内に流入してくる．
  - プラス（＋）イオンが流入するため，細胞内は0mV方向に向かう．つまり，陰性に分極している状態から脱することになる．
  - 細胞内は0mVを超えて＋の電位になる．これを**オーバーシュート**という．

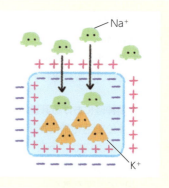

- ③再分極
  - 細胞内にNa$^+$がとどまった状態で，細胞内のK$^+$が細胞外に出ていく．
  - これによって細胞内は徐々に陰性（マイナス）方向に向かい，元の静止電位に戻る．
- ④過分極
  - 細胞内が静止電位より陰性になった状態をいう．

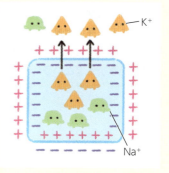

- ⑤ナトリウム－カリウムポンプ（➡p.52参照）
  - 活動電位が起こった後は，Na$^+$とK$^+$の分布が静止電位時と逆になっている．
  - これを元に戻すためにエネルギー（ATP）を使って入れ替える．

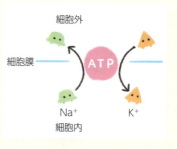

不応期

細胞膜上のある部位が，脱分極から回復するまでの時間をいう．膜がNa$^+$を通している間は，たとえいかに強い刺激がきても反応できない（絶対不応期）．

plus α

テトロドトキシン

フグ毒として知られているテトロドトキシン（TTX）は，神経細胞や筋線維の細胞膜に存在するNa$^+$チャネルを抑制することによって，活動電位の発生と伝導を抑えてしまう．そのため，この神経毒によって起こる主な症状は，しびれ，めまいから始まり運動麻痺などがある．重症化すると呼吸困難，死亡する場合もある．

興奮の伝導

①閾刺激

活動電位を起こすために必要とされる最小の刺激は閾刺激と呼ばれる．刺激がこれより弱い場合は閾下刺激といい，脱分極も十分でないため活動電位は起こらない．

②無髄神経における興奮伝導

- ある部位で活動電位が起こると，興奮している部位の細胞内はプラス（＋）になる．しかし，その周辺の未興奮の部位は－（マイナス：静止電位）の状態である．
- 細胞内で興奮部位から未興奮部位へ電流が流れ，細胞外では未興奮部位から興奮部位へ電流が流れることで局所電流が流れる．
- 興奮が連続的に伝導して神経インパルスとなる．これを逐次伝導という．

③有髄神経における興奮伝導

- 絶縁効果のある髄鞘があるため，ある一つの部位から周辺の部位へは電流は流れない．
- 脱分極は髄鞘がないところ，つまりランヴィエの絞輪部位でのみ起こり，絞輪の部位を活動電位が飛んでいくことになる．これを跳躍伝導といい，無髄神経の伝導よりも速い．

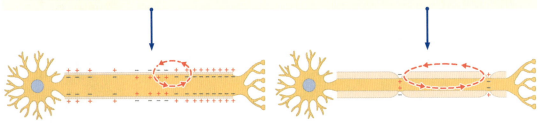

図8-7 興奮の伝導

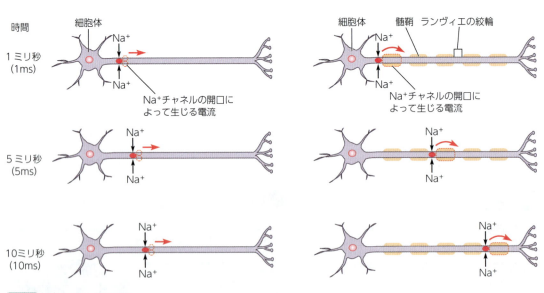

図8-8 逐次伝導と跳躍伝導

全か無かの法則

閾刺激によっていったん活動電位が発生すると，それは最大の強さとスピードでニューロン全体に伝播する．より強い刺激がきても，活動電位の強さも伝導速度も変わらない．刺激が閾値以上であれば活動電位は発生するが，閾値以下であれば活動電位は発生しない．

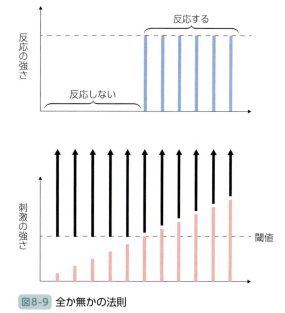

図8-9 全か無かの法則

シナプス

- 活動電位による神経インパルスが神経終末部まで達すると，ここで次のニューロンあるいは効果器に伝達される．このようなニューロン間またはニューロン—効果器間の接合部を**シナプス**（synapse）という．
- シナプスの前後にあるニューロンをそれぞれシナプス前ニューロン，シナプス後ニューロンという．この二つのニューロンの間にはわずかの隙間があり，**シナプス間隙**という．

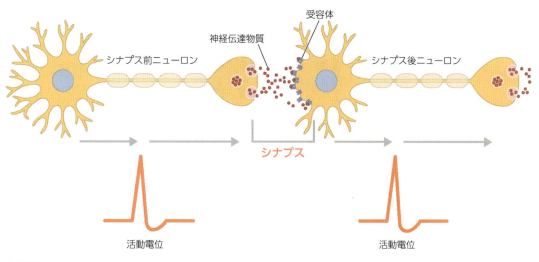

図8-10 シナプス

神経伝達物質

- **神経伝達物質**とは，神経インパルスが神経終末部に達すると，シナプス間隙に放出される化学物質のことである．アセチルコリン（ACh），ノルアドレナリン，アドレナリンなど古典的な物質のほか，グルタミン酸やGABA（γ-アミノ酪酸）*などのアミノ酸もある．
- 神経伝達物質の作用が長く続かないよう，伝達物質は酵素によって不活性化される．例えば，アセチルコリンはシナプス間隙に存在しているコリンエステラーゼという分解酵素によって分解される．

> **用語解説** *
> **グルタミン酸とGABA（γ-アミノ酪酸）**
> 神経伝達物質にはアミノ酸もあり，代表的なものにグルタミン酸とGABAがある．グルタミン酸はうま味成分の一つで，「興奮性」伝達物質であるのに対し，GABAは「抑制性」伝達物質である．GABAは神経の興奮を抑える働きから，血圧上昇抑制効果やリラックス効果などの働きがあるといわれている．

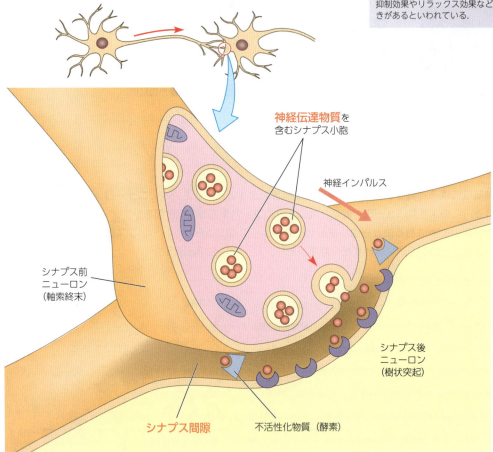

図8-11 神経伝達物質によるシナプス伝達

> **plus α**
> **神経伝達物質と疾患の関係**
> 神経伝達物質の減少が疾患の原因となっている場合がある．「ACh分泌ニューロンの減少とアルツハイマー型認知症」，「ドパミンの減少とパーキンソン病」などがその例である．統合失調症ではドパミン遮断薬やセロトニン遮断薬が治療薬として用いられ，うつ病はセロトニンなどのモノアミン系の機能低下が原因の一つと考えられている．

3 反射

- 刺激に対する不随意的（無意識の）反応である．
- 基本的に，①受容器，②感覚神経，③反射中枢，④運動神経，⑤効果器の五つの要素から構成される．
- 五つの要素からなる神経経路を**反射弓**，感覚系から運動系への切り替えの場所を**反射中枢**という．

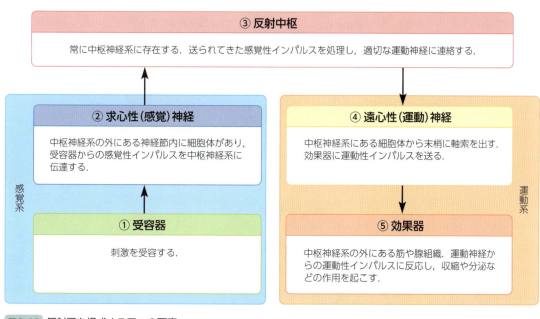

図8-12 反射弓を構成する五つの要素

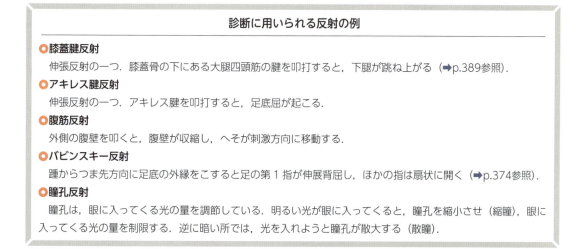

診断に用いられる反射の例

- **膝蓋腱反射**
  伸張反射の一つ．膝蓋骨の下にある大腿四頭筋の腱を叩打すると，下腿が跳ね上がる（➡p.389参照）．
- **アキレス腱反射**
  伸張反射の一つ．アキレス腱を叩打すると，足底屈が起こる．
- **腹筋反射**
  外側の腹壁を叩くと，腹壁が収縮し，へそが刺激方向に移動する．
- **バビンスキー反射**
  踵からつま先方向に足底の外縁をこすると足の第1指が伸展背屈し，ほかの指は扇状に開く（➡p.374参照）．
- **瞳孔反射**
  瞳孔は，眼に入ってくる光の量を調節している．明るい光が眼に入ってくると，瞳孔を縮小させ（縮瞳），眼に入ってくる光の量を制限する．逆に暗い所では，光を入れようと瞳孔が散大する（散瞳）．

反射の例：屈曲反射（引っ込め反射）

- 皮膚に侵害刺激が加わると，それを受容器が感受する．この刺激が情報として，感覚神経によって反射中枢である脊髄に伝えられる．
- 脊髄で介在ニューロン*を介して運動神経に情報が伝わる．
- 効果器の屈筋を収縮させて，侵害刺激から守ろうと手を引っ込める．

介在ニューロン

中枢神経系において情報伝達を仲介するニューロンのこと．ニューロンとニューロンを結合させ，局所的な神経回路をつくる．

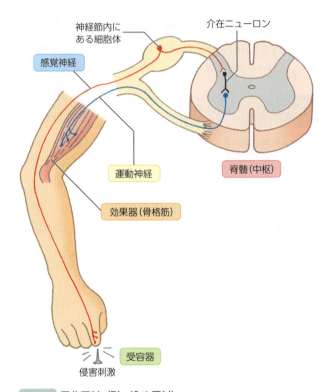

図8-13 屈曲反射（引っ込め反射）

3 中枢神経系

- 中枢神経系は脳と脊髄からなり，頭蓋骨基部の大孔（➡p.99参照：大後頭孔）でつながっている．
- 脳は，大脳，間脳（視床・視床下部・松果体・下垂体），脳幹（中脳・橋・延髄），小脳から構成されている．

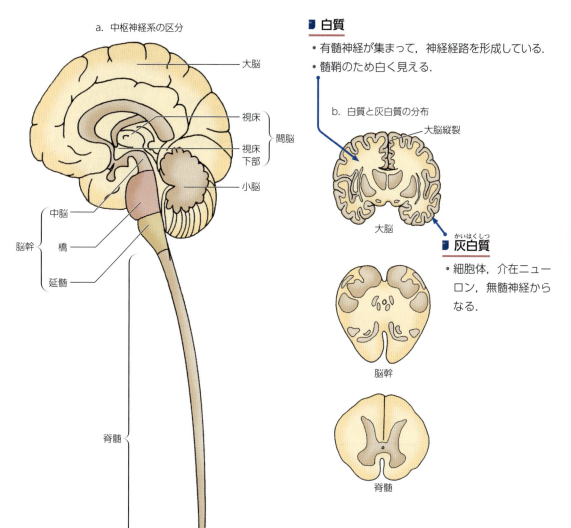

▌白質

- 有髄神経が集まって，神経経路を形成している．
- 髄鞘のため白く見える．

▌灰白質

- 細胞体，介在ニューロン，無髄神経からなる．

a. 佐藤昭夫，佐伯由香編．人体の構造と機能．第2版．医歯薬出版，2003，p.208より一部改変．
b. Kahle, W. Nervensystem und Sinnesorgane. Stuttgart, Georg Thieme Verlag, 1991, （Taschenatlas der Anatomie：für Studium und Praxis, Band3）より．

図8-14 中枢神経系：脳と脊髄

▌神経核・神経節

- 細胞体が集まっているところをいう．
- 中枢神経系内では神経核または核という．
- 末梢神経系では神経節という．

1 大脳

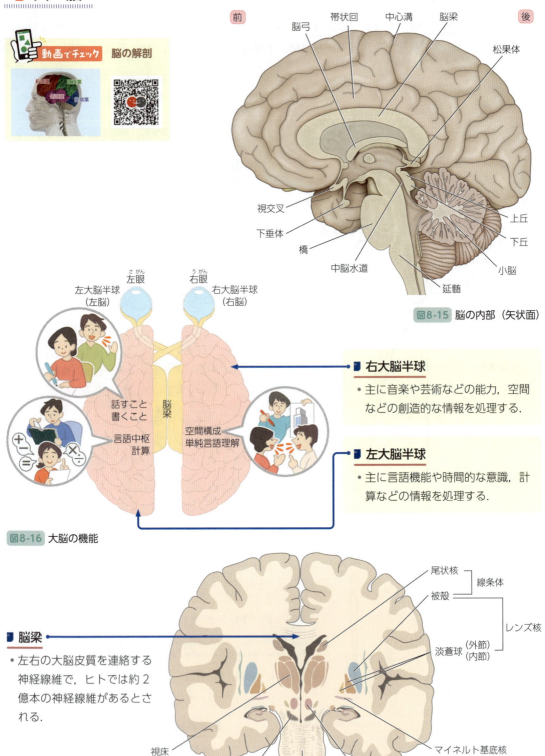

図8-15 脳の内部（矢状面）

図8-16 大脳の機能

右大脳半球
- 主に音楽や芸術などの能力，空間などの創造的な情報を処理する．

左大脳半球
- 主に言語機能や時間的な意識，計算などの情報を処理する．

脳梁
- 左右の大脳皮質を連絡する神経線維で，ヒトでは約2億本の神経線維があるとされる．

図8-17 脳梁（前頭断面）

大脳皮質

- 大脳の表面，1.3～4.5mm程度の厚さの灰白質を指す．
- 表面積は2,000cm²程度（新聞紙1枚弱の大きさ）で折りたたまれたようになっている．
- 認知機能の集まりとされ，ヒトで発達している．
- 頭蓋骨の名から（➡p.98，99参照），大きく前頭葉，頭頂葉，後頭葉，側頭葉に分けることができる．

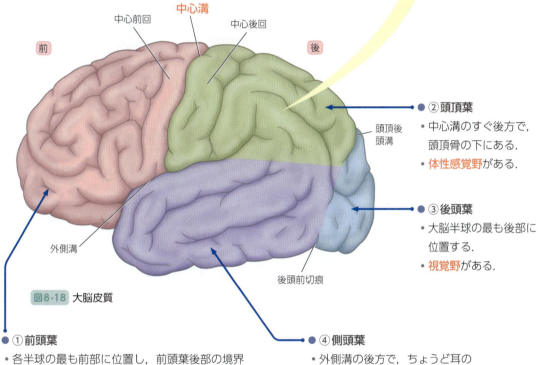

図8-18 大脳皮質

● ②頭頂葉
- 中心溝のすぐ後方で，頭頂骨の下にある．
- **体性感覚野**がある．

● ③後頭葉
- 大脳半球の最も後部に位置する．
- **視覚野**がある．

● ①前頭葉
- 各半球の最も前部に位置し，前頭葉後部の境界が**中心溝**である．
- 随意運動，人格の発達，感情や行動表現，学習や思考といったより高度な働きを担っている．
- **一次運動野**がある．

● ④側頭葉
- 外側溝の後方で，ちょうど耳の上部に位置する．
- **聴覚野**がある．

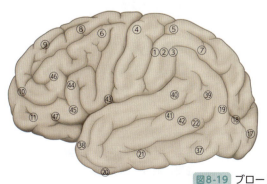

● ⑤ブロードマンの脳地図
- 大脳皮質の神経細胞を52領域に分類した．
- 各領域は，それぞれ別の働きがある．これを**脳機能局在論**という．

図8-19 ブロードマンの脳地図（外側表面）

■ 大脳皮質の主な領域の機能

● ①連合野
- 大脳皮質のうち，運動野やそれに関連した運動関連領域ならびに一次感覚野を除く領域のことを**連合野**という．
- 前頭連合野，頭頂連合野，側頭連合野，後頭連合野などに分けられる．
- 記憶，認知，判断，言語など高次の機能を有する．
- 障害されると感覚したものが認識できなくなる（失認症）．

● ②運動前野・補足運動野
- 記憶された運動が同時に，または連続してできるよう調節する．

● ③一次運動野
- 中心溝の前に存在し，反対側の随意運動を起こす．

● ④体性感覚野（一次感覚野）
- 中心溝の後ろに存在し，反対側の体性感覚の情報を受け取る．

● ⑥前頭前野
- 感情や記憶の制御，行動の抑制，注意，集中，思考の転換など，多くの高度な精神活動をつかさどっている．ヒトでよく発達した領域である．

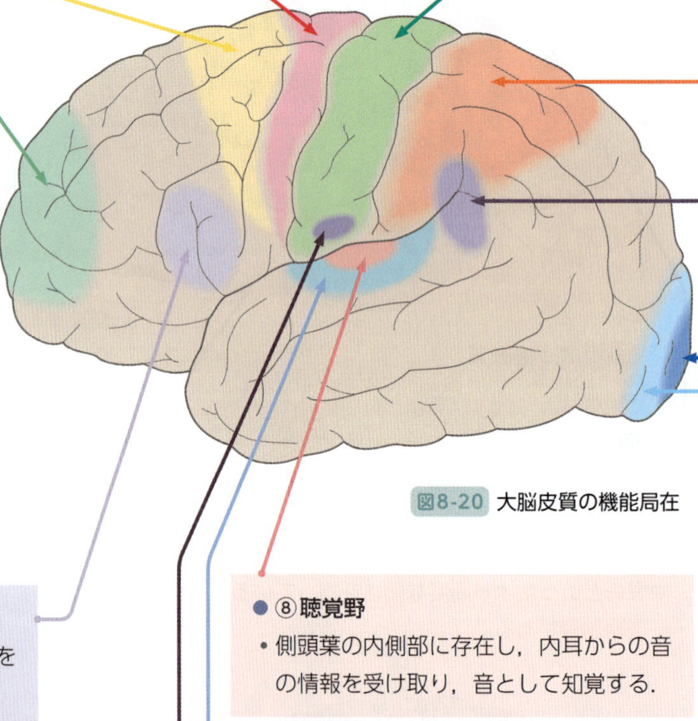

plus α
前頭前野の障害
この領域が障害されると，行動の管理，思考の構造化ができなくなったり，易興奮性などの情動変化がみられるようになる．

● ⑦運動性言語中枢（ブローカ野）
- 言葉を発生するのに必要な筋運動をプログラム，コーディネートする．
- 障害されると，運動性失語となる．

plus α
失語症と構音障害
失語症：脳の障害によって，いったん獲得した言語機能が障害された状態をいう．
構音障害：音をつくる構造物に障害が起こり，発音が正しくできない状態をいう．つまり，発語に関係する神経や筋肉の異常によって起こり，言語の意味の理解には問題はない．

図8-20 大脳皮質の機能局在

● ⑧聴覚野
- 側頭葉の内側部に存在し，内耳からの音の情報を受け取り，音として知覚する．

● ⑨聴覚連合野
- 聴覚野からの情報を分析・統合し，音の意味を認識する．

● ⑩味覚野
- 舌等に分布する味覚の受容器からの情報を受け取り，味覚を知覚する．

- ⑤一次運動野と体性感覚野の身体表現
  - 大脳皮質一次運動野と体性感覚野は，それぞれ支配している部位が決まっている．
  - いずれも手や顔面が広い領域を占めている．運動野では緻密な運動をする部位が，体性感覚野では敏感な部位ほど多くの神経細胞が関わっている．

- Ⓐペンフィールドのホムンクルス
  身体表現を表したもの．

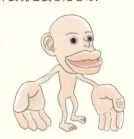

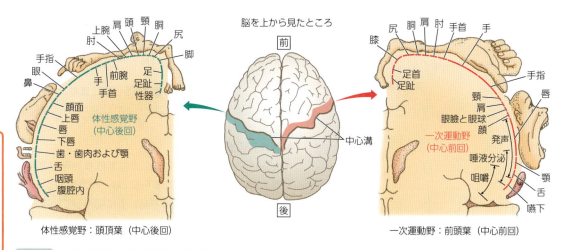

図8-21 一次運動野と体性感覚野の身体表現

- ⑪体性感覚の連合野
  - 体性感覚野が受けた情報を分析・統合する．情報を解釈し，以前の経験と照らし合わせて認識する．

- ⑫感覚性言語中枢（ウェルニッケ野）
  - 通常は左半球側頭葉の後方に存在する．
  - 聴覚の連合野から情報を受け取り，音声言語を理解する働きがある．
  - 障害されると，感覚性失語となる．

- ⑬視覚野
  - 後頭葉の後部に存在し，目の網膜から情報を受け取り，視覚像を知覚する．

- ⑭視覚連合野
  - 視覚野からの情報を分析・統合し，その視覚像を認識する．

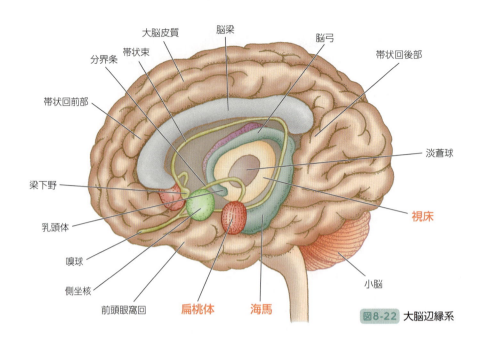

図8-22 大脳辺縁系

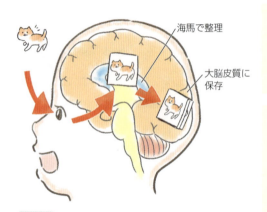

図8-23 記憶の整理

- ⑮ **大脳辺縁系**
  - 大脳半球の内側面にある，大脳基底核を囲む領域で，扁桃体，海馬，(視床下部) などが含まれる．
  - 本能や情動，記憶，自律神経活動に関与している．

- ⑯ **海馬**
  - 記憶や空間学習能力に関わる脳の領域である．
  - 新しい記憶が海馬で整理され，その後大脳皮質に保存されるとされている．
  - ストレスや虚血に脆弱で，アルツハイマー型認知症における最初の病変部位ともいわれている．

- ⑰ **大脳基底核**
  - 大脳半球の白質内に散在している灰白質の領域である．
  - 錐体外路系 (➡p.374参照) の一部となっており，姿勢の保持や身体運動を調整している．

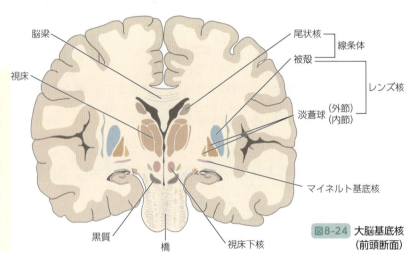

図8-24 大脳基底核 (前頭断面)

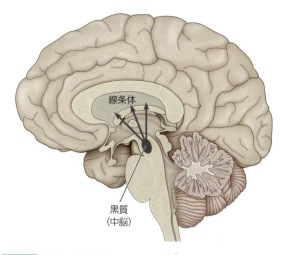

図8-25 黒質—線条体線維

> **plus α**
> **ハンチントン病**
>
> 大脳基底核，時には大脳皮質の神経組織までが変性する遺伝性疾患．羽ばたくような動きがみられ，踊っているように見えることから舞踏病とも呼ばれていた．多くは35歳以上で発症し，15年以内に死に至るといわれている．γ-アミノ酪酸（GABA）性ニューロンの変性が特徴．

- ⑱ 黒質（中脳）－線条体線維
- 黒質から線条体に向けて，ドパミン神経線維がシナプスを形成している．ここのドパミンが減少した状態がパーキンソン病で，振戦（手足などのふるえ）や筋強剛，運動緩慢，姿勢保持障害が四大徴候である．

> **plus α**
> **レボドパ（L-dopa）**
>
> ドパミン作用薬で，パーキンソン病に最も効果的な薬である．ドパミンは血液脳関門（BBB）を通過しないので，ドパミンを静脈内または経口で投与しても脳内に到達しない．ドパミンの前駆物質のレボドパはBBBを通過することができる．

図8-26 パーキンソン病の主な症状

2 間脳

間脳とは，第三脳室を囲む脳部位をいい，視床，視床下部，松果体，下垂体から構成される．

▌視床

- 嗅覚以外の感覚入力の中継地点で，ここから大脳皮質に投射する．

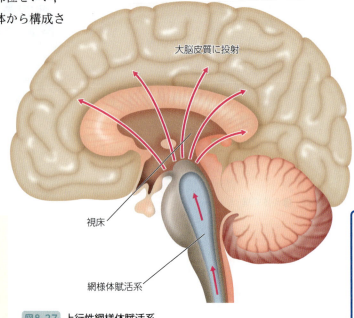

図8-27 上行性網様体賦活系

● ①上行性網様体賦活系

- 脳幹部の網様体からの興奮を視床が中継し，大脳皮質に広く投射することで意識の保持に関与すると考えられている．

▌視床下部

● ①自律神経系の制御
- 交感神経と副交感神経に指令を出し，内臓機能を調節している．

● ②下垂体の制御とホルモン産生
- ホルモンを産生し下垂体門脈に分泌することによって，下垂体前葉から分泌されるホルモンの分泌調節を担っている．
- 下垂体後葉の血管内にホルモンを分泌している．

● ③浸透圧調節
- 血漿浸透圧を感知する浸透圧受容器が存在する．食塩の摂りすぎなどで血漿浸透圧が上昇すると，上昇した浸透圧を下げようとする反応を起こす．具体的には口渇感をもたらし，飲水行動を誘発し，さらに下垂体後葉からの抗利尿ホルモンの分泌を促進する．

● ④摂食調節（➡p.296, 297参照）
- 視床下部外側野は空腹中枢と呼ばれ，空腹感をもたらす．
- 視床下部内側野は満腹中枢と呼ばれ，満腹感をもたらす．

● ⑤体温調節
- 外気温が高いなど体温が上昇し始めると，それを感知して熱放散反応を起こす．具体的には，皮膚血管の拡張，発汗などによって体温上昇を抑える．
- 冬など外気温が低い場合には，体温を一定に保つために，熱産生反応や熱放散抑制反応を起こす．甲状腺ホルモンの分泌促進によって代謝を促進したり，骨格筋の不随意的な収縮によるふるえ熱産生や皮膚血管の収縮を起こしたりする．

■ 松果体

● ①松果体の位置
- 左右大脳半球の間，第三脳室後端にある内分泌器官．

● ②松果体の機能
- ホルモンのメラトニン*を分泌し，概日リズムを調節する．

> **用語解説** *
> **メラトニン**
> 夜間に合成が亢進し，光によって抑制される．ヒトでは，軽い催眠作用や体温低下作用があり，時差ぼけなどのサーカディアンリズム異常に基づく睡眠障害の治療として使われている．

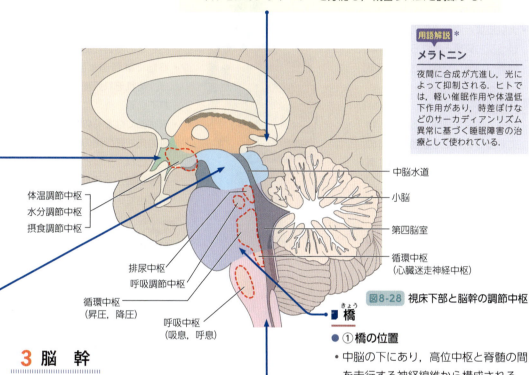

図8-28 視床下部と脳幹の調節中枢

3 脳幹

脳幹とは，中脳，橋，延髄を合わせた部分をいう．脳全体を樹木に例えると，大脳を支える幹のように見えることから，このように呼ばれる．

■ 中脳

● ①中脳の位置
- 脳幹の最も上部にあり，感覚・運動経路の中継部位または通過部位となっている．

● ②中脳の機能
- 視覚反射や聴覚反射の中枢でもある．
- ヒトは押されて倒れそうになっても元の姿勢に戻ることができる．これを姿勢反射といい，中脳が重要な役割を担っている．

■ 橋 (きょう)

● ①橋の位置
- 中脳の下にあり，高位中枢と脊髄の間を走行する神経線維から構成される．

● ②橋の機能
- 呼吸調節中枢が存在し，呼吸運動の調節に関わっている．
- 排尿中枢が存在し，排尿調節に関わっている．

■ 延髄

● ①延髄の位置
- 橋の下に位置し，脊髄へと続いている．脳と脊髄を結ぶ求心性神経と遠心性神経はすべて延髄を通る．

● ②延髄の機能
- 循環中枢が存在し，心拍数や血圧を調節している．
- 呼吸中枢は橋の呼吸調節中枢とともに呼吸数・リズム・深さを調節している．
- 嘔吐，嚥下など自律神経機能に関する反射中枢が存在している．

4 小脳

■ 小脳の位置・構造

- 大脳皮質後頭葉の下に位置し,二つの小脳半球からなり,虫部でつながっている.
- 大脳皮質と同じように小脳皮質という灰白質層とそれらに囲まれた髄質（白質）で構成されている.

■ 小脳の機能

- 歩く,階段を昇降するなど,特に意識しなくても運動や姿勢のバランスを維持できるように調節している.
- 眼・耳・骨格筋を含む身体中からの情報が集められ,統合し,筋運動が円滑に行えるように調節している.

5 脊髄

■ 脊髄の構造

- 頭蓋骨基部の大孔から第2腰椎あたりまで約45cmの長さに及ぶ神経組織である.
- 直径は1〜1.5cm程度のおおむね円柱状の器官である.
- 脊髄には頸部と腰部に膨大部があり,それぞれ頸膨大,腰膨大と呼ばれている.
- 末端部には多くの脊髄神経が脊髄円錐の先で馬の尾のように集まっている.これを馬尾という.
- 椎骨の間からそれぞれ脊髄神経が末梢に出ている.

> **plus α**
> **脊髄の成長**
> 幼児の脊髄は脊髄腔全体に及んでいるが,成長するにつれ脊髄より脊椎のほうが早く成長するようになる.成長率が異なるため,成人では脊髄が第1腰椎レベルまでしかないのに対して,脊椎はそれ以上に長い.

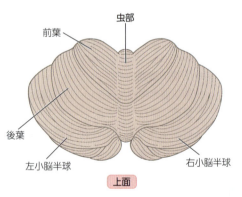

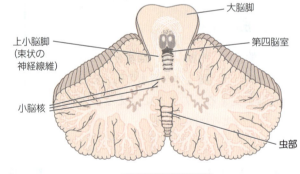

図8-29 小脳の構造

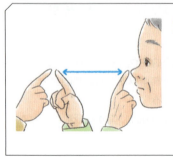

■ 指鼻試験

小脳機能の異常の有無を調べる検査の一つである.被検者の指で被験者自身の鼻と検者の指を交互に指してもらう.小脳に異常がある場合は,自分の鼻を強く押したり,場所がずれたりする.

> **plus α**
> **小脳運動失調**
> 小脳が損傷されたときに現れる異常な運動現象の総称で,いくつかの症状が組み合わさったものである.筋緊張の低下や振戦のほか,次のものが含まれる.
> **共同運動不能**:拮抗筋や協同筋などの協調が行われず,円滑な動きができない.
> **推尺異常**:物を取ろうとして手を伸ばしても,目的物に達する前に手が止まったりいきすぎたりする.

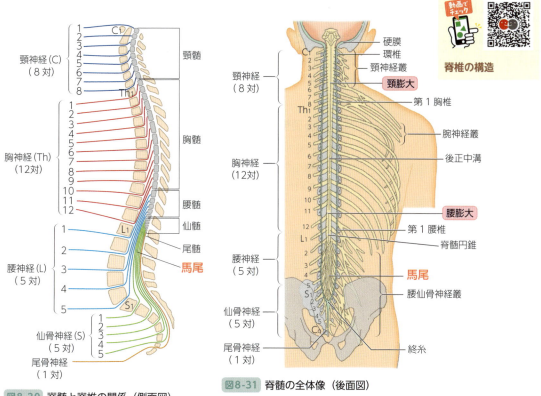

図8-30 脊髄と脊椎の関係（側面図）

図8-31 脊髄の全体像（後面図）

脊髄と脊椎神経
脊髄から起始する末梢神経を脊髄神経といい，31対ある．第1頸神経は後頭骨と第1頸椎の間を，第8頸神経は第7頸椎と第1胸椎の間を通る．胸，腰および骨神経は各椎間孔をつくる頭側骨の名称と番号となっている．

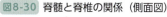

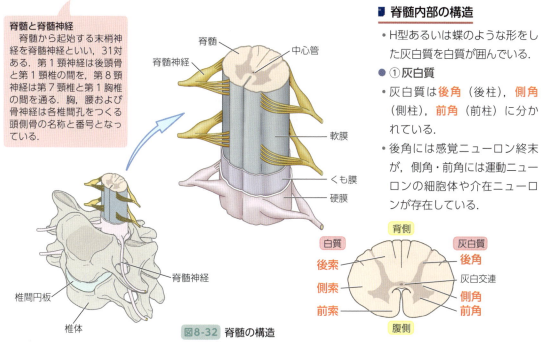

図8-32 脊髄の構造

■ 脊髄内部の構造

- H型あるいは蝶のような形をした灰白質を白質が囲んでいる．

● ①灰白質

- 灰白質は**後角**（後柱），**側角**（側柱），**前角**（前柱）に分かれている．
- 後角には感覚ニューロン終末が，側角・前角には運動ニューロンの細胞体や介在ニューロンが存在している．

● ②白質

- **後索**，**側索**，**前索**に分けられ，有髄神経が縦方向に走行して，神経経路と呼ばれている．

● ③灰白交連

- 左右の灰白質をつないでいるのが灰白交連で，脳脊髄液で満たされている中心管を囲んでいる．

6 中枢神経系を保護する組織

中枢神経組織は非常に精巧で，生命維持のために重要な役割を担っている．そのため，骨や髄膜，脳脊髄液（cerebrospinal fluid：CSF），血液脳関門などの組織で保護されている．

■ 髄膜

- 硬膜，くも膜，軟膜の3層からなる．

■ ①硬膜

- 一番外側の線維性の結合組織からなる硬い膜である．
- 硬膜には硬膜静脈洞と呼ばれる部分があり，脳内の静脈血が流れている．最も大きな静脈洞が上矢状静脈洞である．

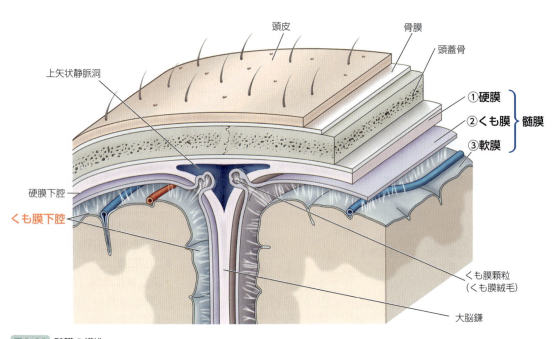

図8-33 髄膜の構造

■ ②くも膜

- 中間に存在し，多くの細い糸状のものが薄い層をなし，蜘蛛の巣のように見えることから名付けられた．
- 脳・脊髄の表面や脳室を循環した脳脊髄液は，くも膜顆粒から静脈に入る．

■ ③軟膜

- 最も内側にある非常に繊細な薄い膜で，脳や脊髄の表面すべてを覆っている．
- くも膜と軟膜の間にある空間がくも膜下腔で，血管や脳脊髄液で満たされている．

脳室

- 脳内には連続的につながった空間があり、これを脳室という。
- 脳室には、左右の側脳室、第三脳室（間脳の正中）、中脳水道、第四脳室がある。側脳室が最も大きく、第三脳室と第四脳室を中脳水道がつなげている。
- 第四脳室は小脳・橋レベルにあり、脊髄の中心管に続いている。

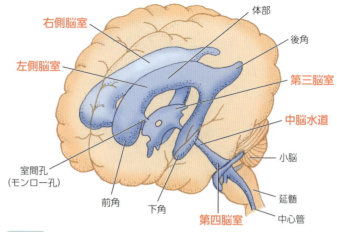

図8-34 脳脊髄液の存在部位

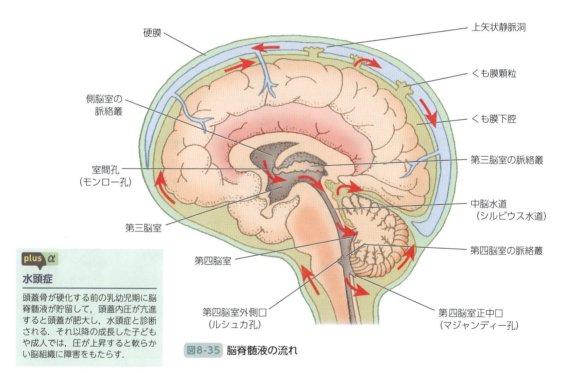

plus α
水頭症
頭蓋骨が硬化する前の乳幼児期に脳脊髄液が貯留して、頭蓋内圧が亢進すると頭蓋が肥大し、水頭症と診断される。それ以降の成長した子どもや成人では、圧が上昇すると軟らかい脳組織に障害をもたらす。

図8-35 脳脊髄液の流れ

脳脊髄液

- 脳室（主に側脳室）に存在する特殊な毛細血管網である脈絡叢の血液が濾過されて産生される透明な液体である。
- 成分は血漿と類似しており、水、グルコース、タンパク質、電解質などから構成される。
- 成人では、総脳脊髄液量は90〜150 mLとされており、1日の産生量は約500 mLである。つまり、1日に3〜4回入れ替わることになる。

脳脊髄液の働き

- 側脳室から第三脳室、中脳水道、第四脳室と下行し、マジャンディー孔、ルシュカ孔からくも膜下腔に出て、上下に循環する。最終的には上矢状静脈洞のくも膜顆粒から吸収されて静脈内に入る。
- 頭部に衝撃を受けたときに衝撃を和らげたり、中枢神経系周囲の環境を一定に保ったりする働きがある。

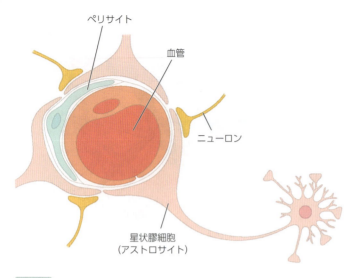

図8-36 血液脳関門

■ 血液脳関門の構造
- 脳や脊髄内の血管，それらに付随して配列している神経膠細胞，特に星状膠細胞で構成されている．

■ 血液脳関門の役割
- 内皮細胞の外側にペリサイト（周皮細胞）が付いて，内皮細胞の密着に必要な物質を増加させる．
- 血液中の毒性物質やある種の薬物は血液脳関門を通過できず，中枢神経系内に入るのを防ぐ役割がある．

■ 腰椎穿刺
- 椎骨間に穿刺して圧を調べたり，脳脊髄液を採取して性状を調べる検査．
- 脊髄が第1～2腰椎で終わっていることから，その下の部分で穿刺すると，脊髄を損傷することはない．
- ヤコビー線は左右の腸骨稜を結んだ線で，ほぼ第4腰椎の高さに相当するため，これを指標に穿刺する．

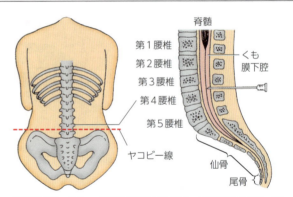

穿刺部位は，第3～4腰椎間あるいは第4～5腰椎間である．左右腸骨稜の頂点を結んだヤコビー線が第4腰椎棘突起に当たる．

図8-37 腰椎穿刺

plus α クロイツフェルト・ヤコブ病
病原性をもつ異常プリオン蛋白が中枢神経系内に沈着した状態で，全身の不随意運動と急速に進行する認知症が特徴である．遺伝性の場合もあるが，この疾患に罹患した患者からの角膜や硬膜などの移植による医原性，牛海綿脳症（BSE）から感染する変異型などがある．

plus α 髄膜炎
髄膜の急性の炎症である．細菌によって起こる場合が多いが，ウイルス感染や真菌感染，腫瘍によって起こることもある．感染は脳にも及び，不可逆性の脳障害をもたらすことがある．原因となるウイルスや細菌などは腰椎穿刺によって採取した脳脊髄液を検査するとわかる．

慢性硬膜下血腫とくも膜下出血

●慢性硬膜下血腫
　慢性硬膜下血腫とは頭部外傷後1〜3カ月経って硬膜下腔に血液が貯留する疾患で，たまった血液が脳を圧迫する．症状はだんだん強くなる頭痛や半身の脱力・しびれ，歩行障害，物忘れなどである．

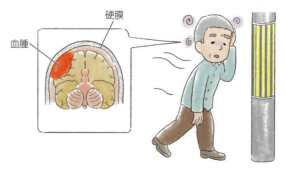

●くも膜下出血
　くも膜下出血はくも膜下に張りめぐらされた脳栄養血管の一部が切れて出血した状態で，突然の激しい頭痛が特徴である．この場合，必ずしも運動麻痺などが起こるとは限らない．

髄膜刺激時にみられる主な症状

●項部硬直
　頸部を他動的に動かしたとき正常時より強い抵抗を感じた場合をいう．

●ケルニッヒ徴候
　仰臥位で検者が下肢を持ち上げると，膝関節が屈曲してくる徴候で，135°以上伸展しない．

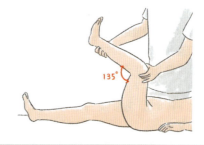

7 伝導路

下行路

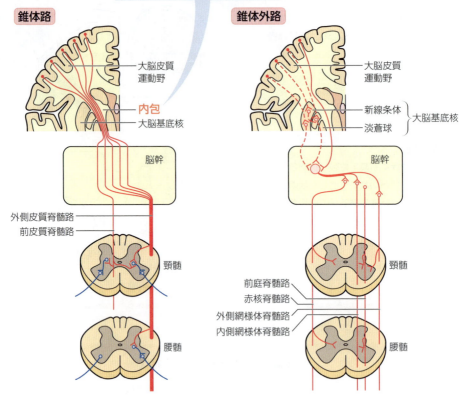

図8-38 脊髄下行路

Schmidt, RF. Fundamentals of Neurophysiology. 3rd ed., New York, Springer-Verlag, 1985より引用.

● ①錐体路（皮質脊髄路）
- 大脳皮質運動野からシナプスを介さずに脊髄まで下行する経路.
- 延髄腹側の錐体で約80％の軸索が交叉して下行する. 残りは, 脊髄レベルで交叉する.
- 障害されると, バビンスキー反射などの反射異常が出現する.

● ②錐体外路
- 錐体路以外の運動の下行路で, 大脳基底核や脳幹部でシナプスを介して下行する.

● バビンスキー反射
- 足底の外側を強くこすると, 足の第1指が足背側に屈曲する反射. 新生児の原始反射として生後1歳くらいまでに消失する.

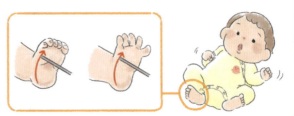

上行路

身体からの体性感覚情報は，主に二つの感覚経路を通って上行し，一次体性感覚野に達する．

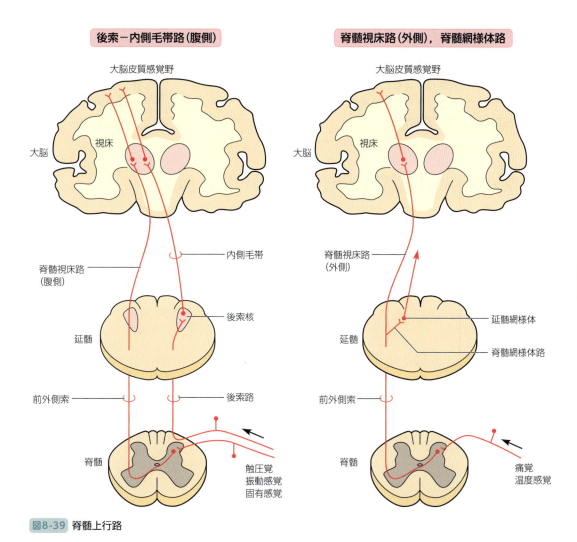

図8-39 脊髄上行路

- ①後索-内側毛帯路
  - 脊髄に入ると同側の後索を上行し，脳幹の内側毛帯を通る経路で，触圧覚，振動感覚，固有感覚などを伝える．

- ②脊髄視床路
  - 脊髄に入った後，反対側を上行し，視床で終わる経路．痛覚や温度感覚を伝える．

8 睡眠と覚醒

脳電図（脳波〔electroencephalogram：EEG〕）

脳の表面に電極を装着し，脳の電気的な変動をとらえ，増幅して波形として記録したものである．脳の状態によって周波数の異なる波が出現する．

α波（8〜13Hz）：リラックスしているとき．
β波（≧14Hz）　：覚醒しているとき．
θ波（4〜7Hz）　：うとうとしているとき．
δ波（1〜3Hz）　：深い眠りのとき．

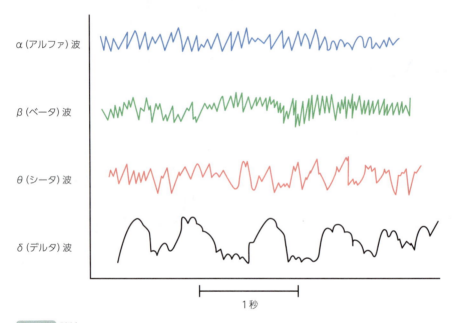

図8-40 脳波

睡眠の周期

脳波で睡眠の周期を分類することができる．大きくレム睡眠とノンレム睡眠があり，交互に出現する．成人の場合，1周期約90分で，一晩のうちに4〜5回訪れる．

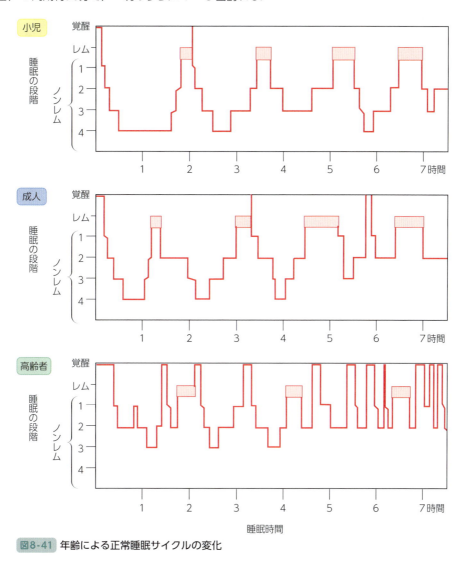

図8-41 年齢による正常睡眠サイクルの変化

- ①レム睡眠（rapid eye movement sleep：REM sleep）
- レム睡眠時の脳波は覚醒しているような波形なので，逆説睡眠ともいわれている．
- 閉じた瞼の下で眼球がキョロキョロ動く急速眼球運動がみられる．
- 身体の筋肉は弛緩しており，身体が休んでいるときである．
- 夢をみたり金縛りにあうのはこの時期である．

- ②ノンレム睡眠（non-REM sleep）
- 眠り始めると浅いノンレム睡眠から始まり，徐々に深くなる．
- 最も深い4段階になると徐々に浅くなり，レム睡眠になる．
- レム睡眠の後，再び浅いノンレム睡眠から同様に繰り返される．
- ノンレム睡眠は，脳が休んでいるときである．
- 加齢に伴い，深い睡眠が少なくなり，また何回も中途覚醒が起こる．

9 サーカディアンリズム（概日リズム）

- 約24時間の周期を示す生理現象である．
- 体温やホルモン分泌にも認められる．

- 視床下部の視交叉上核と呼ばれる領域によってリズムが形成される．
- 時差ぼけや夜勤など，旅行や睡眠パターンの変化で障害されることがある．

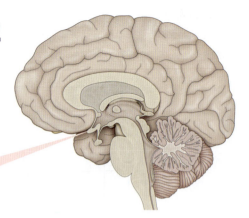

図8-42 視床下部の視交叉上核

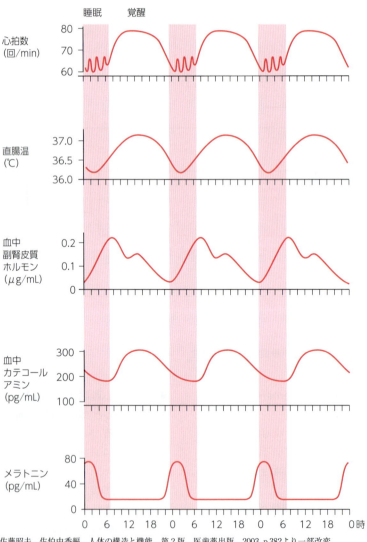

佐藤昭夫，佐伯由香編．人体の構造と機能．第2版．医歯薬出版，2003, p.382より一部改変．

図8-43 種々のサーカディアンリズム

10 意識レベルの評価

- 脳内の網様体賦活系が意識レベルと関係している．
- 網様体が障害されると意識レベルの低下が起こる．程度が軽い場合，光や音，痛み刺激に反応するが，さらに低下すると徐々に反応しなくなり，やがてすべての刺激に反応しなくなる（昏睡）．
- 意識レベルの評価には，下表のスケールが用いられている．

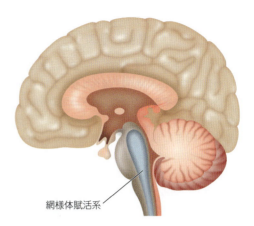

図8-44 意識レベルと関係する網様体賦活系

表8-1 ジャパン・コーマ・スケール（JCS，3-3-9度方式）による意識障害の分類

Ⅲ．刺激を与えても覚醒しない状態
- 300：痛みに全く反応しない
- 200：痛み刺激に対し，少し手足を動かしたり，顔をしかめる
- 100：痛み刺激に対し，払いのけるような動作をする

Ⅱ．刺激すると覚醒する状態
- 30：痛み刺激を加えながら呼びかけを繰り返すとかろうじて開眼する
- 20：大きな声または身体をゆさぶることにより開眼する
- 10：普通の呼びかけで容易に開眼する

Ⅰ．刺激しないでも覚醒している状態
- 3：自分の名前，生年月日が言えない
- 2：見当識障害がある
- 1：意識清明とはいえない

記載する場合は，R：不穏状態，I：失禁，A：自発性喪失と，重症度のⅢ，Ⅱ，Ⅰの各点数を組み合わせ，例えば，100-I，30-Rなどと表示する．
R：restless（不穏）
I：incontinence（失禁）
A：akinetic mutisum（自発性喪失）

太田富雄ほか．意識障害の新しい分類法試案：数量的表現（Ⅲ群3段階方式）の可能性について．脳神経外科．1974，2（9），p.623-627より一部表現を変更し掲載．

表8-2 グラスゴー・コーマ・スケール（GCS）による意識障害の分類

大分類	小分類	スコア
A．開眼 （eye opening）	自発的に（spontaneous） 言葉により（to speech） 痛み刺激により（to pain） 開眼しない（nil）	E4 3 2 1
B．言葉による最良の応答 （best verbal response）	見当識あり（orientated） 錯乱状態 （confused conversation） 不適当な言葉 （inappropriate words） 理解できない声 （incomprehensible sounds） 発声がみられない（none）	V5 4 3 2 1
C．運動による最良の応答 （best motor response）	命令に従う（commands） 痛み刺激部位に手足をもってくる（localises） 四肢を屈曲する（flexes） ・逃避（withdraws） ・異常屈曲（abnormal flexion） 四肢伸展（extends） 全く動かさない（none）	M6 5 4 3 2 1

Teasdale, G.et al. Assessment of coma and impaired consciousness. A practical scale. The Lancet, 304（7872），1974，p.81-84. Teasdale, G. et al. Assessment and prognosis of coma after head injury. Acta Neurochir (Wien)．1976，34（1-4），p.45-55.

plus α　オレキシン

オレキシンは覚醒状態を安定させる神経ペプチドで，失われるとナルコレプシーが発症する．ナルコレプシーは，昼間に耐えがたい眠気が繰り返し起こり，居眠りをする睡眠障害である．オレキシン受容体拮抗薬が新しい睡眠導入薬として使用されている一方，ナルコレプシーの治療薬としてオレキシン受容体作動薬の開発が進められている．

plus α　遷延性意識障害

俗にいう植物状態である．脳が障害を受け，広範囲にわたって活動できない状態であるが，生命維持に必要な脳幹部は生きている状態を指す．それに対して脳死は，生命維持に必要な脳幹まで死んでしまった状態をいう．

> **コラム** 睡眠と健康

睡眠は1日の疲れを癒し，翌日の活動に備えるための必要不可欠な生命活動である．しかし，現代社会においては，不眠や睡眠時無呼吸症候群などの睡眠障害のほか，睡眠時間の短縮化や夜型化などが問題となっている．

2019年に経済協力開発機構（Organisation for Economic Co-operation and Development：OECD）が発表した加盟33カ国の平均睡眠時間で，日本は7時間22分と最も短く，また，2020年の別の調査では6時間22分とさらに短い睡眠時間が公表された．ここでは，睡眠時間が短いと身体にどのような影響を及ぼすか，最近の研究結果を紹介する．

睡眠時間と循環器系疾患の死亡率の関係

睡眠時間と疾患による死亡のリスクの関係を調べた研究は多数あるが，いずれも同様の結果が得られている．最もリスクの低いのは約7時間の睡眠の長さで，それよりも短くても長くても死亡のリスクは上がる，U字型を示している．

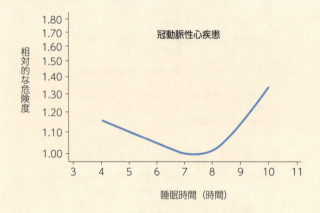

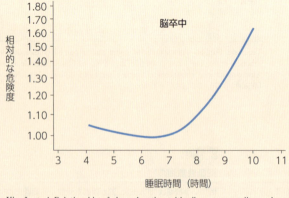

Yin, J. et al. Relationship of sleep duration with all-cause mortality and cardiovascular events：A systematic review and dose-response meta-analysis of prospective cohort studies. J of American Heart Association. 2017, 6 (9), e005947を改変．

睡眠時間と肥満の関係

1,024名を対象に睡眠時間とBMI（body mass index）の関係を調べた結果が右図である．循環器系疾患との関係と同様に，7～8時間の睡眠時間でBMIが最も低くなる．

循環器系疾患では，睡眠時間が短くなるより長くなるとリスクが上がるのに対して，BMIとの関係では，睡眠時間が短くなるほうがBMIの増加が大きくなる．

BMIが増加する要因

睡眠時間が短くなるとBMIが増加する要因としてレプチンとグレリンが考えられている．

●レプチン

脂肪組織で産生分泌されるホルモンで，視床下部に作用して食欲低下ならびにエネルギー消費の増加をもたらす．睡眠時間が長いほど血漿濃度は高く，睡眠時間が短いと血漿濃度は低下する．

●グレリン

胃や腸管などの内臓で産生分泌されるホルモンで，食欲亢進，体重増加などの作用がある．レプチンと逆で，睡眠時間が短くなるほど血漿濃度が高くなる．

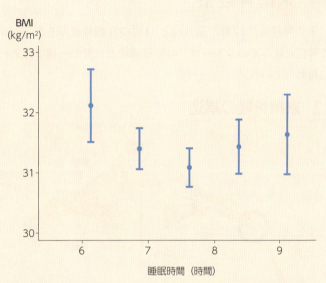

Taheri, S. et al. Short sleep duration is associated with reduced leptin, elevated ghrelin, and increased body mass index. PLoS Medicine. 2004, 1（3），e62を改変．

睡眠時間が短いと食欲が亢進する→BMIが増加する

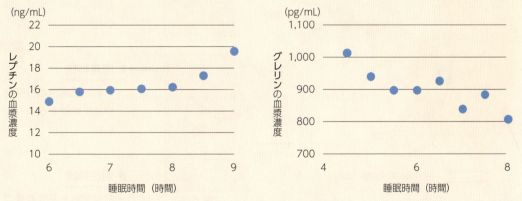

Taheri, S. et al. Short sleep duration is associated with reduced leptin, elevated ghrelin, and increased body mass index. PLoS Medicine. 2004, 1（3），e62を改変．

4 末梢神経系

末梢神経系は12対の脳神経と31対の脊髄神経からなる（解剖学的分類）．1本の神経には多くのニューロンの神経線維と血管が一緒に含まれ，これらは結合組織に覆われている．

1 末梢神経の構造

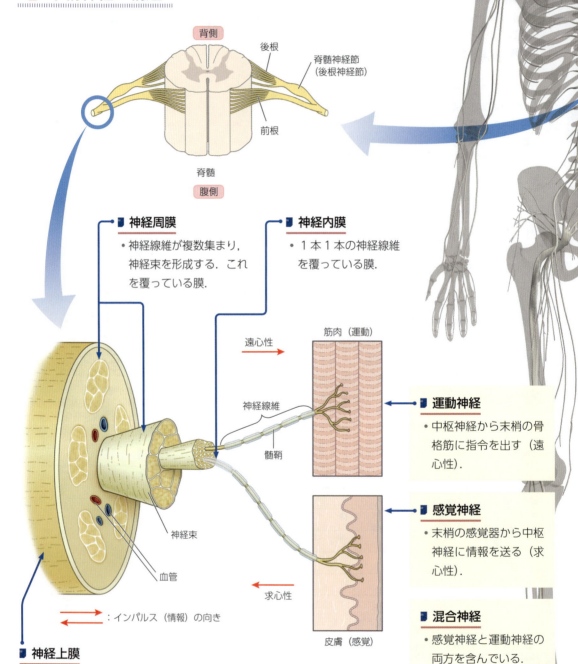

図8-45 末梢神経の構造

2 末梢神経の機能的分類

機能的にみると，以下の二つに分類できる．

体性神経系

- 皮膚や筋肉を支配する神経から構成され，求心性と遠心性の両神経を含んでいる．
- 髄鞘のため白く見える．

自律神経系

- 内臓を支配している神経で，遠心性と求心性がある．
- 交感神経と副交感神経から構成される．

3 末梢神経線維の伝導速度

神経が情報を伝える伝導速度は，神経線維の太さや髄鞘の有無によって決まる．

名称	髄鞘		直径（μm）	伝導速度（m/秒）	機　能
A	有髄	α β γ δ	12〜20 5〜12 3〜6 2〜5	70〜120 30〜70 15〜30 12〜30	体性運動（骨格筋〔錘外筋〕） 触圧覚 骨格筋（錘内筋）への運動神経 鋭い痛覚，温度覚
B	有髄		<3	3〜15	自律神経節前線維
C	無髄		0.4〜1.2	0.5〜2	鈍い痛み，自律神経節後線維

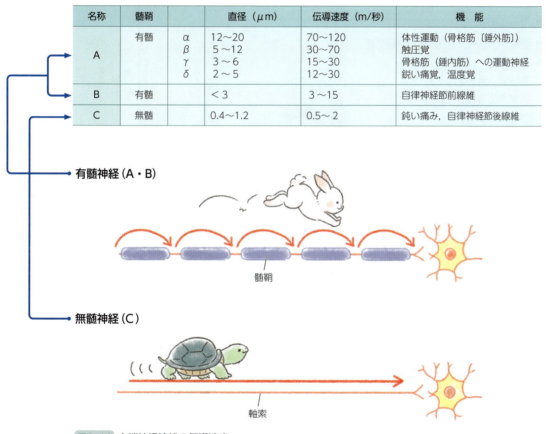

図8-46 末梢神経線維の伝導速度

4 脳神経

脳底部から左右に12本ずつ起始し，前頭部から尾側に向かってⅠからⅫまで番号が付いている．

<覚え方の例>											
かいで	みる	うごく	くるまの	みつの	そと	かお	きく	したは	まよう	ふく	ぜつ
嗅いで	見る,	動く	車の	三つの	外,	顔	聴く	舌は	迷う	副	舌
嗅	視	動眼	滑車	三叉	外転	顔面	内耳	舌咽	迷走	副	舌下
Ⅰ	Ⅱ	Ⅲ	Ⅳ	Ⅴ	Ⅵ	Ⅶ	Ⅷ	Ⅸ	Ⅹ	Ⅺ	Ⅻ

■ Ⅰ 嗅神経
- 種類：感覚
- 機能：嗅覚
- 障害時：嗅覚の喪失
- 形態学的起始部：終脳

■ Ⅱ 視神経
- 種類：感覚
- 機能：視覚
- 障害時：視野欠損
- 形態学的起始部：間脳

■ Ⅶ 顔面神経
- 種類：①感覚，②運動，③副交感
- 機能
  ①味覚（舌の前2/3）
  ②顔面の表情
  ③唾液・涙液の分泌
- 障害時
  ①舌の前2/3の味覚が喪失
  ②ベル麻痺（顔面神経麻痺）
- 形態学的起始部：橋

■ Ⅷ 内耳神経
- 種類：感覚
- 機能：聴覚・平衡感覚
- 障害時：聴覚・平衡感覚の喪失
- 形態学的起始部：橋〜延髄

■ Ⅸ 舌咽神経
- 種類：①感覚，②運動，③副交感
- 機能
  ①味覚（舌の後1/3），動脈圧・化学受容器
  ②嚥下運動（咽頭筋）
  ③唾液の分泌
- 障害時
  ①舌の後1/3の味覚喪失
  ②嘔吐反射の喪失，嚥下困難
  ③唾液分泌の低下
- 形態学的起始部：延髄

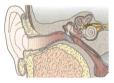

脳底部

■ Ⅻ 舌下神経
- 種類：運動
- 機能：舌の運動（舌筋）
- 障害時：話す（構音障害），咀嚼・嚥下運動（神経性不全失語症）が困難
- 形態学的起始部：延髄

図8-47 脳神経の種類と神経支配

Ⅲ動眼神経
- **種類**：①運動，②副交感
- **機能**
  ①眼球運動
  ②瞳孔の縮小，水晶体の厚みの調節
- **障害時**
  ①眼瞼下垂
  ②瞳孔反射の消失，物体への焦点調節の障害
- **形態学的起始部**：中脳

Ⅵ外転神経
- **種類**：運動
- **機能**：眼球運動
- **障害時**：外側への眼球運動が障害，複視，斜視
- **形態学的起始部**：橋

Ⅳ滑車神経
- **種類**：運動
- **機能**：眼球運動
- **障害時**：眼球運動の障害
- **形態学的起始部**：中脳

Ⅴ三叉神経
- **種類**：①感覚，②運動
- **機能**
  ①顔面の皮膚感覚，鼻腔・口腔粘膜の感覚
  ②咀嚼運動（咀嚼筋）
- **障害時**
  ①顔面の感覚麻痺，感覚異常
  ②咀嚼運動の障害
- **形態学的起始部**：橋

Ⅹ迷走神経
- **種類**：①感覚，②運動，③副交感
- **機能**
  ①咽頭・咽頭粘膜の感覚，胸腹部の内臓感覚，動脈圧・化学受容器
  ②嚥下・発声（咽頭や喉頭部の筋）
  ③胸腹部の内臓機能
- **障害時**：②嗄声，軟口蓋の下垂
- **形態学的起始部**：延髄

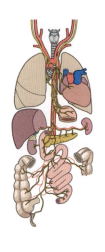

Ⅺ副神経
- **種類**：運動
- **機能**：頸部の運動（胸鎖乳突筋・僧帽筋）
- **障害時**：肩が落ちる，頭の回転が困難，斜頸
- **形態学的起始部**：延髄

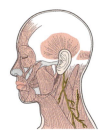

5 脊髄神経と神経叢

■ 脊髄神経の全体像

31対の脊髄神経（spinal nerve）が左右の脊髄から起始している．各神経は脊髄の分節に一致しており，それに従って名前が付いている．

- 8対の頸神経：cervical nerves（C_1〜C_8）
- 12対の胸神経：thoracic nerves（T_1〜T_{12}）
- 5対の腰神経：lumber nerves（L_1〜L_5）
- 5対の仙骨神経：sacral nerves（S_1〜S_5）
- 1対の尾骨神経：coccygeal nerves（Co）

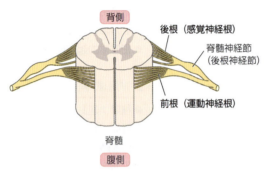

図8-48 前根と後根

● ①前根と後根

- それぞれの脊髄神経は**前根**と**後根**で脊髄に接続している．前根は運動神経のみ，後根は感覚神経のみからなる．
- 後根には，一部膨大化している後根神経節があり，感覚神経の細胞体がここに存在している．
- 前根と後根は脊柱を出る前に一緒になって，脊髄神経を形成する．すべての脊髄神経は感覚神経と運動神経の両方を含んでいる．

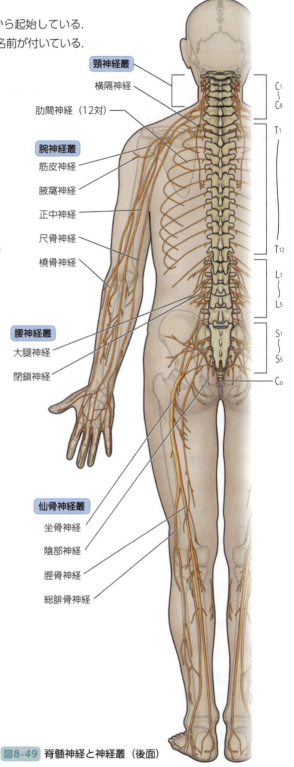

図8-49 脊髄神経と神経叢（後面）

● ②神経叢
- 脊髄神経は脊髄を出ると多くの線維に分かれ，その後種々の部位でこれらの神経線維は集まり，ひとまとまりになってネットワークを形成する．これが**神経叢**である．
- 身体には四つの大きな神経叢がある．頸神経叢，腕神経叢，腰神経叢，仙骨神経叢である．
- 腕神経叢を例にすると，第5頸神経〜第1胸神経に起始した脊髄神経は分かれ，異なる脊髄分節から起始した神経線維と一緒になり，また分かれて，最終的に身体の特定の部位を支配する1本の神経（筋皮神経，腋窩神経など）となり，目的の部位を支配する．

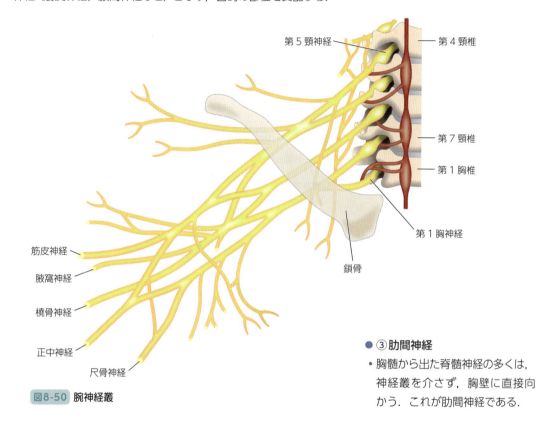

図8-50 腕神経叢

● ③肋間神経
- 胸髄から出た脊髄神経の多くは，神経叢を介さず，胸壁に直接向かう．これが肋間神経である．

表8-3 神経叢

神経叢	脊髄の起始レベル	支配領域	主な神経
頸神経叢	C_1〜C_4，C_5の一部	頸部の皮膚・筋肉 横隔膜	横隔神経
腕神経叢	C_5〜T_1	肩，上肢の皮膚・筋肉	筋皮神経，腋窩神経，橈骨神経，尺骨神経，正中神経
腰神経叢	T_{12}〜L_4	大腿内側の皮膚・筋肉	大腿神経，閉鎖神経
仙骨神経叢	L_4〜S_3	殿部，会陰部，下肢の皮膚・筋肉	上殿神経，下殿神経，坐骨神経（脛骨神経，総腓骨神経）

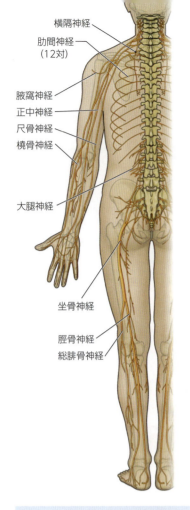

表8-4 主な末梢神経の支配領域と障害時にみられる症状

神経	支配領域	
横隔神経	横隔膜	
腋窩神経	三角筋	
橈骨神経	腕の後部，前腕，手（第1指～第3指）	
正中神経	前腕と手の一部の筋肉（特に母指球筋）	
尺骨神経	手首と手の主な筋肉	
肋間神経	肋間筋ならびに胸郭を構成する筋	
大腿神経	下腹部，大腿前部，下肢の中央部	
坐骨神経	体幹下部，大腿，下肢の背面	
総腓骨神経	下肢と足の外側部	
脛骨神経	下肢と足の足底部	

6 体性神経系

皮膚分節

脊髄神経の感覚神経はそれぞれ決められた皮膚の領域を支配している．このような神経による支配領域の分布を**皮膚分節**という．

例えば，C₄の領域は第4頸神経によって支配され，この領域の感覚は第4頸神経を介して第4頸髄に入ることを意味している．

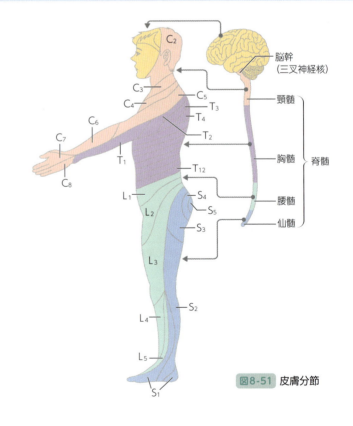

図8-51 皮膚分節

主な症状と注意点
・呼吸がしづらい． ・横隔神経が出ているC_3〜C_5以上の高さに障害を受けると横隔膜だけではなく，肋間神経も収縮せず，自発呼吸ができず人工呼吸器が必要になる．
・腕が水平まで上がらない． ・三角筋に筋肉内注射をするときに注意しなくてはいけない神経である．
・肘関節より末梢で障害されると**下垂指**，上腕部で障害されると**下垂手**となる．
・母指球筋の萎縮により小さなものをつまみ上げることができない． ・OKサインをしたときにきれいな○がつくれない（涙のしずくサイン）．
・**鷲手（かぎ爪）変形**：第4指・第5指の付け根の関節（MP関節）が過伸展し，先端側の第1・2関節が屈曲する．
・呼吸がしづらい．
・膝関節の伸展や股関節の屈曲ができない．
・殿部の伸展や膝の屈曲ができない．
・**下垂足**：背屈ができず，垂れ下がったままになる．
・**踵足**：底屈ができず，つま先立ちができない．引きずり足歩行．

横隔神経麻痺
　横隔神経の出ているC_3〜C_5の高さに損傷を受けると横隔膜が麻痺し，呼吸障害が起こる．また，しゃっくり（吃逆）とは，横隔膜（または，ほかの呼吸補助筋）の強直性痙攣により，声帯が閉じて「ヒック」という音が一定間隔で繰り返し発生する現象である．

松葉杖の使用による麻痺
　松葉杖を使用する際，腋窩に松葉杖を当てて圧迫すると，橈骨神経や腋窩神経が圧迫され障害が起こる．

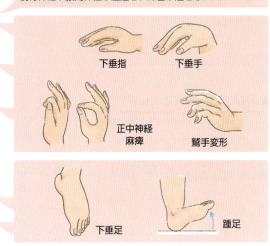

下垂指　　下垂手

正中神経麻痺　　鷲手変形

下垂足　　踵足

膝蓋腱反射

　体性神経系を介して起こる反射の中で代表的なのが**膝蓋腱反射**である．脊髄を反射中枢とする，単シナプス反射でもある．

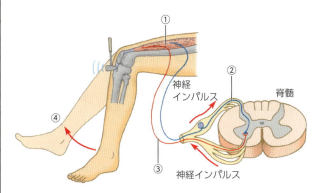

図8-52　膝蓋腱反射のメカニズム

①膝蓋骨の下にある大腿四頭筋の腱を叩打すると筋内の受容器（筋紡錘）が刺激される．
②神経インパルスが感覚ニューロンを介して「筋肉が伸ばされた」という情報として脊髄に入る．
③神経インパルスが運動ニューロンを介して，同じ大腿四頭筋に伝えられる．
④大腿四頭筋が収縮することによって下腿が前に上がる．

7 自律神経系

- 自律神経系は内臓を支配しており，内臓器官へ運動性インパルスを送っている遠心性神経と，内臓からの感覚情報を脳に伝える求心性神経の両方を含んでいる．
- 自律的かつ持続的に，無意識下で平滑筋と心筋，腺組織を支配し，ホメオスタシスを維持するために種々の内臓の活動を調節している．
- **交感神経系**（sympathetic nervous system）と**副交感神経系**（parasympathetic nervous system）の二つがある．

▌神経伝達物質（節前線維）

- 交感神経と副交感神経の節前線維からは，いずれもアセチルコリンが分泌され，節後ニューロンのニコチン受容体に結合することによって，節後ニューロンが興奮する．

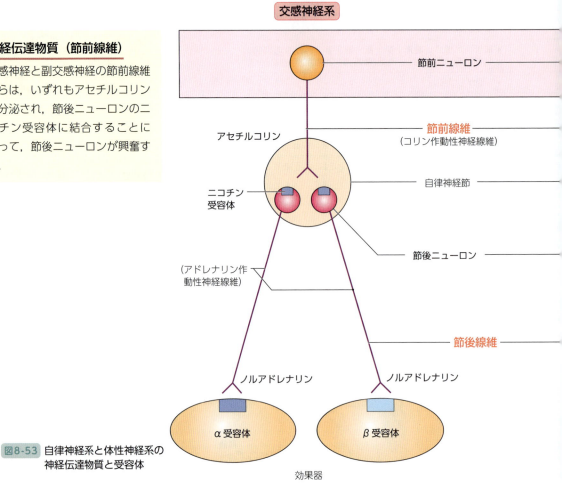

図8-53 自律神経系と体性神経系の神経伝達物質と受容体

▌自律神経系の構造

- 体性運動神経は，中枢神経系から一つのニューロンがそれぞれ骨格筋を直接支配している．末端部からの神経伝達物質はアセチルコリン（ACh）である．
- 自律神経系は中枢神経系と内臓器官の間に二つのニューロンがある．
- 最初のニューロンの細胞体は中枢神経系内で，その軸索は節前線維と呼ばれ，二つ目のニューロンと神経節でシナプスを形成する．
- 二つ目のニューロンの軸索は節後線維と呼ばれ，効果器へ向かう．

一般的な特徴

- **自律性支配**：意思とは関係なく，不随意的に調節する．
- **二重支配**：多くの内臓器官は交感神経と副交感神経の両方によって支配されている．
  例外：瞳孔括約筋（副交感神経のみ），瞳孔散大筋・副腎髄質・汗腺（交感神経のみ）
- **拮抗支配**：二重支配のうち，一方が刺激するように働くと，もう一方は抑制するように働く．
  例外：唾液腺でいずれも分泌を促進する．ただし，副交感神経は水の分泌を，交感神経はタンパク質の分泌を促進することによって，組成を変えているといわれている．
- **緊張性活動**：常時，自発的に活動している．

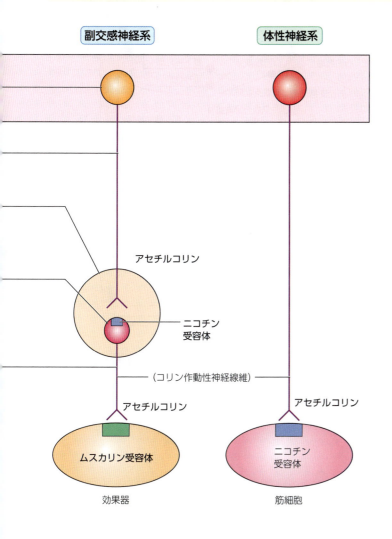

神経伝達物質（節後線維）

①交感神経
- 交感神経の節後線維末端部からはノルアドレナリンが分泌される（アドレナリン作動性神経線維）．
- ノルアドレナリンは，効果器のα受容体あるいはβ受容体に結合して作用を発揮する．器官によって受容体の分布は異なっているため，同じ交感神経の働きでも器官によって出現する効果は異なる．

②副交感神経
- 副交感神経の節後線維末端部からはアセチルコリンが分泌されるが，効果器にある受容体はムスカリン受容体である．

plus α　重症筋無力症
骨格筋側の受容体に抗体が結合してしまいAChが結合できず，神経－筋伝達が障害された疾患である（➡p.131参照）．筋力の低下が起こる．抗体は患者の白血球や胸腺で合成される．

plus α　硫酸アトロピン
ムスカリン受容体遮断薬の硫酸アトロピンは，投与すると唾液や気管支の粘液の分泌を抑制したり，消化管運動や消化液の分泌を抑える．そのため，全身麻酔の前投薬や胃の内視鏡検査前に使用される．

■ 交感神経系

- 胸髄・腰髄から起始している．
- 脊髄の近くでシナプスを形成するため，節前線維が短く，節後線維が長い．

> 交感神経系は主に，ストレスまたは緊急状態に備えるような働きに関係している．時に闘争・逃走系(fight-flight system)とも呼ばれ，エネルギーを消費する反応系である．緊急事態になったときに必要とされる反応を刺激し，逆に内臓活動を抑える．

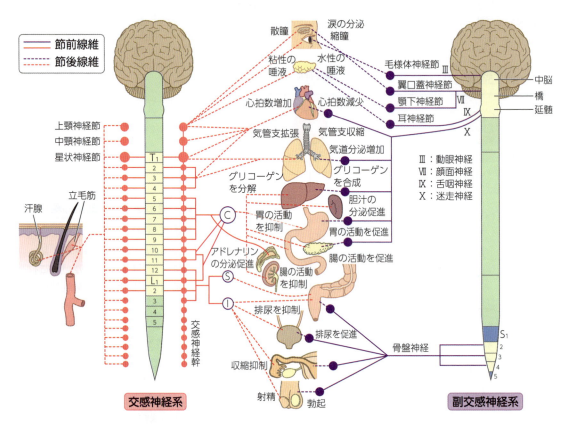

C：腹腔神経節　S：上腸間膜神経節　I：下腸間膜神経節

図8-54 交感神経節・副交感神経節と主な支配臓器

■ 副交感神経系

- 脳と仙髄から起始している．
- 脳から出ている副交感神経は脳神経の一部として効果器を支配している．
- 効果器近くでシナプスを形成するため，節前線維が長く，節後線維が短い．

> 副交感神経系は通常，リラックスした状態で優位となる．また，緊急事態通過後に心拍数や呼吸を遅くしたり，血圧を下げたり，消化管運動を促進するなど，身体を元に戻す働きもある．交感神経とは逆で，エネルギーを保存するように働いている．

表8-5 自律神経系の働き

効果器	交感神経系	副交感神経系
瞳孔	瞳孔散大筋収縮（α，散瞳）	瞳孔括約筋収縮（縮瞳）
毛様体筋	弛緩（β，水晶体が薄くなる）	収縮（水晶体が厚くなる）
汗腺	分泌増加（コリン作動性）	（−）
立毛筋	収縮（α，鳥肌）	（−）
心臓	心拍数・心収縮力増加（β）	心拍数減少
気道	気管支筋弛緩（β）	気管支筋収縮
唾液腺	分泌増加（α・β）（粘稠な唾液）	分泌増加（さらっとした唾液）
消化管運動	低下（α）	亢進
消化液分泌	減少（α）	増加
膵臓	グルカゴン分泌亢進（β） 膵液・インスリン分泌抑制（α）	膵液・インスリン分泌亢進
肝臓	グリコーゲン分解（α・β）	グリコーゲン合成
血管（骨格筋以外）	収縮（α）	（−）
血管（骨格筋）	弛緩（β）	（−）
血管（頭部・生殖器）	収縮（α）	弛緩
副腎髄質	カテコールアミン分泌亢進（コリン作動性）	（−）
膀胱排尿筋	弛緩（β）	収縮
括約筋	収縮（α）	弛緩
生殖器	射精（α）	勃起

α：α受容体，β：β受容体，−：支配なし

5 神経系の成長と老化，神経系の障害

1 脳の成長と老化

▊ 脳の成長

- 出生時の神経細胞の軸索には髄鞘がほとんどなく，成長とともに髄鞘が形成され，十分な機能を発揮するようになる．
- 脳の神経線維は刺激の種類や程度に応じて，いろいろな神経回路網を形成していく．一つの細胞が複数の細胞とシナプスをつくるという成長は，11〜12歳ごろといわれている．
- 神経膠細胞は増殖・成長するため，出生時より脳は大きくなる．

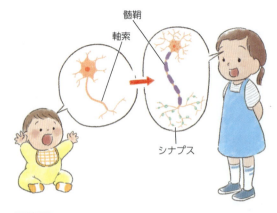

図8-55 脳の成長

plus α
流動性知能と結晶性知能
流動性知能とは新しいことを学習する能力で，生まれながらにもっている．問題解決や新しい場面や変化に対応する能力で，加齢の影響を受けやすい．それに対して結晶性知能とは一般的な知識や判断力などが含まれ，過去に学習したことや経験したことをもとに日常生活に対応する能力である．したがって，いろいろな経験やそれに基づく判断が加わるため，加齢による影響は受けにくい．

▊ 脳の萎縮

- 加齢とともに脳は萎縮していく．個人差はあるものの，90歳の脳は60歳の脳と比べて5〜7％軽くなるといわれている．
- 萎縮の原因の一つに神経細胞数の減少が挙げられている．また，動脈硬化により脳血流量が低下し，その結果萎縮に至るという説もある．

図8-56 脳の萎縮

▊ 認知機能の低下

- 物忘れや短期記憶障害，見当識障害などがみられる．
- アルツハイマー型認知症の脳にも萎縮がみられる．

▊ アルツハイマー型認知症

アミロイドβやタウと呼ばれるタンパク質が蓄積し，脳内に炎症が起こる．

神経細胞が破壊され，萎縮につながる．

▊ 神経インパルスの伝導速度の低下

- 作業能率の低下，反応速度の低下，運動能力の低下

図8-57 アルツハイマー型認知症

2 神経系の障害

脱髄疾患

- ①**多発性硬化症**
- 中枢神経系の脱髄疾患の一つ．髄鞘が炎症によって壊れてしまう自己免疫疾患．
- 脳幹，脊髄，視神経に多発し，寛解・再発を繰り返す．
- ②**ギラン・バレー症候群**
- 末梢神経系の脱髄疾患の一つで，上気道感染や胃腸炎に感染した後に発症する．
- 顔面神経麻痺，嚥下障害といった脳神経障害や頻脈，徐脈，膀胱直腸障害といった自律神経障害を伴うこともある．
- 重症例では四肢麻痺が進行し，呼吸筋にも麻痺が及んで人工呼吸器が必要となる場合もある．

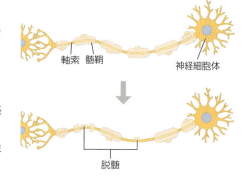

図8-58 脱髄疾患

麻痺の種類

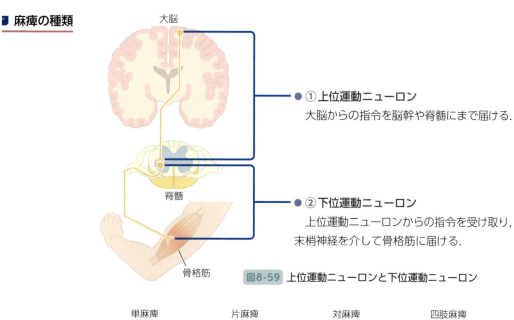

- ①**上位運動ニューロン**
  大脳からの指令を脳幹や脊髄にまで届ける．

- ②**下位運動ニューロン**
  上位運動ニューロンからの指令を受け取り，末梢神経を介して骨格筋に届ける．

図8-59 上位運動ニューロンと下位運動ニューロン

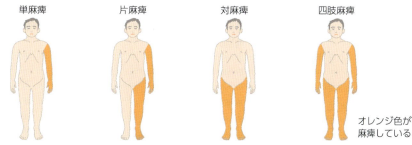

オレンジ色が麻痺している

麻痺の出現部位	一肢のみ	一側の上下肢	両側の下肢	上肢・下肢すべて
障害部位	下位運動ニューロン（一側）	一側の上位運動ニューロン（一側）	胸髄以下の上位運動ニューロン（両側）	頸髄の上位運動ニューロン

図8-60 麻痺の種類

1. Aさんは心臓疾患で入院していた．薬物のオーダーが混乱し，カリウム（K）を排泄する利尿薬（体内の過剰なカリウムを尿中に排泄する薬物）を服用している別の患者に予定されていたK^+入りの点滴が，Aさんに投与されていた．AさんのK値は輸液前は正常であった．Aさんの神経系電位に何が起こるだろうか．また，活動電位の発生にどのような影響が出るだろうか．
2. Bさんは大学の優秀な研究者であるが，山登りの最中に落石に遭い，前頭骨に打撃を受けた．その後，彼の同僚の話によると彼の行動が劇的に変わったという．以前は身だしなみに気を遣っていたのに，今は髪の毛もぼさぼさの状態である．ある朝，ごみ箱に用をたすところを発見された．Bさんの脳のどの領域が打撃によって影響を受けたのだろうか．
3. 70歳男性のカルテに以下のことが記載されていた．
「安静時，右手にわずかの振戦がみられた．無表情．行動の開始が困難」
① この男性の疾患名は何か．
② 障害が起こっているのは脳内のどの領域だろうか．また，不足している物質は何だろうか．
③ どのような治療が行われるだろうか．
4. 46歳の男性がはしごから落ちた．とっさに右手で木の枝をつかんだが，折れてしまい，地面に落下した．その後，上肢の感覚麻痺を訴えた．この落下でどのような障害を受けたと考えられるか．
5. あるヘビースモーカーの男性は，両手の指が時々真っ青になり，同時に痛みが起こることに気付いた．医師はたばこをやめるようアドバイスし，特別な薬物は処方しなかった．
この男性は何が問題で，なぜたばこをやめるように言われたのだろうか．

重要用語

中枢神経系　　　　　　間脳　　　　　　　　　感覚神経
末梢神経系　　　　　　脳幹　　　　　　　　　運動神経
神経膠細胞　　　　　　小脳　　　　　　　　　混合神経
ニューロン（神経細胞）　脊髄　　　　　　　　　脳神経
活動電位　　　　　　　髄膜　　　　　　　　　脊髄神経
シナプス　　　　　　　脳脊髄液　　　　　　　後根
神経伝達物質　　　　　レム睡眠　　　　　　　前根
反射弓　　　　　　　　ノンレム睡眠　　　　　神経叢
白質　　　　　　　　　サーカディアンリズム　交感神経系
灰白質　　　　　　　　体性神経系　　　　　　副交感神経系
大脳　　　　　　　　　自律神経系

学習達成チェック

- [ ] 中枢神経系と末梢神経系を説明できる．
- [ ] ニューロンの基本的な構造を述べることができる．
- [ ] ニューロンの活動電位が生じ，他の神経細胞へ伝導される過程を説明できる．
- [ ] 神経伝達物質について述べることができる．
- [ ] 体性感覚受容器の種類を挙げることができる．
- [ ] 大脳，間脳，脳幹，小脳を区別し，各々の機能を述べることができる．
- [ ] 脊髄の機能と構造を述べることができる．
- [ ] 髄膜の構造を述べることができる．
- [ ] 脳脊髄液の産生とその機能を説明できる．
- [ ] 脊髄伝導路について説明できる．
- [ ] レム睡眠，ノンレム睡眠について述べることができる．
- [ ] サーカディアンリズムを説明できる．
- [ ] 12の脳神経の名称を挙げ，その働きを述べることができる．
- [ ] 交感神経と副交感神経の構造と機能を説明できる．

解剖生理学が臨床につながる！

86歳女性，Jさんは高血圧，糖尿病で治療を受けている．普段のADLは杖歩行，排泄や食事摂取は自立している．最近認知症が進行してきているが，簡単なコミュニケーションは可能である．あなたは訪問看護師として，週に1回訪問している．訪問すると，「今朝からめまいを訴えている」と家族から報告を受けた．

バイタルサインを測定したところ，普段の血圧は130/80 mmHgとコントロールされているが，本日の血圧は170/90 mmHgと高値を認めた．ほかのバイタルサインに大きな異常は認めなかった．Jさんを診察すると明らかな手足の麻痺は認めないが，起立するとふらつき，介助が必要な状態であった．よく観察すると座位でも右のほうに傾いていた．また，右の上まぶたが下がっているように見えた．Jさんや家族は認知症もあるため経過をみることを検討していたが，Jさんはめまい以外にも神経症状を認めていること，高血圧・糖尿病という心血管の危険因子が複数あることから，あなたは脳血管障害の可能性を考えて病院を緊急受診するよう促した．

Jさんは家族に連れられて救急外来を受診し，頭部MRI検査にて小脳，右延髄に脳梗塞の急性期所見を認めたため，入院加療となった．後日，Jさんは軽度の後遺症のみ残存したが，リハビリテーションを行い改善傾向であることを家族から聞き，緊急で病院を受診すべきというあなたの助言に対する感謝の言葉も伝えられた．

❶ 失調は体幹失調も要注意

小脳は，主として四肢の協調運動をつかさどる左右の半球，体幹のバランスをつかさどる正中部の虫部からなる．そのため，**小脳梗塞**では四肢，体幹の失調を生じうる．上肢の失調は診察に慣れていない場合，麻痺との区別は難しい．しかし，体幹失調は注意深く観察すると気付くことは可能であり，看護師も知っておきたい所見である．

Jさんが座位で右に傾いていたことは**体幹失調**を示唆する所見である．その出現頻度は四肢失調に次いで，小脳梗塞の約半数に認めるので重要である（表8-6）．診察方法としては，歩行を観察することが重要ではあるが，困難なことも多いため座位で確認するとよい．ベッドから手を離すと体幹が動揺したり，左右に傾いたりしてしまう場合，体幹失調を考慮する（図8-61）．

❷ めまい以外の神経症候に注意

小脳を含む脳梗塞は症状・症候が多彩であることに注意すべきである．小脳は前述した協調運動やバランスを保つ機能以外にも発語や眼球運動の調整などの機能も有する．したがって，小脳梗塞では**構音障害***や**眼振***なども生じる．

さらに，小脳は3対の小脳脚を通じて脳幹とつながっており，これら下・

用語解説*

構音障害

発語に関する神経・筋肉の障害で生じ，リズムも含めてうまくしゃべることが困難になった状態．脳神経障害で口唇，舌，咽頭，喉頭の機能が低下した場合や，小脳障害で発語のリズムが損なわれ，言語が緩慢となり調子も不規則となった場合に生じる．

用語解説*

眼振

眼球が規則的に，また持続的に揺れ動く振幅運動のことをいう．眼振は眼球運動をつかさどる三半規管，前庭神経，脳幹，小脳，そして大脳の異常によって生じる．小脳梗塞の場合は，垂直性眼振などが生じる．

表8-6 小脳梗塞の臨床所見

	臨床所見	頻度
症状	浮動性めまい，回転性めまい	73%
	悪心，嘔吐	54%
	歩行障害	48%
	頭痛	37%
	不明瞭言語	29%
身体所見	四肢失調	58%
	体幹失調	51%
	構音障害	46%
	眼振	44%

Jonathan A Edlow.et.al. Diagnosis and initial management of cerebellar infarction. Lancet Neurol. 2008, 7 (10), p.951-964を改変.

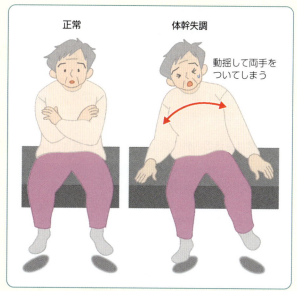

図8-61 体幹失調

中・上小脳脚はそれぞれ延髄，橋，中脳につながる．小脳を栄養する血管は脳幹も同時に栄養しているため，小脳梗塞が生じた場合には**脳幹機能の異常**も同時に認めることが多い．具体的には，脳幹には脳神経の中枢が存在するため脳神経障害が生じうるが，感覚神経も走行しているため**顔面の感覚障害**も生じうる．さらに，交感神経も走行するため交感神経が障害され，Jさんのように**眼瞼下垂，縮瞳**を認めることがある（Horner症候群）（図8-62）．

めまいは一般的な症状であるが，小脳や脳幹の解剖・機能を考慮し，危険な徴候をアセスメントすることが看護師にとって重要である．筆者は普段の患者の様子をよく知っている看護師だからこそ適切に評価することができ，診断に寄与できると確信している．

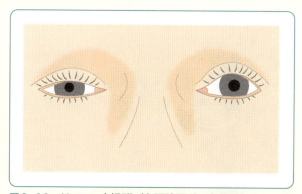

図8-62 Horner症候群（右眼瞼下垂，右縮瞳）

9 感覚器系
外部から情報を取り入れるしくみ

> **ここだけ見れば** まず **感覚器系**がわかる！

☑ 生体は身体の内外の変化を，感覚受容器を介して感じ取り，情報を神経インパルスとして中枢に送る．

○ 感覚の種類と特徴

感覚は，特殊感覚，体性感覚，内臓感覚に分けられる．
感覚刺激は，感覚受容器に適した刺激（適刺激）を受け取り，神経インパルスを生じさせる．感覚の情報は，中枢に運ばれることで感覚の認識や反射につながるとともに，喜怒哀楽を引き起こす．
▶ **特殊感覚**：ある感覚に特化した受容器で受け取る感覚であり，**視覚**，**聴覚**，**平衡覚**，**嗅覚**，**味覚**がある．
▶ **体性感覚**：受容器が皮膚に分布する**表在感覚**（触圧覚や温冷覚，痛覚）や，筋や腱などで感じ取る**深部感覚**がある．
▶ **内臓感覚**：内臓から起こる感覚で，**臓器感覚**と**内臓痛覚**がある．

○ 視覚 （→p.408参照）

光の情報は，角膜を通して眼球内に入り，網膜に達すると，神経インパルスに変換される．この情報が視神経を介して大脳の視覚野に投射されることで，視野情報が認識される．

▶ 眼球

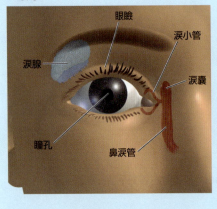

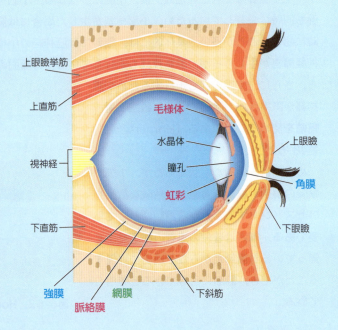

- 眼球は，上下の眼瞼，涙器によって保護される．
- 眼球の運動は，上直筋，下直筋などの外眼筋によって制御されている．
- 眼球の壁は，**眼球外膜**，**眼球中膜**，**眼球内膜**の3層からなる．
- 眼球外膜：眼球前面で角膜を，眼球後面で強膜を形成する．
- 眼球中膜：虹彩，毛様体，脈絡膜からなり，虹彩には瞳孔の大きさを調節する瞳孔括約筋と瞳孔散大筋が分布する．毛様体には水晶体の厚みを調整し，遠近調節に関わる毛様体筋が分布する．脈絡膜は網膜に栄養を与える．
- 眼球内膜：眼球内膜には網膜があり，光を感受する視細胞が分布する．

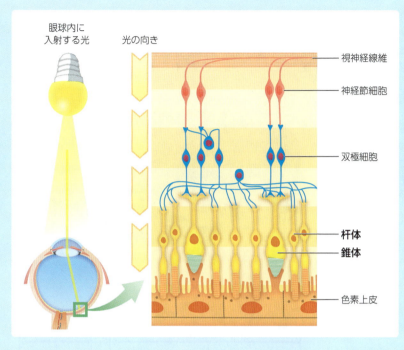

▶ 光刺激の伝達
- 眼球内に入射する光は，角膜と水晶体で屈折し，網膜に届く．網膜には視細胞の**杆体**と**錐体**が分布する．
- 杆体は光の感度が高く明るさを感知する（**明暗覚**）．
- 錐体には青・緑・赤をそれぞれ感知する3種類がある（**色覚**）．
- 視細胞では，光の情報を神経インパルスに変換する．この情報は，視神経，視交叉などを経て後頭葉の視覚野に投射される．この伝達経路のいずれかが障害されると，視野に影響が出る．

▶ 視力と遠近調節
- 視力は眼の空間的な分解能を表す指標であり，ランドルト環などを用いた検査で評価される．
- 水晶体は，毛様体小帯を介して毛様体とつながる．近くのものや遠くのものを見るときに，その中の毛様体筋が収縮・弛緩することで水晶体の厚みが変化し，光の屈折を変化させてピントを調節する．

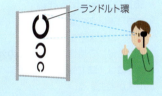

▶ 対光反射
- **対光反射**とは，瞳孔から入る光の量を調節するしくみであり，瞳孔括約筋と瞳孔散大筋が関与する．
- 光の量が多いときは，**瞳孔括約筋**（副交感神経）により縮瞳し，眼球に入る光の量を少なくする．一方，光の量が少ないときは，**瞳孔散大筋**（交感神経）が働く．
- 通常，対光反射は，片方の目に光を入れても両目同時に起こる．

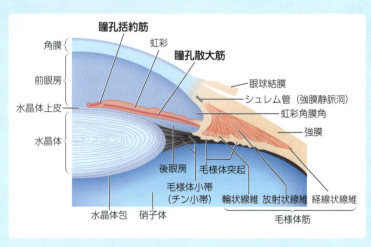

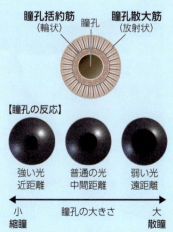

○聴覚・平衡覚（→p.418参照）

耳は，音の情報（聴覚）と身体のバランス（平衡覚）をそれぞれ機械的刺激として有毛細胞で感知する．これらの情報は，それぞれ蝸牛神経と前庭神経を介して内耳神経にまとまり，中枢に伝達される．

▶耳の構造
- 耳は**外耳**（耳介〜外耳道），**中耳**（鼓膜，鼓室），**内耳**（蝸牛，前庭，半規管）からなる．
- 聴覚と平衡覚の受容器は内耳にある．内耳には，側頭骨の腔所として骨迷路があり，その中に同形の膜迷路が収まっている．膜迷路の外側は外リンパで，内側は内リンパという液体で満たされている．

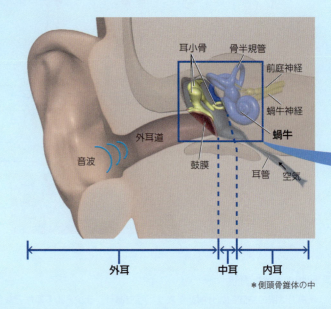

▶聴覚受容器と伝達経路
- 音の伝達経路には，**空気伝導**（気導）と**骨伝導**（骨導）がある．
- 通常，音波は空気の振動として，外耳道を介して鼓膜に伝わる．鼓膜の振動は，中耳の耳小骨（ツチ骨・キヌタ骨・アブミ骨）で増幅され，内耳の外リンパに伝わる．
- **蝸牛**には，聴覚受容器である**コルチ器**がある．外リンパの振動により，コルチ器の有毛細胞が刺激され，神経インパルスが発生する．
- 音の情報（神経インパルス）は，蝸牛神経を介して聴覚野に投射される．
- 聴力は音の高低や強弱（大きさ）を聞き取る能力で，オージオメーターを用いた検査で評価される．

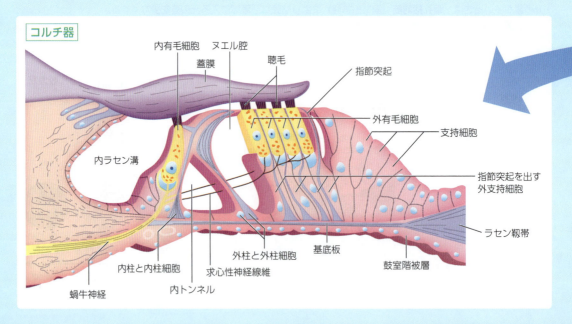

▶ 平衡覚受容器と伝達経路

- 平衡覚のうち，直線加速度は**前庭**で，角加速度（回転加速度）は**半規管**で感受される．
- 前庭の耳石器（球形嚢と卵形嚢）内に平衡斑があり，頭を傾けると耳石器内の**有毛細胞**が刺激され，神経インパルスが発生する．
- 半規管には膨大部があり，頭を回転すると，膨大部稜の有毛細胞が刺激され，神経インパルスを生じる．
- 平衡斑と膨大部稜で生じた平衡覚の情報は，前庭神経を介して中枢に伝達される．
- 平衡覚は，視覚や表在感覚（皮膚感覚）・深部感覚の情報と統合され，反射的に姿勢や眼球の位置を調整することにつながる（前庭反射）．

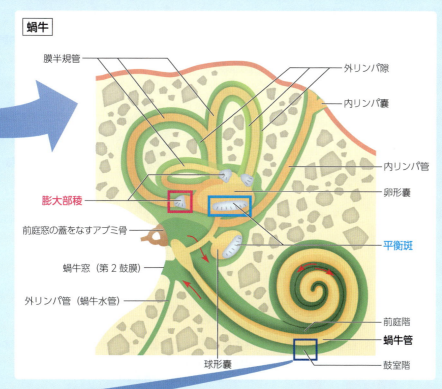

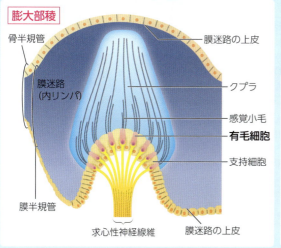

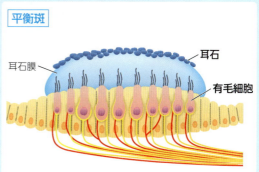

◯化学的感覚（嗅覚・味覚）（➡p.426参照）

　嗅覚や味覚は，化学物質によって感覚細胞（嗅細胞，味細胞）が刺激されることで神経インパルス（感覚の情報）が生じ，情報が中枢に送られ，認識される．

▶嗅覚
- においの感覚受容器は，嗅上皮内の**嗅細胞**である．
- 空気中のにおい分子は嗅上皮の粘液に溶け，嗅細胞の**嗅小毛**を刺激し，においの情報が発生する．
- においの情報は，**篩板**を貫いて頭蓋腔の嗅球（第Ⅰ脳神経）に伝えられ，嗅覚野に投射される．

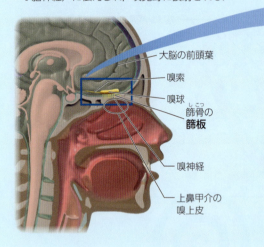
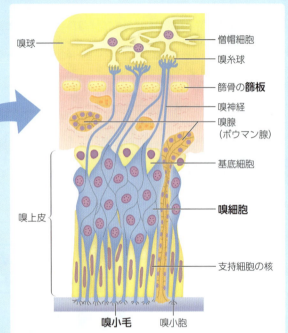

▶味覚
- 味の感覚受容器は**味蕾**の中の味細胞であり，**有郭乳頭・茸状乳頭・葉状乳頭**に分布する．
- 糸状乳頭には味蕾が存在しない．
- 味物質が唾液に溶けて味細胞の**味毛**に接触すると，**味細胞**が興奮し，味の情報が発生する．
- 味の情報は，味覚の一次感覚ニューロン（味神経線維）を介して伝達され，味覚野に投射される．

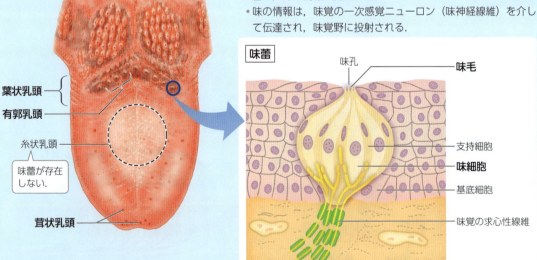

◉体性感覚

身体に加わるさまざまな物理的・化学的な刺激は，体性感覚受容器で受け取り，脳に伝達される．皮膚などに分布する受容器から受け取る**表在感覚（皮膚感覚）**と，筋や腱など運動器にある受容器から受け取る**深部感覚**に分けられる．

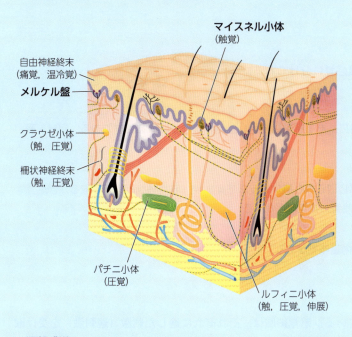

自由神経終末（痛覚，温冷覚）
メルケル盤
クラウゼ小体（触，圧覚）
柵状神経終末（触，圧覚）
パチニ小体（圧覚）
マイスネル小体（触覚）
ルフィニ小体（触，圧覚，伸展）

▶表在感覚
- 表在感覚には**触覚・圧覚・温覚・冷覚・痛覚**がある．
- 触覚・圧覚は，**マイスネル小体**や**メルケル盤**などにおいて組織の変形を受容し，神経インパルスを生じさせる．
- 温覚・冷覚は，自由神経終末において受容され，体温調節にも関与する．
- 痛覚は，自由神経終末において**侵害刺激**（組織の損傷を生じうる刺激）を受容することで生じる．痛みの情報は身体を有害な刺激から守るための警告であり，ほかの感覚と異なり順応しにくい．

▶深部感覚
- 深部感覚とは，身体の位置や運動を感知する感覚である．
- 筋紡錘は骨格筋の長さを感受する．筋の伸長により興奮する．
- 腱紡錘は筋にかかる張力を感知する．

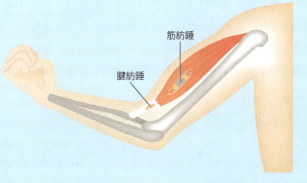

筋紡錘
腱紡錘

◉内臓感覚

内臓感覚は内臓の働きや状態を中枢に伝える感覚であり，**臓器感覚**と**内臓痛覚**がある．この感覚の大部分は，脳幹や脊髄で自律神経反射を引き起こす．

▶内臓痛覚
- 内臓の過度な伸展や収縮，炎症といった病的な状態によって，内臓の侵害受容器が活性化される．局在性が不明瞭で，**関連痛**を生じる（➡p.432参照）．

▶臓器感覚
- 受容器は，血管壁，胸腹部，骨盤内臓にあり，動脈圧，胃腸，膀胱の充満度など物理的情報（機械受容器）や内容物の酸性度，電解質濃度など化学的情報（化学受容器）を伝える．
- 代表的な臓器感覚として，空腹感，口渇，悪心（吐き気），尿意，便意がある．

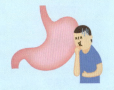

1 感覚器系とは

感覚器系は，身体の内外の環境の変化を意識的，もしくは無意識的に感知し，それに対する適切な行動や反射を起こす．

1 感覚の種類

感覚は，特殊感覚，体性感覚，内臓感覚に分けられる．

▎特殊感覚
- 視覚の受容器として眼球があるように，ある感覚に特化した受容器で受け取る感覚である．視覚，聴覚，平衡覚，嗅覚，味覚がある．

▎体性感覚
- 体表面の皮膚に分布する受容器で感じ取る表在感覚（皮膚感覚）や，筋や腱などで感じ取る深部感覚がある．表在感覚には，触圧覚や温冷覚，痛覚などがある．

▎内臓感覚
- 内臓から起こる感覚で，臓器感覚と内臓痛覚がある．

2 適刺激

- 感覚受容器には感覚細胞が分布している．感覚細胞は，それぞれに適した刺激（**適刺激**）を受け取ると，電気的な信号（神経インパルス）を生じさせる（➡p.348参照）．
- 適刺激でも一定の強さがないと興奮が生じることはない．興奮が生じるために必要な最小の刺激の強さを**閾値**という．閾値が低いほど感度が高いとされる．
- 組織を傷害するような熱刺激や機械刺激などは，すべて**侵害刺激**として痛みを生じる．

表9-1 感覚の種類

	感覚の種類	適刺激	受容器		感覚の質
特殊感覚	視覚	光	光受容器	視細胞	明るさ，色
	聴覚	音	機械受容器	有毛細胞（蝸牛）	音
	平衡覚	傾き・加速度	機械受容器	有毛細胞（前庭・半規管）	身体の傾き，体位，加速度
	嗅覚	揮発性の化学物質	化学受容器	嗅細胞（嗅粘膜）	におい（花の香りなど）
	味覚	水溶性の化学物質	化学受容器	味細胞（味蕾）	味（甘味，塩味など）
体性感覚	触覚・圧覚	圧	機械受容器	皮膚の受容器（マイスネル小体など）	触覚
	温覚・冷覚	温度	温度受容器	自由神経終末	温度
	痛覚	痛み刺激	侵害受容器	自由神経終末	痛み
	深部感覚	動き	機械受容器	筋紡錘，腱紡錘	身体の動き，姿勢
内臓感覚	臓器感覚	胃腸・膀胱の充満度などの物理的情報，内容物の電解質などの濃度	機械受容器 化学受容器		満腹感，空腹感，口渇感，悪心，便秘，尿意など
	内臓痛覚	過度の伸展や収縮，炎症など，内臓の病的状態	侵害受容器		痛み，関連痛

3 刺激への順応

- 同じ強さの刺激が持続すると，意識にのぼる感覚は次第に弱まる．これを感覚の**順応**と呼ぶ．例えば，日中に薄暗い部屋に入った直後は，ほとんど何も見えないが，しばらくするとある程度見えるようになる．また，熱めのお風呂に入ったとき，最初は熱く感じてもそのうち快適な温度に感じる．
- 痛みは，私たちの身体に起こる危険を知らせる役割があり，生きていく上で必要な感覚であるため，最も順応が起こりにくい．

4 感覚情報の大脳皮質への投射

感覚情報の流れ

- 感覚刺激は，感覚受容器において神経インパルスに変換される（❶）．
- 嗅覚の情報を除く感覚情報は，上行性伝導路（❷）（➡p.375参照）から視床（❸）に入り，大脳皮質の機能局在で示される大脳皮質の各感覚野（❹）（➡p.362参照）に投射される．
- 感覚野に投射された情報は，連合野に運ばれ，過去に経験した刺激との対比を行い認識される．感覚の情報は，感覚野以外にも視床下部や大脳辺縁系に伝えられ，喜びや怒りなどといった情動反応を起こす．情動反応は，身体的・心理的存在が脅かされたときに急激に生じる一過性の強い感情に基づき，自律神経系や内分泌系の反応を伴う．

反射

- 感覚情報の中には，無意識のうちに反射を引き起こすものもある．例えば，熱いものに触れると思わず手を引っ込める屈曲反射や，血圧が高くなったときにそれを低下させる減圧反射がある（➡p.357参照）．

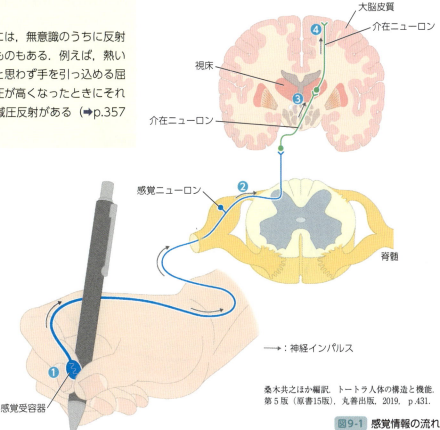

桑木共之ほか編訳．トートラ人体の構造と機能．第5版（原書15版）．丸善出版，2019, p.431.

図9-1 感覚情報の流れ

2 視覚

視覚器は，眼球および眼球付属器と呼ばれる眼瞼，涙器，眼筋などから構成される．光の情報は角膜を通して眼球内に入り，網膜で神経インパルスに変換される．この情報が視神経を介して大脳の視覚野に投射されると，視野情報を認識することができる．

1 眼球の構造

眼球は，眼窩内に収まる直径約2.5cmの球形の器官である．眼球は，前方の約1/6が外界に接し，後方の約5/6は眼窩内に収まり保護されている．解剖学的に眼球壁は，眼球外膜，眼球中膜，眼球内膜の3層からなる．

■ 眼球外膜（最外層）

● ①角膜

- 角膜は眼球壁の前方約1/6を占め，直径10〜12mm，厚さ約1mmで前方に弯曲した構造である．
- 外表面は重層扁平上皮，中間層は膠原線維と線維芽細胞，内表面は一層の内皮細胞からなり，血管はなく，眼房水で養われる．
- 知覚神経線維が密に分布し，異物の刺激によって眼瞼を閉じる，角膜反射を生じる（➡p.417参照）．

● ②強膜

- 強膜は眼球壁の後方約5/6を占める．膠原線維と線維芽細胞からなる白色不透明な組織であり，眼球の形と硬さを保つ．
- 角膜への移行部にはシュレム管（強膜静脈洞）があり，眼房水が吸収され，静脈系に排出される．

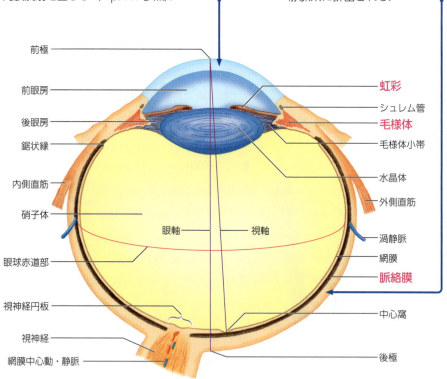

図9-2 右眼球の水平断

眼球中膜（ぶどう膜，中間層）

①虹彩

- 虹彩は，角膜と水晶体の間に位置し，毛様体から続く環状の膜性の構造物である．
- 虹彩の中央に瞳孔が開口し，ここから光が眼球に入る．瞳孔を囲んで輪走する瞳孔括約筋（副交感神経）と，瞳孔に対して放射状に走る瞳孔散大筋（交感神経支配）が分布し，これらは拮抗して眼球に入る光の量を調節する対光反射を起こす．
- 虹彩から角膜側に広がる空間は前眼房，水晶体側の空間は後眼房と呼ばれ，どちらも眼房水を含む．
- 虹彩の結合組織に含まれるメラニン色素の量により，眼の色調は青・緑・茶・黒に見える．

眼の色調

眼の色調は，虹彩に含まれるメラニン色素の量が関与するとされ，メラニン色素の量が多いと黒や茶色に，メラニン色素の量が少ないと緑や青色になる．

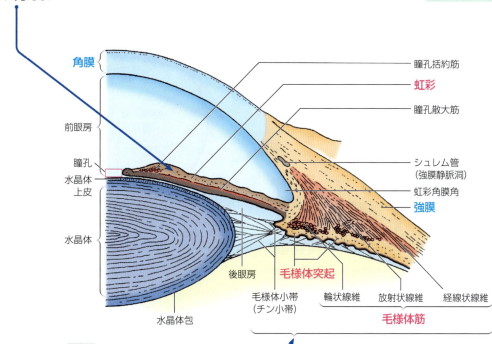

図9-3 前眼部の構造

②毛様体

- 毛様体は，脈絡膜の前方に続く肥厚した部分で，血管と毛様体筋が発達している．毛様体の上皮細胞からは眼房水が分泌される．
- 毛様体は**毛様体突起**と**毛様体筋**で構成される．
- 毛様体から約70個の毛様体突起が伸び，多数の細い線維である毛様体小帯（チン小帯）が水晶体に付着している．毛様体筋は帯状の輪状平滑筋であり，毛様体小帯の緊張度を変えることで，水晶体の厚さを変化させ，遠近調節を行う（➡p.415参照）．

③脈絡膜

- 脈絡膜は強膜の内側に位置し，血管と色素細胞に富む．血管は眼球壁の細胞に栄養を与え，色素細胞は暗褐色のメラニンを含み，眼球内での光の反射や散乱を防ぐ．

光の屈折

光の屈折は，空気と角膜などの境界面で起こり，屈折率の差が大きいほど屈折が強くなる．屈折率はおよそ，空気 1.00，水 1.33，角膜 1.38，眼房水 1.34，水晶体 1.41，硝子体 1.33である．つまり眼では，空気と角膜の間で最も強い屈折が起こる．

眼球内膜（最内層）

①網膜

- 網膜は眼球の後方約3/4の内面を覆う．
- 眼球の最背部には黄褐色の領域の黄斑があり，その中心に中心窩と呼ばれるくぼみがある．ここに錐体が集まり，物体を注視した際はここに像をつくる．
- 網膜の視覚情報は視神経円板（乳頭）に集合し，視神経を介して脳に向かう．視神経円板には視細胞が分布していないため，光が届いても感じ取ることはできない．視神経円板は，盲点とも呼ばれる．

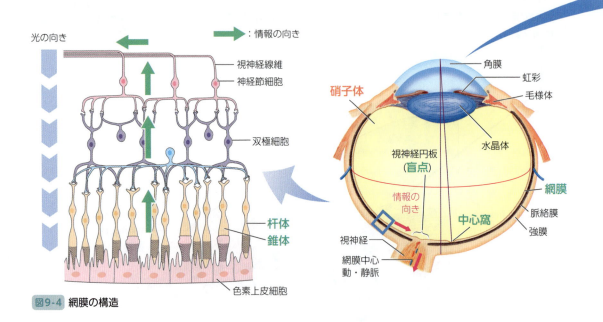

図9-4 網膜の構造

- Ⓐ **網膜内の光刺激の伝達に関与する細胞**
- 網膜には，光の情報を神経インパルスに変換する杆体と錐体の2種類の視細胞がある．
- 視細胞において光を感じる部分は外節と呼ばれ，視物質が含まれる．
- 杆体の外節は円柱状であり，ロドプシンという視物質が含まれる．光に対する感受性が高く，明暗に反応する（➡p.416参照）．
- 錐体の外節は円錐状であり，イオドプシンが含まれる．光に対する感受性は低いが，青・緑・赤色の光に対してはそれぞれ閾値をもつ青錐体・緑錐体・赤錐体がある（➡p.417参照）．
- 中心窩には錐体のみ分布し，その周りの黄斑も杆体より錐体が多く分布する．黄斑部から辺縁の鋸状縁に近づくにつれ，次第に錐体が減り，杆体のみになる．

---

plus α

盲点

このページから顔を50cmほど離し，左眼を閉じて，右眼で●を注視する．この時点で★は見えているが，徐々にページに顔を近づけると，ある時点で★が見えなくなる．このとき，★の像は盲点に投影されているのである．

●   ★

眼球内部

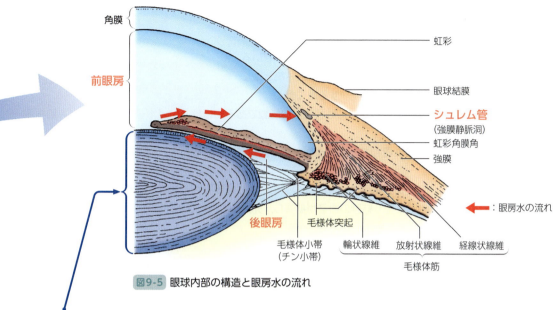

図9-5 眼球内部の構造と眼房水の流れ

① 水晶体

- 水晶体は無色透明で，瞳孔から入る光を屈折させる．
- 表面は丈夫な水晶体包で覆われており，毛様体突起から起こる毛様体小帯が多数付着して水晶体の形状が保持されている．
- 水晶体は弾力性があり，毛様体筋の収縮・弛緩で毛様体小帯が弛緩したり，緊張したりすることで厚さが変わり，遠近調節ができる（➡p.415参照）．
- 水晶体が年齢とともに濁り，視力の低下につながることがある．これを白内障という．

② 硝子体

- 透明なゼリー状の物質である硝子体は，水晶体の後方にある．眼球の形状を保ち，網膜表面を平滑にし，鮮明な像を得るのに役立つ．

③ 眼房水

- 眼房水は毛様体から後眼房へ分泌された後，虹彩と水晶体の間隙から瞳孔を通り前眼房へ流れ，血管がない水晶体や角膜に酸素や栄養を与える．眼房水は，虹彩と角膜がなす虹彩角膜角から，シュレム管（強膜静脈洞）へ排出される．
- 眼房水は循環しており，分泌と排出が釣り合って，眼圧が一定（10〜21mmHg）に保たれる．眼房水の循環が障害されると，眼圧が高まり視野が狭くなって，緑内障となる．

眼球の血管系

- 眼球は，眼動脈によって栄養される．眼動脈は，網膜に分布する網膜中心動脈と，脈絡膜や毛様体に分布する動脈に分かれる．
- 網膜中心動脈は，視神経円板を通って網膜に分布しており，分布の様子は眼底検査で観察できる．
- 網膜の静脈血は，網膜中心静脈から眼静脈に注ぐ．

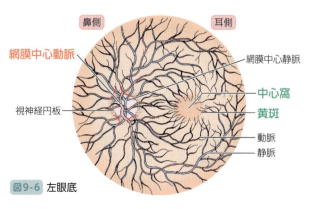

図9-6 左眼底

2 眼球の付属器

眼瞼

- 上下の眼瞼は，睫毛とともに眼球への異物の侵入を防いでいる．
- 外面は皮膚であり，その内側に眼輪筋，瞼板，眼瞼結膜と続く．
- 上眼瞼の上部には上眼瞼挙筋があり，開眼する際に働く．
- 眼瞼を形づくる瞼板（板状の結合組織）には特殊な皮脂腺である瞼板腺（マイボーム腺）が並び，瞼板腺からの分泌物が涙の蒸散を防ぐ．
- 眼球と接する内面は眼瞼結膜で覆われ，眼球表面を覆う眼球結膜につながる．眼瞼結膜と眼球結膜の境界には結膜円蓋がある．
- 結膜は外界に露出しているため，細菌やウイルスの感染により結膜炎を引き起こしやすい．結膜で炎症が起こると，強膜からなる白眼を覆う結膜の血管が拡張し，充血して赤くなる．

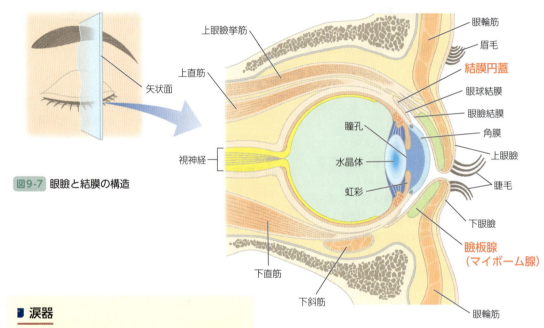

図9-7 眼瞼と結膜の構造

涙器

- 涙腺は眼球の上外方に位置する漿液腺で，涙液を分泌する．
- 涙液は常に導管から結膜円蓋に分泌され，眼球表面を潤し，乾燥を防いでいる．涙液は内眼角にたまり，涙点から鼻涙管（➡p.216参照）に吸収され，下鼻道へ流れる．
- 涙液にはイオン（Na^+，Cl^-）や抗体，リゾチームという酵素が含まれており，眼球の防御にも役立つ．
- 涙腺は顔面神経（第Ⅶ脳神経）に含まれる副交感神経線維に支配され，結膜への刺激や感情によって涙液の分泌量が増大する．

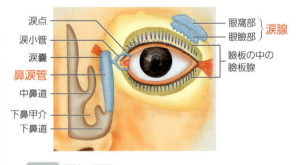

図9-8 涙腺と涙器

3 外眼筋

外眼筋は，眼球を動かす六つの筋（上直筋，下直筋，内側直筋，外側直筋，上斜筋，下斜筋）と上眼瞼を動かす上眼瞼挙筋からなる．

■ 眼球を動かす筋

● ①上直筋，②下直筋，③内側直筋，④外側直筋
- 上直筋，下直筋，内側直筋，外側直筋は総腱輪から起始し，前方に走って眼球の強膜に停止する．
- 外側直筋は外転神経（第Ⅵ脳神経）に支配され，上直筋，下直筋，内側直筋は動眼神経（第Ⅲ脳神経）に支配される．

● ⑤上斜筋
- 総腱輪から起始し，眼窩の上内側壁にある軟骨性の滑車をくぐって外後方に反転して，上直筋の下で斜めに眼球上面に停止する．
- 上斜筋は，滑車神経（第Ⅳ脳神経）によって支配される．

● ⑥下斜筋
- 眼窩内側壁の前下部から起始し，下直筋の下を通って眼球の外側面に停止する．
- 下斜筋は，動眼神経によって支配される．

■ 上眼瞼を動かす筋

● ①上眼瞼挙筋
- 視神経管の上縁から起始し，眼窩の最上部を前進して上瞼板に停止する．
- 動眼神経によって支配され，開眼の際に働く．

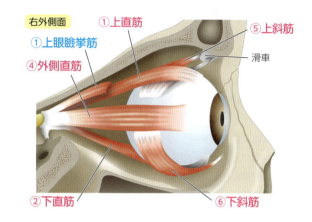

図9-9 右の外眼筋

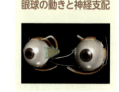

眼球の動きと神経支配

＊眼球運動は三つの軸の運動に分解される（上斜筋と下斜筋の運動に注意）．

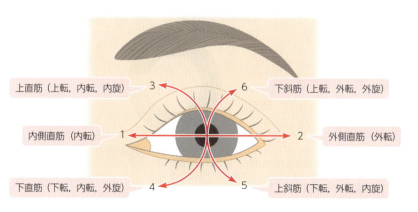

図9-10 外眼筋の作用方向（左眼）

4 視覚の伝導路

瞳孔を介して眼球内に入った光は，角膜，水晶体などで屈折し，網膜上に像をつくる．

■ 視野

- 片方の眼で見える全範囲をその眼の**視野**と呼ぶ．
- 視野の右半分の光は，両眼の**中心窩**を境にして左半分の網膜に上下反対に像をつくり，視野の左半分の光は右半分の網膜に上下反対に像をつくる．
- 網膜からの視覚情報は視神経円板に集まり，視神経を介して脳へ向かう．
- **視交叉**において，視神経のうち鼻側半分（内側半）の線維が交叉する．網膜の内側半から生じた神経線維は視交叉で反対側に向かい，網膜の耳側半分（外側半）から生じた神経線維は同側の視床へ向かう．
- 視索は視交叉で交叉する神経線維と交叉しない神経線維を含み，視床の**外側膝状体**に入る．
- 外側膝状体で新しいニューロンに中継された情報は，**視放線**を通り，後頭葉の視覚野に投射される．一部は中脳の上丘*にも投射し，**対光反射**（→p.416参照）などに関与する．
- 視覚の伝導路において，網膜からの情報を伝える神経線維の配列は規則的な位置関係を示すため，障害部位によって特異的な視野欠損を示す．

> **用語解説** *
> **上　丘**
> 中脳背側に上下各1対のなだらかな隆起があり，四丘体と呼ばれる．上方の1対は上丘，下方の1対は下丘と名付けられている．

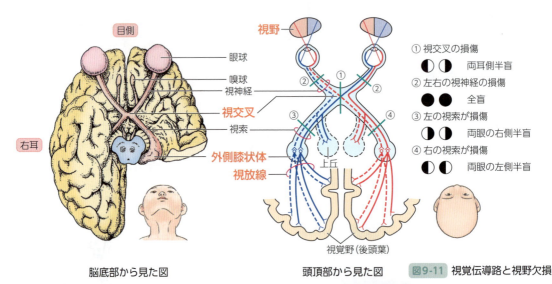

脳底部から見た図　　　頭頂部から見た図　　**図9-11** 視覚伝導路と視野欠損

5 視　力

- 視力は，眼の空間的な分解能を表す指標である．
- 5m離れた位置からランドルト環を見たときの，識別できる最小の切れ目の視角（最小視角）の逆数を視力という．

図9-12 ランドルト環と視覚

> 例えば，5m離れた位置から直径7.5mmのランドルト環を見たとき，その視角は1分（1°の1/60の角度）である．そのランドルト環の切れ目を識別できる場合，視力は1.0となる．

6 眼の反射と調節機能

遠近調節

- 眼球に入る光の屈折は，角膜と水晶体で生じる．水晶体は前・後面ともに凸面で，厚さを変化させて屈折を増減させることで，網膜の中心窩に焦点を結ぶよう調節する．
- 遠くのものを見るとき，毛様体筋は弛緩する．これにより毛様体小帯の緊張度が高まり，水晶体が全方向に引き伸ばされて薄くなる．
- 近くのものを見るとき，毛様体筋は収縮する．毛様体小帯の緊張度は低下し，毛様体小帯がたるむため，水晶体は丸みが増し，光を強く屈折して網膜上に像をつくる．毛様体筋は動眼神経の副交感神経成分により支配される．
- 水晶体の弾性と毛様体筋の収縮・弛緩によって，水晶体の厚みが変わり遠近調節がなされる．

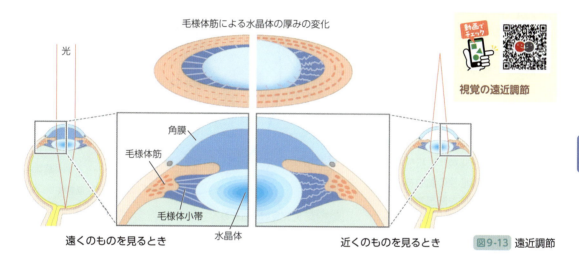

図9-13 遠近調節

屈折異常

- 正視眼は，毛様体筋が収縮していない（遠近調節がない）状態で，遠くの物体の像が網膜上につくられる．しかし屈折異常では，正常に像がつくられないため，物体がぼんやりとしか見えない．
- 屈折異常には，近視・遠視・老視（➡p.434参照）・乱視があるが，レンズによる矯正が可能である．

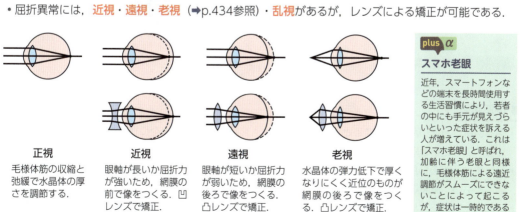

正視
毛様体筋の収縮と弛緩で水晶体の厚さを調節する．

近視
眼軸が長いか屈折力が強いため，網膜の前で像をつくる．凹レンズで矯正．

遠視
眼軸が短いか屈折力が弱いため，網膜の後ろで像をつくる．凸レンズで矯正．

老視
水晶体の弾力低下で厚くなりにくく近位のものが網膜の後ろで像をつくる．凸レンズで矯正．

図9-14 屈折異常

plus α スマホ老眼

近年，スマートフォンなどの端末を長時間使用する生活習慣により，若者の中にも手元が見えづらいといった症状を訴える人が増えている．これは「スマホ老眼」と呼ばれ，加齢に伴う老眼と同様に，毛様体筋による遠近調節がスムーズにできないことによって起こるが，症状は一時的であることが多い．

対光反射

- 眼球に入る光の量は，反射的に瞳孔の径を変えることで調節されている．瞳孔の径は**瞳孔括約筋**（副交感神経）と**瞳孔散大筋**（交感神経支配）によって行われる．
- 片目に光を照射すると，光を照射した眼の瞳孔括約筋が収縮し，瞳孔が小さくなる（**縮瞳**）．光をそらしたり，暗所に入ったりすると，瞳孔散大筋が収縮し，瞳孔が大きくなる（**散瞳**）．
- 対光反射は，一方の眼だけに光を当てても両眼に生じる．光を当てた眼に生じる反射を**直接対光反射**，反対側の眼に生じるものを**間接対光反射**と呼ぶ．
- 瞳孔から入った光は，視神経を介して，対光反射の中枢である中脳の動眼神経副核（エディンガー・ウエストファル核）に投射する．この核から遠心性の動眼神経が出て，瞳孔括約筋を制御する．

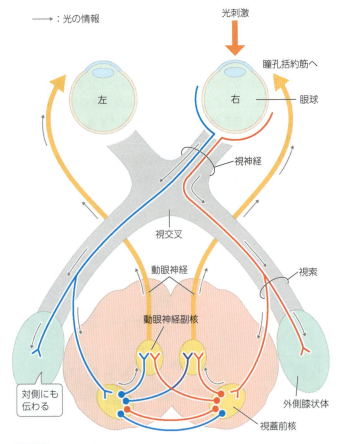

図9-15 対光反射のしくみ

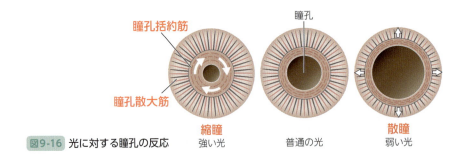

図9-16 光に対する瞳孔の反応

明暗順応

- 明るい所から暗い所に移動すると，はじめは物がよく見えないが，徐々に慣れて見えるようになってくる．これを**暗順応**という．
- 暗い所から明るい所に移動すると，はじめはまぶしく感じるが，間もなく明るさに慣れる．これは**明順応**といい，暗順応よりも比較的速やかである．
- 暗順応と明順応には，視物質であるロドプシンの分解や再合成が関与するとされる．ロドプシンはビタミンAから産生されるため，ビタミンA欠乏症では，薄暗い所で視力が落ちる夜盲症（鳥目）になる．

▌輻輳反射

- 近づく物体を注視する場合，両眼球の内転（眼が寄る），縮瞳，水晶体の肥厚が起こる（輻輳反射）．
- ヒトは左右の眼で同一視野，同一物体を見る際に輻輳反射が起こり，視野を三次元的にとらえている．外眼筋の協調運動が反応に関与している．

▌角膜反射（瞬目反射）

- 目の前に急に物が接近してきたり，角膜が刺激されたりすると，眼輪筋が収縮し，眼瞼を反射的に閉じて眼球を保護する．これを角膜反射，または瞬目反射という．

➡ 反射については，p.357も参照．

7 色覚とその異常

　明るい場所では，3種類の錐体が同時に機能するため色の識別ができる．**色覚**の感度は，錐体が多く分布する網膜の黄斑が最も高い．暗い場所では杆体のみが機能するため，色の識別ができない．

▌色覚

- 網膜で感じる光線は，波長400（紫）〜800nm（赤）の可視光線である．波長が380nmより短い光線は紫外線，770nmより長い光線は赤外線と呼ばれ，ともに網膜では感知できない．
- 色の感覚は，光の三原色（赤・緑・青）に反応する視物質をもつ赤錐体，緑錐体，青錐体の3種類の錐体からの入力をもとに感受される（三色説）．
- 2種類の錐体が同時に刺激されると，それらの光の中間色である黄色などが認識され，3種類の錐体が同時に刺激されると白色を認識する．

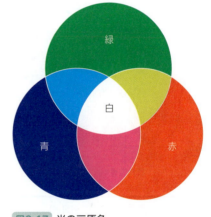

図9-17 光の三原色

▌色覚多様性

- すべての錐体が正常に機能する場合は正常3色型色覚という．
- 錐体の遺伝子の多様性によっていずれかの錐体の機能が欠損しているものは2色型色覚という．機能が欠損している錐体の種類によって，1型（赤錐体），2型（緑錐体），3型（青錐体）に分けられる．臨床的には，1型や2型が多い（赤緑色覚異常）．

> **plus α**
> **色覚多様性の症状**
> 　2色型色覚（赤緑色覚異常）は赤錐体や緑錐体の異常で起こる．主な症状に色誤認があり，混同しやすい色の組み合わせに，赤と緑，オレンジ色と黄緑，茶色と緑，青と紫などがある．出生時から感覚異常の場合は，色誤認の自覚に乏しい．また，照明の暗さや移動速度等の環境要因などでも誤認しやすくなる．

3 聴覚と平衡覚

耳は音の情報（聴覚）とともに，身体の傾きなど（平衡覚）を検知している．これらの情報は，内耳にある感覚受容器の有毛細胞において機械的刺激として受容され，神経インパルスに変換される．

1 耳の全体構造

耳は，外耳・中耳・内耳に区分される．通常，音の情報は，音波として外耳を介して内耳まで伝わり，蝸牛において神経インパルスに変換される．身体の傾きなどの情報は，内耳の前庭や半規管において神経インパルスに変換される．

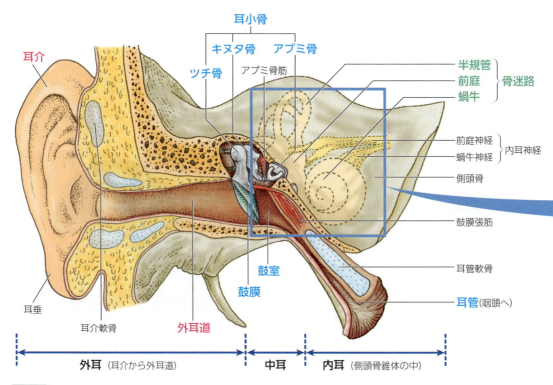

図9-18　外耳・中耳・内耳の構造

■ 外耳

- 外耳は，耳介，外耳道からなり，音を集めて鼓膜に伝える伝音部である．
- 耳介は，外に広がり，耳垂を除く部分に弾性軟骨からなる耳介軟骨があり，耳介の形状が保たれる．
- 外耳道は長さ2～3cmでS状に緩やかにカーブした構造であり，外側約1/3は軟骨で囲まれ，奥の約2/3は側頭骨で囲まれている．
- 外耳道内面は皮膚で覆われ，外側部には毛と脂腺，アポクリン汗腺の一種の耳道腺が開口する．この腺や脂腺の分泌物に剥離した表皮などが混ざって耳垢となる．耳垢がたまると外耳道が閉塞され，入ってくる音を遮断してしまうことがある．

中耳

- 中耳は，鼓膜によって外耳と隔てられている．中耳は，鼓膜の奥にある鼓室を中心に，耳小骨・耳管からなる．

①鼓膜

- 鼓膜は直径1cmほどの円形の薄い膜である．外耳道側は皮膚で，鼓室側は粘膜で覆われ，血管や知覚神経が分布している．鼓室側へ軽く凹んで耳小骨が付着している．

②鼓室

- 鼓室は，鼓膜の奥に位置し，側頭骨内の腔所で，空気に満たされている．鼓室内には耳小骨があり，鼓膜の振動を内耳に伝えている．
- 耳小骨は，ツチ骨・キヌタ骨・アブミ骨の三つの骨で，人体で最も小さな骨である．これらの骨は，関節で連結しており，鼓膜の振動を増幅する．
- アブミ骨は内耳につながる前庭窓に連結し，音の情報を伝える．

③耳管

- 耳管は，長さ3～4cmほどの管状の構造で，鼓室から耳管咽頭口につながる．
- 普段，耳管は閉じている．外界の気圧変化により鼓室と外界の間に圧差が生じると，鼓膜が正常に振動できず音が聞こえにくくなる．嚥下やあくびをすると耳管が一時的に開き，咽頭経由で鼓室の内圧が外気圧と同じになり，聞こえが回復する（➡p.220参照）．

内耳

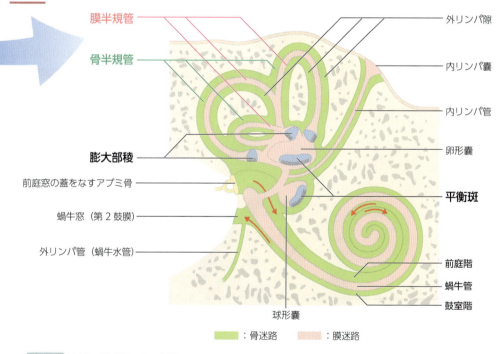

図9-19 内耳の模式図による概観

- 内耳は側頭骨の中にあり，複雑な形状である．骨迷路と呼ばれる側頭骨内の腔所の中に，膜迷路が収まっている．膜迷路の外側は外リンパ，内側は内リンパという液体で満たされている．
- 蝸牛は音を感知し，前庭は垂直・水平方向に移動する際の直線加速度を感知し，半規管はうなずいたり，首を振るときなどの角加速度（回転加速度）を感知する．

2 聴覚器の構造と機能

音は，空気の振動（音波）として外耳，内耳を介して，内耳の中のコルチ器（ラセン器）という感覚受容器で感知される．

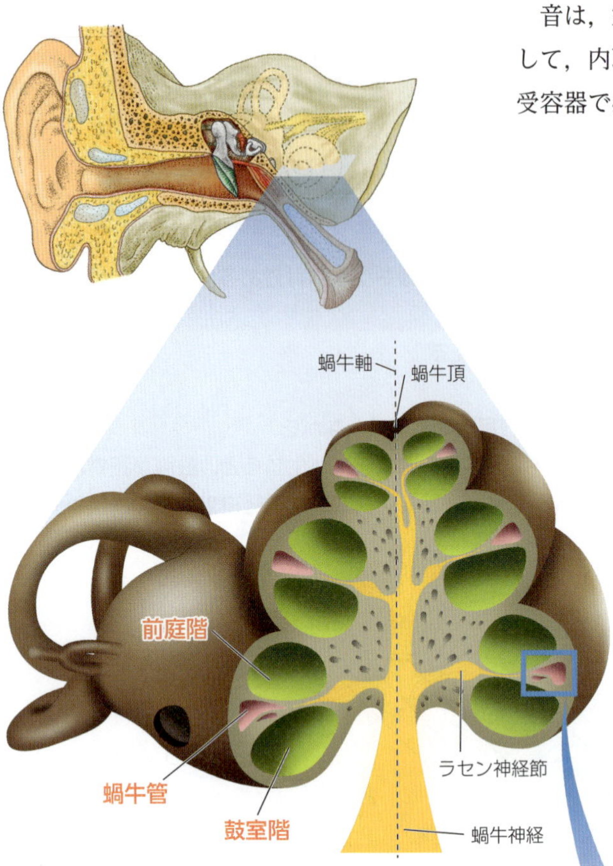

▍蝸牛

- 蝸牛軸を中心に2回半巻くカタツムリの殻のようならせん状の管腔構造である．蝸牛の中にある膜迷路を蝸牛管といい，管腔は前庭階，鼓室階，蝸牛管の三つに分けられている．

● ①前庭階と鼓室階
- 前庭階はアブミ骨が付着する前庭窓から始まり，蝸牛頂まで到達すると鼓室階に移行する．鼓室階は蝸牛窓に行き当たる．前庭階と鼓室階は外リンパで満たされており，耳小骨から伝わってきた音波が外リンパを振動させる．
- 外リンパの振動として内耳に到達した音の情報は，前庭階と鼓室階を伝わる過程で共鳴を起こし，特定の領域の基底板を揺らす．これにより有毛細胞が刺激され，神経インパルスが生じる．

図9-20 蝸牛の構造

● ②蝸牛管
- 蝸牛管は，上方は前庭階，下方は鼓室階に挟まれ，蝸牛管と鼓室階の間には音を感知するコルチ器がある．
- 蝸牛管は内リンパで満たされている．

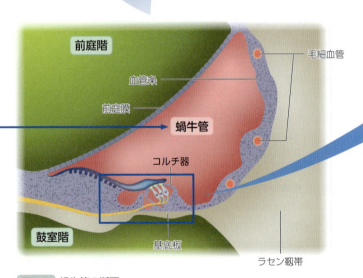

図9-21 蝸牛管の断面

- **Ⓐコルチ器**
- 蝸牛管と鼓室階の間には基底板があり，基底板上に**コルチ器**がある．
- コルチ器は，支持細胞と約16,000個の内・外の有毛細胞が整列しており，その上にゼリー状の蓋膜が覆い被さっている．

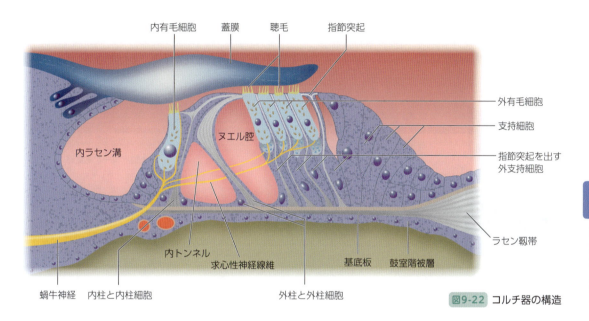

図9-22 コルチ器の構造

内リンパと外リンパ

骨迷路は外リンパという液体で，膜迷路は内リンパという別の液体で満たされている．外リンパと内リンパはK^+とNa^+の割合が異なり，K^+：Na^+の比は，外リンパで1：10，内リンパで5：1である．血漿は1：7であり，外リンパに似ている．

音の伝導と聴覚伝導路

- 音はコルチ器において機械的振動として感知されるが，その経路には空気伝導（気導）と骨伝導（骨導）がある．

空気伝導

- **空気伝導**では，音波は外耳道から入り，鼓膜，耳小骨を振動させ，前庭窓から外リンパに伝えられる．外リンパの進行波は鼓室階を下行し，蝸牛管の特定部位の基底板を振動させる．
- 基底板の振動により，内・外有毛細胞の聴毛は蓋膜に押し当てられ，この機械的刺激が活動電位を発生させる．

骨伝導

- **骨伝導**では，音の振動が頭蓋骨を通してコルチ器の有毛細胞を刺激することで活動電位が生じる．
- コルチ器の有毛細胞において発生した活動電位は，一次聴覚ニューロンの蝸牛神経に聴覚情報を伝達する．蝸牛神経は，内耳神経として延髄で一部が対側へ交叉し，両側の聴覚野に伝達される．両方の耳から届く聴覚情報のわずかな時間差により，音源の方向を特定することができる．

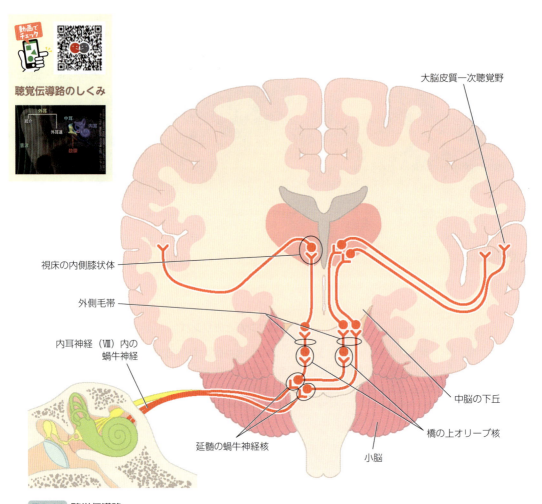

図9-23 聴覚伝導路

聴力

- 聴力とは，音の高低や強弱（大きさ）について聞き取ることができる能力を示し，オージオメーターを用いた聴力検査で評価される．

①音の高低

- 音波の振動数は音の高さを表し，周波数が多いと高音，周波数が低いと低音となる．ヒトの可聴域は20〜20,000Hz*である．

②音の強弱

- 音の強さは，若年成人が静かな所で1,000Hzの音をようやく聞き分けることができる閾値を0dBと定義する．
- 音が0dBから10dBに増加するということは，音の強さが10倍になることを示し，0dBから20dBに増加するということは100倍になることを示す．

> **用語解説***
> **Hz（ヘルツ）**
> 周波数，振動数の単位として用いられ，1秒間あたりに波動や振動が何回起きるかを示す．

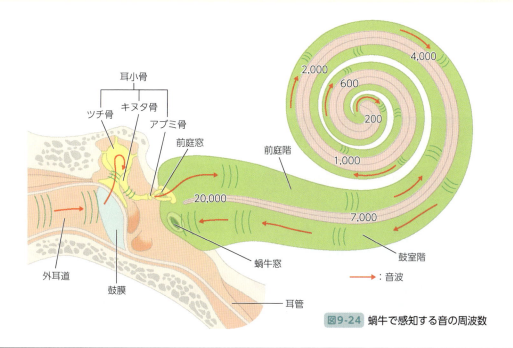

図9-24 蝸牛で感知する音の周波数

難聴

難聴は，外耳〜中耳に問題がある**伝音難聴**と内耳や聴覚中枢に問題がある**感音難聴**に分けられる．

①伝音難聴

- **伝音難聴**では，遠くから声を掛けられているように音が小さく感じるため，音を大きくすれば聞き分けは可能になる．
- 伝音難聴は，耳垢が詰まった外耳道閉塞・鼓膜損傷・中耳炎などで音波が適切に伝わらないことで生じる．
- 音叉を用いて骨伝導による聴力を検査し正常であれば，内耳の感覚細胞から聴覚中枢までの聴覚伝導路は健全である．

②感音難聴

- **感音難聴**は，音がほとんど聞こえないような重度の場合が多く，その聞こえ方にもゆがみが生じる，不要な音が大きく響いてしまうなどがある．
- 感音難聴は，加齢によりコルチ器の萎縮が生じたり日常的に大きい音を聞き続けたりすることで，有毛細胞が障害されて生じる．
- 妊娠初期に母体が風疹に罹患することで，胎児に先天性の感音難聴（先天性風疹症候群）が認められることがある．

3 平衡覚器の構造と機能

平衡覚は，内耳の前庭にある球形嚢・卵形嚢の平衡斑や膜半規管の膨大部稜（りょう）で感受される．平衡覚の情報は，視覚，皮膚感覚，深部感覚などと統合され，身体の姿勢や眼球の位置の保持に関与する．

■ 前庭

- 前庭は，骨迷路の中央部に位置する卵円形の構造で，ここに平衡を感知する膜迷路の**球形嚢**と**卵形嚢**がある．これらを合わせて**耳石器**と呼ぶ．
- 耳石器には**平衡斑**と呼ばれる平衡受容器がある．平衡斑には有毛細胞と支持細胞が分布し，その上にゼリー状の耳石膜が重なり，さらに耳石と呼ばれる炭酸カルシウムの結晶に覆われた構造をしている．

■ 平衡斑

- 球形嚢と卵形嚢の平衡斑は互いに直交して配置し，それぞれ頭部の垂直，水平の動きを感受する．
- 頭部の傾きなどにより耳石膜が変形し，有毛細胞を刺激することで神経インパルスが発生する．

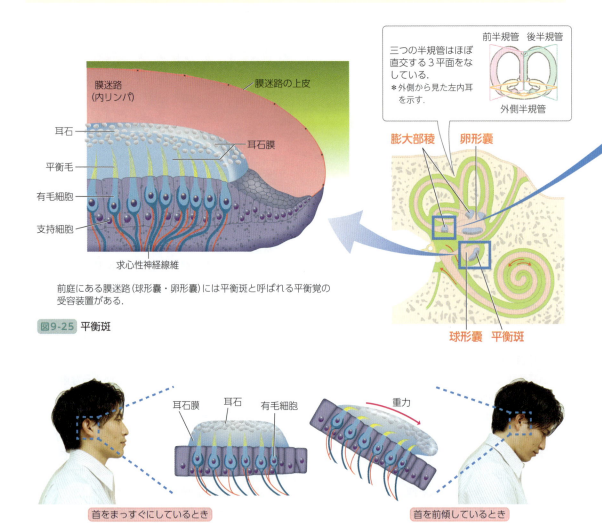

図9-25 平衡斑

前庭にある膜迷路（球形嚢・卵形嚢）には平衡斑と呼ばれる平衡覚の受容装置がある．

図9-26 頭部の動きと平衡斑の状態

半規管

- 前庭の上後方に，ループ状の骨半規管がある．骨半規管は前半規管，後半規管，外側半規管があり，前半規管・後半規管は垂直方向に，外側半規管は水平方向に位置し，三つの半規管は互いにほぼ直交する3平面をなす．骨半規管の中には，膜半規管が収まり，一部が膨らみ，回転方向の加速・減速を感知する膨大部がある．

①膨大部

- <u>膨大部</u>には，有毛細胞と支持細胞からなる<u>膨大部稜</u>と呼ばれる小さな膨らみがあり，上部はクプラと呼ばれるゼリー状の物質に覆われている．
- 頭部の動きにより，有毛細胞とクプラは頭部と同じ方向に動くが，膜半規管内の内リンパは慣性により動きに遅れが生じる．これによりクプラが頭の回転と逆の方向に傾く．このときに生じる機械的刺激が有毛細胞を興奮させ，神経インパルスを生じる．

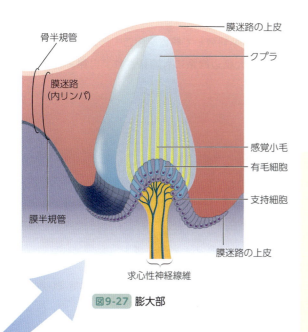

図9-27 膨大部

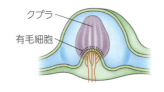
まっすぐ立っているとき
静止状態

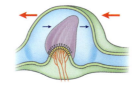
身体を回し始めたとき
リンパ液の動き（→）が少し遅れて，クプラは身体の動き（←）とは反対になびく

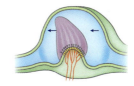
回転を止めたとき
リンパ液もクプラも，すぐには動きの方向は変わらない

図9-28 頭部の回転とクプラの動き

平衡覚の伝導路と反射

- 平衡覚の情報を伝える前庭神経は，聴覚の情報を伝える蝸牛神経とともに内耳神経（第Ⅷ脳神経）を形成している．
- 平衡斑と膨大部稜の有毛細胞で受容した平衡覚の情報は，前庭神経を介して延髄の前庭神経核に伝えられ，体性感覚野の一部に投射される．前庭神経の成分は一部，小脳皮質にも達する．
- 前庭神経核では，平衡覚の情報と視覚や表在感覚・深部感覚の情報が統合され，頭部と眼球の協調運動（頭を傾けても焦点がぶれない）や姿勢を維持するために骨格筋の緊張度を調整するといった遠心性の指令も送っている．

①前庭反射

- 姿勢反射*の一つである．前庭受容器が刺激されると，体幹や頭部，眼球を正しい位置に保持するため，反射的に四肢や体幹，頸部，外眼筋の緊張度が変化する．

平衡覚伝導路のしくみ

用語解説*
姿勢反射

姿勢反射は安定的な姿勢を保つ反射であり，体位反射とも呼ばれる．代表的な姿勢反射に前庭反射があり，前庭に入力された情報から，体幹の筋や眼球を動かす筋の緊張が反射的に調節される．

4 化学的感覚（嗅覚・味覚）

嗅覚や味覚は，化学物質が感覚細胞（**嗅細胞**，**味細胞**）を刺激して興奮を起こす．これらの情報は大脳皮質の感覚野に投射されるだけでなく，視床下部や大脳辺縁系にも連絡され，自律神経系の機能・情動・本能行動に深く関与する．

1 嗅覚と嗅覚受容器

嗅覚は，におい物質（化学物質）が嗅覚受容器を刺激し，神経インパルスが発生する．外界のにおい分子は吸息時に，口腔内の飲食物のにおい分子は呼息時に嗅覚受容器を刺激する．

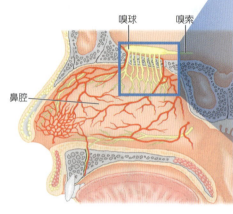
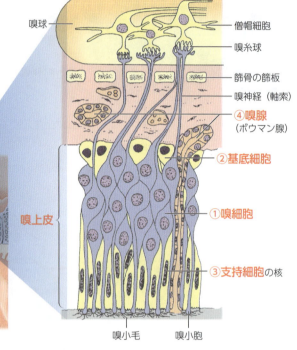

図9-29 嗅上皮の構造

嗅覚受容器

嗅覚受容器は，鼻腔の上部に位置する**嗅上皮**に分布している．嗅上皮には，嗅細胞，支持細胞，基底細胞，嗅腺がある．

- ①嗅細胞
- **嗅細胞**は双極性のニューロンで，樹状突起は鼻腔側に伸び，その先端に嗅小毛をもつ．反対側の嗅神経（軸索）は篩板を通り抜けて嗅球まで伸びる．
- ②基底細胞
- **基底細胞**は，新しい嗅細胞をつくる幹細胞である．約2カ月で新しい嗅細胞に置き換わる．
- ③支持細胞
- **支持細胞**は，嗅細胞を物理的に支え，栄養を供給する．
- ④嗅腺
- 嗅上皮には粘液を産生する**嗅腺**（ボウマン腺）がある．粘液は導管から嗅上皮表面に分泌され，表面を潤し，におい物質を溶解する．
- 嗅腺は顔面神経の副交感神経成分により支配されているため，こしょうやアンモニアなどの刺激で涙や鼻汁が出る．

嗅覚伝導路

- 空気中を浮遊していたり，食べ物を食べたときに口腔から出る揮発性化合物は，におい分子として嗅上皮の表面を覆う粘液に溶ける．
- におい分子が嗅細胞の嗅小毛を刺激すると，嗅細胞が興奮し，におい分子の情報（神経インパルス）が発生する．
- におい分子の情報は，嗅細胞により篩板を貫き，頭蓋腔の嗅球（第Ⅰ脳神経）に伝えられる．
- 嗅球の僧帽細胞に伝えられた嗅覚情報が，側頭葉の内側面にある一次嗅覚野に達することで，においの感覚は意識にのぼる．

plus α
嗅覚受容器の閾値
嗅覚受容器は閾値が低く，わずかなにおい分子の存在でも感知できる．においの順応は比較的急速に起こるため，約1秒後には感受性の低下がみられる．

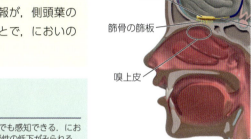

図9-30 嗅覚伝導路

2 味覚と味覚受容器

味覚

基本味は，塩味，酸味，甘味，苦味，うま味の5種類がある．味物質（化学物質）が唾液に溶け込み，味覚受容器を刺激することで神経インパルスが発生し，味覚が生じる．

味蕾の分布と味覚受容器

- 舌には，有郭乳頭・茸状乳頭・葉状乳頭・糸状乳頭の4種類の乳頭がある．
- 味覚の受容器である味蕾は，その約半数が有郭乳頭にあり，茸状乳頭，葉状乳頭にも分布する．
- 先のとがった円錐状の糸状乳頭には，触覚の受容器はあるが，味蕾は存在しない．
- 味蕾は舌のほかに，口蓋・咽頭・喉頭蓋の粘膜内にも存在する．

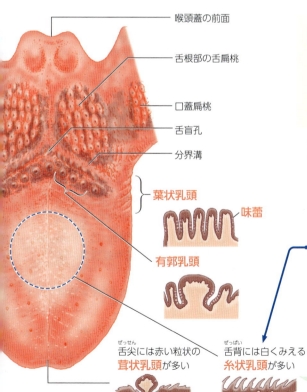

図9-31 舌

舌背の全面を覆う糸状乳頭には味蕾がなく，白いビロード状を呈し，表面をザラザラにして食物をなめとりやすくしている．

味蕾の構造

味蕾は花の蕾のような構造であり，味細胞（味覚受容細胞），基底細胞，支持細胞からなる．

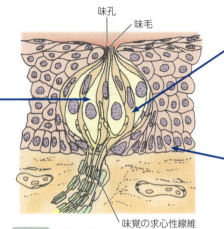

● ①味細胞
- 一つの味蕾に，約50個の味細胞がある．味微絨毛（味毛）が味蕾の開口部である味孔を通って外表面に向かって伸びている．

● ②支持細胞
- 支持細胞は味細胞に分化し，約10日で新しい細胞と入れ替わる．
- 高齢者になると味蕾の数が減少して味覚が鈍くなる．

● ③基底細胞
- 基底細胞は，幹細胞であり支持細胞を産生する．

図9-32 味蕾の構造

味覚伝導路

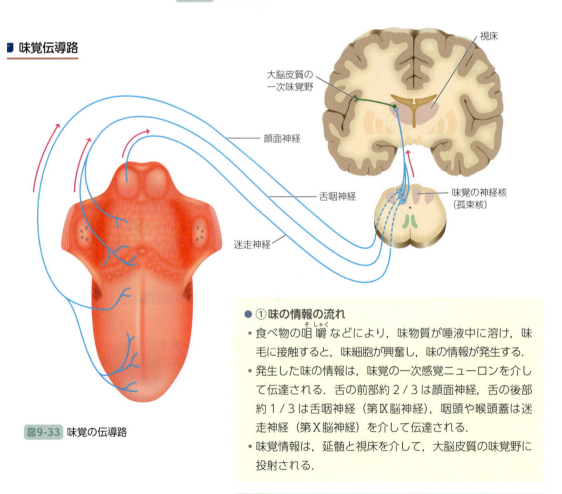

図9-33 味覚の伝導路

● ①味の情報の流れ
- 食べ物の咀嚼などにより，味物質が唾液中に溶け，味毛に接触すると，味細胞が興奮し，味の情報が発生する．
- 発生した味の情報は，味覚の一次感覚ニューロンを介して伝達される．舌の前部約2/3は顔面神経，舌の後部約1/3は舌咽神経（第Ⅸ脳神経），咽頭や喉頭蓋は迷走神経（第Ⅹ脳神経）を介して伝達される．
- 味覚情報は，延髄と視床を介して，大脳皮質の味覚野に投射される．

> **plus α**
> **味覚障害**
> 味覚の減退や異常な味がする状態（異味覚）を味覚障害という．発症の原因として，亜鉛の欠乏や乳頭・味蕾の消失，抗がん薬の有害作用があり，ストレスなど心因性でも生じることが知られている．

5 体性感覚

身体に加わるさまざまな物理的・化学的な刺激は，体性感覚受容器で受け取り，脳に伝達される．体性感覚には，**表在感覚**（皮膚感覚）と**深部感覚**がある．
- 表在感覚の受容器は皮膚や粘膜に分布する．
- 深部感覚の受容器は，筋・腱・骨膜・関節包・靱帯などの運動器にある．

1 表在感覚の受容器

皮膚は，表皮，真皮，皮下組織で構成される（➡p.452参照）．表在感覚には触覚・圧覚・温覚・冷覚・痛覚があり，それぞれの感覚受容器は真皮層に多く分布する．

▶触覚・圧覚

- 触覚や圧覚は，機械的刺激により組織が変形し，それが受容されて生じる．
- 受容器の分布を示す触点・圧点は，指先や顔面には1 cm²当たり100以上と多いが，大腿部などでは11〜13と少なく，部位により密度の違いがみられる．
- 触覚・圧覚は，真皮の乳頭層にある**マイスネル小体**や**メルケル盤**，真皮から皮下組織に分布するパチニ小体やルフィニ小体，毛包を取り囲む毛包受容器などで感受する．毛包受容器は有毛皮膚における毛の動きを感受する．

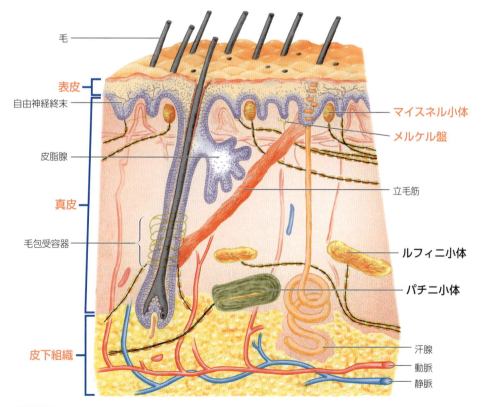

図9-34 表在感覚の受容器の分布

温覚・冷覚

- 温覚・冷覚は、組織局所の温度とその変化を受け取る感覚であり、自由神経終末（有髄・無髄）で感受される。温覚受容器よりも冷覚受容器のほうが分布密度が高い。
- 温度受容器では10～45℃を感受し、15℃以下や43℃以上では痛みを生じる。
- 温覚・冷覚は、視床下部の体温調節中枢に送られるため、体温調節に役立つ。

痛覚

- 痛み（痛覚）は、身体に有害な侵害刺激を知らせる警告の役割があり、生きていく上で必要不可欠なものである。そのため、痛覚は順応が少なく、触圧点のように全身の部位による分布の差もない。

①侵害刺激

- 組織の損傷を生じる、もしくは生じる可能性がある刺激を侵害刺激と呼び、自由神経終末の侵害受容器で受容されると痛みを生じる。
- 侵害受容器を活性化する刺激には、43℃以上の温度や組織の炎症や損傷で放出されるプロスタグランジン等の化学物質があり、これらの刺激が加わると神経インパルスが生じる。
- 痛みの情報は、上行路を介して感覚野とともに、喜びや怒りなどに関連する大脳辺縁系にも伝達される（➡p.375参照）。

> **plus α**
>
> **温度感受性チャネルTRPV1**
>
> 2021年のノーベル生理学・医学賞を受賞したデビッド・ジュリアス（David Julius）博士らは、細胞の表面に、カプサイシン受容体TRPV1があることを明らかにした。TRPV1は、トウガラシ等に含まれるカプサイシンという成分を受容し、辛さの感覚を感受するだけでなく、43℃以上の温度刺激でも活性化し、辛さや熱を痛みとして検出している（➡p.492参照）。

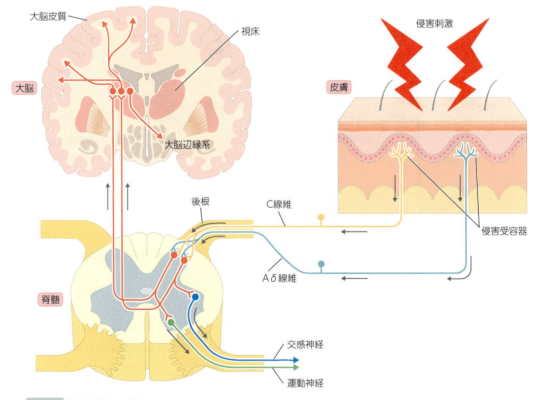

図9-35 侵害刺激の伝導路

2 深部感覚の受容器

深部感覚は，筋や腱などの運動器に分布する受容器で感受される．そのため目を閉じていても身体の姿勢や運動の状態がわかる．深部感覚の受容器から伝えられた情報は，歩行などの身体運動において，運動器の情報を伝えることで，自動的に筋の張力や長さを補正している．深部感覚は，固有感覚とも呼ばれる．

■ 腱紡錘（腱器官）

- 腱の膠原線維の束とそれに絡み合うように分布する感覚神経からなる構造で，筋にかかる張力を感知している．
- 筋に過度な張力がかかるときは，腱紡錘からの神経インパルスが腱反射を生じさせ，筋を弛緩させることで，筋の損傷を防ぐ．

■ 筋紡錘

- 錘内筋と呼ばれる3〜10本の特殊な筋線維に感覚神経終末が巻き付いた構造であり，骨格筋の長さの変化を感受する受容器である．
- 筋（錘外筋）が引き伸ばされると，筋紡錘の筋（錘内筋）は中央に巻き付いている感覚神経終末を介して，伸長のインパルスを脊髄に伝える．これにより筋収縮が誘導される（**伸張反射**）．膝蓋腱を打腱器で刺激して下腿が挙上する膝蓋腱反射（➡p.389参照）は，大腿四頭筋の伸張反射である．
- 錘内筋の末端に分布するγ-運動神経終末は，筋の長さの変化に対する筋紡錘の緊張を調節することで，筋紡錘の感度を調節している．繊細な運動をする筋ほど筋紡錘の数は多い．

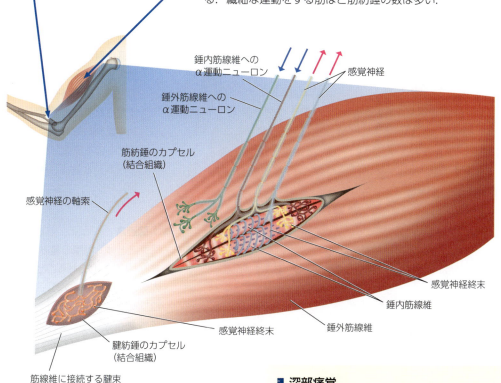

桑木共之ほか編訳．トートラ人体の構造と機能．第5版（原書15版），丸善出版，2019，p.577．

図9-36 深部感覚の伝導

■ 深部痛覚

- 深部受容器の刺激により生じる痛みは深部痛といい，筋肉痛や骨折などの鈍い痛みを感じる．
- 表在感覚の痛みと比較すると，局在性ではないが漠然とした痛みが続く．

3 体性感覚の上行性伝導路

体性感覚受容器からの情報は，後索－内側毛帯路，脊髄視床路（前外側路），三叉神経視床路の経路を経て脊髄を上行し，頭頂葉にある一次体性感覚野（中心後回）と小脳へ伝えられる．

小脳への伝達は，一次ニューロン，二次ニューロン，三次ニューロンのセットからなり，一次ニューロンは脊髄の後根を介して後角に入力する．二次ニューロンは脊髄または延髄のレベルで交叉する．三次ニューロンは視床から始まるため，脳梗塞の感覚麻痺は対側に認められる．

一部の情報は，脊髄小脳路（筋・腱・関節から深部感覚）により小脳皮質に伝えられる．

■ 体性感覚の三つの上行性伝導路（➡p.375参照）
- ①後索－内側毛帯路：四肢や体幹の触覚・圧覚・振動覚，意識にのぼる固有感覚を伝える．
- ②脊髄視床路（前外側路）：四肢や体幹の痛覚，温度覚などを伝える．
- ③三叉神経視床路：顔面，鼻腔，口腔などの触覚，温度覚，痛覚，意識にのぼる固有感覚を伝える．

■ 皮膚分節と関連痛

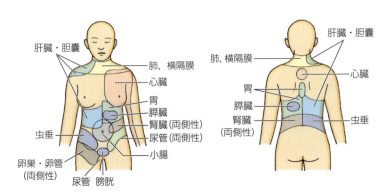

図9-37 関連痛の出現部位

● ①皮膚分節
- 全身の皮膚には体性感覚受容器が分布し，その神経インパルスは脊髄神経を介して，脊髄の後根から後角に入る．このため，各脊髄神経によって支配される皮膚の領域は分節的に配列しており，これを表したものを皮膚分節（デルマトーム）と呼ぶ（➡p.388参照）．

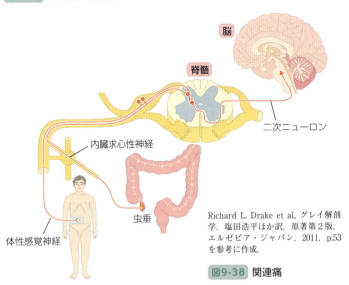

Richard L. Drake et al., グレイ解剖学. 塩田浩平ほか訳. 原著第2版, エルゼビア・ジャパン, 2011, p.53を参考に作成.

図9-38 関連痛

● ②関連痛
- 関連痛とは，内臓の痛みが皮膚の痛みとして感じられることである．
- 内臓の痛みを伝達する一次ニューロン（内臓求心性神経）と，皮膚感覚を伝達する一次ニューロン（体性感覚神経）が，脊髄において同じ二次ニューロンに情報伝達する場合に起こる．つまり，脳が内臓の痛みを皮膚領域からの痛みであると勘違いしているのである．
- 例えば，虫垂の場合，第10胸神経の皮膚分節領域に痛みを生じる．

6 内臓感覚

　内臓から起こる感覚には，臓器感覚と内臓痛覚があり，これらは内臓の働きや状態を中枢に伝えている．内臓感覚の受容器は，血管壁，胸・腹部，骨盤内臓にある．受容された情報は，大脳皮質まで投射され認知されるものもあるが，大部分は脳幹や脊髄で自律神経反射を起こす．

1 臓器感覚

■ 臓器感覚の受容器
- ①**機械受容器**：動脈圧，胃腸や膀胱の充満度などの物理的情報を伝える．
- ②**化学受容器**：内容物の酸性度や電解質濃度などの化学的情報を伝える．

■ 臓器感覚の種類

- ①**空腹感**
　体内のエネルギー状態（血中のグルコースや遊離脂肪酸など）や消化管壁の伸展度により視床下部の摂食中枢が刺激されて感受される．これにより摂食行動が起こる（➡p.296参照）．

- ③**悪心（吐き気）**
　消化管の過伸展や排出遅延，平衡器官への刺激，薬物などにより延髄の嘔吐中枢が刺激されることで生じる．

- ②**口渇**
　体液の浸透圧の上昇，体液量の減少，咽頭粘膜の乾燥などにより渇き感が生じ，飲水行動が誘導される．

- ④**尿意**
　膀胱内に150〜250mLの尿がたまると膀胱壁の伸展受容器が刺激されて尿意を感じる．排尿の開始は随意的な反応であるが，以降の過程は排尿反射により制御される（➡p.286参照）．

- ⑤**便意**
　大蠕動（蠕動運動の中でも特に大きな収縮波）により直腸に糞便が送り出されると，直腸壁の伸展受容器が刺激されて便意が起こる．その後，意識的な排便の促進により排便反射が起こる（➡p.338参照）．

2 内臓痛覚

- 内臓の過度な伸展や収縮，炎症などの病的な状態により，内臓の侵害受容器が活性化されて，内臓痛覚を生じる．
- 内臓痛は局在性が不明瞭で，しばしば体表や皮膚の感覚として認識される．

3 内臓感覚の上行性伝導路

- 内臓の受容器や血管壁からの感覚情報は，主に副交感神経と並行して走行する内臓求心性神経によって生じる．
- 内臓痛覚は，交感神経と並行して走行する内臓求心性神経によって生じると考えられている．

7 感覚器系の成長と老化

　成長とともに感覚受容器や神経系も発達し，刺激の認識能や閾値に対する感度が上昇する．高齢になると，感覚受容器や神経系の退行性変化が起き，感覚機能は低下していく．感覚器系のうち，加齢によって嗅覚や味覚に問題を生じることは少ないが，視覚や聴覚では機能の低下を感じることが多い．

1 視覚の変化

■ 新生児～幼児期の変化

- 対光反射は新生児においても認められるが，視覚的な調節能は未熟である．その後，遺伝的・環境的要因の影響を受けながら幼児期にかけて著しく発達する．生後1カ月ごろには注視や追視が，生後1年以内には識別ができるようになるまで成長する．
- 視覚中枢の発達には臨界期＊があるため，発達に障害の可能性がある場合は，早期に治療できるようにする必要がある．

> **用語解説＊**
> **臨界期**
> 脳の発達が最も高まる時期であり，この時期を過ぎると刺激に対する反応が低下する．

■ 加齢に伴う変化

- 加齢により，水晶体の弾力性の低下と毛様体筋の筋力低下が起こることで，手元など近い場所に焦点を合わせにくくなる（老視）．
- 水晶体の透明性が低下し濁りが生じると，白内障につながる恐れがある．
- 瞳孔括約筋や瞳孔散大筋などの筋力低下は，瞳孔の縮小と，光量に反応した瞳孔の動きの緩慢さにつながる．視野は全体的に暗く感じやすく，明順応，暗順応（→p.416参照）にも遅延が起こり，見えづらく感じる．
- シュレム管（強膜静脈洞）の狭窄などにより眼房水の過剰な蓄積が起こると，眼圧が亢進して緑内障となる．
- 加齢に伴う網膜の変性疾患として，加齢黄斑変性，網膜剥離などが挙げられる．
- 涙の分泌や結膜の粘液細胞の数が減少し，ドライアイにもなりやすい．

> **plus α**
> **正常眼圧緑内障**
> 正常眼圧の平均は約15mmHgとされるが，日本人の眼圧はこれより1～2mmHg程度低い．日本では，眼圧が正常範囲内でありながら，緑内障の症状が認められる正常眼圧緑内障が，緑内障の約9割を占める．

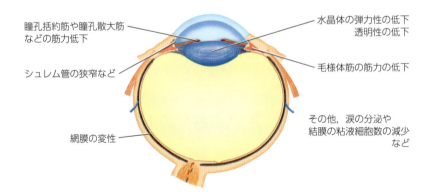

図9-39 加齢に伴う視覚器の変化

2 聴覚の変化

■ 新生児～乳児期の変化

- 聴覚器の構造は，出生時にはすでにほぼ完成している．
- 新生児期は大きい音に反応し，生後数カ月には，視覚と聴覚を関連付けて識別する能力がみられ，1歳までに音の強弱，パターン，リズムを聞き分けられるようになる．
- 聴覚中枢の発達にも臨界期があるため，言語の発達を考えると，聴覚障害は早期に発見したい．
- 現在，新生児期に行われるスクリーニングの一つに聴覚検査があり，聴性脳幹反応（auditory brainstem response：ABR）が利用されている．異常の早期発見を目的に行われている．

■ 加齢に伴う変化

- 加齢により，コルチ器の有毛細胞の減少，聴覚伝導路の退行変性，耳小骨における関節の可動性の低下が起こり老人性難聴が生じ，高音が聞こえにくくなる（感音難聴）．

引用・参考文献
1) 桑木共之ほか編訳．トートラ人体の構造と機能．第5版（原書15版），丸善出版，2019，1312p.
2) 坂井建夫．標準解剖学．医学書院，2017，662p.
3) 本間研一監修．標準生理学．大森治紀ほか総編集．第9版，医学書院，2019，1202p.
4) 近藤祥司監訳．老化生物学：老いと寿命のメカニズム．メディカル・サイエンス・インターナショナル，2015，408p.

重要用語

角膜	視神経円板	耳管	舌乳頭
強膜	視神経	外リンパ	味蕾
中膜（ぶどう膜）	眼房水	内リンパ	味細胞
脈絡膜	シュレム管（強膜静脈洞）	球形嚢	自由神経終末
毛様体	水晶体	卵形嚢	マイスネル小体
毛様体筋	硝子体	前庭階	メルケル盤
虹彩	遠近調節	鼓室階	パチニ小体
瞳孔括約筋	対光反射	蝸牛管	ルフィニ小体
瞳孔散大筋	輻輳反射	基底板	皮膚分節
網膜	内耳神経	コルチ器	関連痛
錐体	鼓室	平衡斑	筋紡錘
杆体	鼓膜	膨大部稜	腱紡錘
黄斑	耳小骨（ツチ骨，キヌタ骨，アブミ骨）	嗅細胞	
中心窩		嗅神経	

学習達成チェック

- [ ] 眼球の構造を述べることができる．
- [ ] 杆体と錐体の機能的な違いを説明できる．
- [ ] 屈折，正視，近視，遠視，老視，盲点，眼圧を説明できる．
- [ ] 対光反射のしくみを述べることができる．
- [ ] 外耳，中耳，内耳の構造と機能を述べることができる．
- [ ] 平衡覚の受容器を説明できる．
- [ ] 嗅覚と味覚の受容器を説明できる．
- [ ] 皮膚感覚の受容器を挙げることができる．

解剖生理学が臨床につながる！

　Kさんは糖尿病であり，それによる神経障害性疼痛がある73歳の男性である．3日前の夜に旧友との懇親会があり，遅くまで飲酒をしていた．2日前の早朝に突然，咽頭痛と微熱を自覚し，同日午前中に近医の内科外来を受診した．診察時，咽喉頭は軽度発赤・腫脹を認めるのみで，そのほかは特に異常を認めなかったため，感冒としてうがいのみ指示して，帰宅・経過観察となった．Kさんは帰宅しようと病院の玄関を出た際，胸部および左上腕内側と左肩に痛みを感じ，苦悶様の表情でうずくまったため，近くにいた看護師がすぐに救急外来に連れて行った．心電図，血液検査所見より急性心筋梗塞が疑われ，緊急で心臓カテーテル治療を施行したところ，咽頭痛，胸痛，肩の痛みは消失した．

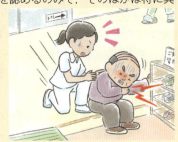

　Lさんは特に既往歴がない35歳・営業職の男性で，日常的にかなりのストレスがかかっていた．昨晩の就寝時に悪心が生じた後，心窩部に持続する痛みを訴えて来院した．全身状態は良く，胃潰瘍や胃腸炎を疑われたが黒色便や血便もなく，血圧も心拍数も安定しており，血液検査で異常を認めなかった．プロトンポンプ阻害薬（PPI）と鎮痛薬の投与で症状も改善したため，翌日，フォローアップ外来を受診することになった．翌朝の起床時には痛みが右下腹部に移動しており，限局した持続痛になった．外来受診時には痛みで歩けない状態で，お腹も硬くなっており，精査したところ急性虫垂炎の穿孔性腹膜炎の診断となり，緊急手術となった．

1 痛みの種類と原因を理解してアセスメントする

　痛みの原因を理解することはケアにおいて重要である．病巣の周囲や病巣から離れた場所に発生する痛みを関連痛といい，知らずにアセスメントすることは難しい．

　痛みには，皮膚の痛み（**表在痛**）と骨・関節・筋の痛み（**深部痛**）である**体性痛**と，内臓の痛みである**内臓痛**がある（表9-2）．多くの痛みはそれぞれの組織における直接的な痛みとして感知されるため察知されやすいが，関連痛は内臓の痛みが皮膚の一定領域に投影され，皮膚の痛みとして感じられる．

2 代表的な関連痛とその理由を知っておく

　心筋梗塞の多くで**胸痛**を発症するが，梗塞の部位によっては神経線維を通した関連痛により**咽頭**，**顎**，**肩**や**手**といった部位に痛みを感じることが多い（図9-40）．Kさんの場合は，咽頭痛から始まっているようにみえるが，糖尿病による末梢神経障害もあるため，胸痛などの痛みを感じにくかった可能性がある．

> **plus α**
> **関連痛の例**
> 各椎体への転移性腫瘍では，次のような痛みが挙げられる．
> 頸椎：後頭部や肩甲背部痛
> 腰椎：腸骨や仙腸関節痛
> 仙骨：大腿後面の痛み
> ほかにも，心臓や胃の障害で肩や背中が痛くなったり，腎や尿路の異常で鼠径部が痛くなることがある．

表9-2 痛みの神経学的分類

分類	侵害受容性疼痛		神経障害性疼痛
	体性痛	内臓痛	
障害部位	皮膚，骨，関節，筋肉，結合組織などの体性組織	食道，小腸，大腸などの管腔臓器 肝臓，腎臓などの被膜をもつ固形臓器	末梢神経，脊髄神経，視床，大脳（痛みの伝達路）
侵害刺激	切る，刺す，叩くなどの機械的刺激	管腔臓器の内圧上昇 臓器被膜の急激な伸展 臓器局所および周囲の炎症	神経の圧迫，断裂
例	骨転移に伴う骨破壊 体性組織の創傷 筋膜や筋骨格の炎症	がん浸潤による食道，大腸などの通過障害 肝臓の腫瘍破裂など急激な被膜伸展	がんの神経根や神経叢といった末梢神経浸潤 脊椎転移の硬膜外浸潤，脊髄圧迫 化学療法・放射線治療による神経障害
痛みの特徴	うずくような，鋭い，拍動するような痛み 局在が明瞭な持続痛が体動に伴って悪化する	深く絞られるような，押されるような痛み 局在が不明瞭	障害神経支配領域のしびれ感を伴う痛み 電気が走るような痛み

日本緩和医療学会．がん疼痛の薬物療法に関するガイドライン（2020年版）．金原出版，2020，p.23．

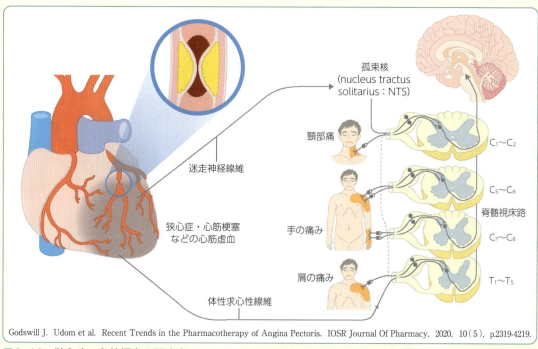

Godswill J. Udom et al. Recent Trends in the Pharmacotherapy of Angina Pectoris. IOSR Journal Of Pharmacy, 2020, 10（5），p.2319-4219.

図9-40 狭心症・心筋梗塞の関連痛

虫垂炎では，Lさんのようにはじめに悪心・嘔吐があった後に，関連痛である**心窩部痛**から始まり，**右下腹部**に限局した痛みに移行するというのが典型的な経過である．このように，疾患ごとにある程度起こりうる代表的な痛みの経過があるため，疾患の理解の際に合わせて知っておくことが望ましい．

引用・参考文献

1) 日本緩和医療学会．がん疼痛の薬物療法に関するガイドライン（2020年版）．金原出版，2020，p.22-23．

10 皮膚と膜・免疫系／体温調節
生体を守るしくみ

ここだけ見れば まず **皮膚と膜・免疫系／体温調節** がわかる！

○皮膚

- **皮膚**は体表を覆っている．
- 皮膚の付属器には，毛・爪・脂腺・汗腺などがある．
- 皮膚と粘膜は，左右の眼・鼻・口，尿道・腟・肛門で移行している．

○粘膜

- **粘膜**は，眼・中耳・呼吸器・消化器・泌尿生殖器の内面を覆っている．これらの粘膜には，体外と連続している部分がある．

膜の種類

上皮性の膜
皮膚
粘膜
漿膜

結合組織性の膜
滑膜
髄膜など

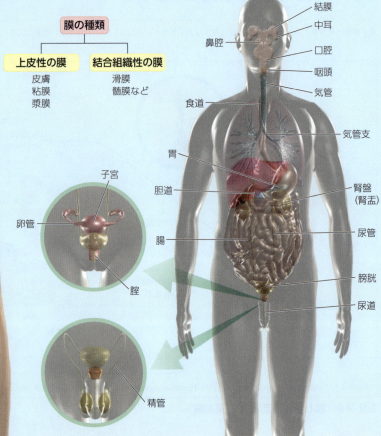

- ☑ 身体の膜は，①上皮性の膜である皮膚・粘膜・漿膜と②滑膜・髄膜などの結合組織性の膜に分類される．
- ☑ 体内の腔としては，漿膜で内面が覆われている腹膜腔（腹腔）・胸膜腔（胸腔）・心嚢と，それ以外の膜で覆われている髄腔・関節腔などがある．
- ☑ 膜は，体腔・臓器・器官の表面を覆って保護し，内部環境を維持する役割を果たしている．

○漿膜

- 漿膜は，腹腔・胸腔・心嚢や，その中の臓器・器官の表面を覆っている．

○結合組織性の膜

- 体外と連続していない体内の腔には，髄腔・関節腔などがあり，結合組織性の膜で覆われている．

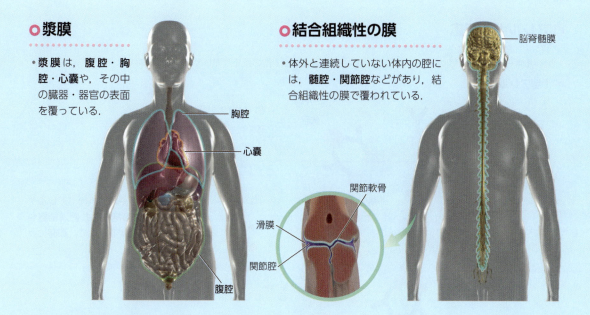

○免疫反応に関わる細胞

白血球が，免疫細胞として働く．

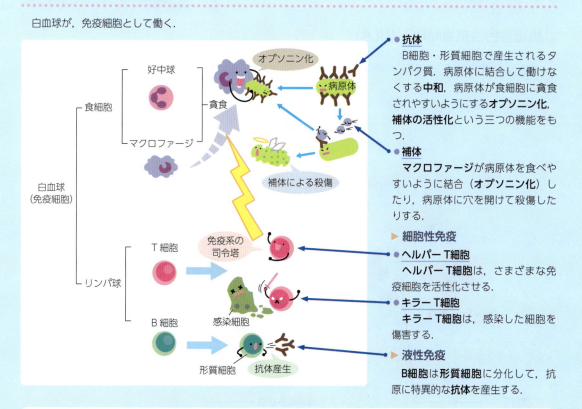

- **抗体**
  B細胞・形質細胞で産生されるタンパク質．病原体に結合して働けなくする**中和**，病原体が食細胞に貪食されやすいようにする**オプソニン化**，**補体の活性化**という三つの機能をもつ．

- **補体**
  マクロファージが病原体を食べやすいように結合（**オプソニン化**）したり，病原体に穴を開けて殺傷したりする．

▶ **細胞性免疫**

- **ヘルパーT細胞**
  ヘルパーT細胞は，さまざまな免疫細胞を活性化させる．

- **キラーT細胞**
  キラーT細胞は，感染した細胞を傷害する．

▶ **液性免疫**
  B細胞は**形質細胞**に分化して，抗原に特異的な**抗体**を産生する．

☑ 日常的に，私たちはさまざまな微生物や病原物質にさらされて生活している．しかし，私たちがそれを意識することなく健康に暮らしていけるのは，常にそれらを除去している免疫系という生体防御機構が存在するからである．

●アレルギー反応

アレルギーにはⅠ〜Ⅳ型がある．単にアレルギーといえば，Ⅰ型の反応を意味することが多い．

▶ Ⅰ型アレルギー

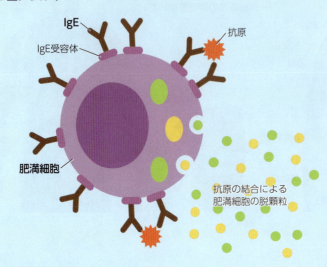

Ⅰ型アレルギーは，抗原（アレルゲン）がIgE抗体の結合した**肥満細胞**や**好塩基球**に結合することで，即時に反応が起こる．

●組織適合性抗原MHC（HLA）

MHC上に抗原を乗せて，T細胞に情報を伝える．ヒトのMHCをHLAという．

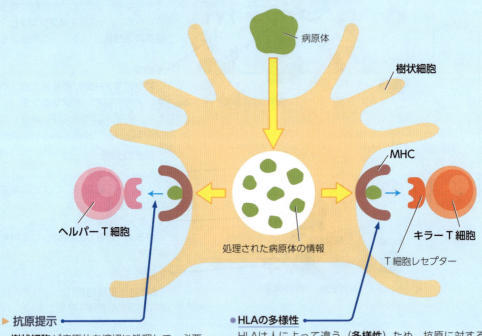

▶ 抗原提示
- **樹状細胞**が病原体を適切に処理して，必要な情報を**T細胞**に提示する（見せる）ことにより，T細胞に情報が伝えられ，免疫反応が開始する．

● HLAの多様性
HLAは人によって違う（**多様性**）ため，抗原に対する相性はさまざまである．
- **メリット**：誰もが罹患しうる感染症でも，かからない可能性のある人がいる（かかりやすさが異なる）．
- **デメリット**：他人の臓器を移植するときに拒否反応を起こしやすい．

☑ 通常，ヒトの体温は一定の範囲で保たれるよう，熱産生と熱放散のバランスにより調節されている．

○体温

▶ **体温の分類**
- **核心温度**
- **核心温度**は，人体内部の恒温部（温度変化のない領域）の温度のことである．核心温度の代用として，直腸温，口腔温，腋窩温が用いられる．
- **外殻温度**
- **外殻温度**は，体表面の温度で，外界の温度の影響により変動する．

▶ **体温調節のしくみ**
- **体温調節中枢**は，視床下部の視索前核（視索前野）に存在する．
- **熱産生**
- **熱産生**では，食物として摂取したエネルギーの約80％が熱として体温の維持に用いられる．
- **熱放散**
- **熱放散**は，体内で産生された熱が，体表面から環境に放散される現象である．

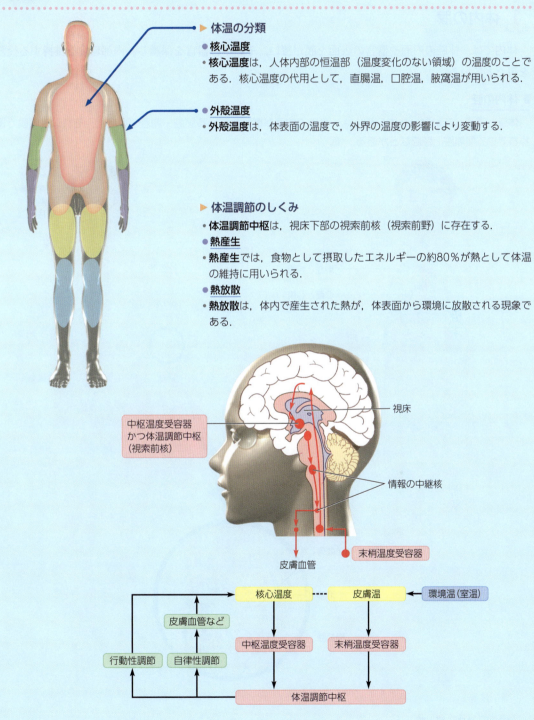

1 膜

人体の膜は，上皮性の膜である皮膚・漿膜・粘膜と，結合組織性の膜である滑膜・筋膜・髄膜などの2種類に分類される．

1 体内の膜

体内では，体腔の内面や器官の表面を膜が覆い，その中の器官を保護し，内部環境を維持する役割を果たしている．

■ 体内の腔

体外と連続していない体内の腔には，漿膜で内面が覆われている腹腔・胸腔・心嚢と，それ以外の膜で覆われている関節腔・髄腔などがある．

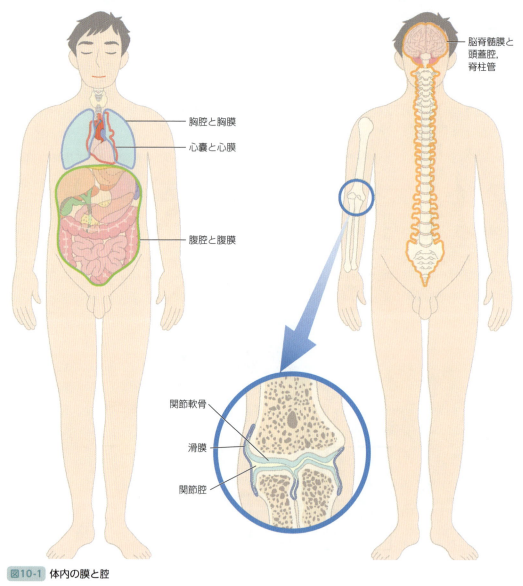

図10-1 体内の膜と腔

漿膜

- 漿膜（serous membrane）は，胸腔・心嚢・腹腔の内面や，その中の臓器の表面を覆っている．
- 漿膜は，部位によってそれぞれ腹膜・胸膜・心嚢膜と呼ばれる．

①漿膜腔

- 胸腔・心嚢・腹腔は，表面が漿膜に覆われた体腔であり，まとめて漿膜腔とも称される．
- 漿膜腔は外界と交通しておらず，漿膜は皮膚や粘膜と連続していない．その唯一の例外は女性の左右の卵管で，腹腔の漿膜と卵管内面の粘膜が連続し，卵管は子宮や腟を経て外界と連続している．

心嚢気腫

心嚢に空気が貯留した病的な状態をいう．胸部外傷や胸部手術後などにみられることがある．

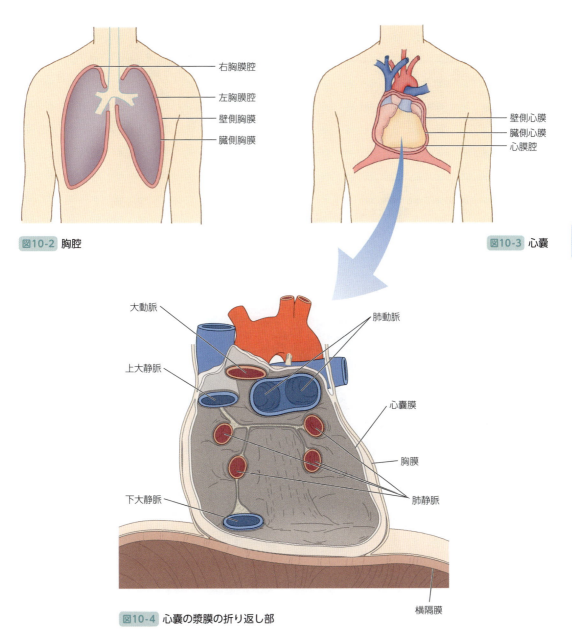

図10-2 胸腔

図10-3 心嚢

図10-4 心嚢の漿膜の折り返し部

②臓側漿膜と壁側漿膜

- 漿膜は，臓器の表面を覆う臓側漿膜と，漿膜腔の外壁を内面から覆う壁側漿膜に区別される．
- 壁側漿膜と臓側漿膜は，各臓器の付着部で連続している．
- 漿膜の付着部では，その臓器に出入りする血管・リンパ管・神経・線維性結合組織などを漿膜が包み，門*（肺門，肝門，腎門）や間膜（腸間膜）を形成している．

用語解説 *

門

臓器や器官に動脈，静脈，神経，リンパ管などがまとまって出入りする構造を門と表現する．例えば肺門では，縦隔から肺に肺動脈，肺静脈，気管支などが出入りしている．脾門では，脾動脈，脾静脈などが出入りしている．

plus α

フリー・エアー

腹腔に気体が貯留すると，フリー・エアーとして腹部単純X線検査や腹部CT検査などで観察される．臨床では，消化管穿孔，開腹手術後などであることが疑われる．

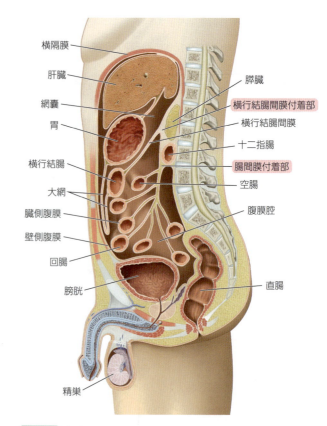

図10-5 腹腔の矢状面

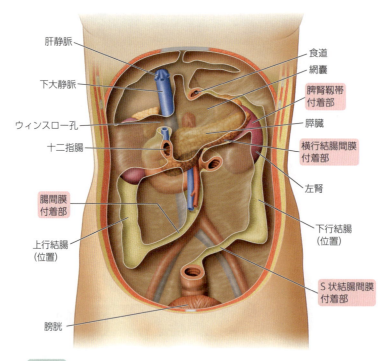

図10-6 後腹膜の腹膜付着部

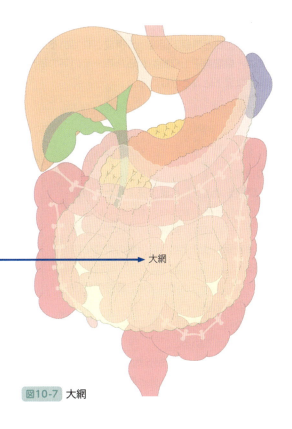

● ③大網
　大網は，胃や横行結腸の間膜が前掛けのようなひだをつくったもので，それだけで一つの器官を形成している．

図10-7　大網

腔への病的な液体の貯留

● **病的な腹水**
　臨床で「腹水」というと，腹腔に液体が過剰に貯留した病的な状態を指すことが多い．例えば，肝硬変・門脈圧亢進症や低アルブミン血症に伴う漏出液，腹膜炎に伴う滲出液や膿(うみ)，消化管穿孔に伴う消化管内容，腹腔内出血に伴う血液などが腹水として観察される．

● **病的な心嚢液**
　臨床で「心嚢液」というと，心嚢に液体が過剰に貯留した病的な状態を指すことが多い．例えば，心不全に伴う漏出液，収縮性心膜炎に伴う滲出液や膿，心外傷に伴う血液の貯留などがある．急性に心嚢液が貯留して心拍出が抑制され，ショックになった状態は，急性心タンポナーデと呼ばれ，救命のために緊急ドレナージ術を要する．

● **病的な胸水**
　臨床で「胸水」というと，胸腔に液体が過剰に貯留した病的な状態を指すことが多い．例えば，心不全に伴う漏出液，肺炎や胸膜炎に伴う滲出液や膿，肺や胸壁の外傷に伴う血液の貯留などがある．胸腔に出血した状態は「血胸」と表現され，血液混じりの胸水が貯留した血性胸水とは区別される．

● ④漿膜の構成
- 漿膜は，漿膜上皮と漿膜下組織から構成されている．
- 漿膜上皮は，単層扁平上皮細胞からなる．その下の疎性結合組織が漿膜下組織と呼ばれる．

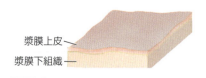

図10-8 漿膜の構成

● ⑤漿膜の機能
- 漿膜は，臓側漿膜と壁側漿膜に挟まれた漿膜腔に漿液を分泌し，その表面を潤滑にしている．
- 腹水・胸水・心囊液は，漿膜腔の液体で，正常では漿膜の表面から分泌された少量の漿液に由来している．
- 漿膜と漿液は，腹腔の消化管蠕動，胸腔の呼吸運動，心囊の心拍動などの動きに際して，他の臓器や体壁内面とこすれたり癒着したりするのを防ぐ機能をもっている．
- 漿液のうち分子量の小さい成分は，極めて薄い漿膜を介して血管内の血液成分と漿液がお互いに移行し合う．例えば，腹腔に生理食塩液を注入すると，迅速に血管に吸収される．この原理は，腹膜透析で利用されている．

● ⑥漿膜の損傷
- 炎症や外傷などで漿膜に損傷を生じると，その下の結合組織が露出して肉芽を形成し，その周囲の漿膜細胞や結合組織細胞が増殖して，欠損部分の肉芽を覆う創傷治癒の働きがみられる．
- 漿膜と皮膚や粘膜は滑らかに連続することなく，漿膜は漿膜だけで欠損を埋め，皮膚や粘膜はそれだけで欠損を埋めるように働く．例えば，胃瘻を造設すると，漿膜は漿膜と，皮膚と粘膜は皮膚と粘膜でつながり，漿膜や皮膚や粘膜で覆われていない結合組織の部分同士が線維組織で癒着する．
- 腸閉塞（イレウス）の原因の一つである手術創の癒着は，漿膜が欠損した結合組織の部分同士が癒着して，線維組織でつながったものである．

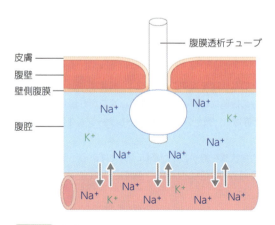

図10-9 腹膜透析の断面図

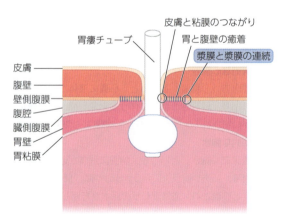

図10-10 胃瘻の断面図

粘膜

粘膜（mucous membrane）は，外界と交通のある眼・中耳・呼吸器・消化器・泌尿器・生殖器の内面を覆う潤滑な膜である．

- ①粘膜のある部位
  - 眼：結膜・涙嚢・鼻涙管
  - 耳：中耳・耳管
  - 呼吸器：鼻腔・副鼻腔・咽頭・喉頭・気管・気管支から肺
  - 消化器：口腔・咽頭・食道・胃・胆道・小腸・大腸・肛門
  - 泌尿器：腎の腎盤（腎盂）から尿管・膀胱・尿道
  - 男性生殖器：精巣・精管・精嚢・前立腺・射精管から尿道
  - 女性生殖器：卵管・子宮から腟

- ②粘膜と粘膜の連続
- Ⓐ感覚器（眼と耳）
  - 眼の結膜と鼻腔粘膜は鼻涙管で連続し，中耳の粘膜と咽頭粘膜は耳管で連続している．
- Ⓑ呼吸器と消化器
  - 呼吸器と消化器は咽頭を共有している．
- Ⓒ消化器
  - 消化器では，肝臓や胆嚢からの肝管・胆嚢管・総胆管からなる胆道と，膵臓の膵管が十二指腸に開口して連続している．
- Ⓓ生殖器
  - 男性生殖器では，射精管が尿道に開口し粘膜が連続している．
  - 女性生殖器では，尿道と腟が腟前庭で粘膜が連続している．

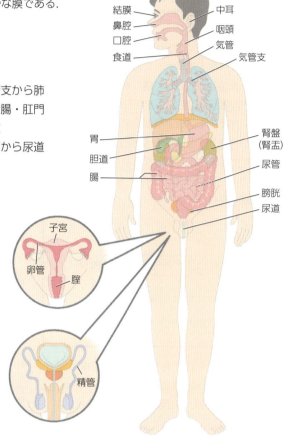

図10-11 粘膜のある部位

- ③粘膜と皮膚の連続
  - 体表の皮膚が途切れて体内の粘膜に移行している部位には，眼，鼻孔，口，尿道や腟，肛門がある．

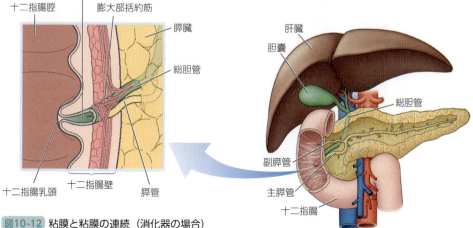

図10-12 粘膜と粘膜の連続（消化器の場合）

● ④粘膜の構造

粘膜は，粘膜上皮とその下の粘膜固有層，粘膜下組織からなる．

● Ⓐ粘膜上皮

粘膜上皮は，その部位によってさまざまな形態を呈している．口腔や食道では扁平上皮，胃や腸では円柱上皮が主である．
- 粘膜の表面は常に湿潤環境にある．
- 粘膜表面の水分は粘膜上皮からの分泌液と，粘膜に付属する外分泌腺に由来している．
- 気道や消化管の粘膜は，粘膜上皮から分泌された大量の粘液で表面が覆われている．
- 尿路では粘膜からの分泌は少なく，表面は主に尿で覆われている．

> **plus α**
> **喀痰**
> 肺や気管支から分泌され，口から喀出される分泌物や異物のことである．気道粘膜からの粘液のほかに，膿・血液・細胞破壊成分や，吸引された異物や微生物を含むことがある．肺炎や気管支炎の検査に用いられる．

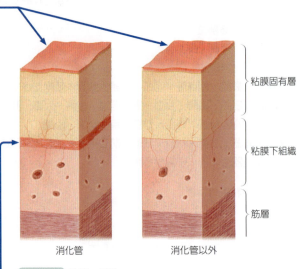

図10-13 粘膜の構造

● Ⓑ粘膜筋板
- 消化管では，粘膜固有層と粘膜下組織の間に，平滑筋からなる粘膜筋板が明瞭にある．
- 消化管以外では，粘膜筋板ははっきりしないことが多い．

> 消化管粘膜下組織と粘膜固有層の間にある薄い平滑筋層で，粘膜表面の凹凸やひだの形に関係している．粘膜由来の悪性腫瘍の浸潤に，一定のバリア機能があるとする考え方がある．

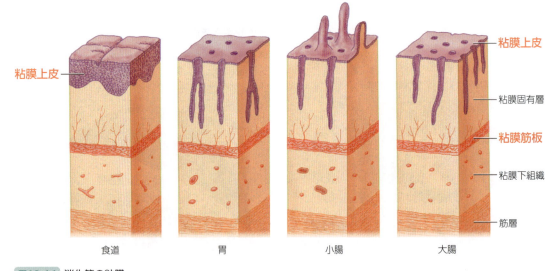

図10-14 消化管の粘膜

- ⑤粘膜の色

  粘膜を上皮側から観察すると，粘膜固有層や粘膜下組織の血管が透けて見えるため，ピンク色を呈している．

- Ⓐ消化管
- 消化管粘膜は，部位によって粘膜上皮の種類や腺腔，絨毛構造が異なるため，表面の構造や色が違って観察される．
- 口腔・咽頭・食道などの粘膜は，重層扁平上皮であるため，粘膜下の血管が透けて見えにくく，白っぽく見える．
- 胃や腸の粘膜は，単層上皮で血管が透けて見えやすいため，赤みが強い．
- 白っぽい食道粘膜と赤みが強い胃粘膜との境目は食道胃接合部にあり，上部消化管内視鏡検査でZライン状に観察される．

- Ⓑ眼
- 眼の角膜上皮は透明で，光の透過性が極めて良い．
- 球結膜（眼球表面のいわゆる白目の部分）に黄色が観察されないかどうかで，黄疸を確認するのに利用される．
- 瞼結膜（眼瞼の裏側）で，結膜の血管を見ることで貧血かどうかの観察に利用される．

- ⑥粘膜の機能
- 粘膜は，臓器や器官の表面を保護し，粘液を分泌してその粘膜側表面の環境を維持し，水・電解質・栄養を吸収・分泌するなど，組織の環境を維持する機能がある．
- 粘膜下組織には，毛細血管や神経線維が網状に分布しており，粘膜が受けた物理的刺激や化学的刺激を，神経系や内分泌系に伝える．
- 粘膜の機能やその粘膜をもつ臓器や器官の機能は，自律神経系や内分泌系に支配されている．

- ⑦粘膜の損傷
- 眼瞼・口唇・会陰部の粘膜と皮膚の移行部分では，増殖した細胞が互いに重なり合うことはなく，滑らかに連続している．
- 胃瘻や人工肛門を造設する手術などで，粘膜と皮膚を縫合して人工的に合わせると，互いに滑らかに移行する．
- 炎症・潰瘍・外傷などで粘膜に欠損が生じると，その下の結合組織が露出し，増殖して肉芽を形成し，その周囲の粘膜細胞や結合組織細胞が増殖して，欠損部分の肉芽を覆う創傷治癒の働きがみられる．同様の働きは皮膚にもある．

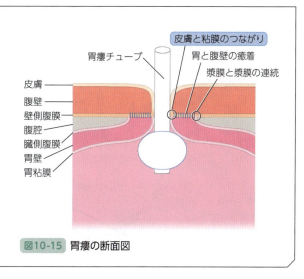

図10-15　胃瘻の断面図

滑膜

- 滑膜は，結合組織から形成されており，上皮細胞はない．
- 滑膜は関節腔の内面を覆って関節内面を平滑にし，粘稠な滑液を関節腔に分泌し，関節が潤滑に動くように機能している．関節腔の内部は滑液で満たされている．

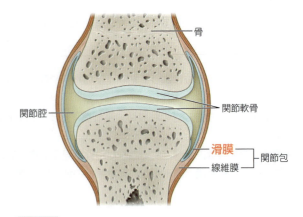

図10-16 関節の構造

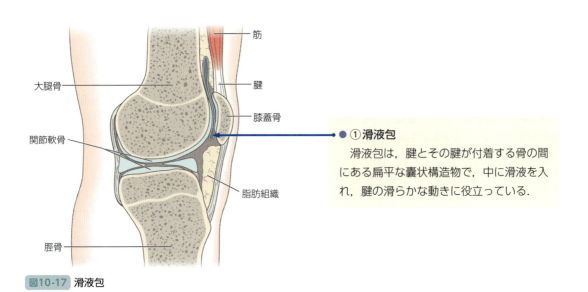

図10-17 滑液包

● ①滑液包
　滑液包は，腱とその腱が付着する骨の間にある扁平な囊状構造物で，中に滑液を入れ，腱の滑らかな動きに役立っている．

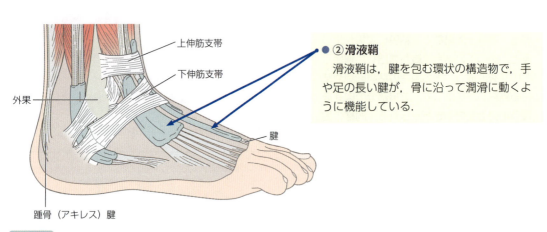

図10-18 滑液鞘

● ②滑液鞘
　滑液鞘は，腱を包む環状の構造物で，手や足の長い腱が，骨に沿って潤滑に動くように機能している．

筋膜

- 筋肉の外周の筋膜は，筋肉を容れる強靱な膜様の結合組織である．
- 皮下組織より深部で，臓器や組織を区画したり支持したりしている強靱な結合組織の膜様構造も，筋膜と呼ばれる．

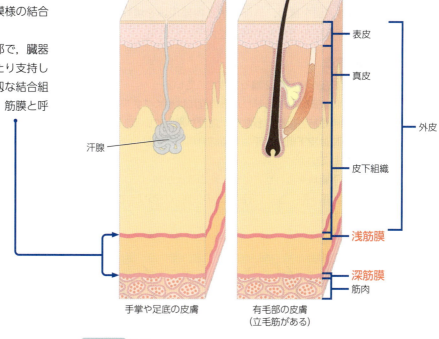

図10-19 筋膜

髄膜

髄膜は，脳と脊髄からなる中枢神経系を包む膜で，外側から硬膜・くも膜・軟膜の3層で構成されている（➡p.370参照）．

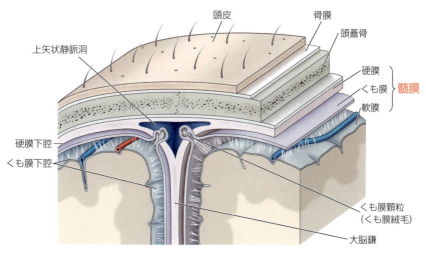

図10-20 髄膜の構造

2 皮膚

皮膚は，身体の外表面を覆い，外部環境と内部環境を境界している．身体の内部環境を支え，保護し，調節し，身体の外部環境からの刺激を内部に伝える．

◾ 皮膚の構造

- 皮膚は，表皮・真皮の2層で構成されている．
- 表皮は主に表皮細胞からなり，最表面には硬くて丈夫な角質層が形成されている．
- 真皮は線維性結合組織からなり，血管が通っている．
- 皮膚の下には皮下組織と呼ばれる結合組織があり，その下の筋膜で筋や骨など他の組織と連続している．
- 皮膚と皮下組織を合わせて外皮と呼ぶことがある．
- 皮膚には，爪・毛・脂腺・汗腺などの付属器があり，さまざまな機能を果たしている．

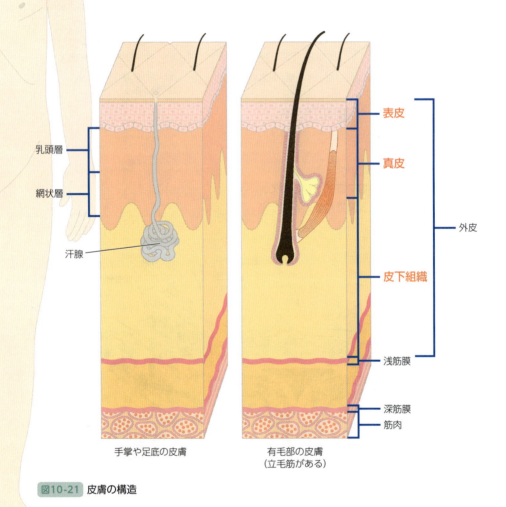

図10-21 皮膚の構造

表皮

- **表皮**は，角化重層扁平上皮と呼ばれる数層に重なり合った表皮細胞から構成されている．
- 手掌や足底の表皮は，表面から，①角質層，②淡明層，③顆粒層，④有棘層，⑤基底層の5層からなる．
- 表皮の最も下部の⑤基底層では，表皮細胞が分裂を繰り返しており，分裂した細胞は表皮の上層へ移動し，順に④有棘層・③顆粒層・②淡明層となり，ケラチン*を形成しながら，次第に扁平になる．この過程を**角化**という．
- 表皮細胞への酸素や栄養は，真皮から拡散によって供給されている．
- 表皮細胞が⑤基底層で分裂し，徐々に表皮の浅層に移行し，垢として剥離して失われるまで，30～40日かかる．

> **用語解説** ＊
> **ケラチン**
> 皮膚の角質を構成する不溶性線維性タンパク質の総称．細胞骨格を構成するタンパク質である．皮膚の最外層を覆い，その下の細胞や身体の内部を外部の刺激から保護し，水分が身体から失われるのを防いでいる．動物の毛・蹄（ひづめ）・角・羽毛もケラチンからなる．

①角質層

- 最外層の**角質層**は，透明白色で10～30層の扁平な細胞からなり，ケラチンに満たされている．
- 手掌や足底以外の表皮は①角質層が薄く，②淡明層がなく，毛や脂腺がある．

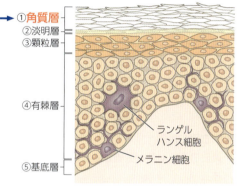

図10-22 手掌の表皮

真皮

- **真皮**は，丈夫な線維性結合組織で，**乳頭層**と**網状層**からなる．
- 手掌や足底では厚く，眼瞼では薄い．
- 真皮に分布している血管網は，皮膚表面から熱を放出するのに役立ち，体温の調節に関与している．

①乳頭層

- 乳頭層は，真皮の浅層で，表皮と互いに入り組みながら真皮乳頭を形成している．
- 真皮乳頭には毛細血管やリンパ管が網状に発達している．
- 乳頭層には，痛覚受容体や触覚受容体が分布している．

②網状層

- 網状層は，真皮の深層で，コラーゲンなどによる膠原線維やエラスチンなどによる弾性線維が線維組織を形成している．
- 血管・汗腺・脂腺・毛根・立毛筋・圧受容体なども網状層にある．

皮下組織

- **皮下組織**は疎性結合組織や脂肪組織（皮下脂肪）から構成され，毛根や汗腺が陥入している．
- 皮下組織は，筋膜と呼ばれる線維性結合組織によって，皮下組織の下にある筋肉や骨などの内部構造と隔てられており，さらに真皮と内部構造をつなぐ筋膜で区切られている．
- 各区画には，脂肪組織が含まれている．頭皮・手掌・足底では，真皮と内部構造をつなぐ筋膜が強いため丈夫であり，ずれにくい構造になっている．
- 顔面や頸部には，表情をつくる横紋筋が真皮の裏側に付着している部分がある．

> **plus α**
> **皮膚の保湿と感染防御**
> 真皮にはヘテロ多糖であるヒアルロン酸が存在し，水分を保持する機能を有している．ケラチンやヒアルロン酸などの作用によって皮膚の保湿が保たれている．角質層の最表層は垢として剥げ落ちていく．

皮膚の色

皮膚の色は，主に皮膚の色素と血液の色調によって決まる．

①メラニン色素

- 皮膚の色素は，主にメラニン色素で，表皮の基底層にあるメラニン細胞で産生され，その量や分布によって黄色・褐色・黒色などを呈する．
- 色素沈着の色は，メラニン色素の量，蓄積の様子，どこに色素沈着が起こったかなどによって変わる．
- 日光や紫外線を受けると，メラニン色素の産生が亢進し，皮膚の色が濃くなる．
- メラニン色素が1カ所に蓄積すると，そばかすや色素斑として観察される．

②その他の色素の例

- ミカンやニンジンなどからカロテン色素を大量に摂取すると，皮膚の黄色が強くなることがある．
- 肝障害などでみられる黄疸では，血液や組織のビリルビン色素が増加し，皮膚の黄色が強くなる．

③血液の色調

- 真皮の毛細血管が拡張して皮膚の血流が増加すると，皮膚の赤色が強くなる．
- 局所的に毛細血管拡張が起こると，紅斑として観察される．紅斑は圧迫すると退色する．
- 出血して真皮や皮下組織に貯留した血液が皮膚表面から透けて見えると，紫斑として観察される．紫斑は圧迫しても退色しない．
- 血流が減少したり，貧血になったりすると，皮膚蒼白に見える．
- 赤血球ヘモグロビンの酸素飽和度が低下すると，血液は暗色を呈し，口唇や指先が紫色になりチアノーゼと呼ばれる状態になる．

> **plus α**
> **メラノーマ（悪性黒色腫）**
>
> メラニン細胞に由来したがんである．皮膚表面からは，黒色または褐色の色素沈着として観察される．急速なリンパ行性転移・血行性転移を起こす可能性があり，予後は極めて悪い．皮膚の色素沈着や色素性母斑で，Ⓐ非対称性（asymmetry：辺が不整形であること）Ⓑ辺縁不整（border：色素沈着や母斑の辺縁が滑らかでなく凸凹している）Ⓒ色の不均一性（color：一つの色素沈着や母斑に，黒・茶・黄・青などのさまざまな色が混じって見える）Ⓓ直径6mmより大きい（diameter：色素沈着や母斑の大きさが直径6mmより大きい）というⒶ〜Ⓓの所見があれば，その色素沈着や母斑が悪性黒色腫である可能性を考えなければならない．

- **Ⓐ身体所見の観察部位**
- 貧血は眼瞼結膜で観察する．
- 黄疸は眼球結膜で観察する．
- チアノーゼは口唇や指先で観察する．

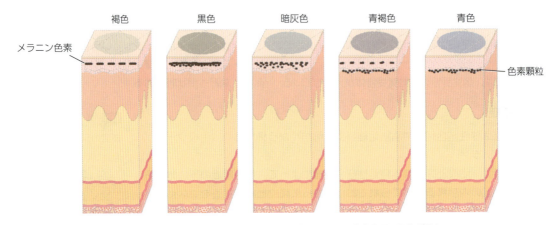

メラニン細胞で産生されたメラニン色素の量や分布によって，皮膚表面の呈色が異なる．表皮は白色で深部が透けるため，色が変わって見える．

図10-23 皮膚の色素沈着

■ 皮膚の機能

　皮膚には，身体を保護し，身体の内部環境を支え，内部環境を調節し，外部環境からの刺激を内部環境に伝えるといった機能がある．

● ①身体の保護
- 皮膚は，外力や温度変化などの物理的刺激，紫外線や酸・アルカリなどの化学的刺激，細菌などの病原微生物などから身体を保護している．

● Ⓐ皮膚の保護の例

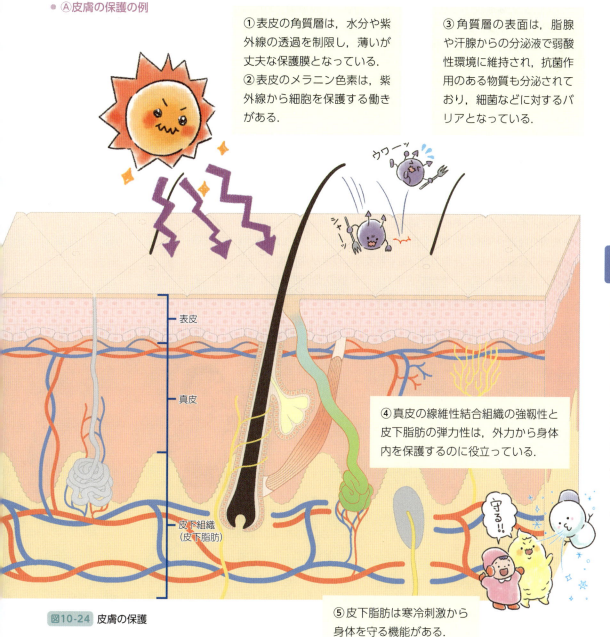

①表皮の角質層は，水分や紫外線の透過を制限し，薄いが丈夫な保護膜となっている．
②表皮のメラニン色素は，紫外線から細胞を保護する働きがある．

③角質層の表面は，脂腺や汗腺からの分泌液で弱酸性環境に維持され，抗菌作用のある物質も分泌されており，細菌などに対するバリアとなっている．

④真皮の線維性結合組織の強靱性と皮下脂肪の弾力性は，外力から身体内を保護するのに役立っている．

⑤皮下脂肪は寒冷刺激から身体を守る機能がある．

図10-24 皮膚の保護

②外部環境からの刺激を伝える
- 外部環境からのさまざまな刺激は，皮膚に分布した感覚受容器で感知され，感覚神経系から中枢神経系へ伝えられる．
- 免疫系では，表皮のランゲルハンス細胞や真皮や皮下組織のマクロファージなどが刺激を受けると，サイトカインなどの液性因子を通じて免疫系に情報が伝えられる．

③身体の支持
- 真皮の丈夫な線維性結合組織によって，身体の内部構造が外に飛び出したり垂れ下がったりしないように支えられている．
- 表皮の角質層によって，体液が体外へ漏れ出したり水分が蒸発したりしないように保護している．
- 皮下脂肪によって，体外からの熱や体内からの熱を遮断し，体内の熱環境が体外からの影響を受けにくくなるよう機能している．

④皮膚の血流と発汗
- 皮膚は，**体温調節**に大きな役割を果たしている．
- 真皮に網目状に分布する毛細血管は，身体の内部の熱を皮膚表面に運び，皮膚表面から熱を放散させ，体温を調節する機能がある．
- 発汗・不感蒸泄も，熱放散に関与している．
- 皮膚の血流や発汗の程度は，自律神経系によってコントロールされている．
- 血管の拡張や収縮，汗腺の分泌量で熱放散の程度が変化する．
- 汗には，尿素・塩分・水分が含まれ，これらの成分を身体から排泄すると同時に，皮膚表面の環境を維持する役割も果たしている．

■ 皮膚の障害：褥瘡と皮膚潰瘍

- 褥瘡は，体位変換や寝返りができず，骨の下の皮膚が圧迫されることで血流が減少して起こる．
- 局所の血流が減少すると皮膚の細胞は壊死に陥り，皮膚潰瘍といわれる皮膚欠損が生じる．

褥瘡処置の手順

■ 皮膚の障害：熱傷

熱傷は，皮膚や粘膜が高温の物体に触れて傷害された状態である．

● ①熱傷の重症度

熱傷の深さ（熱傷深度）と熱傷を受けた面積（熱傷面積）を参考にして熱傷の重症度を判断する．

● Ⓐ熱傷深度

● Ⅰ度熱傷（表皮熱傷）

表皮のみの熱傷で，発赤や紅斑が観察され，数日で治ることが多い．

● Ⅱ度熱傷（真皮熱傷）

真皮までの熱傷で，水疱やびらんを呈する．基底層や毛包の表皮細胞が増殖することで熱傷創部が表皮に覆われて上皮化する．浅達性では1～2週間，深達性では3～4週間で上皮化し，治癒する．

● Ⅲ度熱傷（深部熱傷）

皮下組織まで熱の影響が達して表皮や真皮は壊死に陥っている．壊死した皮膚の切除や植皮手術を必要とする．

● Ⓑ熱傷面積

熱傷面積は，体表面積を100％として，何％が熱傷かで表される．手掌法，9の法則，Lund & Browderの法則（ランド・ブローダーの法則）などが利用されている．

> **plus α　トリアージ**
> 疾病の重症度や緊急性から治療の優先順位を判定して，傷病者や患者を選別すること．集団災害では，呼吸・末梢循環・意識を評価して，多数の傷病者や患者の優先順位を判断する．末梢循環の指標に，圧迫後再還流時間が用いられることがある．

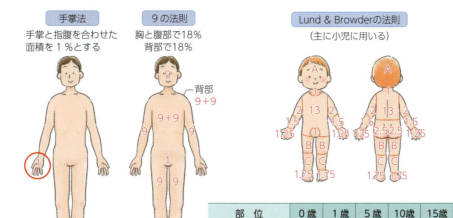

図10-25 熱傷面積の計算

部位	0歳	1歳	5歳	10歳	15歳	成人
A：1/2 頭・顔	9.5	8.5	6.5	5.5	4.5	3.5
B：1/2 大腿	2.75	3.25	4	4.25	4.5	4.75
C：1/2 下腿	2.5	2.5	2.75	3	3.25	3.5

単位（％）

3 皮膚の付属器

皮膚の付属器は，毛・爪・脂腺・汗腺である．

▌毛

毛は，表皮細胞が角化しながら長く伸びたものである．

●①毛の構造
- Ⓐ毛幹
- 毛幹は，皮膚から外に出ている毛の部分である．
- 毛が伸びる速さは，例えば，頭皮の毛（髪の毛）では1日約0.2mmである．
- Ⓑ毛根
- 毛根は，毛包の中の毛の部分である．
- Ⓒ毛包
- 毛は毛包から生えている．
- 毛包は，表皮が真皮や皮下組織まで入り込んだ構造をしている．
- Ⓓ毛球
- 毛包下部の毛球で表皮細胞が細胞分裂して角化し，毛包から押し出されるように成長する．

●②毛の断面
- 毛の横断面を見ると，中心には表皮細胞由来のタンパク質が毛髄質を形成し，外側にはケラチンが豊富で丈夫な毛皮質があり，表面には硬いケラチンからなる毛小皮が屋根瓦状に重なり合う．
- 毛の横断面が楕円形なら毛は波打ち，扁平なら巻き毛になり，正円形だと直線的な毛になる傾向がある．
- 毛の色素は，毛球にあるメラニン細胞で産生されたメラニン色素である．
- 毛皮質にあるメラニンの3種類の色（黄色・褐色・黒色）の割合によって，ブロンドから漆黒までさまざまな色として観察される．

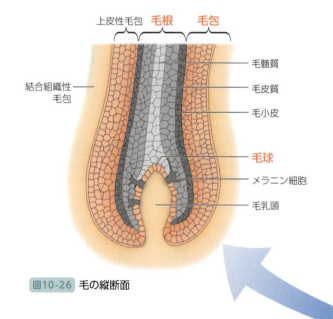

図10-26 毛の縦断面

● ③毛の分布

毛は，口唇・手掌・足底以外の皮膚にある．同じ人でも部位によってさまざまな形や色を呈する．

- 硬毛は，有色で太く硬く，頭髪・眉毛・睫毛・鼻毛・ひげ・胸毛・腋毛・陰毛・脛毛にある．
- 頭髪は頭を保護し，睫毛は眼を保護するなど，分布している器官を保護する機能がある．
- 軟毛は，その他の部位にある軟らかい毛である．

● ④毛の付属器

毛には，脂腺，立毛筋，毛包受容器が付属している．

● Ⓐ脂腺

毛包の上部に開口し，皮脂を分泌して毛や表皮の表面を潤している．

● Ⓑ立毛筋

表皮直下の真皮表層から起こって毛包の結合組織に付着し，交感神経系の刺激で収縮する平滑筋である．寒冷や緊張を契機に交感神経系が興奮して立毛筋が収縮すると，鳥肌を呈し，脂腺から皮脂が絞り出される．

● Ⓒ毛包受容器

毛包には，毛の傾きを感知する柵状神経終末があるため，毛は鋭敏な触覚器としても機能する．

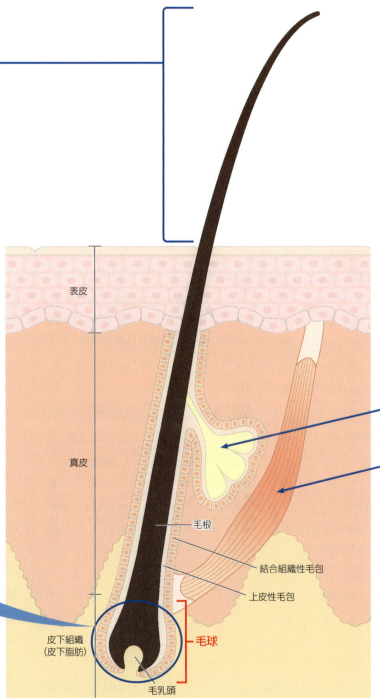

図10-27 皮膚の毛

爪

爪は，指趾の末節背側にある硬い板状構造で，爪の根元の部分の表皮細胞から産生されたケラチンからなる．

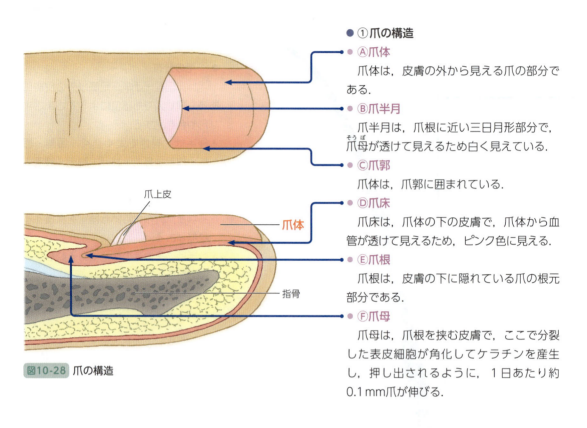

図10-28 爪の構造

● ①爪の構造

● Ⓐ爪体
爪体は，皮膚の外から見える爪の部分である．

● Ⓑ爪半月
爪半月は，爪根に近い三日月形部分で，爪母が透けて見えるため白く見えている．

● Ⓒ爪郭
爪体は，爪郭に囲まれている．

● Ⓓ爪床
爪床は，爪体の下の皮膚で，爪体から血管が透けて見えるため，ピンク色に見える．

● Ⓔ爪根
爪根は，皮膚の下に隠れている爪の根元部分である．

● Ⓕ爪母
爪母は，爪根を挟む皮膚で，ここで分裂した表皮細胞が角化してケラチンを産生し，押し出されるように，1日あたり約0.1mm爪が伸びる．

● Ⓖ爪床の色の観察
- 血液の酸素飽和度の低下や末梢循環障害によって，爪床の血液が暗赤色になると，紫色のチアノーゼとして観察される．
- 爪床を爪の上から圧迫すると血液が押し出されて白くなる．圧迫を解除すると2秒以内に赤みが戻るのが正常である．圧迫を解除してから赤みが戻るのに2秒以上かかるときは，末梢循環不全やショック*が疑われる．

> **用語解説***
> **ショック**
> 出血性ショック・循環血流量減少性ショック・閉塞性ショックでは，皮膚の蒼白・冷感・湿潤が特徴的であり，コールドショック（cold shock）と呼ばれる．皮膚の所見は，血圧を測定する前に見て気付くべき徴候である．それに対して，神経原性ショック・アナフィラキシーショック・敗血症性ショックの初期には皮膚などの末梢血管が拡張し，発赤・温感・静脈拡張が観察されることがあり，ウォームショック（warm shock）と表現される．

皮膚の脂腺

- 脂腺は，手掌と足底を除く皮膚の全域に分布している．
- 脂腺は，毛包に開口していることが多いが，顔面の口唇・鼻翼や陰部などでは，皮膚の表面に直接開口している．
- 脂腺からは皮脂が分泌され，表皮表面や毛に潤いを与え，柔軟性が保たれている．
- 抗菌作用のある化学物質も含まれ細菌から身体を保護するのにも役立っている．

汗腺

汗腺には，**エクリン汗腺**と**アポクリン汗腺**の2種類がある．

①エクリン汗腺（eccrine gland）

- エクリン汗腺は全身に分布し，汗を分泌する．
- 真皮や皮下組織にある汗腺の終末部で汗は産生され，導管を通って表皮表面に分泌される．
- 汗は，塩化ナトリウムを含んだ水分で，微量の尿素や尿酸も含んでいる．
- 汗のpHは4～6の弱酸性であり，この酸性度が皮膚表面での細菌増殖を防いでいると考えられている．
- 汗腺終末部には平滑筋や神経線維が分布し，交感神経系の支配を主に受けて，発汗の調節をしている．
- 汗が蒸発すると身体の熱が奪われ（気化熱），身体を冷やす．

②アポクリン汗腺（apocrine gland）

- アポクリン汗腺は，眼瞼・腋窩・乳房や会陰部に多く分布する．
- アポクリン汗腺はエクリン汗腺より大きく，腺管は毛包に開口していることが多い．
- アポクリン汗腺では，分泌物が腺細胞の内部に蓄えられ，その細胞自身が崩壊して腺管から排出される．
- アポクリン汗腺からの分泌物には，エクリン汗腺からの汗よりも脂肪酸やタンパク質が多く，皮膚表面の細菌が作用してにおいを発生することがある．

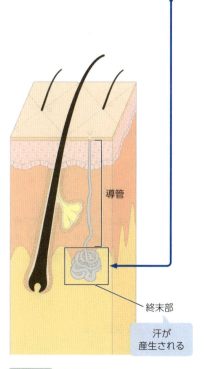
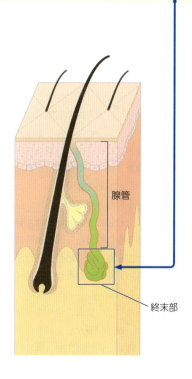

図10-29 皮膚の汗腺

4 皮膚の成長と老化

皮膚の成長

　新生児の皮膚が薄いことは，低体温になりやすい理由の一つである．成長するにつれて皮膚は厚くなり，皮下脂肪が多くなっていく．思春期には脂腺の活動が活発になって，皮膚や体毛の脂分が多くなる．成人期で皮膚は最も充実し，厚く弾力があり湿潤が保たれた皮膚になる．

皮膚の老化

　加齢とともに皮膚の血流は減少し，皮下脂肪や真皮の弾性線維も減少し，汗腺や脂腺の機能が低下する．

　高齢者では皮膚は薄くなり，弾力を失い，乾燥している．皮下脂肪の減少，弾性線維の減少は，皮膚のしわや目の下のたるみなどに関連している．脂腺や汗腺の活動が低下して皮膚は乾燥し，瘙痒*感を生じやすくなる．

　血流の低下，皮下脂肪の減少，汗腺の機能低下は，皮膚の体温調節能が低下する原因となる．皮下脂肪が減少して皮膚が薄くなり，血流が減少，汗腺も減少し，神経活動も低下する．そして，環境の変化への対応が鈍くなり，損傷を受けやすくなったり，創傷治癒遅延の原因となったりする．

　加齢とともに毛包が退化して頭毛が細くなる．人によっては白髪になったり禿頭（とくとう）になったりするが，遺伝的な影響もあると考えられている．

> **用語解説** *
> **瘙痒**
> かゆみの強い痒疹丘（炎症に基づく小さな盛り上がり）を特徴とする炎症反応．

コラム　虫刺され

　虫刺されは，誰もが経験する身近な傷病で，軽く見なされがちである．しかし，"虫刺され"の世界は実は奥深いのである．

　刺す虫もいれば咬（か）む虫もいる．医学的には，刺されたり咬まれたりした皮膚の局所を刺咬創（しこうそう）といい，局所周囲やリンパ節，全身の損傷と反応を含め，刺咬傷（しこうしょう）または刺咬症という．

　刺されたり咬まれたりした皮膚の局所では，
①刺されたり咬まれたりしたことによる機械的な組織の損傷（虫眼鏡や顕微鏡でないと見えないこともある）
②虫の針や口器や塵埃など体外からの異物や損傷した組織に対して生じる生体反応
③注入された化学物質（毒素）や病原微生物による組織の損傷
④毒素や病原微生物に対する生体反応
などがさまざまに組み合わさって起こる．

　刺されたり咬まれたりした皮膚の局所は，発赤を伴う**膨疹**を呈することが多い．発赤は，皮膚や皮下組織の血管が拡張して血流が豊富になったことで血液の赤血球の赤色がよく見えている状態である．皮膚の**膨隆**は，皮膚や皮下組織に浮腫が生じた状態であり，結合組織に細胞外液が過剰に貯留した状態とも表現できる．この発赤と腫脹に**熱感**と**疼痛**を加えたものが炎症の四徴候と呼ばれる．虫によっては，人の痛覚を麻痺させたりかゆみを起こさせたりする場合もある．

　刺されたり咬まれたりした皮膚の局所から離れた部位では，
⑤毒素，病原微生物，炎症物質がリンパや血液で運ばれ，リンパ系や全身で発現する作用
⑥組織損傷，異物，毒素，病原微生物・炎症物質に対する全身の反応
などが見られることがあり，その代表が発熱やリンパ節腫脹である．

さまざまな虫刺されによって引き起こされる問題の例

●例1：ブユ
ブユは人の皮膚を咬み，毒素を注入して吸血する．咬まれた局所に出血点や水疱が残ることが多い．咬まれた当日はかゆみが少ないが，翌日以降に局所の腫れが目立ち，瘙痒や疼痛が激しくなったり，リンパ管炎やリンパ節炎を合併したりすることもある．地域によって，ブユと呼ばれたりブトと呼ばれたりする．海外では，ブユによる感染症の媒介が問題となっている地域がある．

●例2：ミツバチ
ミツバチに刺された場合は，返(かえし)のある針が刺された皮膚に残ることがある．残された針が異物となって局所の炎症を遷延させたり，ブドウ球菌などの皮膚常在菌や環境中の病原微生物の侵入門戸となって化膿する可能性がある．人を刺したミツバチは，針とともに腹部の一部を残すので身体がちぎれて死ぬことになる．

●例3：スズメバチ
スズメバチに刺された場合は，ハチが大きく毒素が強いことが多いため，刺された皮膚の局所の炎症反応が大きい．人によってはアナフィラキシーショックなど全身のアレルギー反応を起こし，死の危険にさらされることがある．暑い夏に山林作業中に刺された場合は，アナフィラキシーショックなのか熱中症なのか区別が付かず，人里や医療機関に搬送するにも時間を要するため，ドクターヘリやドクターカーの出動が要請されることもある．

●例4：蚊
蚊に刺された場合，皮膚の局所には針の深さや蚊のサイズよりはるかに大きな発赤や膨疹が生じ，かゆくなることが多い．病原性のあるウイルスが蚊の媒介により人の身体に注入されれば，デング熱，チクングニア熱，ジカウイルス感染症，日本脳炎，ウエストナイル熱，黄熱になったり，マラリア原虫が注入されてマラリアになったりといった全身感染症に至ることもある．動物のうち，人間を殺している第1位が蚊で，第2位は人間であるといわれている．

●例5：マダニ類
マダニ類は，口器を皮膚に突き刺して数日以上吸血することがあり，咬まれた人が気付かない場合も多い．気付いた人がマダニを剝がそうと無理をして，マダニの口器や頭部が皮膚に残り，異物として作用したり感染したりして化膿することがある．また，ウイルスやリケッチアといった病原微生物が人の体内に入って，重症熱性血小板減少症候群（severe fever with thrombocytopenia syndrome：SFTS），ツツガムシ病，日本紅斑熱などの感染症に至ることもある．

●例6：トコジラミ（南京虫）
トコジラミに咬まれた場合は，咬まれた皮膚局所がとてもかゆくなり，かゆさのあまりに人が引っかいて，皮膚損傷を増悪させたり化膿させたりすることも少なくない．日本でも海外でも，旅行者や荷物により伝播され，ホテルや旅館などで被害が発生し，宿泊施設の経営者を悩ませる．

虫刺されの治療と予防

刺咬創の治療では，虫の針や口器が残っていればまず異物除去が行われ，局所の炎症に対して抗ヒスタミン外用剤や副腎皮質ステロイド外用剤が用いられる．アナフィラキシーショックには，アドレナリンの筋肉内投与が行われる．

刺されたり咬まれたりした後の数週間程度は，発熱など体調の変化に注意が必要となる．

虫に媒介される感染症に対して，予防接種や予防内服が考慮される．日本では，小児期に日本脳炎の予防接種が行われるが，日本脳炎の患者発生は2020年以降も報告されている[1]．マラリアや黄熱など感染症の流行地に旅行する際には，事前情報に注意して，予防内服や予防接種など対策を講じることが求められる．

最も効果的な対処法は予防であり，虫に刺されたり咬まれたりしないことが大切である．虫が活動する場所や時間を避けたり，帽子・長袖・長ズボンを着用したり，防護服を着たり，防虫剤や虫除けネットを使用したりすることを考える．

2 免疫系のおおまかなしくみ

　私たちの身体は，常に細菌やウイルスなど外界からの危険にさらされている．これらが体内に侵入すると，生体の機能や秩序が乱される．これを防ぐのが免疫系である．

　私たちの身体は，2種類の免疫反応系（自然免疫系と獲得免疫系）で守られている．二つの反応系はそれぞれ単独で起こるのではなく，相互に関連している．

　免疫反応に関わる細胞群は，血液中の白血球である（➡p.164参照）．

1 自然免疫系

- 先天性免疫ともいう．生まれつき，自然に備わっている免疫系である．
- 1回目の細菌やウイルスなど，非自己の侵入に対して素早く反応する．

表10-1　自然免疫系の反応

反応までの速さ	反応の強さ	2回目以降の反応
速い	弱い	毎回同じように起きる
主な反応		
・病原体を貪食する（マクロファージ，好中球による）		

■ 免疫反応に関わる細胞

- ① **顆粒球**（➡p.166参照）
- 細胞質に顆粒をもつ．
- **好中球・好酸球・好塩基球**がある．
- ② **単球**（➡p.167参照）
- 組織中で分化して**マクロファージ**などになる．
- ③ **リンパ球**（➡p.167，476参照）
- それぞれの形は似ているが，機能は異なっている．
- **NK細胞**（ナチュラルキラー細胞，エヌケー細胞）

2 獲得免疫系

- 適応免疫，または後天性免疫ともいう．
- 外界からの非自己の侵入を経験した後に獲得する反応．

表10-2　獲得免疫系の反応

反応までの速さ	反応の強さ	2回目以降の反応
遅い	強い	2回目の反応は強く起きる
主な反応		
・感染細胞を殺す（T細胞） ・抗体で攻撃する（B細胞→形質細胞）		

■ 免疫反応に関わる細胞

- ① **リンパ球**（➡p.167，476参照）
- **T細胞：キラーT細胞**（CD*8陽性細胞），**ヘルパーT細胞**（CD4陽性細胞）
- **B細胞**：分化（形や機能が変化）して**形質細胞**（プラズマ細胞）になる．

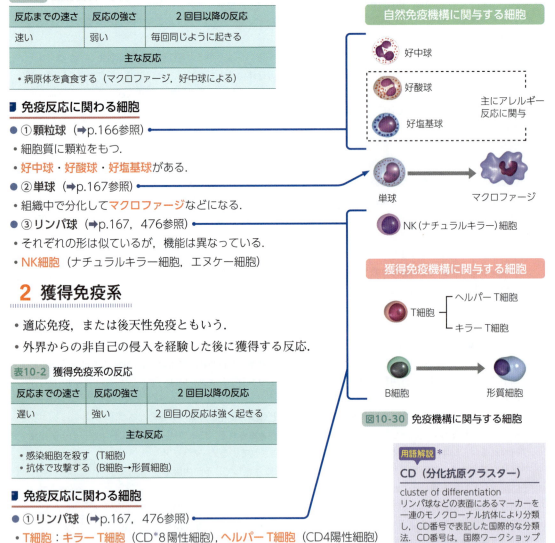

図10-30　免疫機構に関与する細胞

用語解説 *

CD（分化抗原クラスター）

cluster of differentiation
リンパ球などの表面にあるマーカーを一連のモノクローナル抗体により分類し，CD番号で表記した国際的な分類法．CD番号は，国際ワークショップで決定された順に付けられている．

3 免疫細胞が身体を守る方法

免疫細胞は，大きく分けて三つの方法で身体を守っている．

■ 自然免疫系の反応

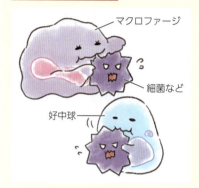

図10-31 貪食

- ① 細菌などを直接食べる（**貪食**）
- 体内への侵入後すぐに起こる．
- マクロファージ（大食細胞）や好中球などの**食細胞**が行う働きである．
- 食細胞は，細菌などを貪食した後，死に至る．
- けがが化膿*した際に見られる膿は，貪食した後に死んだ好中球の残骸である．

用語解説*
化 膿
好中球とその残骸や滲出液が，粘稠な液体である膿を形成した状態．黄色ブドウ球菌などの細菌感染による場合が多い．

■ 獲得免疫系の反応

複雑な段階と過程を踏むため，働き始めるのに時間がかかる．

図10-32 キラーT細胞の働き

- ② 侵入した細菌などに感染した細胞を見つけ出して殺す
- 主に**キラーT細胞**の働きによる（細胞性免疫）．
- 侵入者である細菌そのものを殺すのではない．

図10-33 抗体産生

- ③ **抗体**という武器を使う反応
- B細胞が分化した**形質細胞***が，特別なタンパク質である抗体（➡p.471, 472参照）を産生する．
- 抗体が，細菌などの侵入物である**抗原**と反応する．
- ほかのリンパ球（T細胞など）は抗体を産生しない．

用語解説*
形質細胞
B細胞が抗原刺激によって活性化され分化した細胞．大量の抗体（タンパク質）を産生するため，細胞質には粗面小胞体が発達している．リンパ球よりやや大きく，形は楕円形である．

4 免疫細胞が存在する場所

- 免疫細胞は身体のさまざまな場所に存在する．
- 特に多く見られる場所は，骨髄，胸腺，リンパ節，および脾臓である．

■ 一次リンパ組織

免疫細胞が分化する場であり，リンパ球はここで最初に分化する．胸腺と骨髄がある．

- ①胸腺
  - T細胞は胸腺で分化する．

> 胸腺は重要な部位であるにもかかわらず，思春期を過ぎると退縮していく（小さくなっていく）が，その理由は明らかになっていない．

- ②骨髄
  - 骨の中心部にある組織（➡p.95参照）．
  - すべての血液の細胞成分の元になる造血幹細胞が存在する．
  - 造血幹細胞が分化して，特別な機能をもつ免疫細胞へと変わっていく（➡p.160参照）．
  - B細胞をはじめとする免疫細胞は骨髄で分化する．

> B細胞は骨髄（bone marrow）で，T細胞は胸腺（thymus）で，それぞれ最初に分化するため，その名称が付けられている．

■ 二次リンパ組織

免疫反応の場であり，リンパ節，脾臓，扁桃などがある．

- T細胞やB細胞が連携した免疫反応が開始される場．
- リンパ球は一次リンパ組織からリンパ節や脾臓に移動し，さらに分化する．

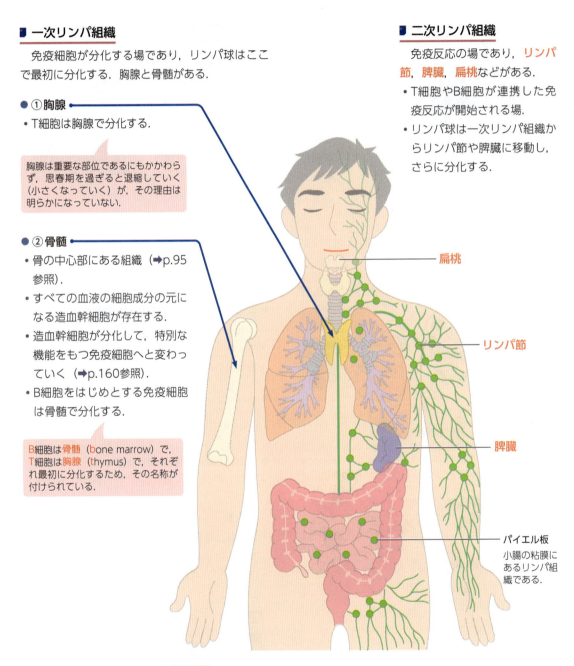

図10-34 免疫細胞が分化する場所

3 獲得免疫系のしくみ

　獲得免疫系は，外界から侵入する細菌・ウイルスなどの抗原を，細胞が非自己と認識して起こる免疫反応である．細菌やウイルスなどの病原微生物そのものや，病原微生物由来の毒素など，さまざまなものが抗原となりうる．獲得免疫系では，それぞれの抗原について，その抗原に反応できる特別な細胞だけが増殖して抗原を排除する働きを行う．獲得免疫系で働く細胞は主に**B細胞**と**T細胞**である．

■ 獲得免疫系

● ①樹状細胞
- 抗原提示細胞としてT細胞を活性化する免疫細胞の一種．
- 樹状細胞が病原体を適切に処理して必要な情報をT細胞に提示する（見せる）ことで，T細胞を活性化する．

● ②T細胞レセプター，B細胞レセプター
　T細胞とB細胞は抗原の情報を認識するため，抗原と結合できるように，その抗原に特異的な受容体（抗原レセプター）をもっている．

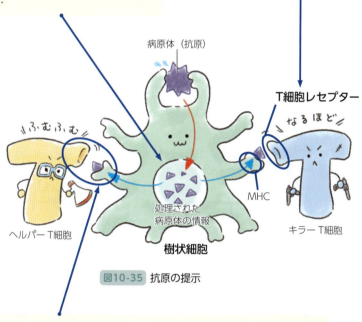

図10-35　抗原の提示

● ③抗原提示
　レセプター（受容体）が病原体などの抗原を認識すると，細胞にその信号が流入して免疫反応が開始される．T細胞は抗原そのものではなく，先に樹状細胞によって処理し提示された抗原の情報を認識する．

1 抗原特異性と多様性

獲得免疫系は抗原特異性と多様性をもつ．

■ 抗原特異性

- 獲得免疫系の細胞上の抗原レセプターはたった1種類である．その抗原レセプターと結合できるのは，特異的な1種類の抗原だけである．
- ①抗原レセプター
- B細胞は形質細胞に分化し，抗原レセプターと同じ形の抗体を産生する．
- 獲得免疫系の細胞は，1種類の抗原レセプターを多数もつ．

■ 多様性*

- ヒトの身体には，抗原レセプターをもつ獲得免疫系の細胞が何百万種類も備えられている．
- それぞれの細胞は1種類の抗原レセプターを多数もち，それぞれが抗原と結合して特異的な免疫反応を起こす．全体として，多様な抗原に対応できることから，多様性をもつとされる．
- ありとあらゆる多様な抗原に対して特異的な免疫反応を起こすことができる．

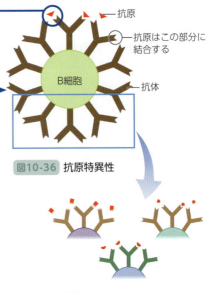

図10-36 抗原特異性

図10-37 抗原レセプターの多様性

■ 多様性をもつ特異的な反応（クローンの増大）

ある抗原が体内に侵入した後，獲得免疫系が反応する．
感染が起きると，その抗原に特異的な抗原レセプターをもつリンパ球，つまりその抗原に反応できるリンパ球だけが増殖する．

用語解説＊

多様性

多様性（ダイバーシティ：diversity）という言葉は，近年「多様性を重んじる社会」など，一般にもよく使われている．「獲得免疫は多様性をもつ」という表現も，それと同じ意味でとらえるとよい．

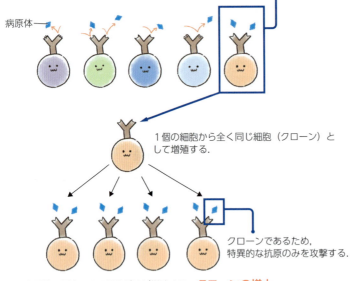

図10-38 クローンの増大

- ④流行性耳下腺炎（おたふくかぜ）に罹患したときの免疫系の反応
- おたふくかぜウイルス（ムンプスウイルス）に特異的に反応できる1種類の細胞だけが増殖する．
- この細胞はおたふくかぜウイルスを強力に攻撃するが，ほかのウイルスに対しては全く反応しない．

2 自己寛容

■ 自己抗原とは

- Ⓐ**抗原**
  一般に外界からの細菌など，病原体由来のもの（非自己）．
- Ⓑ**自己抗原**
  自分の成分（自己）が抗原として働くこともある．自分の成分由来の抗原を**自己抗原**という．

■ 免疫寛容（免疫トレランス）

特定の抗原に対する免疫反応を起こさないためのメカニズムを免疫寛容（免疫トレランス）という．正常な免疫反応を行うには，自己抗原に対する免疫寛容（自己寛容）と，食物など本来は無害な異物に対する免疫寛容が必須である（➡p.482参照）．

■ 自己寛容

免疫系が自己に反応しないこと．

- **①MHCとHLA**
- 体内にある細胞のほとんどは**主要組織適合遺伝子複合体**（major histocompatibility complex：**MHC**）クラスⅠという，その個特有の「しるし」をもつ．
- ヒトではヒト組織適合性白血球抗原（human histocompatibility leukocyte antigen：HLA*）という．

- **②自己寛容の役割**
  もし，自分のHLAを非自己として認識し免疫反応が生じれば，当然，自身の細胞が抗原として攻撃し，排除されてしまう．骨髄や胸腺には，自己を非自己と認識し反応してしまう細胞を取り除くしくみが備わっている．
  しかし実際は，骨髄や胸腺では自己抗原に反応する細胞が数多く産生されている．骨髄や胸腺からそのような細胞が血流で運ばれてきても，それらが働かないように麻痺させたり抑制したりする．

樹状細胞*

MHC

用語解説 *
樹状細胞
T細胞に病原体の情報を伝える（抗原提示）作業を専門とする特殊な食細胞．多数の突起をもつため樹状細胞という．体内に広く分布する．

用語解説 *
HLA
ヒトの主要組織適合遺伝子複合体（MHC）産物のこと．習慣的に，HLA組織適合抗原またはHLA抗原と呼ぶ．骨髄や肝臓などの移植の際には，HLAの抗原性の違いが最も強い拒絶反応を引き起こす（➡p.172参照）．

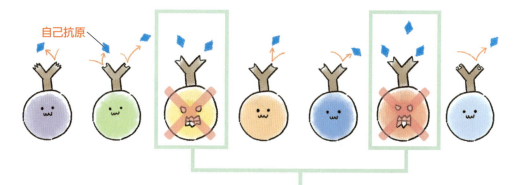

自己抗原

自己に反応する細胞は除かれる
↓
自己寛容になる

図10-39 自己寛容

3 免疫記憶

ある感染症に一度罹患すると，再びその原因となる抗原が体内に侵入しても同じ感染症には罹患しにくい．これは，1回目の感染を身体や細胞が「記憶している」ように見えるため，この現象を**免疫記憶**という．例えば，おたふくかぜに二度罹患する人は少ない．

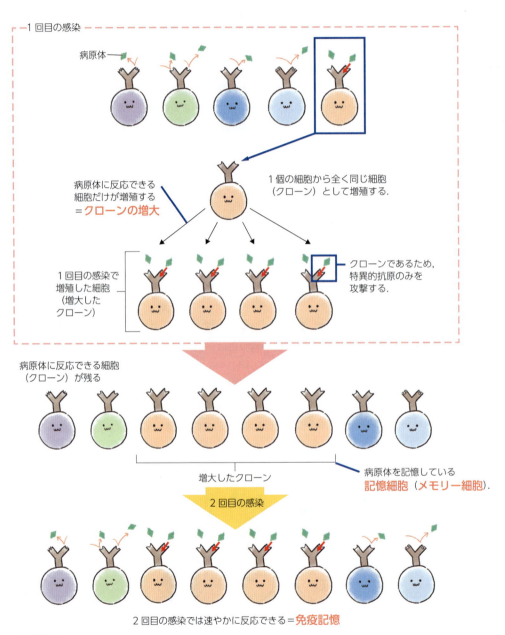

図10-40 免疫記憶

4 抗体の産生と働き

抗体の産生

ヘルパーT細胞は，B細胞を形質細胞に分化させ，特異的な抗体を産生させる．

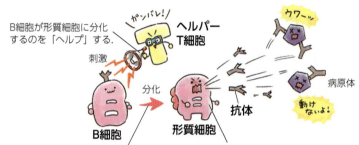

B細胞が形質細胞に分化するのを「ヘルプ」する．

ヘルパーT細胞の刺激によって，B細胞は抗体を産生する形質細胞となる．

B細胞が分化して形質細胞になると，その抗原レセプターを抗体として産生できるようになる．

*ヘルパーT細胞から放出されるサイトカインなどが刺激を与える．

図10-41 ヘルパーT細胞とB細胞

図10-42 中和

抗体の働き

抗体は抗原と特異的に結合し（抗原抗体反応），作用を発揮する．

● ①中和
- 細菌やウイルスなどの抗原に直接結合して，無力化する．
- 病原体に結合することで，病原体が身体の細胞に接着できないようにする．

図10-43 オプソニン化

● ②オプソニン化

補体もオプソニン作用をもち，マクロファージの貪食を促す．

- 抗体が微生物などの抗原に結合すると，食細胞に取り込まれやすくなる現象．
- 自然免疫系において食細胞との協同で働くと考えられる（➡p.476参照）．

食細胞が食べやすくなるように味付けする作用だと考えれば理解しやすい．

図10-44 補体活性化

● ③補体活性化
- **補体**は血液中に含まれる，生体防御機構に関わるさまざまなタンパク質分子群である．
- 抗体が病原体に結合すると，さまざまな種類の補体が次々とその周辺に集合し，活性化する．
- 活性化した補体は，病原体の表面を破壊することによって死滅させる．

5 抗体の構造

抗体は**免疫グロブリン（イムノグロブリン）**と呼ばれるタンパク質で，基本の形はアルファベットのYに似ている．

■ 抗体の構造

● ①重鎖と軽鎖

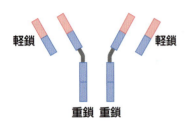

図10-45 重鎖と軽鎖

分子量の大きい重鎖2本と比較的分子量の小さい軽鎖2本，計4本のタンパク質分子から構成される．

● ②Fab部位とFc部位

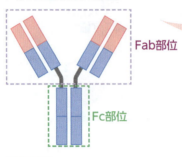

図10-46 Fab部位とFc部位

抗体のFab部位（部分）とFc部位（部分）は，タンパク質分解酵素であるパパインで処理され切断される．
Fab部位のabはantigen-bindingの略で，抗原に結合するという意味がある．
Fc部位のcはcrystallized（結晶化されている）の頭文字で，結晶化する性質があることから命名された．
Fab部位は抗原との特異的結合に関与し，Fc部位は抗体の機能に関与する．

抗体は，Fab部位とFc部位に分けることもできる．

● ③可変領域と定常領域

- Ⓐ**可変領域**
- Fab部位の先端の部分を可変領域という．
- 抗原に結合するのは可変領域の端の部分である．
- 可変領域は極めて多様で，ある一定の状況が整えば，その名の通り変化することが可能である．
- 可変領域が変化すると，さらに抗原に結合しやすい抗体となる可能性がある．
- リンパ節の中では，抗原に結合しやすい抗体を作る形質細胞だけが増えるように調整が行われている（**親和性成熟**）．
- **親和性成熟**：抗体の遺伝子に少しの遺伝子変異が起こり，抗原により強く結合することができるようになること．

図10-47 可変領域と定常領域

- Ⓑ**定常領域**
- Fc部位とFab部位の根元の部分を合わせて定常領域という．

■ 抗体のクラス

- 抗体は，IgM，IgG，IgA，IgE，IgDという，性質の異なる分子に分類される．
- それぞれを**クラス**と呼ぶ．

基本となる免疫グロブリン

単量体

一量体
（基本となる免疫グロブリンと同じ）
IgG，IgE，IgD

多量体

二量体
IgA

五量体
IgM

図10-48 さまざまな抗体のクラスと形

IgMからIgGへのクラススイッチ

感染が起こる（抗原が侵入する）と，B細胞はIgMを産生するタイプの形質細胞になり，その後，IgGが産生される形質細胞に変化する．このとき，IgMの重鎖の定常領域が入れ替わり，IgGへとクラスが変化（スイッチ）する．この現象を**クラススイッチ**という．1個の細胞が攻撃するのは1種類の抗原だけであるため，抗原に結合する部分である可変領域は変化しない．

> クラススイッチは，可変領域は変化せず，定常領域が変化する現象であるため，特異性は保たれる．

①IgM
- Y字型をした抗体の分子五つが根元側（Fc部位）で結合している多量体（五量体）である．
- 抗原と結合すると，抗原抗体反応において大きな複合体を形成しやすい．
- 血液中を循環し，組織液にはあまり入らない．

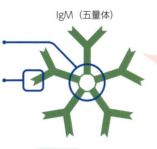

> メリット：血液中の異物をからめとる力や補体を呼び寄せる力は優れている．
> デメリット：根元がくっついているため，Fc部位が生かせない．そのため，ほかの細胞表面のFc受容体と結合して活性化させることはない．

図10-49 IgM

②IgG
- Y字型の分子が1個である単量体で，Fc部位を生かしやすい構造である．そのため，免疫反応を増大させる効果がある．
- 多くの食細胞はIgGのFc部位に対するレセプターをその表面にもっている（Fc部位に結合できる）．
- IgGは血液中からも積極的に取り込まれ，組織液中に流れ込む．

ⒶIgGの胎盤通過性
- IgGは抗体の中で唯一胎盤を通過し，胎児の血液や組織液を循環することができるため，新生児は生後しばらくの間，母親由来のIgGで守られる．
- IgGは出生とともに減少し，生後2〜3カ月目に最も低下する．それより以後は児自身のIgG産生により徐々に上昇する．

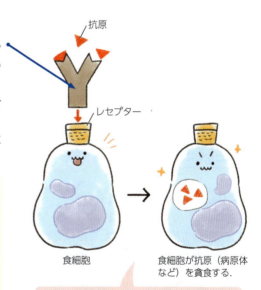

> 食細胞はIgGの根元であるFc部位に対するレセプターを表面に出している．IgG抗体が抗原に結合すると，抗体のFc部位が食細胞のレセプターに結合して，食細胞による貪食が進む．

図10-50 IgGと食細胞の結合

クラススイッチが起こるメリット

- リンパ節の中で，クラススイッチを終了させたB細胞（細胞膜にある抗体がIgMからIgGになったB細胞）には，抗体を作る遺伝子に少しだけ突然変異が起こる．
- 突然変異により抗体が抗原に結合する部位の形が少し変化し，抗体が抗原に結合する結合力がさらに上昇する．これを<u>親和性成熟</u>と呼ぶ（➡p.472参照）．優れた抗体を作るための大切な過程となっている．
- IgMには親和性成熟は起こらないため，病原体に強力に抵抗するには，IgMよりIgGのほうが優れている．
- IgGは血液中の主要な抗体であり，<u>二次免疫応答</u>の際に大量に産生される．

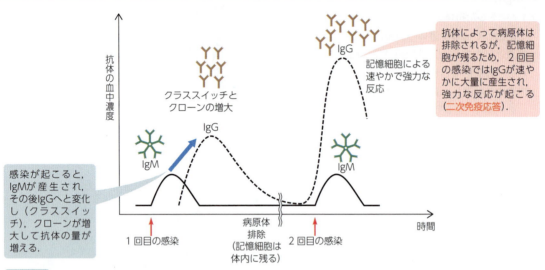

図10-51 感染によるIgMとIgGの産生

IgMとIgG以外のクラス

①IgA

- 単量体として血液中を流れるものもあるが，多くの場合，2個のY字型の抗体分子のFc部位同士が結合した二量体であり，分泌液（乳汁，唾液，腸管粘膜の分泌液，涙液など）中に存在する．初乳*に含まれるIgAは，免疫系が発達していない新生児の感染防御において，重要な働きをもつ．

用語解説*
初乳
出産後数日の間分泌される乳汁．黄色がかった色で粘り気がある．感染防御に重要な役割を果たす．

③IgD

- 基本的な構造はIgGと同じく単量体であるが，機能については不明な点が多い．

②IgE

- 寄生虫に対する免疫系反応に関わる抗体として重要な機能をもつ．
- 即時型アレルギー（I型アレルギー）にも関与している（➡p.482参照）．
- 組織中の<u>肥満細胞</u>*や血液中の好塩基球などには，IgEのFc部位に特異的なレセプターが存在する．IgEが肥満細胞や好塩基球のFcレセプターに結合すると，IgEは抗原を受け取るレセプターとして働くことになる．IgEと抗原が結合することによる刺激によって，肥満細胞や好塩基球からヒスタミン*などの生物学的活性をもつ物質が分泌され，アレルギー反応が引き起こされる．

用語解説*
肥満細胞（マスト細胞）
I型アレルギー反応を媒介する細胞．気道，腸管，皮膚など，外界と接する場所に多い．顆粒に富む．細胞表面にIgE受容体をもつ．

用語解説*
ヒスタミン
肥満細胞の顆粒の中に含まれる物質．血管透過性を亢進させ，粘液分泌などを促し，組織の発赤・腫脹を起こす．神経組織では神経伝達物質として働いている．

6 T細胞による反応

■ キラーT細胞による反応

キラーT細胞は病原体を殺すのではなく，病原体に感染した細胞を破壊することによって病原体を排除する．感染した細胞は病原体の一部をMHC分子と一緒に細胞の表面に出し，T細胞レセプターはその標的（病原体の一部とMHC）を認識して特異的に感染した細胞を破壊する．

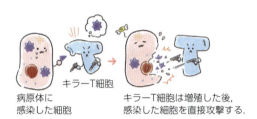

図10-52 キラーT細胞による反応

● ①キラーT細胞の働き
- 主に，ウイルスなどに感染した自己の細胞の細胞膜に穴を開け，そこから細胞の死を誘導する物質を流入させて，感染した細胞を破壊する．
- キラーT細胞は，異物や病原体を直接殺したり排除したりすることはできない．
- 自然免疫系におけるNK細胞が侵入した細胞を殺す機構も，基本的に同じである．

■ ヘルパーT細胞の種類と反応

ヘルパーT細胞（Th細胞）にはさまざまな種類がある．代表的なものは，Th1細胞とTh2細胞である．

● ①Th1細胞
- キラーT細胞やNK細胞に働きかけて細菌やウイルスに感染した細胞を殺させ，また，マクロファージに働きかけて細菌に反応させる．

● ②Th2細胞
- 寄生虫に対しては，Th細胞のうちTh2細胞が反応し，好酸球，好塩基球，肥満細胞，マクロファージに働きかけ，それらの細胞から寄生虫を攻撃する物質（サイトカインなど）が放出される．かゆみや粘液産生も起こる．

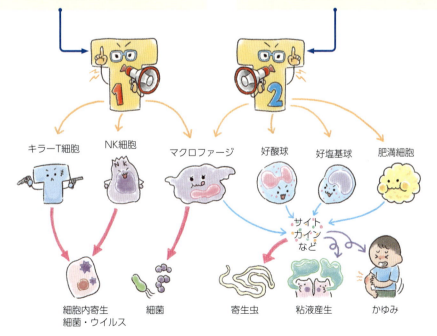

図10-53 Th1細胞とTh2細胞

> **plus α**
> **制御性T細胞**
> 免疫反応を抑制するT細胞．例えば，樹状細胞が出したサイトカイン（→p.159参照）を消費してうまく働けないようにする．数十年前の教科書に記載されていた抑制性（サプレッサー）T細胞と混同しないように注意する．

> **plus α**
> **Th1，Th2以外のヘルパーT細胞**
> Th1とTh2以外にも，ヘルパーT細胞にはさまざまな種類がある．IL-17というサイトカインを出すTh17細胞は好中球を誘導する．IL-17の標的病原体は細菌や真菌である．

4 自然免疫系のしくみと獲得免疫系との関連

1 自然免疫系の攻撃のしくみ

自然免疫系は，異物などを直接撃退するシステムと，それを感知して警報を出すシステムをもっている．

■ 異物を直接攻撃する

● ①食細胞
- 抗菌ペプチドなどを使って異物を殺傷する．
- 異物を貪食する．
- 抗体によりオプソニン化された病原体は食細胞に貪食されやすい（➡p.471参照）．

● ②NK細胞
- 感染で弱った細胞などを殺すのも，直接撃退するシステムである．
- NK細胞はリンパ球の一種であるが，抗原に特異的なレセプターをもっていないため，自然免疫系の細胞に分類される．

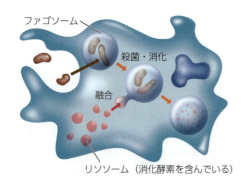

図10-54 食細胞による細菌の殺傷と消化

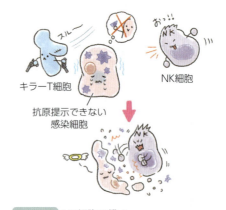

図10-55 NK細胞の働き

■ 異物を感知し警報を出す

- 食細胞は，病原体を感知すると活性化される（活動的になる）．活性化された食細胞はサイトカイン*を放出して，周囲の細胞にその情報（警報）を伝える．

> **用語解説** *
> **サイトカイン**
> 細胞から細胞に働きかけるタンパク質．ホルモンに似た働きをもち，周囲の細胞の分化や増殖を促す．

図10-56 食細胞によるサイトカインの放出

インターロイキン（IL）
白血球間の相互作用に働く物質という意味をもつ．30種類以上が同定されている．インターフェロン，腫瘍壊死因子（TNF），ケモカインなどとともに，サイトカインと総称される．

インターフェロン（IFN）
サイトカインの一種．抗ウイルス反応の鍵となる．食細胞をはじめ，身体中のいろいろな細胞から産生されている．

plus α
トル様レセプター（Toll-like レセプター）
病原体を感知するレセプターとして代表的なもの．主に食細胞の表面上にある．

ここまでで解説した免疫反応に関わる細胞と因子を下の表にまとめた．

表10-3 免疫系の細胞・因子

				自然免疫系（先天性免疫系）	獲得免疫系（適応免疫，後天性免疫）	
特徴				体内に侵入した異物の共通成分に反応するレセプター（トル様レセプターなど，食細胞の表面に存在）をもつ細胞が認識後すぐに反応するが，特異的でないため，働きは弱い．	体内に侵入した異物に対して特別な細胞群が特異的に増殖し，それぞれが個々の異物に対して特異的に働き，反応して異物を排除する．特異的であるため強く反応するが，働くまでに時間がかかる．	
反応に関わる因子と働き	細胞性因子	単球	単球（→マクロファージ[食細胞]）	貪食作用（抗原のオプソニン化によって促進される）．活性化してサイトカインを放出し異物の認識を促す．	ヘルパーT細胞からの刺激によって貪食作用が特異的に活性化する（細胞性免疫）	
		顆粒球	好中球（食細胞）	貪食作用（抗原のオプソニン化によって促進される）．		
			好酸球 好塩基球	寄生虫に対する反応やアレルギー反応に関与する．		
		リンパ球	NK細胞	感染した細胞やがん細胞を殺す．大型のリンパ球で，細胞質内に細胞を傷害するための顆粒を含んでいる．基本的にはキラーT細胞とお互いに補うような関係にあり，基本的には細胞の殺し方もキラーT細胞と類似している．	B細胞（→形質細胞[プラズマ細胞]）	形質細胞となり抗体を産生，液性免疫に関与
					T細胞 ヘルパーT細胞（Th細胞，CD4陽性細胞）	B細胞の形質細胞への分化を助ける，マクロファージを活性化，貪食作用を促進（細胞性免疫として関与）
					キラーT細胞（CD8陽性細胞）	異物に感染した細胞を死へ誘導する物質を注入し，細胞を殺す（細胞性免疫）
					制御性T細胞	免疫反応を抑制する．免疫応答において重要な役割をもつ．
	その他の因子			補体，サイトカイン，ケモカインなど	抗体（タンパク質）[B細胞→形質細胞]	●液性免疫（抗原抗体反応，特異的結合）一度起こるとクローン増大し，記憶され，2回目は速く抗体ができる（IgM→IgGへの変化が素早く起こる） ●オプソニン化 食細胞の貪食作用補助 ●補体活性化 補体による免疫反応を活性化

動画でチェック 免疫系で働く細胞たち

2 自然免疫系から獲得免疫系への情報伝達

▌樹状細胞の抗原提示

- 皮膚や粘膜には樹状細胞が存在している．
- 樹状細胞はさまざまな病原体に対するレセプターをもっているため，病原体の侵入を感知して活性化される．
- 特異的な反応ではないため，自然免疫系の反応といえる．
- MHC（HLA）分子の上に，侵入した病原体の断片である情報をのせ，T細胞に提示する．すなわち，「自分自身（自己）のしるし」であるMHCの上「抗原（非自己）」をのせて，「自分にとっての異物が侵入したので排除してください」とT細胞に示すのである．

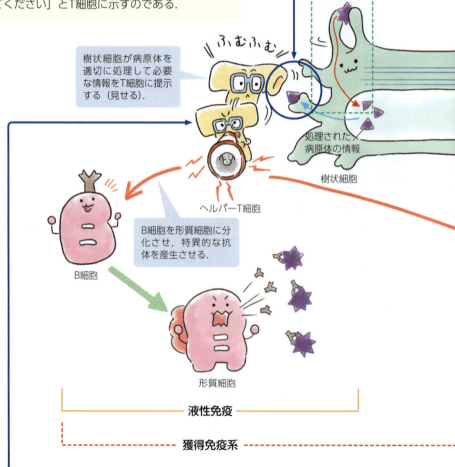

▌T細胞の認識

- 抗原特異的な免疫反応（獲得免疫系の反応）が始まる．
- 自然免疫系から獲得免疫系への情報伝達は確実に行われるが，免疫反応までに時間がかかる．
- T細胞は抗原を直接認識することはできない．樹状細胞などが抗原を処理してT細胞にも認識できるよう抗原提示が可能な形にする必要がある．これも，獲得免疫系の反応が，時間がかかる一因である．

液性免疫と細胞性免疫

- 異物が体内に侵入したとき，つまり感染が起こったとき，まず食細胞が病原体などの異物を貪食するのは自然免疫系の反応である．
- 抗原を食べた食細胞が特異的に刺激されて旺盛に働く過程は獲得免疫系の反応に含まれる．
- 獲得免疫系の反応では，抗体による反応を**液性免疫**，キラーT細胞と食細胞による反応を**細胞性免疫**という．

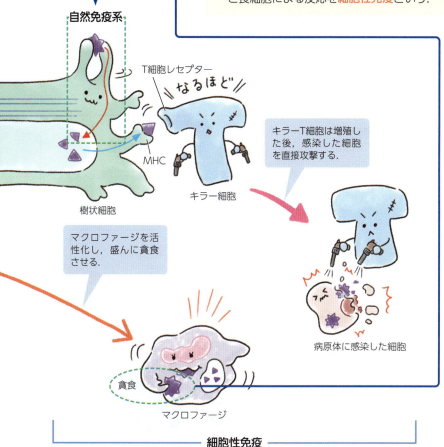

獲得免疫系の反応は特定の抗原（この図では病原体）に対して起こる．

図10-57 自然免疫系から獲得免疫系へ

5 免疫系と感染症

1 感染症の原因となる病原体の種類

感染症は，病原微生物がヒトの体内に侵入，定着し，増殖を開始することによって起こる．その原因には，細菌，ウイルス，真菌（カビ），そして寄生虫がある．寄生虫には体内に寄生する原虫類・蠕虫（ぜんちゅう）類があり，ほかの細菌などの侵入者に比べて圧倒的に大きい．

2 感染症へのかかりやすさ

人によって感染症へのかかりやすさが違ったり，また，同じ人でも年齢や栄養状態などによって感染症へのかかりやすさが変化したりする．これは次のようなことが原因と考えられる．

■ 感染症へのかかりやすさが異なる要因

● ① 免疫細胞の機能
例えば，高齢者では胸腺の退縮などにより免疫能力が低下する．また，ストレスが存在するとステロイドホルモンの分泌が増え，免疫能力を抑制することになる．栄養状態が悪化すれば，そもそも細胞や抗体を新しく作る材料が足りなくなるので，免疫細胞の数や機能の低下に結びつく．

● ② 粘膜や皮膚のバリア機能の強弱
皮膚や口腔内が乾燥するとバリア機能が低下するため，病原体が侵入しやすくなり，感染症にかかりやすくなる．これらは物理的防御因子と考えられる．

● ③ 獲得した免疫能力の差
前回の感染を記憶している記憶細胞が存在すれば，すぐに反応し免疫能力を発揮できる．また，無毒化したウイルスなどによるワクチン接種によってあらかじめ抗体産生を促していれば，その感染症にかかりにくくなる．

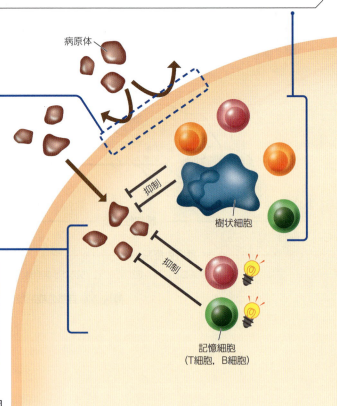

図10-58 免疫能力の強弱に影響する要因

- ④MHC（HLA）の差

　T細胞は樹状細胞のMHC（HLA）の上に乗せられた病原体の断片，すなわち病原体がもつ情報を認識して免疫反応を起こすが，病原体をうまく乗せられない場合はその感染症に対抗できない．

　ヒトがもつHLAには非常に多くの種類があり，その人によってHLAの種類（分子構造）も異なるので，免疫反応に差が生じ，その人によって，かかりやすい感染症とかかりにくい感染症があることになる．これはヒトという生物の多様性に貢献し，絶滅させないために非常に都合の良いしくみであるといえる．

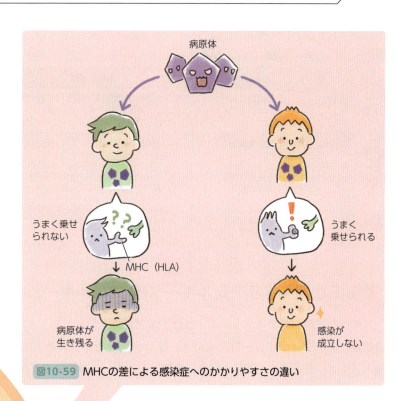

図10-59 MHCの差による感染症へのかかりやすさの違い

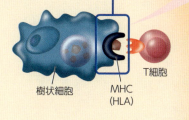

免疫系の成長と老化

　胎児期や新生児期は，胎盤から移行したIgGによって感染から守られる．血中IgG濃度は生後3～4カ月ごろに最も低下し，感染症にかかりやすくなるが，6～12歳ごろ（小学生）には成人とほぼ同じ濃度になる．また，加齢によって抗原特異的な獲得免疫能は低下する．相対的に若いときに獲得された免疫記憶は保持されるが，新規の感染症に対する応答は低いことが多く，炎症が慢性化することも多い．

6 アレルギーと自己免疫疾患

アレルギーとは，身体にとって無害と思われるものに対して起こる免疫反応であるが，元来，過剰に起こる免疫反応のことを広くアレルギーと呼んでいた．したがって，古典的には**自己免疫疾患**もアレルギーに分類されていた．アレルギーも，自己免疫疾患も，免疫系の反応が働きすぎて起こる病態であるが，アレルギーは異物に対する反応であるのに対し，自己免疫疾患は自己の成分に対する反応である．

近年の免疫学では自己免疫疾患をアレルギーとは呼ばなくなっているが，本節では便宜的に1960年代に発表された古典的な分類（GellとCoombs）に沿って説明する．

表10-4 アレルギーの分類（GellとCoombs）

型	因子	名称	反応の機序	例
I型	IgE	即時型過敏症 アナフィラキシー型	肥満細胞や好塩基球に結合したIgE抗体と抗原が反応し，ヒスタミンやロイコトリエンが放出される．	花粉症，気管支喘息，アトピー性皮膚炎，食物アレルギー，蕁麻疹
II型	IgG，IgM	細胞傷害型	IgG抗体が自己抗体として自己細胞上の抗原に結合し，細胞を傷害する．	血液型不適合輸血，自己免疫性血液疾患，バセドウ病
III型	IgG	免疫複合体型 血清病型	抗原・抗体・補体からなる免疫複合体が血流に乗って組織に至り，組織を傷害する．	過敏性肺臓炎，全身性エリテマトーデス(SLE)，関節リウマチ
IV型	T細胞	遅延型 T細胞依存型 ツベルクリン型	T細胞が活性化され，組織を傷害する．	金属アレルギー，接触性皮膚炎，GVHD

1 IgEが関与するアレルギー（I型アレルギー）

日常的な抗原に対するアレルギーはほとんどこのI型アレルギーで，IgEが関与している．**即時型過敏症**，**アナフィラキシー型**ともいう．数分〜30分という極めて短い時間（即時）で起こる．花粉症，アトピー性皮膚炎，気管支喘息，食物アレルギー，蕁麻疹などがある．アレルギーを起こす抗原を**アレルゲン**という．

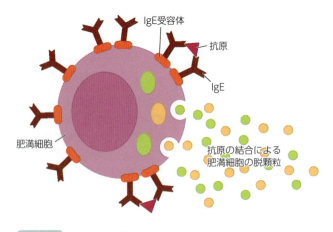

図10-60 I型アレルギー

反応の機序

Ⅰ型アレルギーの反応は，ほぼ次のような機序で起こる．

① 樹状細胞が抗原を取り込むと，その抗原に特異的なB細胞とヘルパーT細胞が反応する．
② B細胞はヘルパーT細胞からのサイトカインによって形質細胞となり，大量のIgE抗体を産生する．
③ IgE抗体は粘膜下組織や結合組織に存在する肥満細胞に結合する．
④ 肥満細胞が抗原に遭遇すると，抗原はIgE抗体と結合し，肥満細胞が活性化される．
⑤ 活性化された肥満細胞は，ヒスタミンやロイコトリエンを大量に放出する．
⑥ ヒスタミンは血管透過性を亢進させ，血管から血漿を組織中に滲出させて（a），粘液分泌を促す（b）．

そのため，数分という短い単位で組織の発赤・腫脹を起こす．

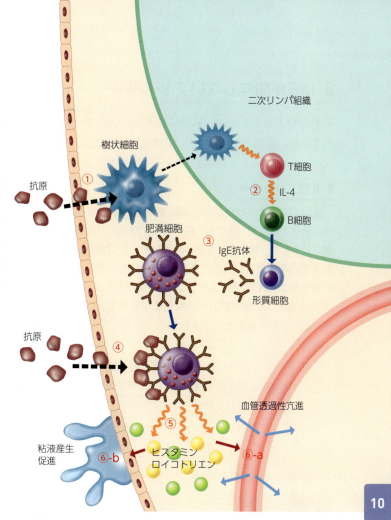

河本宏．もっとよくわかる！免疫学．羊土社，2011．p.179より改変して転載．

図10-61 Ⅰ型アレルギー発症のメカニズム

症状と治療

例えば，花粉症の患者が外出すると，数分で目がかゆくなり，鼻水とくしゃみが激しく生じるのは，Ⅰ型アレルギーの反応によるものである．花粉症の患者の鼻水には好酸球が多数滲出するため，さらに症状が悪化する．

また，ヒスタミンが血流を介して運ばれ，気管収縮や気道の浮腫を引き起こすと，呼吸困難に陥る．血管拡張と血中からの組織の体液漏出から，ショック症状や肺水腫*を引き起こす場合もある．適切な治療を施さないと数時間で死に至る恐ろしい病態である．このような全身性に起こったアレルギー反応を**アナフィラキシーショック**という．例として，ハチに一度刺されてハチ毒に対する免疫が形成されてから再びハチに刺されると，アナフィラキシーショックで死に至る場合などが挙げられる．

Ⅰ型アレルギーの治療として，抗原の正体がはっきりしている場合は，その除去と回避および薬物療法を行う．また，長期間通院して抗原を少量ずつ注射し，免疫寛容を誘導する方法がある．これを**減感作療法**という．

用語解説 *
肺水腫
肺では，肺胞とその周囲の毛細血管との間で酸素と二酸化炭素が交換される．肺水腫（pulmonary edema）は毛細血管から血液の液体成分が肺胞内へ滲み出し，酸素の取り込みが障害される状態である．重症化すると呼吸不全に陥ることがある．

2 IgEが関与しないアレルギー

これらのアレルギーは，実際には薬物アレルギーのようにⅠ型からⅣ型までのさまざまな反応が含まれており，病態としては，一つの型が単独で起こるのではなく複数の型が関与している場合が多い．

■ Ⅱ型アレルギー

IgGが自己抗体として自己の細胞表面上に付着した抗原に結合することで起こる．結合した抗体により組織が傷害されるため，細胞傷害型アレルギーとも呼ばれる．血液型不適合輸血がこれに当たる．自己免疫疾患では，自己免疫性溶血性貧血*（autoimmune hemolytic anemia：AIHA）などの血液疾患，甲状腺機能が亢進するバセドウ病などがこれに分類されている．

■ Ⅲ型アレルギー

抗原・抗体・補体からなる免疫複合体が，血流に乗って組織に至り，組織を傷害する．免疫複合体型アレルギーや血清病型アレルギーと呼ばれ，過敏性肺臓炎などがある．自己免疫疾患では，全身性エリテマトーデス（SLE），関節リウマチなどに分類される．

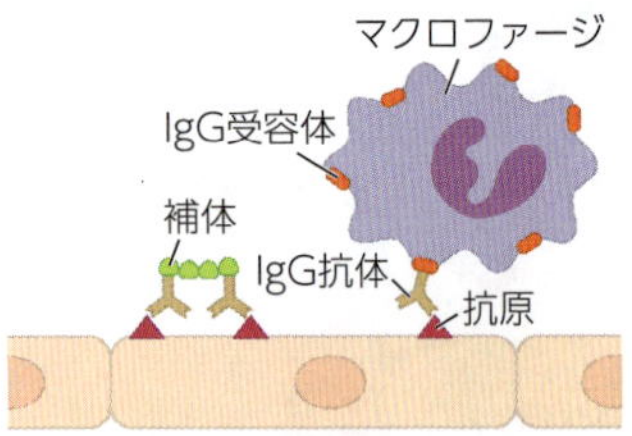

図10-62 Ⅱ型アレルギー

用語解説 *
自己免疫性溶血性貧血
2015年1月から難病に指定されている．赤血球の膜上の抗原と反応する自己抗体が産生され，抗原抗体反応を起こし，赤血球が傷害を受け，溶血し，貧血を来す．

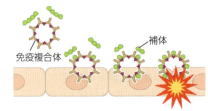

免疫複合体の血管内皮・基底膜への沈着

図10-63 Ⅲ型アレルギー

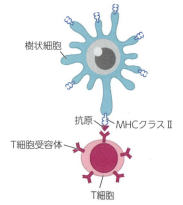

図10-64 Ⅳ型アレルギー

■ Ⅳ型アレルギー

T細胞による免疫応答で，約24〜72時間と反応までに時間がかかるため，T細胞依存型アレルギー，また遅延型アレルギーと呼ばれる．日常的には，ネックレスやイヤリングなど，皮膚に直接着ける装飾品の金属成分によって，発赤やかゆみなどのかぶれを生じる金属アレルギーがある．また，漆などの植物に触れてかぶれが生じるなどの接触皮膚炎もⅣ型アレルギーの反応である．また，検査や治療に関するものとしては，ツベルクリン反応や移植片対宿主病（graft versus host disease：GVHD）*がⅣ型アレルギーの反応である．

用語解説 *
移植片対宿主病（GVHD）
臓器移植において，MHC（HLA）が一致していない移植片（グラフト）を移植すると，そこに含まれるT細胞が患者（宿主，ホスト）の細胞・臓器を攻撃する．その傷害が肝臓や消化管などにまで及んだ状態を移植片対宿主病（GVHD，GVH病）という．

plus α
iPS細胞とGVHD
iPS細胞は，それからさまざまな臓器の細胞をつくることができるため，移植医療への応用が期待されている．自己抗原やHLAが同じヒトに由来する細胞からiPS細胞をつくり，その細胞で臓器を作製して移植すればGVHDを発症しないと考えられる．

3 自己免疫疾患

発症の機序

免疫系は，自己に反応しないようにするため，自己寛容（免疫寛容）というしくみをもっている（➡p.469参照）．このしくみがうまく働かない場合，自己と反応するリンパ球が活性化してしまい，自己免疫疾患の発症につながる．自己免疫疾患は，免疫系細胞が自己の成分を攻撃してしまうことで起こる病気の総称である．自己免疫疾患には，特定の臓器だけが攻撃される臓器特異性免疫疾患と，さまざまな臓器に起こる全身性自己免疫疾患がある．

遺伝的要因

自己免疫疾患の発症には遺伝的要因が大きく関与している．例えばSLEの有病率は0.01〜0.1％であるのに対し，一卵性双生児のSLE一致率は25〜30％といわれている[2,3]．また，特定の型のHLAをもつ人は，あるタイプの自己免疫疾患になりやすいことも知られている．

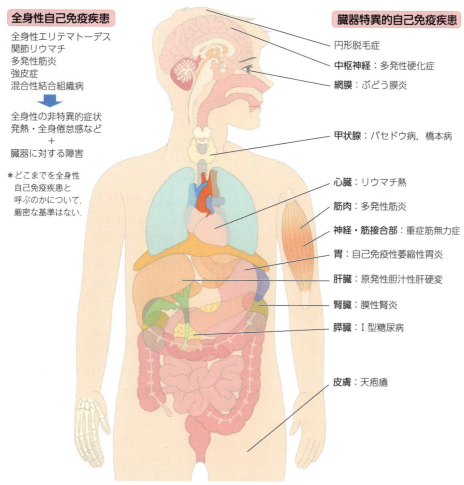

河本宏．もっとよくわかる！免疫学．羊土社，2011，p.185より改変して転載．

図10-65 自己免疫疾患

全身性自己免疫疾患と臓器特異的自己免疫疾患

全身性自己免疫疾患は，膠原病とほとんど同じ概念としてとらえることができる．膠原病は，ある特定の疾患名ではなく，全身の結合組織を中心に起こる炎症により，多くの臓器に障害が現れるさまざまな疾患の総称である．

① 全身性自己免疫疾患

Ⓐ 全身性エリテマトーデス（SLE）

さまざまな自己抗体が出現し，これにより形成された抗原抗体複合体が体内のあちこちに沈着し組織を傷害する．両側の蝶形紅斑（蝶の羽根のような紅い隆起性の斑）がみられ，関節炎，ループス腎炎（腎障害）や中枢神経ループス（精神症状・神経症状）などが起きる．治療は免疫反応を抑制することが第一だが，長期に抑制する治療を続けると日和見感染*で死亡する危険性が高まる．発症率は，女性が男性の約10倍多い．

図10-66 蝶形紅斑

用語解説*
日和見感染
免疫能が低下したヒトでは，弱毒菌や非病原菌であっても重篤な感染症を起こすことがある．これを日和見感染と呼ぶ．

Ⓑ 関節リウマチ（RA）

関節面の骨端表面を覆う滑膜細胞が異常増殖し，最終的には関節が破壊される（➡p.120参照）．自己免疫疾患および膠原病の中で最も発生する頻度が高い．女性に多くみられる．

② 臓器特異的自己免疫疾患

Ⓐ 重症筋無力症

神経と筋の接合部にあるアセチルコリン受容体に対する自己抗体ができることで，神経から筋に情報を送ることができなくなる結果，筋を動かせなくなる疾患（➡p.131参照）．

Ⓑ バセドウ病（甲状腺機能亢進症，グレーブス病）

甲状腺刺激ホルモン（TSH）のレセプターに対する抗体がレセプターを過剰に刺激するため，甲状腺ホルモンが過剰に分泌されて起こる疾患（➡p.519参照）．

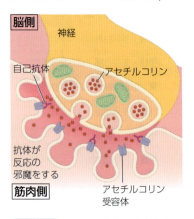

図10-67 重症筋無力症の発症機序

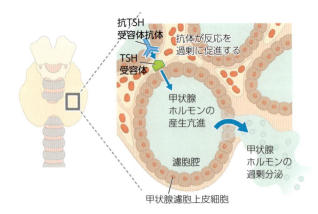

図10-68 バセドウ病の発症機序

ほかにも非常に多くの自己免疫疾患がある．

ヒトの身体は自己に反応する免疫系細胞を完全に排除することはできない．これは一見，ヒトの身体にとって不都合であるように思われるが，さまざまな病原体を排除するためには，多様な抗原に対して多くの種類の細胞を準備する必要があるため，ある程度の危険を伴いながらも，できるだけ多様な細胞を存在させるしくみと構造をもっていると考えられている．

コラム 「素敵なあなた」になるために

免疫力をアップするにはどうしたらよい？インターネットにも雑誌にも，いろいろな方法が書いてあるが，どれも大変そう．できれば，最小限の努力で免疫力をしっかりと手に入れたい……．実は，ここまで読んできたあちこちにヒントが隠されている．

リンパ球は丸い．きっと，ほとんどの人がそう思っているだろう．本章にも，まんまるの細胞の中心に，まんまるの核をもったリンパ球の図が載っている．しかし，どんなときも丸い形を保っていたら，リンパ球は役目を果たせるだろうか？3章にあったように，毛細血管はリンパ球より小さい赤血球がやっと通れるほどの細さである．しかし，リンパ球は身体の隅々まで移動して，獲得免疫の仕事をしなければならないため，丸い形のままだと押しつぶされてしまう．そのため，リンパ球はしなやかに形を変えることで狭い場所を移動し，ほかの細胞と接触して，その機能を発揮するのだ．

マウスのリンパ節の電子顕微鏡写真を見てみよう．リンパ球はフィギュアスケートの選手のように身体をしならせ，足のようなものを伸ばしている．リンパ球を包み込んでいるように見えるのは，線維芽細胞である．この写真では，リンパ球と区別がつくように，線維芽細胞を黒く染めてある．線維芽細胞が作る線維は，おなじみの「コラーゲン」でできている．リンパ節の線維芽細胞は，線維を作ってリンパ節の構造を維持しながら，リンパ球のサポートもしていることが近年わかってきた．リンパ球はこのように，しなやかに形を変えてほかの細胞に接触し，免疫応答を進めている．

1章で示されていたように，細胞を作るには，脂質・タンパク質・糖質，すなわち三大栄養素が必要である．細胞膜が脂質でできているという図を見たときは，「これが看護師に必要なの？」という疑問が生じたことと思う．しかし，この情報は，患者のためにも，素敵なあなたになるためにも必須である．例えば，無理なダイエットで脂質の摂取を極端に制限したら，どんなことが起きるだろう？きっと，細胞はしなやかさを失う上に，免疫応答に必要な受容体を維持するのも難しくなるだろう．これは免疫細胞に限ったことではない．皮膚の細胞も，脳の細胞も同じである．毎日ちゃんと食べて，細胞のメンテナンスをしていれば，細胞たちはあなたのためにしっかり働いて，あなたを輝かせてくれる．

『解剖生理学』は，覚えることや理解すべきことが多く，ここまで読み進めるのは本当に大変だったと思う．でも，その努力は報われる．身体のしくみを理解したあなたは，知らない間に，素敵なひと，素敵な看護師の卵として，もう大きな一歩を踏み出している．

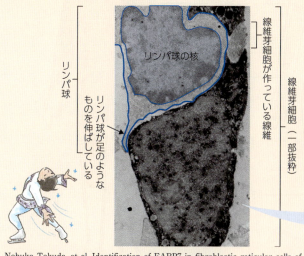

Nobuko Tokuda. et al. Identification of FABP7 in fibroblastic reticular cells of mouse lymph nodes. Histochem Cell Biol. 2010, 134, p.445-452.

図10-69 マウスのリンパ節

マウス（ネズミ）のリンパ節の電子顕微鏡写真．リンパ球と線維芽細胞を示す．線維芽細胞はリンパ球より大きく複雑な形をしているため，細胞の一部のみを撮影した．本書に示されている細胞の図は，このような研究から得られた結果を模式図にしたものである．

7 体熱産生と体温

ヒトや動物は食物を摂取し，栄養素の物質代謝によって生じる熱量はエネルギーとして利用される．総エネルギーのうち約80%はATP（アデノシン三リン酸）に変換されず，体内で熱に変換される．その一方で，体表面からは熱が体外に放散される．つまり，熱産生量と熱放散量が等しければ体温の変動は起こらない．本節では，バイタルサインの一つである体温について説明する．

1 体温の分布

- 体内で産生された熱は体表面から放散される．
- 身体内部にある肝臓や腎臓，脳では代謝活動が盛んで，ほぼ一定の37℃に維持されている．
- 皮膚などの体表面に近い部分の温度は，身体の内部に比べて温度が低く，また環境の変化によって変動する．
- 肝臓や腎臓，脳の領域を核心部といい，その温度を**核心温度**という．体表面に近い部分は外殻部といい，その温度を**外殻温度**という．

■ 核心温度

- 核心温度は人体内部の恒温部の温度であるが，部位によって差がある．
- 核心温度の代用として直腸温，口腔温，腋窩温などが用いられる．

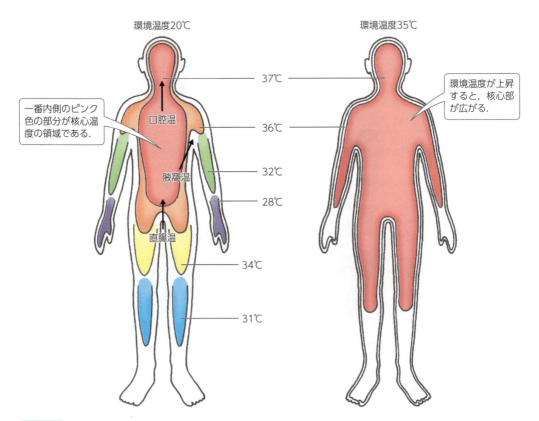

図10-70 核心温度と外殻温度

体温測定

- 臨床的には体温として**直腸温**，**口腔温**，**腋窩温**が用いられる．日本では昔から腋窩温が用いられることが多い．
- 口腔温（舌下温）は直腸温より約0.4～0.6℃低く，腋窩温は直腸温より0.8～0.9℃低い．
- 腋窩は本来，核心部ではなく外殻部に属するため，腋窩温を核心温度として用いるときは次のような注意が必要である．

①腋窩温測定時の注意

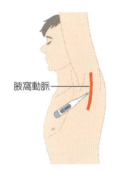

腋窩動脈

① 腋窩中央に感温部を当てる

腋窩温を核心温度として測定するためには，少なくとも5～10分間の測定が必要である．通常は測定開始後30分で一定に達するが，体温測定前に腋窩を40分間外気にさらした場合は，30分後も体温は上昇し続けるため，一定の体温に達しない．

> 腋窩温は，腋窩の閉鎖された空間を形成している皮下組織の温度である．腋窩動脈は体表近くを走行しているため，動脈血の温度が反映され，動脈血の温度を間接的に測定することができる．したがって，体温計の感温部が動脈の走行部（腋窩の最も深い部位）に当たるように，身体の前下方から後上方に向けて挿入する．

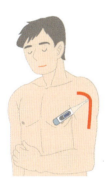

② 上腕を腕に密着させて腋窩に閉鎖腔をつくる

測定中は腋窩を完全に密着する必要があるため，腋窩が開かれた場合はもう一度測定をやり直さなければならない．

表10-5　測定部位による温度差

直腸温 ＞ 口腔温 ＞ 腋窩温
直腸温 － 口腔温 ＝ 0.4～0.6℃
直腸温 － 腋窩温 ＝ 0.8～0.9℃
口腔温 － 腋窩温 ＝ 0.2～0.3℃（臥床時）
＝ 0.3～0.5℃（起座時）

核心温度の周期的変動

①概日リズム（サーカディアンリズム：circadian rhythm）

体温は午前2～4時ごろ（夜中から明け方）に最も低くなり，午後2～6時ごろにかけて最高になるが，その差は1℃以内である（➡p.378参照）．

> 人体の機能，例えば体温や血中のホルモン濃度などは24時間前後の周期的な変動がみられる．「サーカ（circa）」は「おおむね」とか「約」という意味で，「ディアン（dian）」は「1日」を表す言葉である．

②年齢差

- 乳幼児期は体温調節機能が未発達なため，環境の影響を強く受ける．生後約120日で体温は安定し，2歳ごろから生理的な日内変動がみられるようになる．乳幼児が風邪などで高熱を発しやすいのは，体温調節機能が未発達であることも一つの原因である．
- 高齢者の体温は一般に低いとされているが，これは皮下脂肪が薄く，筋肉量の減少や皮膚の熱伝導性が低いために低く測定されると考えられており，体温自体が低いとはいえない．

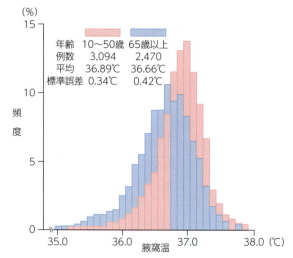

入来正躬ほか．老人腋窩温の統計値．日本老年医学会雑誌．1975, 12（3），p.172-177.

図10-71 成人と高齢者の腋窩温の比較

③基礎体温

- 生命維持に必要な最小限のエネルギーのみを消費している状態（安静時）の体温を基礎体温といい，早朝起床前の体温である．
- 成人女性では月経周期と関連して変動する．排卵日にやや低下して最低となり（低温相），その後，排卵以前の低温相よりも0.3～0.5℃体温が上昇し，高温相に移行する．そして月経開始とともに排卵前の体温にまで再び低下する．すなわち，月経および卵胞期は低温であるが，排卵および黄体期にはプロゲステロン（黄体ホルモン）の影響によって代謝が亢進するため，体温が上昇する（➡p.539参照）．

2 熱の出納

成人の1日当たりのエネルギー消費量は2,000〜2,500kcalであり，その大部分は熱エネルギーとして失われる．

熱産生

食物として摂取したエネルギーの約80％は熱として失われ，身体のエネルギー産生に用いられる割合は約20％にすぎない．

- **①身体的活動**
  - 運動や労働によって代謝は亢進し，熱産生は増加する．

- **②食事誘発性熱産生**
  - 安静時でも，食事後数時間は代謝が亢進し，熱産生が増加する．
  - 三大栄養素の中で，特にタンパク質を摂取したときにこの現象が顕著にみられる．

> 古い用語では，特異動的作用という．この代謝亢進率は，タンパク質のみでは摂取熱量の約30％に相当し，糖質のみでは約6％，脂質のみでは約4％である．

- **③ふるえ（shivering）**
  - 寒冷刺激によって体温を維持するために，周期的に生じる骨格筋の不随意な収縮で，収縮エネルギーはすべて熱に変換される．

- **④非ふるえ熱産生**
  - 骨格筋の収縮が関与しない熱産生のことで，生体が安静時に必要とする基礎代謝と環境温が低下したときに関係する体温調節性非ふるえ熱産生がある．非ふるえ熱産生は主に褐色脂肪組織*で生じ，ヒトでも新生児期には体温調節に重要な役割を果たしている．

用語解説*
褐色脂肪組織
肩甲骨の間や腋窩，頸部，胸腹部の大血管沿いなど全身に散在し，ミトコンドリアに富むため褐色を呈する．交感神経の刺激によってβ3受容体が興奮し，cAMPが増加することで脂肪分解が促進される．また，交感神経刺激によってミトコンドリア内膜に特異的なタンパク質（アンカップリングプロテイン1；UCP-1）が発現され，このタンパク質は蓄えられた脂肪を原料として熱を産生させる働きを有している．

熱放散

生体内で産生された熱は体表面から環境に放散される．

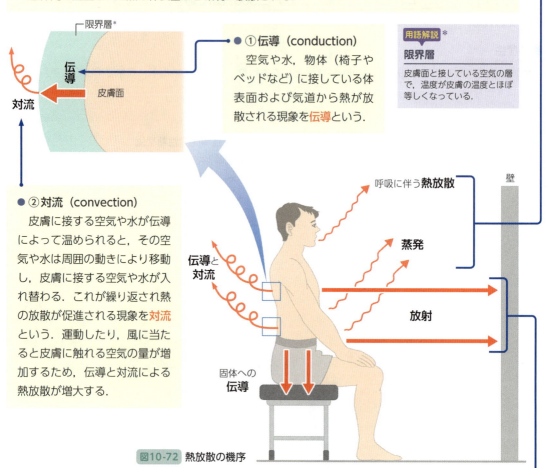

①伝導（conduction）
空気や水，物体（椅子やベッドなど）に接している体表面および気道から熱が放散される現象を伝導という．

用語解説 *
限界層
皮膚面と接している空気の層で，温度が皮膚の温度とほぼ等しくなっている．

②対流（convection）
皮膚に接する空気や水が伝導によって温められると，その空気や水は周囲の動きにより移動し，皮膚に接する空気や水が入れ替わる．これが繰り返され熱の放散が促進される現象を対流という．運動したり，風に当たると皮膚に触れる空気の量が増加するため，伝導と対流による熱放散が増大する．

図10-72 熱放散の機序

熱放散

③放射（radiation）
体温が環境温度よりも高い場合に熱が空気中に放散される現象で，体温と環境温度の差が大きいほど熱放散量は多くなる．

コラム 　香辛料やハーブによって熱くなったり，冷たくなったと感じるのはなぜ？

温度を感じる温度センサー（感覚神経）は全身に存在するが，特に目，口，唇，指先などに多い．

ミント，ハッカ，ユーカリオイルなどの成分は「冷たいセンサー（冷受容器）」を刺激するために冷たくなったと勘違いする．また，トウガラシ（唐辛子），ショウガ（生姜），サンショウ（山椒），ニンニクなどの成分は「熱いセンサー（温受容器）」を刺激するために熱くなったと勘違いする．

実際に温度が変わらなくても，温度センサー（温度受容器）が香辛料やハーブによって刺激されることで，私たちは温度が変化したと感じる（➡p.430参照）．

④蒸発

水1mLが30℃で蒸発する場合，0.580kcal（2.43kJ*）の熱（気化熱）が奪われることによって熱の放散が行われる．これを蒸発といい，蒸発には<u>不感蒸泄</u>と<u>発汗</u>がある．

Ⓐ不感蒸泄

皮膚，肺や気道粘膜から呼気として無自覚的に水分が蒸発する現象で，皮膚からは500〜700mL/日，肺からは150〜450mL/日の蒸発があるといわれている．1日に800〜1,000mLの水分が放出されるため，これらがすべて蒸発すると1日に約500kcalの熱が放散されることになる．

Ⓑ発汗

外気温の上昇や運動などによる熱産生が増加すると，熱放散では処理できなくなり，可感蒸泄，すなわち発汗によって体温の調節が行われる．汗の水分が皮膚表面から蒸発するときに周囲の熱を吸収するため体温が下がる．発汗は汗腺で起こり，温熱性発汗（放熱）および味覚性発汗にはエクリン汗腺が関係する．

発汗には次の三つがある．

温熱性発汗

温熱刺激によって手掌および足底を除く全身で生じ，エクリン汗腺が関係する．エクリン汗腺はコリン作動性線維の交感神経節後線維が支配している．全身に発汗が生じるため，その汗量は1時間で最高1〜1.5Lに及ぶこともある．

精神性発汗

精神的な緊張によって起こる発汗で，特に手掌，足底，腋窩，前額および鼻などで生じる．外界の温度と無関係に起こり，体温を調節する効果はない．

味覚性発汗

わさびやカレーなど刺激性のある食品を食べたときに起こる発汗で，特に顔面に強くみられる．体温は変化しない．

用語解説 *

J（ジュール）

エネルギー，仕事，熱量などを表す国際単位（SI単位系）．熱量としては1J=約0.24cal，約4.184J=1cal．

環境温に対する熱の出納および身体に現れる変化

①暑さへの適応

周囲の温度が上昇すると次のような反応が起こる．

①熱の放散を促進するため血管が拡張する．そのため，顔面が紅潮し，皮膚の血色も良くなる．
②姿勢を大きくして熱の放出面積を大きくする．また，発汗が生じ，可感蒸泄を活発にするとともに呼吸が促進される．
③身体を動かさないようにして基礎代謝量を低下させ，体熱の産生を抑制するようになる．

②寒さへの適応

周囲の気温が低下すると，人はまず体温を逃がさないように反応する．

①皮膚表面の血管を素早く収縮させて，表面の血流を少なくすることで，<u>顔面の蒼白</u>や<u>皮膚の鳥肌</u>が生じる．さらに姿勢を丸くして，熱の放散面積を減少させたりする．
②<u>ふるえ</u>によって体熱を産生し，また，アドレナリンや甲状腺ホルモンの分泌を促し，代謝を活発にして体熱を産生する．
③身体を動かし，<u>筋肉運動</u>を行うことで体熱の産生を促進させる．

3 体温調節

哺乳動物は常にある一定の体温を維持している恒温動物である．体温を一定に維持することは，その動物の有する各種機能を作用させるために重要なことである．すなわち，体内の化学反応速度は酵素の作用に影響され，体内で酵素が作用する至適温度は37～38℃である．生体は原則的には熱産生と熱放散の調節によって核心温度を調節している．体温は温度受容器によって感知され，その温度情報が中枢に伝えられることで，体温の調節に関与する．末梢の温度受容器は皮膚にあり，中枢の温度受容器は**視床下部**に存在する．

末梢温度受容器

皮膚には温点および冷点が存在し，それには皮膚の温度変化に特異的に反応する温線維（無髄C線維）および冷線維（有髄Aδ線維，無髄C線維）が自由神経終末として終止している．温線維は40～45℃，冷線維は25～30℃で最もよく応答する．外殻部の温度情報はこれらの神経線維が興奮して中枢に伝えられる．皮膚の受容器は外殻温度の低下を感知する冷受容器が主で，外気温が低下すると，核心温度が低下する前に冷受容器を介して中枢に伝えられる．

中枢温度受容器

視床下部の一部である視索前核（視索前野）に，核心温度の上下を感知する温度感受性ニューロンが存在する．このニューロン群が中枢温度受容器と考えられている．

体温調節中枢

視索前核（視索前野）は，中枢温度受容器の機能とともに，中枢および末梢温度受容器からの情報を統合し，体温が外気温に影響されず一定に保たれるよう命令を出す，体温調節中枢としても機能している．

①体温上昇時

核心温度が上昇すると，皮膚血管が拡張して血液量が増加し，発汗が起こる．熱放散の速度を亢進させる皮膚血管の拡張と発汗は交感神経系によって調節されている．すなわち，皮膚血管を支配している交感神経線維の活動の低下によって皮膚血管が拡張して皮膚血流量を増大させ，汗腺を支配している交感神経線維の活動亢進によって汗の分泌量は増加する．

②体温低下時

外殻温度の低下によって冷受容器が興奮すると，物質代謝の亢進によって熱産生は増大し，皮膚血流量の減少によって熱放散は減少する．

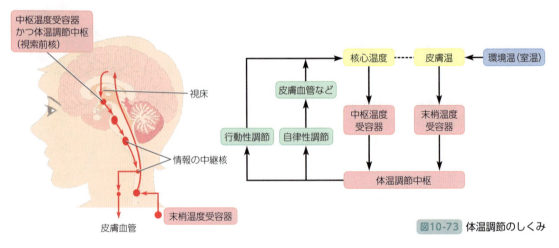

図10-73 体温調節のしくみ

発熱 (fever)

正常な体温レベルよりも異常な体温上昇を来した状態を発熱という．発熱物質が体温調節中枢に作用することによって，体温のセットポイント（設定温度）が上昇するためと考えられている．正常な体温の範囲には個人差があるため，腋窩温で37℃を超えた場合をすべて発熱状態とはいえないが，37.2〜37.3℃を常時超えている場合には発熱を疑ったほうがよい．

①発熱の原因

大別すると，次の三つに分類できる．

- Ⓐ **機械的刺激**
  脳出血，脳腫瘍，頭蓋骨骨折などによって体温調節中枢が機械的に損傷されることで発熱する．
- Ⓑ **化学的刺激**
  病原細菌などの感染によって発熱を誘発する物質を外因性発熱物質という．外因性発熱物質や組織の壊死などの刺激が単球やマクロファージなどの免疫担当細胞に作用して，二次的に産生された発熱物質を内因性発熱物質（IL-1，IL-6などのサイトカイン）という．これらの物質は脳内でプロスタグランジンE2（PGE2）の産生を誘発し，これが視索前核（視索前野）に作用することで設定温度（セットポイント）が上昇し，熱放散が抑制され，熱産生が促進することによって体温が上昇する．
- Ⓒ **精神的刺激**
  激しい興奮状態や神経症にみられる発熱で，大脳皮質からの影響によって発熱することがある．

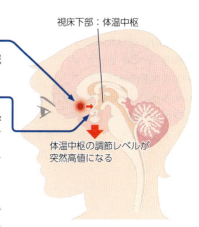

図10-74 発熱の原因

②発熱時の反応

発熱時には，発熱物質の刺激によって体温調節中枢の設定温度が上昇するため，相対的に外気温が低下したように感じられ，悪寒を生じる．その結果，視索前核（視索前野）が応答することで皮膚表面の血管が収縮し，顔色は青白くなる．また，ふるえや立毛などの対寒反応によって熱産生が増加し，体温が上昇する．

③解熱時の反応

解熱時には設定温度が正常値に戻るため，上昇していた体温は視索前核（視索前野）の応答によって熱が放散されることで低下する．その結果，皮膚表面の血管の拡張により顔色が良くなり，また発汗などによって放熱量を増加させる対暑反応によって体温を正常な状態に戻す．

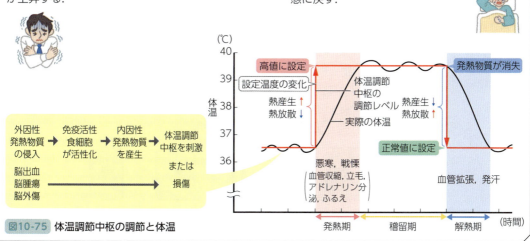

図10-75 体温調節中枢の調節と体温

4 高体温・低体温

➡ ナーシング・グラフィカ『病態生理学』3章7節参照.

▪ 高体温

高体温とは体温が異常に上昇した状態をいい，うつ熱と発熱に区別される．

●①うつ熱

うつ熱とは，異常な暑さに体熱の放散が過度に妨げられた状態，運動などで体熱の産生が過度で，放散能力を上回った状態のことである．

●②発熱

前述のとおり発熱とは，体温調節中枢の作用に異常が生じて体温が高められた状態のことである．

●③高体温の特徴

高体温になると多量に発汗し，著しい脱水状態に陥る．その結果，体温上昇，口渇，疲労感，めまいが生じる．さらに進行するとせん妄状態になり，うわ言を言うようになる．この状態を熱射病（熱疲憊_{ねつひはい}）といい，最悪の場合には死に至る．熱射病は，失われた水分および塩分が十分に回復できない場合に生じる．

> **plus α**
> **熱中症**
> 熱中症とは，暑熱によって身体の障害が引き起こされた状態の総称であり，重症度によりⅠ度（軽度：熱けいれん，熱失神），Ⅱ度（中等度：熱疲労），Ⅲ度（熱射病）に分類される．Ⅰ度は比較的軽症であるが，Ⅲ度は入院が必要な病態である[4]．

図10-76 高体温

▪ 低体温

低体温は体熱産生が減少したり，体熱放散が過度に増加したり，またはこの両者が合わさった場合に生じる．生体が著しい寒気にさらされると放熱により体温は低下し，これが体温調節の限界を超えると体温は著しく下降する．その結果，体内の物質代謝が低下するため，熱産生も低下し，ますます体温は下降する．各臓器は生理機能障害を起こし，精神活動が鈍り，筋肉も硬直する．この時点で適切な処置がなされないと，最終的には死に至る（凍死）．

図10-77 低体温

臨床場面で考えてみよう

皮膚と膜

1. 48歳の男性が胃を切除する手術を受けた後，腸が腹壁に癒着してイレウスを起こすようになった．癒着した部分では，腹膜がどのようになっていると考えられるか説明せよ．
2. 82歳の女性が胃内視鏡を使って胃瘻を造設する処置を受けた．プラスチックのチューブが胃の内腔から腹部の皮膚表面に突き出している．このチューブの周囲で，粘膜と皮膚がどのように移行しているかを説明せよ．
3. 2歳の男児がポットの熱湯を浴びて，左上腕部にⅡ度熱傷を受傷した．熱傷部位では，皮膚のどの深さまで傷害され，表皮の再生はどこから起こると予測されるかを説明せよ．
4. 22歳の女性がバイクの事故で腹部内臓損傷を受傷し，腹腔内出血でショック状態である．皮膚は蒼白で冷たく冷汗がみられる．この皮膚の所見がどの神経の作用で，どのような機序で起こったかを説明せよ．

免疫系

1. Aさんはハチに刺され，皮膚に蕁麻疹が現れた．現在は症状がない．Aさんは今後どのようなことに気をつけなければならないか，また，それはなぜか，説明せよ．
2. Aさんはネックレスを着けて，夏の暑い日にテニスをしたところ，頸部に強いかゆみを伴う皮疹が生じた．なぜこのようなことが起こったのか説明せよ．

引用・参考文献

1) 国立感染症研究所．"発生動向調査年別報告数一覧（全数把握）－四類感染症－"https://www.niid.go.jp/niid/ja/ydata/10411-report-ja2020-20.html,（参照2024-10-18）．
2) 河本宏．もっとよくわかる！免疫学．羊土社，2011, p.193.
3) 熊ノ郷淳編．免疫ペディア：101のイラストで免疫学・臨床疫学に強くなる！．羊土社，2017, p.223.
4) 日本救急医学会熱中症に関する委員会．熱中症診療ガイドライン2015．日本救急医学会，2015, p.7-8.
5) 前掲書2）．222p.
6) 河本宏．マンガでわかる免疫学．オーム社，2014, 272p.
7) 前掲書3）．317p.
8) 田中裕二編．わかって身につくバイタルサイン．学研メディカル秀潤社，2013, p.12-37.
9) 大地陸男．生理学テキスト．第8版，文光堂，2017, p.504-510.
10) 堺章．目でみるからだのメカニズム．第2版，医学書院，2016, p.168.
11) 桑木共之ほか編訳．トートラ人体の構造と機能．第5版（原書15版），丸善出版，2019, p.1039-1040.
12) 本間研一監修．標準生理学．大森治紀ほか総編集．第9版．医学書院，2019, p.901-923.

重要用語

- 漿膜
- 漿液
- 腹膜
- 胸膜
- 心嚢膜
- 腹腔
- 胸腔
- 心嚢
- 腹水
- 胸水
- 心嚢液
- 粘膜
- 滑膜
- 滑液
- 滑液包
- 滑液鞘
- 髄膜
- 皮膚
- 表皮
- 真皮
- 皮下組織
- 筋膜
- 表皮細胞
- ランゲルハンス細胞
- 角化
- ケラチン
- メラニン色素
- メラニン細胞
- 毛
- 爪
- 脂腺
- 汗腺
- エクリン汗腺
- アポクリン汗腺
- 自然免疫系
- 獲得免疫系
- 顆粒球
- 好中球
- 好酸球
- 好塩基球
- 単球
- マクロファージ
- T細胞（Tリンパ球）
- B細胞（Bリンパ球）
- キラーT細胞
- ヘルパーT細胞
- 形質細胞
- NK細胞
- 貪食
- 抗体
- 抗原
- 骨髄
- 胸腺
- リンパ節
- 脾臓
- 扁桃
- 一次リンパ組織
- 二次リンパ組織
- 抗原レセプター
- 樹状細胞
- 特異性
- 多様性
- MHC（主要組織適合遺伝子複合体）
- HLA
- 制御性T細胞
- 免疫寛容
- 自己寛容
- 免疫記憶
- 記憶細胞（メモリー細胞）
- 抗原抗体反応
- オプソニン化
- 補体
- 免疫グロブリン（イムノグロブリン）
- IgM
- IgG
- IgA
- IgE
- IgD
- クラス
- クラススイッチ
- 親和性成熟
- 肥満細胞
- 二次免疫応答
- サイトカイン
- 液性免疫
- 細胞性免疫
- 炎症
- アレルギー
- 自己免疫疾患
- 即時型過敏症
- アナフィラキシー型
- アレルゲン
- アナフィラキシーショック
- 減感作療法
- ツベルクリン反応
- 移植片対宿主病（GVHD）
- 核心温度
- 外殻温度
- 概日リズム（サーカディアンリズム）
- 基礎体温
- 食事誘発性熱産生
- 不感蒸泄
- 発汗
- 視床下部
- 発熱
- 解熱

学習達成チェック

- ☐ 漿膜のある部位を挙げ，その構造と機能を説明できる．
- ☐ 粘膜と皮膚が連続している部位を挙げることができる．
- ☐ 滑膜や滑液包のある部位を挙げ，その役割を説明できる．
- ☐ 表皮・真皮・皮下組織の構造を説明できる．
- ☐ 毛・爪・脂腺・汗腺が皮膚の機能にどのように関与しているかを説明できる．
- ☐ 自然免疫系と獲得免疫系について，それぞれ説明できる．
- ☐ 免疫反応を起こす細胞の特徴と機能について説明できる．
- ☐ 抗体の構造と機能について説明できる．
- ☐ 感染症に対する免疫系の細胞の反応について説明できる．
- ☐ アレルギーについて説明できる．特に，IgEが関与するアレルギーについて詳細に説明できる．
- ☐ 代表的な自己免疫疾患を挙げ，その発症機序を説明できる．
- ☐ 核心温度，外殻温度について説明できる．
- ☐ 腋窩温測定時の注意事項について説明できる．
- ☐ 体温の概日リズム（サーカディアンリズム）について説明できる．
- ☐ 基礎体温について説明できる．
- ☐ 体熱の産生と放散について説明できる．
- ☐ 不感蒸泄と発汗の違いについて説明できる．
- ☐ 体温の調節機構について説明できる．
- ☐ 発熱時および解熱時の症状について，設定温度（セットポイント）と関連付けて説明できる．

解剖生理学が臨床につながる！

20歳女性，Mさんは，乗用車を運転しながら居眠りしてしまい，道路脇のコンクリート壁に衝突した．衝突したときの車のスピードは約40km/時で，シートベルトを装着していて，衝突に反応しエアバッグが開いた．Mさん自身は，衝撃は大したことないと思っていたが，軽い腹痛があった．現場に駆け付けた警察官に促され近くの病院まで歩いて，救急外来を受診した．

病院で受付を済ませて待合室で座っていると，看護師に「**顔色が蒼白**で，**冷や汗**をかいていて，**触ると手が冷たい**」と，ショック疑いとすぐさま判断された．そして，すぐに救急処置室の中に案内され，救急担当の医師が呼ばれた．

診察時の意識レベルは清明で，会話は普通にできていた．バイタルサインは，体温36.0℃，血圧100/80mmHg，脈拍数100回/分（整），呼吸数24回/分，経皮的動脈血酸素飽和度100%（ルームエア*）だった．血圧が大きく低下していたわけではなかったが，**ショック状態**であり，診察と検査の結果から**腸間膜損傷**による，**腹腔内出血**と診断され，緊急開腹止血術が行われることになった．

「すぐさまショック疑いと判断し，迅速に対応したのは素晴らしい」と看護師は評価された．

用語解説 *
ルームエア
環境中の空気濃度のこと．酸素投与していない状態を示す．

❶ 見えない部位からの出血の可能性を考える

大量出血には，体外への出血（外出血）もあれば，体内での出血（内出血）もある．左右の胸腔・腹腔・後腹膜に数L以上内出血すると，死に至る可能性がある．外表から見える損傷を観察すると同時に，直接は見えない病態も，解剖生理学の知識を生かして想像する必要がある．

❷ 人体の構造と事故当時の状況から損傷部位を考える

腸間膜損傷は，シートベルトと腰椎の椎体との間に，着衣，腹壁の皮膚・皮下組織・筋膜・筋肉・壁側腹膜や，腹腔内の臓側腹膜・小腸・腸間膜・後腹膜が挟まれたことにより，小腸や腸間膜が損傷されたと推定される．

腰椎の椎体の前面が，意外と腹壁に近いことを再認識しよう（図10-78）．

❸ バイタルサインだけでなく患者自身を観察する

血圧などのバイタルサインだけでなく，数値には表れない部分の観察も大切である．重症の外傷や大量の出血では，交感神経系が興奮し，皮膚の血管が収縮して皮膚の色が蒼白になったり，冷たくなったり，交感神経系で汗腺が刺激され，冷や汗が出たりするため，**蒼白・冷感・冷や汗**として観察される．これらは，**脈拍の減弱・脈拍数の増加・血圧の低下**とともに**ショックの徴候**として重要である．

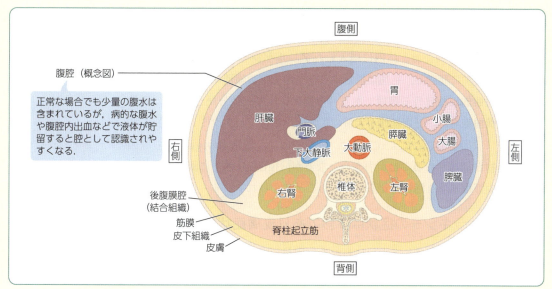

図10-78　腹腔の断面図

腹腔（概念図）
正常な場合でも少量の腹水は含まれているが，病的な腹水や腹腔内出血などで液体が貯留すると腔として認識されやすくなる．

腹側／右側／左側／背側
肝臓／門脈／下大静脈／大動脈／胃／膵臓／小腸／大腸／脾臓／右腎／椎体／左腎／脊柱起立筋
後腹膜腔（結合組織）／筋膜／皮下組織／皮膚

　80歳女性のNさんは大腿骨頸部骨折を起こし入院となったが，術後の経過も良く，リハビリテーションをしていた．本日38℃の発熱があり，医師の診察の結果，肺炎の診断となった．病棟看護師であるあなたは，抗菌薬を準備して訪室した．Nさんは50歳代のころ，風邪で近医を受診した際にもらった「風邪薬」で皮疹が出たことがあるが，抗菌薬をもらったかどうかはわからないとのことだった．

　訪室時，解熱剤（アセトアミノフェン）を飲んだ後だったため，体温は37.5℃まで下がっており，血圧120/75mmHg，脈拍85回/分，呼吸数16回/分，経皮的動脈血酸素飽和度96%（ルームエア）と状態は安定していた．あなたは抗菌薬の投与を開始し，滴下がスムーズで刺入部にも問題がないことを確認し，退室した．

　5分後に状態観察のため訪室したところ，Nさんは「少し火照るような感じがするけど，これからまた熱が上がるのかな．おなかが少しグルグルする感じもあります．ついさっきから咳も出てきているから肺炎が早く良くなって欲しい」と話していた．あなたは，Nさんの皮膚がほんのりと赤みがかっているようにも見えたが，熱のせいもあるかと考え，はっきりとした蕁麻疹のような皮疹も出ていないため，大きな問題はないと判断して退室した．

　その5分後，経皮的動脈血酸素飽和度が90%を下回った状態でアラームが鳴っていたため訪室すると，Nさんの全身が紅潮しており，かゆみの訴えもあった．すぐに看護師の応援を呼びながら，主治医をコールし診察を依頼した．抗菌薬によるアナフィラキシーと診断され，抗菌薬の投与を中止し，アドレナリンの筋肉内注射を行ったところ，速やかに症状は改善した．

　あなたは「早く気付くために，どのようなところを観察すべきだったのだろう？」と思った．アナフィラキシーを疑う症状について，観察すべき症状や患者に説明すべきことは何があるだろうか？

① アナフィラキシー発症の機序

アナフィラキシーとは，体内に侵入したアレルゲン等に対して引き起こされ，通常，突然に発症し，急速に進行する全身性で複数臓器にわたる過敏反応であり，致命的になりうる病態である（**I型アレルギーに分類される**）．活性化した肥満細胞および好塩基球が大量の化学伝達物質（ヒスタミンなど）を循環血液中に放出することによって生じ，一般的には，細胞上のIgEにより原因となる異物が認識されることが引き金となるが，IgEを介さずに直接，異物が肥満細胞や好塩基球を活性化する場合もあると考えられている．

② アナフィラキシーの症状は多彩であり皮膚症状だけではない

アナフィラキシーでは，多臓器にわたる症状が，同時あるいは時間差で出現する．アレルゲンの曝露から症状が出現するまでの時間は短く，たいていは30分以内（遅くとも数時間以内）に生じる．アナフィラキシーの症状としては，**皮膚症状**（蕁麻疹，顔面紅潮，発疹のないかゆみなど）の頻度が高いが，90％ほどとされており，必ずしも出現するわけではないことに注意が必要である．そのほかの臓器症状としては，**呼吸器症状**が40～60％（呼吸困難，喘鳴，鼻炎，喉頭浮腫），**循環器症状**が30～50％（めまい，失神，血圧低下），**腹部症状**が25～30％（悪心，下痢，腹痛）などである[1]．

こういった症状は，ヒスタミンを中心としたサイトカインによる血管拡張，血管透過性の亢進，気管支収縮などを主病態として出現する（図10-79）．ヒスタミンの放出により全身臓器の血管が拡張すると，血管内皮細胞間の結合が緩くなり，血漿成分が細胞外へ漏出することで，間質浮腫と循環血漿量の減少が起こる（血圧低下にもつながる）．皮膚の間質浮腫が起こると蕁麻疹（膨疹）となり，鼻粘膜の間質浮腫が起こると鼻汁，くしゃみなどが起こる．気道では，気道分泌物の増加と気管の収縮によって咳嗽や喘鳴が起こり，消化管がむくんで水分が吸収できないと下痢になり，そして消化管内腔が狭くなることで腹痛が起こる．

③ アナフィラキシーには1分1秒でも速くアドレナリンの投与を！

アナフィラキシーの治療において最も重要なのは，**アドレナリン**（筋肉内注射）を早期に投与することである．アドレナリンの効果としては，ヒスタミンをはじめとした化学伝達物質の放出を抑えられることなどがあり，これらによりアナフィラキシーの重症化や死亡を防ぐことができる．国内の抗菌薬によるアナフィラキシーの死亡例では，点滴開始直後から5分以内になんらかの症状を来しており，最初は軽い症状でも急速に悪化している症例もある．

そして注意すべきは，重症化（血圧低下や意識障害，心肺停止などが出現）した後にアドレナリンを投与しても救命できない可能性があることである．一

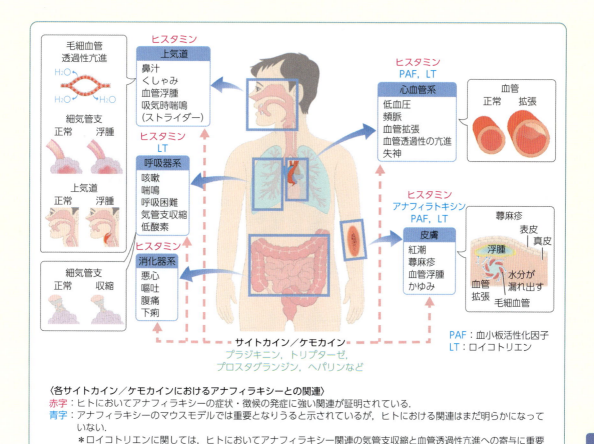

図10-79 アナフィラキシーの症状とそれらに関わる化学伝達物質

一般的には，抗菌薬の初回投与時，少なくとも最初の5分間は注意深く観察することとされているが（施設によって観察手順は異なる），この際に，軽い症状でもアナフィラキシーを早期に疑えることが医療従事者には求められる．医師よりも患者に（物理的にも精神的にも）近い立場になることの多い看護師としては，アナフィラキシーの症状が非常に多彩であることを理解し，早期に気付けるようにすること，注意すべき症状が出たときに患者から知らせてもらえるよう患者へ説明しておくことが大切である．

引用・参考文献

1) Phillip Lieberman, MD et al. The diagnosis and management of anaphylaxis : an updated practice parameter. J Allergy Clin Immunol. 2005, 115（3），S483-523.

11 内分泌系
内部の環境を整えるしくみ

ここだけ見れば まず**内分泌系**がわかる！

コンテンツが視聴できます（p.2参照）

動画でチェック
内分泌系

○副甲状腺（上皮小体）

- 甲状腺の背面側上下左右に4個あり，血液中の**カルシウム濃度の上昇**，リンの低下作用をもつ**副甲状腺ホルモン**を分泌している．

○甲状腺

- 代謝亢進作用などをもつ**サイロキシン（チロキシン）**，**トリヨードサイロニン**を産生する．
- 血中カルシウム濃度を低下させる**カルシトニン**も分泌している．

○精巣

- 男性の陰嚢内にある卵円形の性腺であり，視床下部からの性腺刺激ホルモンの作用により精子形成と**テストステロン**の分泌が促進される．

504

- ☑ 血管内（血液）に分泌され，ゆっくりだが低濃度で全身に作用し，分解・排泄されるまで比較的長く作用する．
- ☑ 神経系と連動，協調して免疫系や恒常性の維持に重要な役割を果たしている．

○視床下部

- 視床下部は神経系と内分泌系を統合する要である．
- Ⓐ成長ホルモン，Ⓑ甲状腺刺激ホルモン，Ⓒ副腎皮質刺激ホルモン，Ⓓ性腺刺激ホルモン，Ⓔプロラクチンなどの**放出を指示するホルモン**を下垂体前葉に向けて分泌し，下垂体前葉ホルモンの調整をしている．プロラクチンに関しては抑制ホルモンも分泌している．
- 下垂体後葉ホルモンの合成をしている．

○下垂体後葉

- 視床下部で合成された**バソプレシン**，**オキシトシン**を貯蔵し，神経刺激により放出している．

○下垂体前葉

- 視床下部ホルモンの指示を受けて，Ⓐ成長ホルモン，Ⓑ甲状腺刺激ホルモン，Ⓒ副腎皮質刺激ホルモン，Ⓓ性腺刺激ホルモン，Ⓔ**プロラクチン**を分泌調節している．

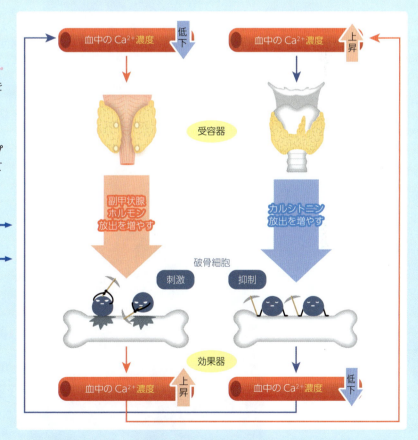

- 副甲状腺ホルモンとカルシトニンは，血中のカルシウムイオン（Ca^{2+}）に対して反対作用をもち，**下垂体の影響を受けずに**，分泌が調節されているホルモンである．

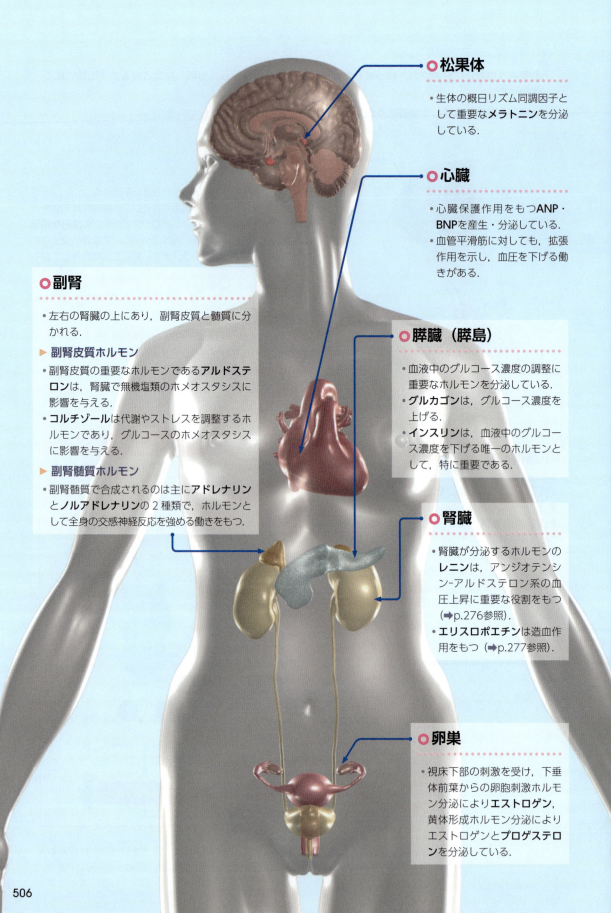

○ ホルモンの調節機構（ネガティブフィードバック）

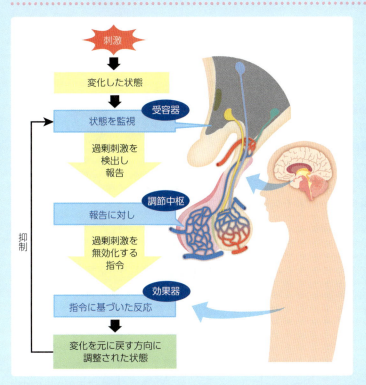

- 状態の変化を観察する受容器，その観察結果から調節中枢が判断し，必要に応じて効果器となる器官や組織に指令を送り，効果器はその指令に従った反応を起こすことで調節している．
- 変化を元に戻す方向で調節するのを**ネガティブフィードバック**といい，多くのホルモンはネガティブフィードバックシステムにより調節される．
- 変化を強める方向で調節する場合は，**ポジティブフィードバック**という．

○ ホルモンの種類

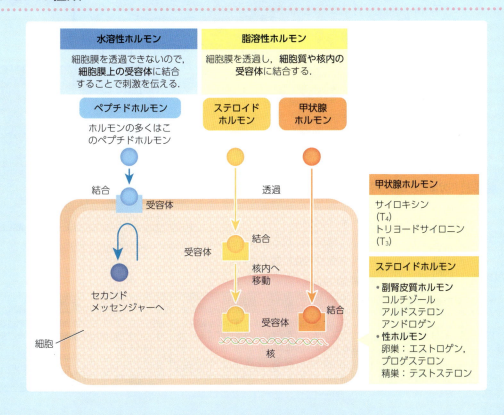

11 内分泌系●内部の環境を整えるしくみ

1 内分泌系とホルモン

1 内分泌系

■ 内分泌系とは

- 内分泌とは，特定の臓器（**内分泌腺**）から**ホルモン**＊と呼ばれる伝達物質を血液中へ放出することを指し，ホルモンが血流により全身をめぐり，受容体をもつ**標的細胞**に働くことで機能調節を行っている．
- 神経系とともに，体内の全システムの機能を調節している．
- 近年では特定の内分泌腺だけでなく，さまざまな器官や組織がホルモンを分泌し内分泌系を構成し，局所作用する局所ホルモンも明らかになっている．

用語解説 ＊
ホルモン（hormone）
「刺激する，興奮させる，動かす」の意味をもつギリシャ語が語源である．

■ 内分泌と外分泌の違い

■ 内分泌系の主な役割

- 代謝調節と概日リズム（サーカディアンリズム）に関与し，恒常性（ホメオスタシス）を維持している．
- 生殖機能を含む成長と発達の促進を担っている．

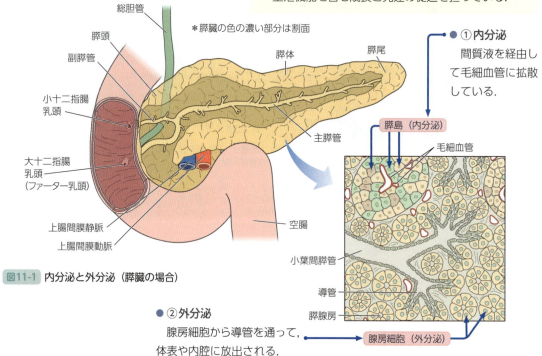

図11-1 内分泌と外分泌（膵臓の場合）

表11-1 内分泌腺と外分泌腺（膵臓の場合）

分泌腺の種類	分泌される物質	経路
内分泌腺：膵島（産生細胞）	インスリン（β細胞），グルカゴン（α細胞），ソマトスタチン（δ細胞），膵ポリペプチド（F細胞）などのホルモン	放出されたホルモンは間質液から毛細血管に入り，全身を循環し受容体をもつさまざまな細胞に作用する．
外分泌腺：腺房細胞	トリプシン，リパーゼ，αアミラーゼなどの消化酵素	膵液として膵管を通って，総胆管の胆汁と共に十二指腸に放出される．

■ 内分泌腺

ホルモンを合成し血液中へ放出する特定の臓器を内分泌腺と呼ぶ．

■ 内分泌腺以外にホルモンを分泌している器官や組織

特定の臓器以外にも，ホルモンを分泌する細胞はさまざまな器官や臓器で確認されており，重要なものを図中に示している．

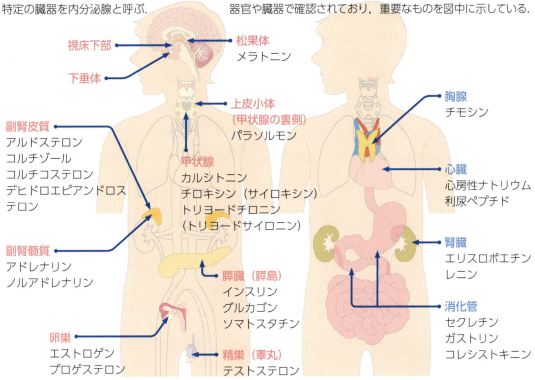

図11-2 内分泌腺とそれ以外のホルモン分泌器官・組織

■ 循環ホルモンと局所ホルモン

ホルモンは，血液に入り全身をめぐる**循環ホルモン**と，血流には入らず，近くの細胞や分泌細胞自身に作用する**局所ホルモン**に大別される．大部分のホルモンは循環ホルモンである．

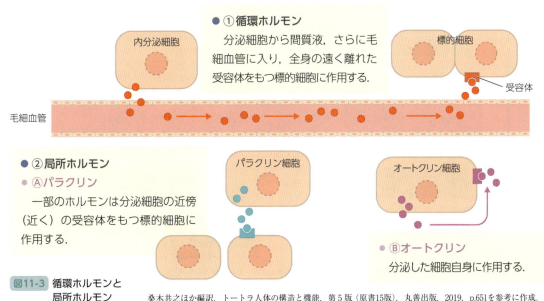

図11-3 循環ホルモンと局所ホルモン

桑木共之ほか編訳．トートラ人体の構造と機能．第5版（原書15版），丸善出版，2019，p.651を参考に作成．

ホルモンの調節機構

- 生体内では恒常性（ホメオスタシス）を保つために，主に神経系と内分泌系の調整機構が働いており，多くの**フィードバック機構**によって維持されている．
- フィードバック機構は，状態の変化を観察する受容器の観察結果から調節中枢が判断し，必要に応じて効果器となる器官や組織に指令を送り，効果器はその指令に従った反応を起こすことで調節している．
- 変化を元に戻す方向で調節するのをネガティブフィードバック，変化を強める方向で調節するのをポジティブフィードバックという．

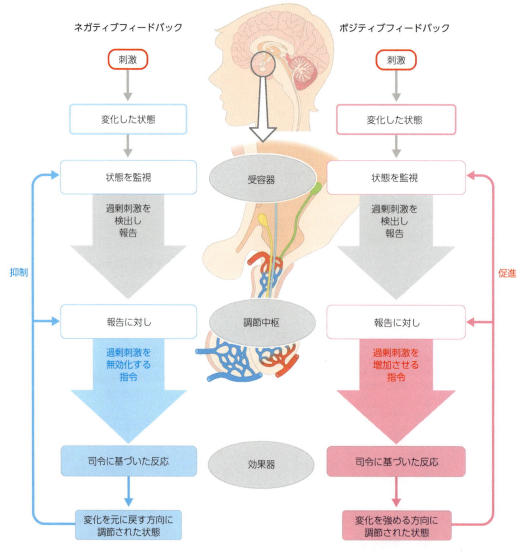

- 多くのホルモンはネガティブフィードバックシステムにより調節される．
- ホルモンの場合，血液中の濃度上昇により，抑制的な指令が出される．

- 一部のホルモンはポジティブフィードバックシステムにより調節される．
- 出産時のオキシトシンによる子宮収縮の機序などが該当する．

桑木共之ほか編訳．トートラ人体の構造と機能．第5版，原書15版，丸善，2019，p.10を参考に作成．

図11-4 ネガティブフィードバックとポジティブフィードバック

2 ホルモンの化学的性質と作用機序

ホルモンの種類

ホルモンは，性質上，大きく水溶性と脂溶性の2種類に分けて考えることができる．

水溶性ホルモン
細胞膜を透過できないので，細胞膜上の受容体に結合することで刺激を伝える．

脂溶性ホルモン
細胞膜をそのまま透過し，細胞質や核内の受容体に結合する．

ペプチド（タンパク質）ホルモン
- アミノ酸が複数個つながってできている．
- アミノ酸の数が50個未満がペプチド，50個以上がタンパク質ホルモンと呼ばれる．
- ホルモンの多くはこのペプチドホルモンである．

ステロイドホルモン*
副腎皮質ホルモン
- コルチゾール，アルドステロン，アンドロゲン

性ホルモン
- 卵巣：エストロゲン，プロゲステロン
- 精巣：テストステロン

アミンホルモン
1個のアミノ酸から合成される．
- アドレナリン，ノルアドレナリン
- メラトニン，ヒスタミン，セロトニンなど

甲状腺ホルモン
- サイロキシン（T_4）
- トリヨードサイロニン（T_3）

用語解説* ステロイドホルモン
コレステロールから合成される，ステロイド核をもつホルモンの総称である．一般的に「ステロイド剤」というときは，ほとんどがコルチゾールを指している．

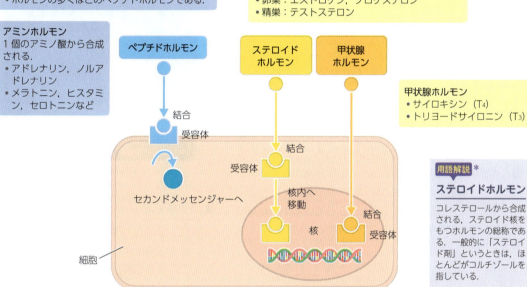

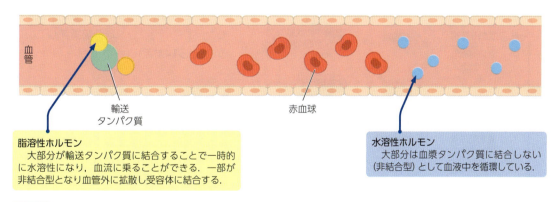

脂溶性ホルモン
大部分が輸送タンパク質に結合することで一時的に水溶性になり，血流に乗ることができる．一部が非結合型となり血管外に拡散し受容体に結合する．

水溶性ホルモン
大部分は血漿タンパク質に結合しない（非結合型）として血液中を循環している．

図11-5 水溶性ホルモンと脂溶性ホルモン

2 脳にあるホルモン分泌器官

1 視床下部

神経系と連携し，下垂体ホルモンの調節を行っており，恒常性維持のために重要な役割を担っている．

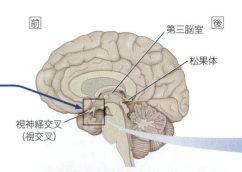

◾ 視床下部の位置

視床下部は間脳の一部であり，視神経交叉の後方に位置している．

◾ 視床下部の構成細胞

神経内分泌細胞と呼ばれる神経細胞と内分泌細胞の両方の機能をもつ細胞が構成している．

2 下垂体

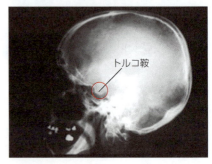

◾ 下垂体の位置

- 下垂体は直径1〜1.5cmほどの豆状の内分泌器官で，蝶形骨のトルコ鞍の下垂体窩に収まっている．ここから全身のさまざまな機能を調節するホルモンが分泌されている．
- 解剖学的，機能学的に前葉と後葉の二つの葉に分かれている．その他に中間部として中葉も存在しているが，ヒトの場合は胎児の間に萎縮し，成人では存在しない．

◾ 下垂体前葉

腺性下垂体とも呼ばれ，5種類のホルモン産生細胞により7種類のホルモンを分泌し，全身の成長や代謝，生殖に関わる調節を行っている．

視床下部ホルモンの指示を受け，Ⓐ成長ホルモン，Ⓑ甲状腺刺激ホルモン，Ⓒ副腎皮質刺激ホルモン，Ⓓ性腺刺激ホルモン，Ⓔプロラクチンを分泌調節している（➡p.514参照）．

◾ ネガティブフィードバックシステム

視床下部の指令により，下垂体からホルモンが放出され，その下垂体ホルモンの効果器から分泌されたホルモン濃度の上昇によって，視床下部，下垂体それぞれがネガティブフィードバック調整される．

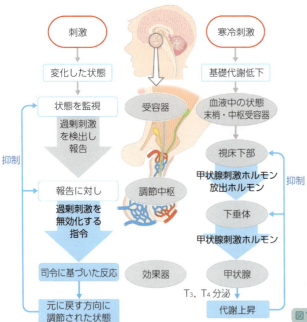

図11-6 ネガティブフィードバック

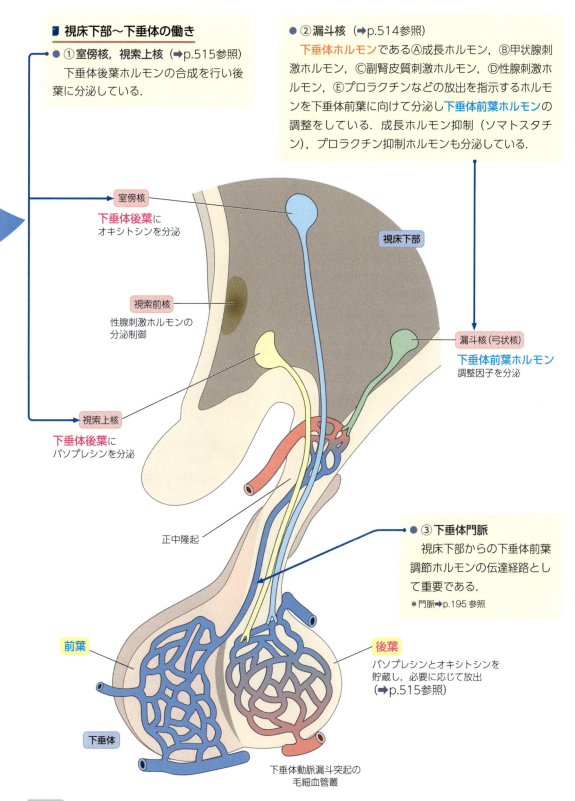

図11-7 視床下部・下垂体からのホルモン分泌

下垂体前葉からのホルモン

- **Ⓐ 成長ホルモン（growth hormone：GH）**
  - 下垂体前葉で最も産生細胞が多く，下垂体前葉ホルモンの中で最も量の多いホルモンである．
  - このホルモンによって肝臓，骨格筋，軟骨，骨細胞がインスリン様成長因子（IGFs：ソマトメジン）を分泌し，全身の成長を促す．また，局所ホルモンとして骨格筋や筋肉の成長を引き起こす．

視床下部からの成長ホルモン放出ホルモン，成長ホルモン抑制（ソマトスタチン）ホルモンにより分泌が調整されている．

- **Ⓑ 甲状腺刺激ホルモン（thyroid-stimulating hormone：TSH）**
  - 甲状腺で産生される二つのホルモン合成と分泌を促進する（→p.518参照）．

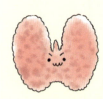

視床下部からの甲状腺刺激ホルモン放出ホルモン（thyrotropin-releasing hormone：TRH）により分泌促進，ソマトスタチンにより分泌抑制の調整がされている．

- **Ⓒ 副腎皮質刺激ホルモン（adrenocorticotropic hormone：ACTH）**
  - 副腎皮質から分泌されるコルチゾールや糖質コルチコイドの産生と分泌を促進する（→p.525参照）．

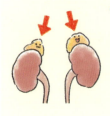

視床下部からの副腎皮質刺激ホルモン放出ホルモン（corticotropin-releasing hormone：CRH）により分泌促進の指示を受ける．

- **Ⓓ 性腺刺激ホルモン**
  卵胞刺激ホルモン（follicle stimulating hormone：FSH）
  黄体形成ホルモン（luteinizing hormone：LH）
  - 女性では**FSH**が卵巣に働きかけ，卵胞形成と卵胞細胞からのエストロゲン分泌を促し，**LH**は排卵誘発と卵胞の黄体化，プロゲステロンの分泌を促進する（→p.528参照）．

視床下部からの性腺刺激ホルモン放出ホルモン（gonadotropin releasing hormone：GnRH）により分泌促進されている．

  - 男性の場合，**FSH**は精巣での精子形成を促進し，**LH**がテストステロンの分泌を促す（→p.529参照）．

視床下部からのプロラクチン放出ホルモン（prolactin-releasing hormone）により分泌促進，プロラクチン抑制ホルモン（prolactin-inhibiting hormone）により分泌抑制の調整がされている．

- **Ⓔ プロラクチン**
  - ほかのホルモンと協働して，乳腺発達促進，乳汁分泌開始とその維持に関わっている．

下垂体後葉

- 視床下部に細胞体がある10,000個以上の神経分泌細胞の軸索と軸索終末，漏斗突起の毛細血管叢，その周囲を取り巻く下垂体細胞に支持され構成されている．
- 室傍核，視索上核にある細胞体では**オキシトシン**，**バソプレシン**が合成され，軸索を通ってこの後葉にある軸索終末に貯蔵され，神経刺激により漏斗突起の毛細血管叢などに放出されている．

①オキシトシン（oxytocin）

- 出産中には子宮頸部の伸展により分泌が促進され，オキシトシンにより子宮壁の平滑筋の収縮を増強させる．
- 出産後は乳首への吸啜が機械的刺激となり，反応して乳汁の射出を促進する．
- 男性や妊娠時以外の女性では，育児行動や社会行動に関与していると考えられている．

②抗利尿ホルモン（antidiuretic hormone：ADH）

- 腎臓に作用し尿細管での水分の再吸収を促し，尿量を減少させる作用をもつ．
- そのほか，発汗による水分喪失を減らし，細動脈の収縮により血圧の上昇作用をもつため，**バソプレシン**（vasopressin）とも呼ばれる．
- このホルモンがないと，尿の排出量は正常時（1日1〜2L）の10倍（20L）以上になる．

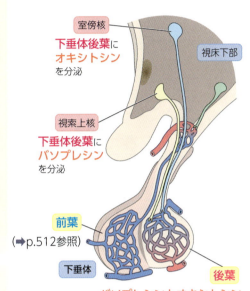

(➡p.512参照)

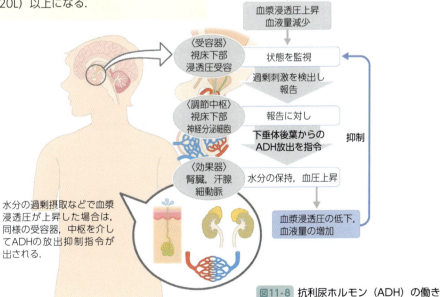

図11-8 抗利尿ホルモン（ADH）の働き

3 松果体

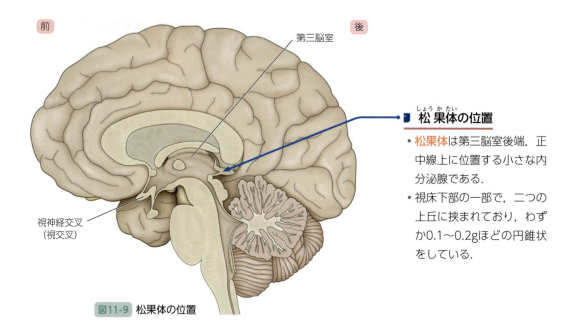

図11-9 松果体の位置

松果体の位置
- 松果体は第三脳室後端，正中線上に位置する小さな内分泌腺である．
- 視床下部の一部で，二つの上丘に挟まれており，わずか0.1〜0.2gほどの円錐状をしている．

松果体の役割

- 脳軟膜からなる被膜に覆われ，グリア細胞と内分泌細胞である松果体細胞が集まってできている．セロトニンからアミンホルモンの一種であるメラトニンを合成し，分泌している．
- 生体の概日リズム（→p.378参照）は視床下部の視交叉上核で調節されており，このリズム同調因子としてメラトニンが重要な役割をもつ．
- メラトニンは暗闇や夜間，あるいは睡眠中に分泌量が増加し，強い光（太陽光やブルーライト）の元では減少する．しかし，日中に十分に強い光を浴びてメラトニンの血液中濃度を十分に下げておくことで，昼夜のメラトニン濃度にメリハリがつき，入眠のしやすさや概日リズムのリセットにつながる．

plus α
光環境調整の重要性

体内時計の調整には，日中に十分な量の光を浴びることが大切であると古くから知られている．実際に日照時間の短い冬などは，うつ症状を患う人が多いことが報告されている[1]．
入院中の患者は室内で過ごすことが多いため，看護師が光環境の調整を行うことが重要である．近年ではスマートフォンの普及により，強い光を発するブルーライトの影響も問題になっている．患者の睡眠援助のためにも，光環境を意識しよう．

3 甲状腺

▌甲状腺の位置

- 甲状腺は羽を広げた蝶のような形をしており，喉頭の甲状軟骨のすぐ下に位置する内分泌器官である．
- 右葉と左葉の二つの側葉からなり，その両葉は気管前面にある峡部によってつながっている．

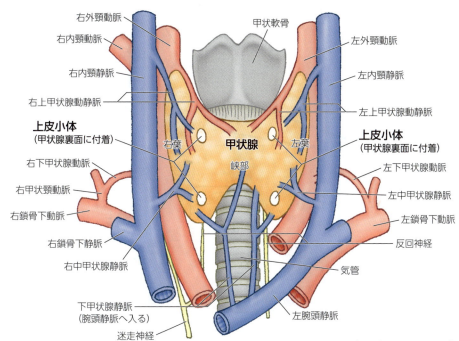

図11-10 甲状腺と上皮小体

＊気管にはU字形の軟骨16～20個がある（Uの開いた部分が後面）．
＊下甲状腺静脈は走行がまちまちで，左右腕頭静脈にそれぞれ入ったり，左腕頭静脈に2本入ったり，1本にまとまって左腕頭静脈に入ったりする．
＊最下甲状腺動脈（ない場合もある）は，腕頭動脈または大動脈弓から直接分岐する．

▌甲状腺の役割

- 四つのヨウ素が結合したサイロキシン（T_4），三つ（triple）のヨウ素が結合したトリヨードサイロニン（T_3）を産生する内分泌腺である．
- 視床下部の甲状腺刺激ホルモン放出ホルモン（TRH）により，下垂体前葉の甲状腺刺激ホルモン（TSH）が放出されることで，その刺激を受けて甲状腺ホルモンの分泌が促進される．
- 甲状腺ホルモンの受容体は，全身のほとんどすべての細胞上に存在するとされており，全身の組織の代謝，成長をコントロールしている．
- 分泌物質を大量に（通常100日分）蓄えている唯一の内分泌腺である．

plus α

甲状腺のフィジカルアセスメント

成人の甲状腺重量は約15～20gで，片葉の長さは約4cm，小さく軟らかいため，正常の甲状腺は触診では触れない．甲状軟骨の下の気管支に張り付いている器官であるため，甲状軟骨が低い男性は甲状腺も女性よりやや低い位置にある（➡p.536, 537参照）．

1 甲状腺ホルモン

■ ヨウ化物イオン（I^-）

甲状腺濾胞細胞では，ヨウ化物イオン（I^-）を能動輸送で細胞内に取り込む．その結果，食事により摂取されたヨウ化物の大部分は甲状腺が保持している．

■ チロシンのヨード化

ヨウ素化物イオン（I^-）が酸化される（I^0）と，濾胞腔内に入り，コロイド*内でサイログロブリン上のチロシンと反応する．結合したヨウ素原子の数が，1個でモノヨードチロシン（T_1），2個でジヨードチロシン（T_2）ができる．

■ サイログロブリン

甲状腺濾胞細胞では，サイログロブリンと呼ばれる糖タンパク質も合成しており，このサイログロブリンを構成しているアミノ酸の一部であるチロシンをヨード化し，サイログロブリン上で甲状腺ホルモンの元となるT_1とT_2を合成している．

ヨウ素が結合したサイログロブリンは結合しやすく，濾胞腔内にコロイドとして蓄えられている．T_1とT_2の組み合わせでT_3，T_2が2個でT_4を作る．

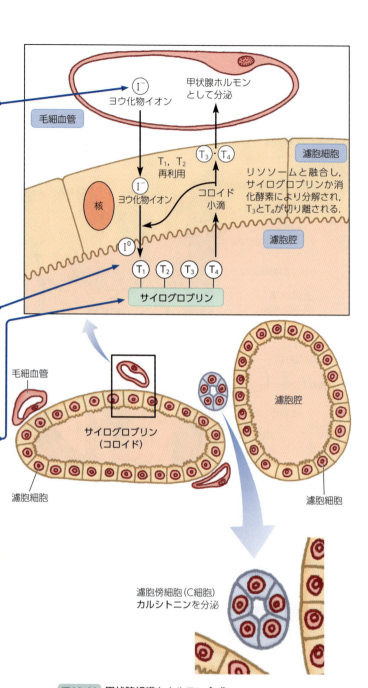

図11-11 甲状腺組織とホルモン合成

用語解説 * コロイド

細胞膜を透過できない程度に大きい粒子で，直径1nm〜数百nm程度の粒子をいう．つまり甲状腺の濾胞腔内ではサイログロブリンが結合し，少し大きなコロイド状の粒子として蓄えられている．

plus α T_3とT_4

ホルモン作用はT_3のほうが強いが，T_4のほうが分泌量が多い．細胞内でT_4の多くはT_3に変換されて作用する．

動画でチェック 甲状腺・上皮小体（副甲状腺）

■ 甲状腺ホルモン（T_3, T_4）の作用

甲状腺ホルモン（T_3, T_4）への受容体は全身にあるといわれている．脂溶性ホルモン（→p.511参照）であるため，細胞膜を通り抜け，細胞内に入り，遺伝子転写とタンパク質合成を誘導することで作用する．この作用により合成されたタンパク質が次々に以下のような細胞反応を遂行する．

① 基礎代謝率の増加
酸素消費速度を上げることで，細胞の糖質，脂質，タンパク質の代謝を促し，熱産生を増やし体温が上昇する．熱発生効果（calorigenic effect）と呼ばれ，正常の体温維持にも重要な役割を果たす．

② カテコールアミンの作用増強
βアドレナリン受容体を増加させること（アップレギュレート）で，交感神経反応が増強する．

③ 神経組織と骨の発生・成長の調節
神経の発生にも大きく関わり，シナプス形成，ミエリン産生と樹状突起成長を促進させる．また，骨の成長にも必要とされ，骨の形成とともに，成長ホルモンとインスリン様成長因子の分泌も促す．

表11-2 甲状腺機能の異常（↑上昇，促進 ↓低下，抑制）

代表的な疾患		甲状腺	
		機能亢進症	機能低下症
		バセドウ病，破壊性甲状腺炎など	橋本病（慢性甲状腺炎），先天性甲状腺機能低下症など
主な徴候		甲状腺肥大 バセドウ病では眼球突出	顔面浮腫，眼瞼浮腫，食欲低下，倦怠感
作用と症状の主な関連甲状腺ホルモンの	基礎代謝率	↑ 症状：多汗，体重減少	↓ 症状：寒がり，筋力低下
	カテコールアミン作用	↑ 症状：心拍数増加，心悸亢進（心拍出量の増大），血圧上昇	↓ 症状：心拍数の減少
	神経組織と骨の発生と成長の調節	↑ 症状：小児では身長促進，落ち着きのなさ	↓ 症状：胎児期から小児期にかけて欠乏した状態が続くと，重度の精神発達遅滞や発達阻害

日本医師会編．内分泌疾患・糖尿病・代謝疾患ー診療のエッセンス．横手幸太郎監．南江堂，2021, s5.
桑木共之ほか編訳．トートラ人体の構造と機能．第5版（原書15版），丸善出版，2019, p.691を参考に著者作成．

2 カルシトニン

- 甲状腺の濾胞傍細胞（C細胞）で産生，分泌される．
- 破骨細胞の活性を抑制することで，血中のカルシウムイオン（Ca^{2+}）濃度を低下させる．
- 血中Ca^{2+}上昇が刺激となり分泌が促進され，Ca^{2+}低下により分泌が抑制される．
- 副甲状腺ホルモンと拮抗する作用をもつ．

4 上皮小体（副甲状腺）

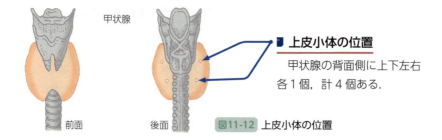

上皮小体の位置
甲状腺の背面側に上下左右各1個，計4個ある．

図11-12 上皮小体の位置

1 副甲状腺ホルモン

■ 副甲状腺ホルモン（パラソルモン：PTH）

上皮小体より分泌される．血液中のカルシウムイオン（Ca^{2+}），マグネシウムイオン（Mg^{2+}），リン酸イオン（HPO_4^{2-}）の濃度調整に大きな役割をもつ．

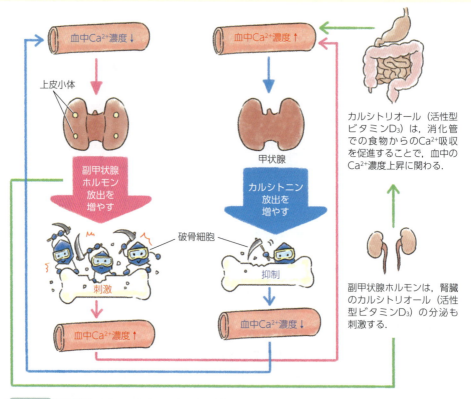

図11-13 副甲状腺ホルモンとカルシトニンの働き

■ 副甲状腺ホルモンとカルシトニン

副甲状腺ホルモンとカルシトニンは，下垂体の影響を受けずに血中のカルシウムイオン（Ca^{2+}）のネガティブフィードバックにより分泌調節が行われ，両者の分泌量でCa^{2+}濃度を一定に調節している．

5 膵 臓

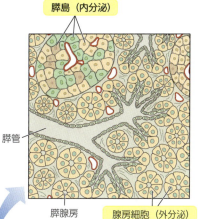

■ 膵臓の位置

- 胃の後方となる腹腔後壁に位置し，十二指腸が迂曲している部分に接続している．
- 十二指腸に接続している側から膵頭，膵体，膵尾と呼ばれている（➡p.326参照）．

■ 膵島

膵臓の大部分は，外分泌腺として膵液を分泌する腺房細胞で構成されており，内分泌腺はわずか1％程度で，腺房細胞の間に**膵島（ランゲルハンス島）**と呼ばれる小さな細胞集団として散在している．

1 膵島の働き

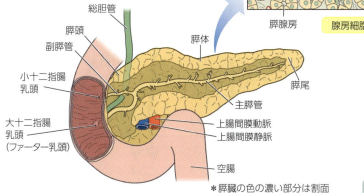

図11-14 膵島

*膵臓の色の濃い部分は割面

■ 膵島で分泌されるホルモン

膵島はα，β，δ，Fの四つのタイプの分泌細胞を含み，それぞれ異なるホルモンを分泌している．

表11-3 膵島細胞の種類とホルモンの作用

細胞の種類	膵島細胞に占める割合	分泌しているホルモン	主な作用
α	17％	グルカゴン	・肝臓でのグリコーゲン分解を促進する． ・ほかの栄養素をグルコースに変換することで，血液中のグルコース濃度を上げる．
β	70％	インスリン	・細胞内へのグルコース輸送を促進し，グルコースからグリコーゲン生成などを促進する． ・細胞内でのグリコーゲン分解等を減少させることで，血液中のグルコース濃度を下げる．
δ	7％	ソマトスタチン	・インスリンとグルカゴンの分泌を抑制し，消化管からの栄養素の吸収を抑制する．
F	6％	膵ポリペプチド	・ソマトスタチンの分泌を抑制する．など

2 血糖の調節

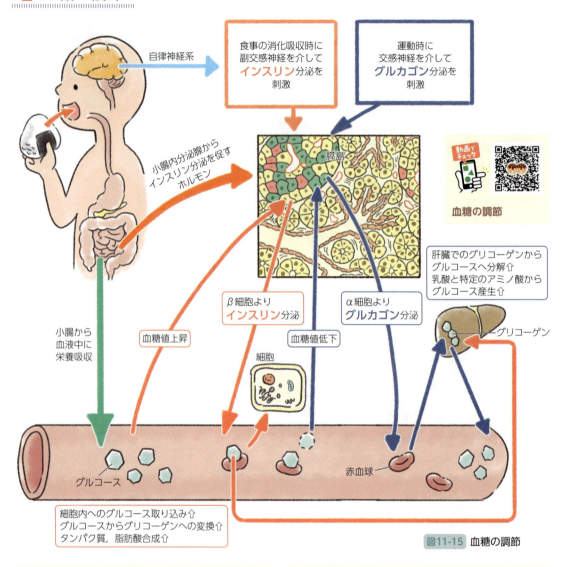

図11-15 血糖の調節

■ インスリン分泌の刺激

- 血液中のグルコースが上昇（血糖値上昇，高血糖）すると，膵島β細胞の**インスリン**分泌が刺激される．
- インスリンは全身をめぐり，主に筋肉や脂肪組織，肝臓などに働き，グルコースの取り込み，グルコースからグリコーゲンへの変換を促進する．
- さらにグルカゴンの分泌を抑制し，肝臓でのグルコース生成（糖新生）を抑える．

■ グルカゴンの分泌

- 血液中のグルコース濃度が正常値より低下（血糖値低下，低血糖）すると，膵島のα細胞からの**グルカゴン**が分泌され，主に肝臓でのグリコーゲン分解，乳酸と特定のアミノ酸からのグルコース合成（糖新生）により，血中へのグルコース分泌を促進する．
- そのほか，副腎皮質の糖質コルチコイド，副腎髄質のカテコールアミンも血糖値上昇作用をもち，成長ホルモンや甲状腺ホルモンも血糖値の上昇を助ける．

3 糖尿病

- 血糖値を下げるホルモンはインスリンのみである．このインスリンの需要と供給のバランスが崩れると，インスリンが不足，あるいはインスリンへの感受性が低下することによってインスリンの作用が不足し，血液中のグルコースが上昇する．この状態が持続することで，慢性的な高血糖となるのが**糖尿病**である．
- さらに，インスリンの作用である脂肪やタンパク質の分解抑制が効かなくなるため，体内の脂肪やタンパク質分解が亢進し，やせや脂肪酸分解で生じるケトン体の蓄積につながる．

糖尿病の治療

インスリンの分泌低下，あるいは作用不足を補う治療として，インスリン補充が行われている．インスリンは，経口から内服しても，消化されてしまうため，皮下注射を行う必要がある．

plus α 糖尿病の主な合併症

高血糖状態が長期間持続することで，微小血管が障害される．3大合併症として「神経（し）障害」「網膜（め）症」「腎機能（じ）障害」が知られている．「し・め・じ」として覚えておこう．

plus α 飽食に対する防御機構

生物の進化の歴史は，飢餓との戦いが長く，血糖値を低下させないための防御機能が発達した．しかし，現代の飽食に対する防御機能は乏しく，血糖値を低下させるホルモンはインスリンのみで，分泌量の低下や作用不足に陥ることで，糖尿病を発症する．

ケトアシドーシス

糖尿病では，インスリンがうまく働かない状態となり，脂肪分解が促進され，代謝産物であるケトン体が蓄積していく．血液中のケトン体が正常以上となった場合をケトーシスといい，長期にわたるとケトアシドーシスを来す．

ケトン体のほとんどは酸性のため，ケトン体の蓄積は血液のpHを低下させる．血液のpHが低下すると，中枢神経系の抑制が起こり，見当識障害や昏睡に至り，処置されない場合は命に関わる．そのため，看護師による血糖値の測定や症状の観察，医師の指示に基づいたインスリン注射の調整や管理は重要である．

6 副腎

■ 副腎の位置

- **副腎**は後腹膜腔内の左右の腎臓上部に位置している．押しつぶされたピラミッドのような形状をしており，成人では高さ 3〜5 cm，幅 2〜3 cm，厚さ 1 cmほどと小さい．
- 構造的，機能的に二つの異なる領域で構成されており，8〜9 割程度を占めるのが外側の副腎皮質で，その中心に位置する部分が副腎髄質である．

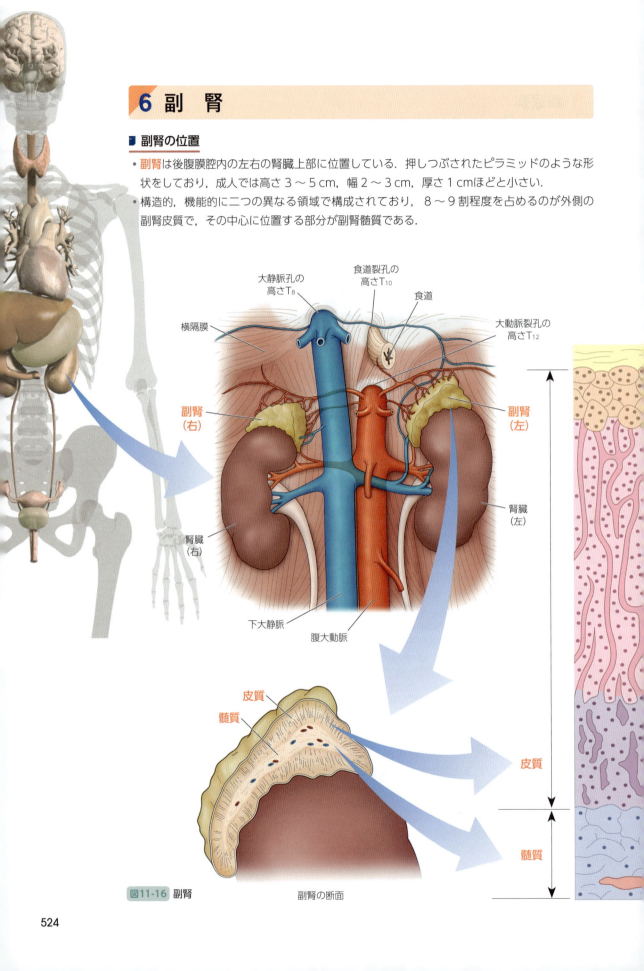

図11-16 副腎

1 副腎皮質

■ 副腎皮質ホルモン

- 副腎皮質は3層構造になっており，それぞれが異なったホルモンを分泌している．

■ 鉱質（ミネラル）コルチコイド（大部分はアルドステロン）の分泌

- 腎臓の遠位尿細管でのナトリウム再吸収，カリウム排泄，および細胞外液中にナトリウムを保持することで，血圧を上昇させる働きがある．
- 無機塩類のホメオスタシスに影響を与える．

■ 糖質（グルコ）コルチコイド（主にコルチゾール）の分泌

- 代謝やストレスを調整するホルモンである．
- 全身のほとんどすべての細胞に働きかけ，タンパク質分解速度を速めることで，アミノ酸の血液中の放出を増加させる．
- 肝臓ではグルコースの産生を促進し，グルコースのホメオスタシスに影響を与える．

■ 弱いアンドロゲン（デヒドロエピアンドロステロン）を少量合成分泌

- 男性では無視できるほどの作用であるが，女性では性欲の発現に関係するとされている．

2 副腎髄質

■ 副腎髄質ホルモン

- 副腎髄質は自律神経系の交感神経節が変化したもので，神経伝達物質を放出する代わりにホルモンとして血液中にカテコールアミンを放出する．
- 副腎髄質で合成されるのは，主にアドレナリンとノルアドレナリンの2種類で，ホルモンとして全身の交感神経反応を強める働きをもつ．分泌量の割合は8割がアドレナリンで，残り2割がノルアドレナリンである．
- 交感神経節前線維からのアセチルコリン放出により分泌促進される（➡p.390参照）．
- ストレス下での交感神経の働きを高める．

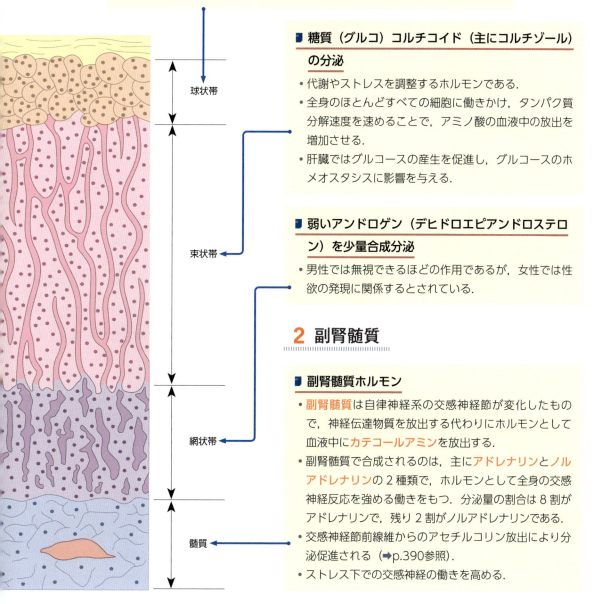

ストレスに対するホルモンの働き

- ストレス反応を引き起こす刺激はストレッサーと呼ばれる．
- ストレッサーは暑さ，寒さ，精神的な負担，環境の変化，有毒物質，けがなど，日常の中に多く存在している．
- ストレスに対しての反応は，**自律神経系の調節（①闘争と逃走）** に始まり，**ホルモンはゆっくりと長く続く反応（②抵抗反応）** に関わりストレスに対抗する．
- 強いストレスや長期間続いた場合は，**ストレス反応として身体的変化（③疲労消耗）** を来す．

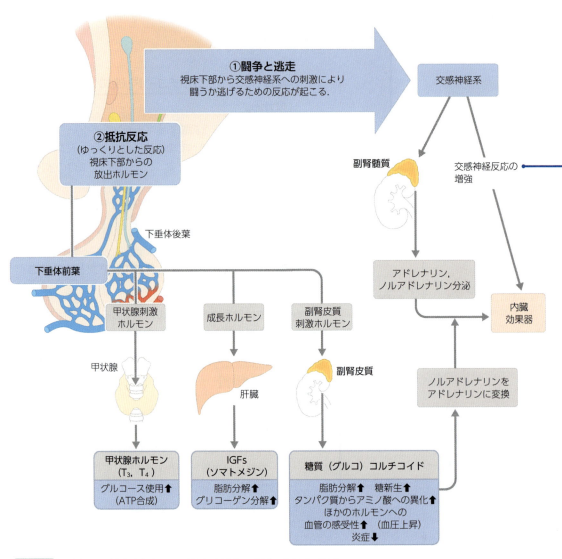

図11-17　ストレスに対するホルモンの働き（↑増加，促進　↓低下，抑制）

③疲労消耗

強いストレスが持続し，高濃度のコルチゾールなどのホルモンに長期間曝露されていると，筋肉の消耗，免疫系の抑制，消化管の潰瘍，膵臓の機能低下などが引き起こされる．

表11-4 交感神経反応（↑増加，促進　↓低下，抑制）

内臓効果器 （主な作用に係る受容体のサブタイプ）		交感神経優位による反応
心臓 （β₁受容体）	心拍	↑
	心収縮	↑
血管平滑筋	大部分の内臓や皮膚 （α₁受容体）	収縮
	心臓，肺，脳，骨格筋 （β₂受容体）	弛緩
肝臓（α₁，β₂受容体）		糖新生↑，グリコーゲン分解↑
骨格筋（β₂受容体）		グリコーゲン分解↑
気管支平滑筋（β₂受容体）		弛緩
消化管（αβ受容体）		活動↓

ステロイドホルモン（グルココルチコイド）製剤の副作用

グルココルチコイドは白血球を抑制する作用，免疫抑制作用をもち，さまざまな炎症性疾患の治療に使用される．剤形は局所作用を目的とした塗り薬，吸入薬，点眼薬や，全身作用を目的とした経口薬，注射，坐薬などがある．使用方法も目的によって異なるため，指示や添付文書を確認することが重要である．一方，副作用に関しては，投与経路の違いにかかわらず，ストレス反応と同様に全身での身体的変化を来すことで起こる．

ステロイドによる副作用を正しく理解し，看護師が生活援助の中で意識的に観察することが，副作用の早期発見ならびに高頻度で起こる副作用を予測した援助計画に重要である．

7 性腺

性腺とは，女性では卵子を産生する卵巣，男性では精子を産生する精巣を指し，生殖機能とホルモン分泌をする器官である（詳細は➡p.538参照）．

1 卵巣

卵巣の位置

骨盤腔の左右両側に靱帯で固定されて位置しており，卵形の器官である．

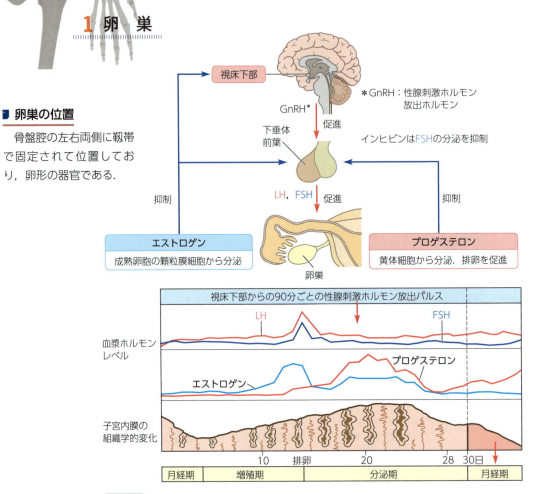

図11-18 ヒトの月経周期とホルモン

卵巣のホルモン分泌

- 卵巣ではエストロゲンとプロゲステロン，インヒビンなど数種のステロイドホルモンを産生している．
- 視床下部の性腺刺激ホルモン放出ホルモン（GnRH）の刺激を受け，脳下垂体前葉から性腺刺激ホルモンとして卵胞刺激ホルモン（FSH）分泌によりエストロゲン，黄体形成ホルモン（LH）分泌によりエストロゲンとプロゲステロンを分泌している．
- これらのホルモンは月経周期を調節し，妊娠の維持や乳腺からの乳汁分泌の準備に関わっている．
- インヒビンは，下垂体前葉からのFSH分泌を抑制している．

plus α

エストロゲンの種類

ヒトでは少なくとも6種類のエストロゲンが分泌されており，β－エストラジオール，エストロン，エリストリオールなどがあるが，妊娠していない状態ではβ－エストラジオールが最も多いとされている．

2 精巣

精巣の位置

左右の陰嚢の中にある，卵形の器官である．

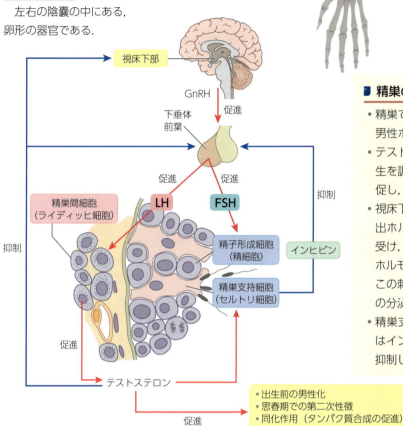

図11-19 テストステロンの作用機序

精巣のホルモン分泌

- 精巣では**テストステロン**という男性ホルモンを分泌している．
- テストステロンにより精子の産生を調整，第二次性徴の発達を促し，維持している．
- 視床下部の性腺刺激ホルモン放出ホルモン（GnRH）の刺激を受け，下垂体前葉から性腺刺激ホルモンとしてLHが分泌され，この刺激によりテストステロンの分泌が促進される．
- 精巣支持細胞（セルトリ細胞）はインヒビンを産生し，FSHを抑制している．

第二次性徴における性腺ホルモンの役割

思春期に入ると視床下部からの**性腺刺激ホルモン放出ホルモン（GnRH）**の分泌量が増え，それに反応して下垂体前葉からの性腺刺激ホルモンとして，LHとFSHの分泌量が増す．

● ①**男性の場合**（→p.540, 579参照）
- 精巣でLHの刺激によりテストステロンの分泌が促され，男性生殖器の発達を促進する．
- テストステロンは骨や筋肉の成長を促進，顔や胸などの体毛を増やし，皮脂腺の分泌増加に働く．また喉頭が大きくなり，声変わりとして声が低くなる．

● ②**女性の場合**（→p.538, 572参照）
- LHの刺激により，卵巣でエストロゲンの分泌が促され，女性生殖器と乳房の発達を促進する．
- エストロゲンは，腹部や殿部などの脂肪組織を増やし，骨盤を広げる．また，体毛の発毛パターンに影響する．

8 ホルモンを分泌するそのほかの器官や組織

1 消化管

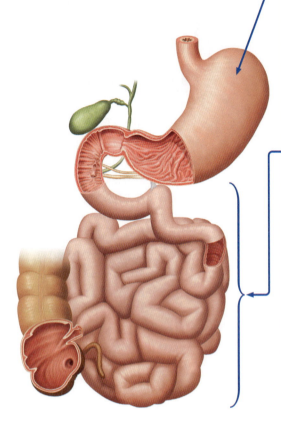

■ 胃

- ① ガストリン
  - 食事（胃の拡張）によって分泌が促進される．
  - 胃粘膜の壁細胞を刺激して胃酸の分泌を促進し，主細胞を刺激しペプシノゲンを分泌させる．
- ② グレリン
  - 食欲を増強させる．

■ 十二指腸〜小腸

- ① コレシストキニン
  - 胆嚢を収縮させ，胆汁放出の調整，膵液の分泌の促進を行う．
  - 食後の満腹感をもたらす．
- ② セクレチン
  - 膵液とインスリン分泌を促進し，胃液分泌を抑制する．
- ③ グルコース依存性インスリン分泌刺激ペプチド，グルカゴン様ペプチド
  - 小腸に食物が接触することで分泌され，膵臓からのインスリン放出を刺激し，血糖値を下げる．
  - これらのホルモンは，まとめてインクレチンとも呼ばれる．
- ④ ソマトスタチン
  - 視床下部，膵臓でも産生されているが，小腸でも産生分泌されている．
  - ほかの消化管ホルモン，抗利尿ホルモン（バソプレシン）などの分泌を抑制する．

2 腎臓

■ 腎臓の位置

後腹膜腔内の左右に一つずつある．肝臓が上にあるため，右腎のほうがやや低い位置にある（➡p.272参照）．

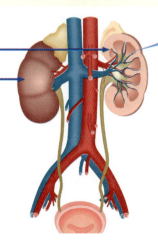

腎臓から分泌されるホルモン

① レニン

- 血圧やNa$^+$の低下などの刺激で，傍糸球体細胞からレニンが分泌される．
- レニンは肝臓で作られるアンジオテンシノゲンをアンジオテンシンⅠに変換する．
- アンジオテンシンⅠは主に肺の毛細血管を通過するときに，変換酵素によりアンジオテンシンⅡに変換される．
- アンジオテンシンⅡは副腎皮質でのアルドステロンの分泌促進と，細動脈の血管収縮作用により血圧を上げる．

② エリスロポエチン

- 低酸素などが刺激になって，近位尿細管の尿細管周囲血管床の間質線維芽細胞からエリスロポエチンが分泌される．
- 赤色骨髄の幹細胞を増加させ，赤血球を増やす造血に働く．

③ カルシトリオール（活性型ビタミンD$_3$）

- 食事中のカルシウムとリンの吸収を助ける．

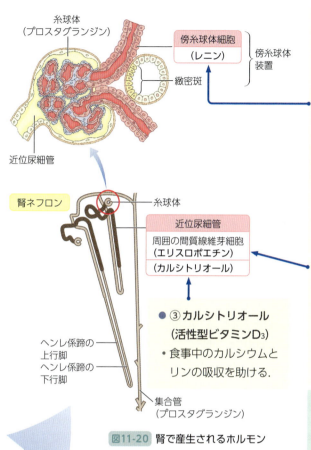

図11-20　腎で産生されるホルモン

plus α　腎性貧血

慢性的な腎機能低下（慢性腎不全）の状態では，エリスロポエチンの産生も低下するため，骨髄での造血も抑制され貧血を呈する．そのため慢性腎不全の患者を看護する上では，貧血症状の観察や貧血を示す採血データを意識的に確認することが重要である．

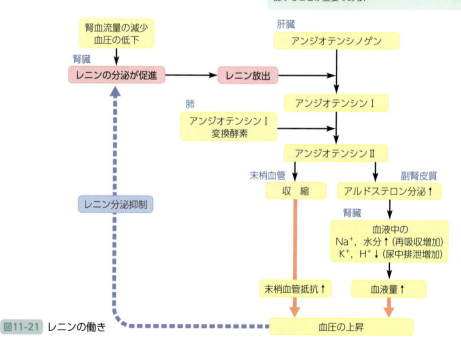

図11-21　レニンの働き

3 胸腺

■ 胸腺の位置

胸骨角の下あたり，心臓の上にある臓器で，T細胞が分化する場所として免疫系の重要な部位である．幼児期に最も大きく，思春期以降に大きさは減少し始める．

■ 胸腺から分泌されるホルモン

● ①チモシン

T細胞の分化を促す．

4 心臓（ナトリウム利尿ペプチドファミリー），血管系

■ 心臓

● ①心房性ナトリウム利尿ペプチド（atrial natriuretic peptide：ANP）
脳性ナトリウム利尿ペプチド（brain natriuretic peptide：BNP）

- ANPは主に心房，BNPは主に心室の心筋細胞により産生分泌される．多少の差はあるがほぼ同様の作用を示す．
- 心臓に作用して心筋肥大を抑制したり，腎尿細管上皮細胞などに作用し，糸球体濾過量を増やし，Na^+再吸収を抑制し，レニン-アンジオテンシン-アルドステロン系や交感神経抑制作用をもつと報告されている[2,3]．血管平滑筋細胞に対しては，拡張作用も示し，これらの作用により血圧を下げる働きをする．

■ 血管

● ①エンドセリン

- 血管内皮細胞より産生・分泌される．強力な血管平滑筋収縮作用をもつ．
- 3種類（ET-1，2，3）が知られているが，血管系で産生されるのは，主にET-1である．

---

plus α

C型ナトリウム利尿ペプチド（C-type natriuretic peptide：CNP）

ANPとBNPと同じペプチドファミリーとして報告されている[2,3]．主には血管内皮細胞などで産生され，局所作用する血管作動性ペプチドで，血管内皮や線維芽細胞などで作用することが知られている．血管内膜肥厚の抑制や肺高血圧症の改善，動脈硬化の抑制，血管機能障害の改善といった作用を有する．

plus α

BNPによる心不全の重症度判定

ANPとBNPは心筋への伸展刺激などによって心筋から分泌される．心室の心筋から分泌されるBNPやその前駆体であるNT-pro BNPは心負荷の増大に従って血中濃度が上昇するため，心不全の診断や重症度，予後評価などに使用されている．

5 脂肪

アディポカイン

脂肪細胞は，さまざまなサイトカイン（小分子の糖タンパク質）を分泌し，これらは主に局所ホルモンとしての作用をもつ．

①レプチン

脂肪細胞で合成，分泌される．局所ではなく視床下部に働き，食欲を抑えエネルギー消費を活性化することで総体脂肪量を抑える働きをもつ．

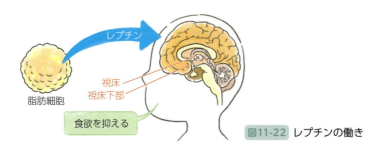

図11-22 レプチンの働き

> **plus α**
> **思春期の始まり**
>
> 思春期の始まりは，性腺刺激ホルモン放出ホルモン（GnRH）が波のように周期的な（パルス）分泌を繰り返すことがきっかけといわれている．このパルス分泌がどのように引き起こされるかは十分には明らかになっていないが，レプチンの関与の可能性が報告されている[4]．
> レプチンの血液中の濃度は，脂肪細胞の増加に伴って思春期直前に上昇する．つまり，ある程度の脂肪の蓄積が思春期のホルモン調節に必要といえる．また，成人でも極端なやせやスポーツ選手で無月経となることも知られており，脂肪細胞から分泌されるレプチンがGnRH分泌に関与していることが示唆されている．

6 その他

プロスタグランジンとロイコトリエンは，脂肪酸から作られる二つのファミリーで，赤血球以外のすべての細胞から分泌され，主に局所ホルモンとして働く．

- ### ①プロスタグランジン（prostaglandin：PG）
  ほかのホルモンを修飾することで平滑筋の収縮，腺分泌，血流，生殖過程，血小板機能，呼吸，神経インパルスの伝導，脂肪代謝，免疫反応など幅広い機能に関わっている．
- ### ②ロイコトリエン（leukotriene：LT）
  白血球の遊走を刺激し，炎症反応に関与している．

9 内分泌系の成長と老化

1 内分泌系の成長

内分泌腺の多くは，成長発達に重要な役割をもつため，胎児期から存在し，ホルモン分泌も確認されている．そのため，出生後に完成するものは少ない．

副腎の形成

胎生8週以降に，外胚葉由来の副腎髄質が副腎皮質領域まで移動し，髄質が皮質に覆われるようにして副腎が形成されていく．

副腎皮質

- 出生時の副腎皮質は，胎児層（fetal zone）と将来成人型副腎皮質に分化していく固有層の2層である．
- 生後2週から1カ月程度で，胎児層は広範な出血性壊死に陥り，線維性の髄質皮膜となる．
- 固有層は，出生時に球状層と束状層には識別でき，生後6カ月ごろより発達が著明となる．
- 8歳ごろに副腎皮質の球状層，束状層，網状層の3層構造が完成する．

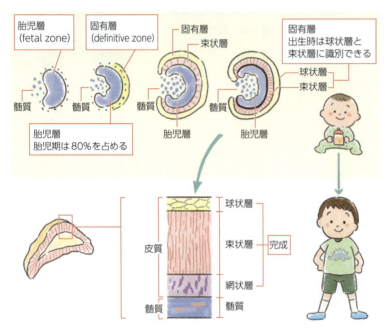

林泰樹．副腎の発生・解剖と発生異常に伴う副腎疾患．臨床泌尿器科．2018, 72 (6), p.416を参考に作成．

図11-23 副腎の形成と成長

2 内分泌系の老化

内分泌腺の中には，年齢とともに縮小していく器官や，加齢とともに機能低下するもの，変わらないものもある．

表11-5 年齢とともに減少するホルモンと変化が少ないホルモン

年齢とともに減少するホルモン	影響	影響を受けて変化するホルモン
成長ホルモン	加齢による筋力低下に関与	
甲状腺ホルモン	代謝率の低下，体脂肪の増加	上位の甲状腺刺激ホルモン（TSH）の血中濃度増加
メラトニン	概日リズムの調整が神経変性疾患に影響	
エストロゲン（卵巣）	骨粗鬆症や動脈硬化	上位のFSH，LHは血中濃度増加
副甲状腺ホルモン（PTH）カルシトリオールカルシトニン	骨量の減少骨粗鬆症による骨折のリスク	
変化が少ないホルモン		

- 副腎髄質ホルモン
- グルカゴン
- テストステロン（精巣）：加齢により減少は認めるが，さほど影響はない．

引用・参考文献

1) 山本真太郎ほか. 光と精神医学 季節性うつ病と光. 精神医学. 2019, 61（8）, p.897-904.
2) 高濱博幸ほか. ナトリウム利尿ペプチド製剤. 医学のあゆみ. 2016, 259（14）, p.1406-1412.
3) 国立循環器病研究センター. https://www.ncvc.go.jp/res/（参照2024-10-18）.
4) Nicole,B. et al. Leptin-dependent neuronal NO signaling in the preoptic hypothalamus facilitates reproduction. J Clin Invest. 2014, 124（6）, p.2550-2559.
5) 松尾理ほか編. QUICK生理学・解剖学：人体の構造と機能・病態生理. 羊土社, 2022.
6) 桑木共之ほか編訳. トートラ人体の構造と機能. 第5版（原書15版）, 丸善出版, 2019.
7) 林泰樹. 副腎の発生・解剖と発生異常に伴う副腎疾患. 臨床泌尿器科. 2018, 72（6）, p.416.

重要用語

内分泌腺	松果体	インスリン
ホルモン	甲状腺	副腎
受容体	甲状腺ホルモン（サイロキシン）	副腎皮質
フィードバック機構	カルシトニン	副腎髄質
ネガティブフィードバック	副甲状腺（上皮小体）	性腺（卵巣, 精巣）
ポジティブフィードバック	副甲状腺ホルモン	腎臓
視床下部	膵臓	胸腺
下垂体	膵島（ランゲルハンス島）	心臓

学習達成チェック

- [ ] 内分泌系の定義を説明できる.
- [ ] ホルモンのフィードバック機構について説明できる.
- [ ] 視床下部ホルモンと下垂体ホルモンの関係を説明できる.
- [ ] カルシトニンと副甲状腺ホルモンの関係を説明できる.
- [ ] 膵島で作られるホルモンのうち, 血糖値に関わるホルモンの種類とそれぞれの作用を説明できる.
- [ ] 副腎皮質ホルモンのうち, ストレス反応に関わるホルモンの作用について説明できる.
- [ ] レニン-アンジオテンシン-アルドステロン系の血圧調節の機序を説明できる.
- [ ] 消化管から分泌されているホルモンの種類と作用を説明できる.
- [ ] 心臓から分泌されているホルモンの種類と作用を説明できる.

解剖生理学が臨床につながる！

32歳女性，Oさんは特にこれまで病気を指摘されたことはない．1週間前に子どもが風邪をひき，Oさん自身も数日前から微熱や喉のあたりの痛みに気付き，動悸や身体のだるさも感じていた．あなたは小児科クリニックに勤務しており，子どもの予防接種を受けに来た際に，Oさんから相談を受けた．

Oさんの体温は37℃，脈拍112回/分，経皮的動脈血酸素飽和度99％．食事は摂取できるが，飲み込む際に痛みがあり，首の前側を触っても痛みがあるという．あなたは首のあたりが少し腫れている気がしたが，子どもから風邪がうつったのだろうと考え，ゆっくり休むように勧めた．

2週間後に再度Oさんに会ったところ，「症状が続いたので先日耳鼻科を受診し，亜急性甲状腺炎と診断された．治療を始めて身体がだいぶ楽になった」と報告を受けた．治療後は微熱や喉の痛みはすぐに消えたようで，首の腫れも以前より明らかにひいていた．Oさんの話を聞き，「前回の相談を受けたときに，気付くことができなかっただろうか」とあなたは思った．どのようなことに注意する必要があっただろうか？

❶ 甲状腺の病気は全身の症状も起こしうる

甲状腺は甲状腺ホルモンの合成と分泌を行う臓器であり，多数の濾胞構造からできている．この濾胞から分泌された甲状腺ホルモンが，血管を通して全身の臓器へ運ばれ，さまざまな身体活動に関係する．そのため甲状腺に異常が起きた場合，甲状腺の周囲だけでなく，全身に症状が起きることがある（図11-24）．

今回の事例でOさんに起きた亜急性甲状腺炎という病気はその代表例で，ウイルス感染などをきっかけに甲状腺に炎症が起き，甲状腺が硬く腫れ，首全体が腫れているように見え，首周囲に痛みを生じる．また甲状腺ホルモンが多量に放出されるので，動悸や身体のだるさなど身体全体の症状も出現する[1]．

❷ 甲状腺は触れることができる

多くの臓器は骨や筋肉の内側に位置しており，実際に触れることは難しい．しかし甲状腺は，身体の表面に近いため比較的簡単に触れることができる．甲状腺は首の前面で輪状軟骨の下に位置している．男性は甲状軟骨（いわゆる喉仏）が発達しているため，女性と比較して甲状腺の位置が下にあることが多い[2]．

今回の事例では，実際に首の診察を行うことで，甲状腺の腫れや痛みに気付くことができ，早い受診につなげられた可能性がある．

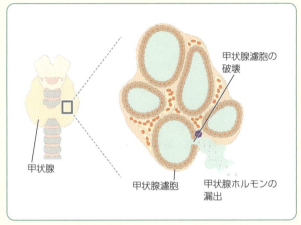

図11-24　甲状腺濾胞の破壊（イメージ）

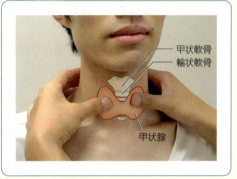

図11-25　甲状腺の触診

③ 意識して診察を行う

　甲状腺の診察は，患者の正面や横から頸部を観察することから始める．甲状腺腫大がある場合，上を向くように首を後ろに曲げた状態で観察するとわかりやすいこともある．次に座って患者の正面から両手の第1指を用いて，甲状腺の触診を行う（図11-25）．甲状軟骨と輪状軟骨を意識して，その下方に甲状腺を確認する．唾液を飲み込む際に上下に動くことも甲状腺の位置を知るために役立つ．正常な甲状腺はほとんど触れないため，甲状腺が触れれば甲状腺が腫れている可能性があり，押して痛みがあれば炎症が起きている可能性がある[2]．

　甲状腺の場所を患者本人が正しく理解している場合は少ないので，首周囲の症状とともに，甲状腺ホルモンに関わる全身症状の訴えを聞いた場合，甲状腺の病気である可能性を頭に浮かべ，意識して甲状腺の診察をすることが重要である．

■ 引用・参考文献
1) 西川光重ほか編．甲状腺疾患診療マニュアル．改訂第3版，診断と治療社，2020, p.98.
2) 前掲書1), p.32-33.

12 生殖器系
子孫を残すしくみ

ここだけ見れば まず生殖器系がわかる！

☑ 子孫を残すしくみは，人類の場合，生殖可能年齢に至ると，性行為，妊娠，分娩そして育児と一つの調和のとれたシステムが身体の中で動き出す．

○女性生殖器

出生後に新しい**卵子**は形成されない．胎児では，二つの卵巣の中に原始卵胞がおよそ700万個以上存在する．出生前にはおよそ100万個あるが，思春期までに両側の卵巣の卵子の数は30万個以下になる．

コンテンツが視聴できます（p.2参照）

泌尿器系・生殖器系

▶第二次性徴

腋毛発育は初経の少し前に生じるが，初経後に生じる場合もあり，個人差がある．

成長開始 ➡ 乳房発育 ➡ 陰毛発育 ➡ 腋毛発育 ➡ 初経 ➡ 成長停止

◄──────── growth spurt ────────►

growth spurtの最大は，成長開始2〜3年という報告もある．

8〜9歳の思春期ごろになると**ゴナドトロピン放出ホルモン（GnRH）**，**卵胞刺激ホルモン（FSH）**，**黄体形成ホルモン（LH）**の分泌が亢進し，卵巣内の卵胞が発育し，**エストロゲン（卵胞ホルモン）**の分泌が増加する（➡p.572参照）．

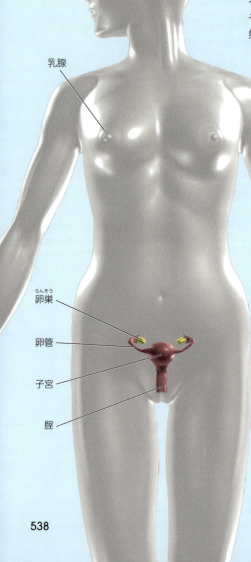

乳腺
卵巣（らんそう）
卵管
子宮
腟

● 月経周期とホルモン

　高温期はプロゲステロンにより**低温期**（卵胞器）より約0.3〜0.6℃上昇する．
体温陥落日を中心に数日の間に排卵が起こっていると推定される．

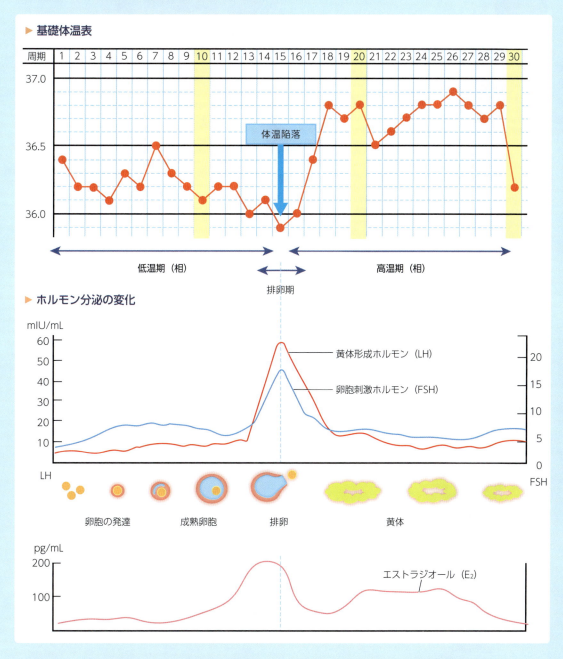

　血中**エストラジオール（E₂）**は**LHサージ**＊前に上昇し，その後低下する．LHサージは，正常な排卵に必須のホルモン動態のため，尿中に排出されて増加するLHは市販されている尿中LH診断キットで自宅でも測定できる．

＊LHサージ：大量のLHの一過性分泌．サージ状分泌とも呼ぶ．

● 男性生殖器

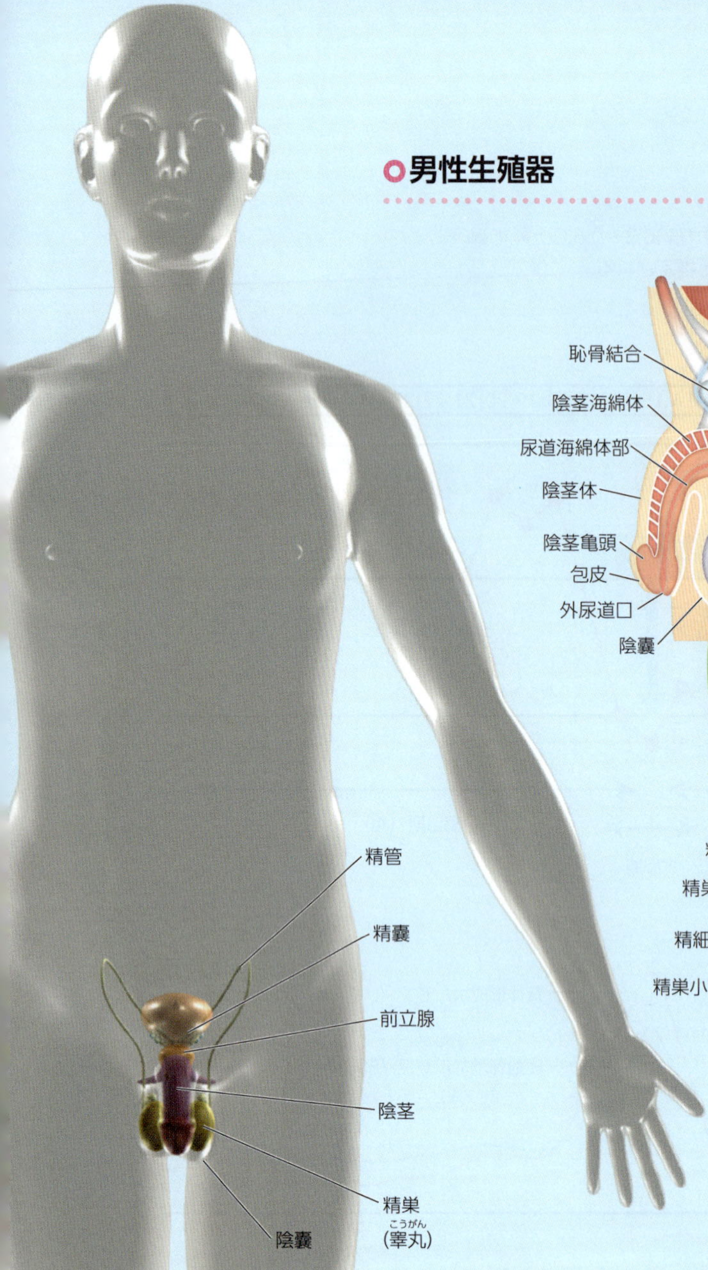

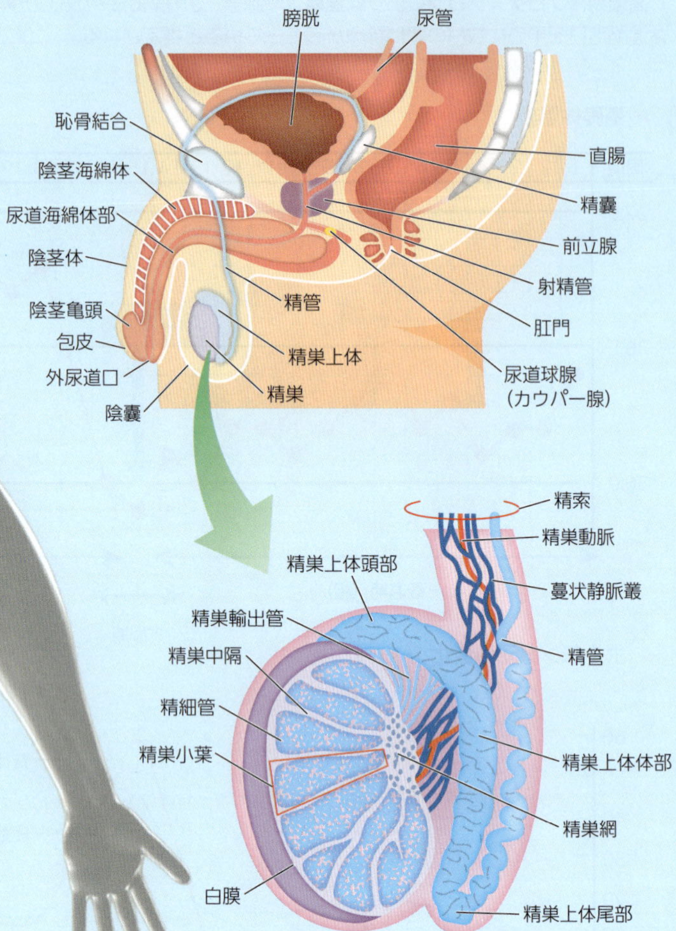

図中ラベル（骨盤矢状断図）:
膀胱、尿管、恥骨結合、陰茎海綿体、尿道海綿体部、陰茎体、陰茎亀頭、包皮、外尿道口、陰嚢、直腸、精嚢、前立腺、射精管、肛門、尿道球腺（カウパー腺）、精管、精巣上体、精巣

図中ラベル（全身図）:
精管、精嚢、前立腺、陰茎、精巣（こうがん）（睾丸）、陰嚢

図中ラベル（精巣断面図）:
精巣上体頭部、精巣輸出管、精巣中隔、精細管、精巣小葉、白膜、精索、精巣動脈、蔓状静脈叢、精管、精巣上体体部、精巣網、精巣上体尾部

▶ 精器

精細管で作られた精子を体外に導く管である．

精巣輸出管 → 精巣上体（管）→ 精管 → 射精管 → 後部尿道 → 外尿道口

（精管への合流）精嚢、前立腺、尿道球腺

▶ 第二次性徴

成長開始 → 陰茎・精巣の発育 → 陰毛発育 → 声変わり → 精通 → 腋毛発育 → ひげの発育 → 成長停止

●妊娠成立までの流れ

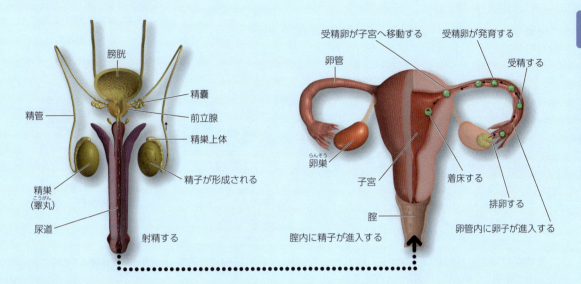

●射精・排卵と受精

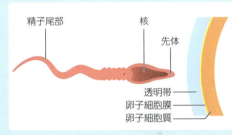

▶ **射精と精子**

1回の**射精**により，数千万を超える精子が腟内に放出される．そのうち，50〜100の精子だけが卵子の誘因物質によって引き寄せられ，精子の頭部が卵子の細胞を取り巻く透明帯へ付着する．1個の精子が卵子の細胞膜に到達する．

▶ **受精**

受精は一般に卵管の中で起こる．

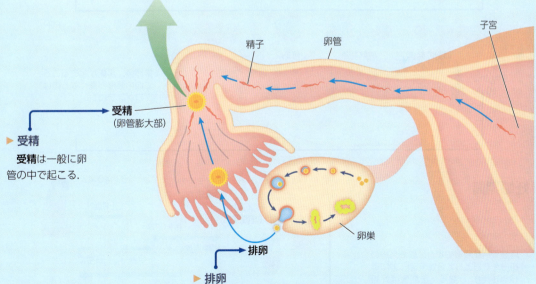

▶ **排卵**

月経周期の14日目ごろ，卵胞は破れて卵母細胞（卵子）は腹腔内へ出る．これを**排卵**という．卵巣から出た卵母細胞は卵管采で拾い上げられる．

●着床

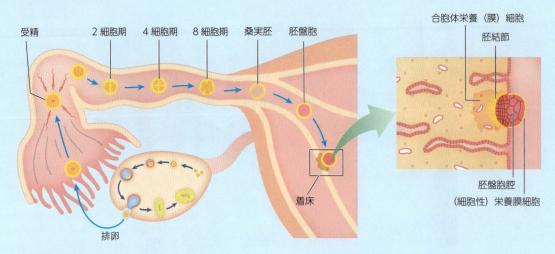

　受精卵は，細胞分裂を繰り返しながら子宮に向かって移動し，4〜5日ほどで子宮へ到達する．受精卵はこの間に2，4，8細胞期から桑実胚，胚盤胞へと成長する．
　胚盤胞が子宮内膜に到達すると，表面二層の細胞層が形成される．外の細胞層は境界のはっきりしない多核の合胞体栄養細胞層で，内層は境界の明らかな栄養膜細胞層からなる．合胞体栄養細胞は子宮内膜を破壊し，胚盤胞はそこから中にもぐり込んで**着床**する．

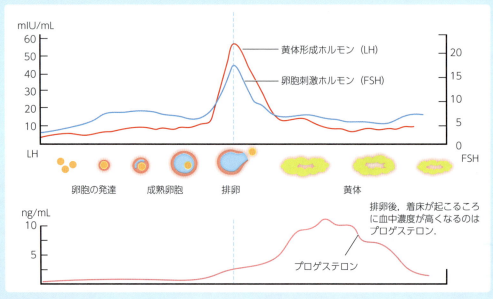

●妊娠期間

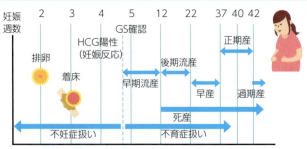

月経周期が順調の場合，最終月経の初日を0日として分娩予定日は40週（280日目）となる．正期産は妊娠37週0日から41週6日まで．

陣痛〜分娩

▶ 陣痛

陣痛発来は不明な点が多い．胎盤から分泌される副腎皮質刺激ホルモン放出ホルモン（CRH）の産生増加は，胎児副腎に直接作用してDHEA-S（デヒドロエピアンドロステロン硫酸抱合体）の分泌を増加させ，血中エストロゲンを上昇させる．これによってプロスタグランジンの合成が促進され，子宮の収縮を引き起こす．

子宮のオキシトシン受容体の数は，妊娠により100倍以上増え，分娩時期には最高値となる．オキシトシン受容体の増加はエストロゲンの作用によるものであるが，子宮の伸展も影響を及ぼしている可能性がある．分娩開始とともに子宮頸部は伸展し，求心性の神経インパルス（活動電位）の増加を引き起こし，これがさらに下垂体後葉からのオキシトシンの分泌を増加させ，多くのオキシトシンが子宮に作用する（ポジティブフィードバック）．

分娩が近くなると，深夜に数時間で消失する子宮収縮が現れるようになる．これを前駆陣痛と呼ぶ．数日間続くときもある．そしてある夜，消えることがなくなる．これを**陣痛**と呼ぶ．

分　類	定　義
第一期（開口期）	陣痛開始より子宮口全開大まで
第二期（娩出期）	子宮口全開大より胎児娩出完了まで
第三期（後産期）	胎児娩出完了直後より胎盤娩出完了まで

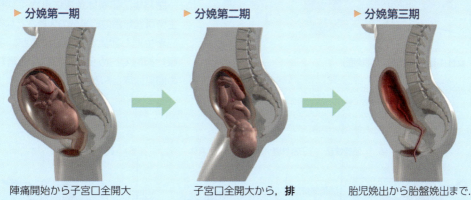

▶ 分娩第一期
陣痛開始から子宮口全開大まで．子宮口全開大近くになるといきみ感が出てくる．

▶ 分娩第二期
子宮口全開大から，**排臨**，**発露**，そして胎児娩出と進んでいく．

▶ 分娩第三期
胎児娩出から胎盤娩出まで．子宮収縮が弱い状態による弛緩出血等に注意が必要となる．

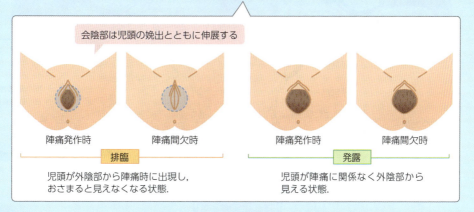

会陰部は児頭の娩出とともに伸展する

陣痛発作時　陣痛間欠時
排臨
児頭が外陰部から陣痛時に出現し，おさまると見えなくなる状態．

陣痛発作時　陣痛間欠時
発露
児頭が陣痛に関係なく外陰部から見える状態．

○出産後

ほとんどの授乳婦の場合，25〜30週間は無月経になる．なんらかの理由で授乳していないか，またはできなかった場合，約6週間後には月経が再開するが，初めの6カ月間は，周期の50%が無排卵性だといわれている．

1 女性生殖器

1 卵 巣

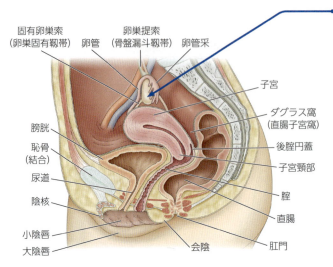

図12-1 女性生殖器の構造（矢状面）

卵巣の構造

卵巣（ovary）は子宮の左右に一つずつある器官で，子宮とは固有卵巣索により，腹壁とは卵巣提索によりつながっている．

卵巣の成長と老化

12〜14歳ごろの思春期になると，卵巣は活発に発育し始める．生殖可能年齢では3.5×2.0×1.0cmほどの大きさになり，重さは約7.0gとなる．

閉経後，卵巣は急速に小さくなり，生殖可能年齢の約半分の大きさとなる．

新生児も卵巣をもっているが，主に原始卵胞で占められており，血管などの間質はほとんどない．

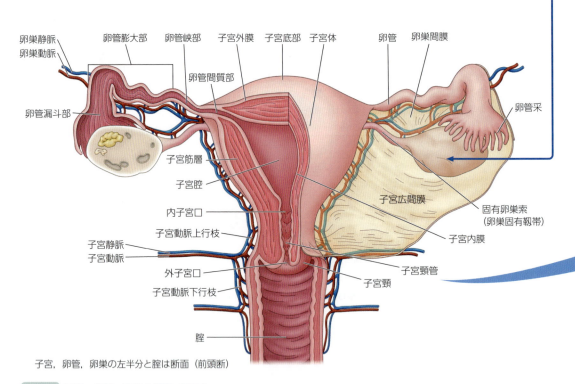

子宮，卵管，卵巣の左半分と腟は断面（前頭断）

図12-2 子宮，卵管，卵巣の構造（後面）

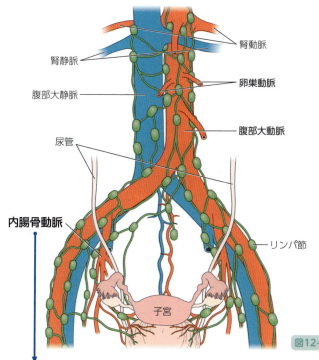

血液の供給

子宮，卵管，卵巣への血液の供給は，主に子宮動脈と卵巣動脈から行われる．

腹部大動脈に続く左右の総腸骨動脈が外・内の腸骨動脈に分かれるが，子宮動脈はその内腸骨動脈から分岐する．

卵巣動脈は腹部大動脈の分岐である腎動脈のすぐ末梢側の両側から生じる．

図12-3 子宮，卵管，卵巣への血液の供給

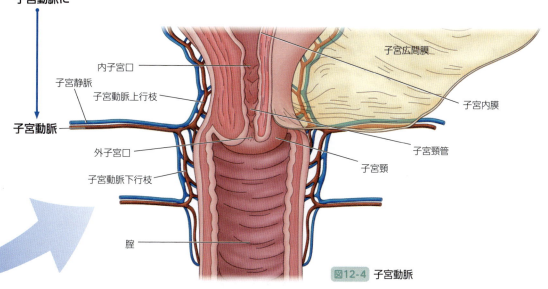

図12-4 子宮動脈

子宮動脈塞栓（uterine artery enbolization：UAE）

大腿動脈から細い管（カテーテル）をX線で見ながら両側の子宮を栄養する動脈（子宮動脈）にまで進め，造影剤に混ぜた塞栓物質（エンボスフィア®）を注入して，子宮動脈の血流を止める治療法で，子宮筋腫の治療として使われる．兵糧攻めのイメージで筋腫は小さくなる．

ほかに前置胎盤による子宮からの出血の止血目的でなどでも使われる．

卵巣内での卵子形成

胎児の二つの卵巣の中に原始卵胞が700万個以上存在するが，出生後に新しい卵子は形成されず，閉経期までに少しずつ減少し，最終的には数千個となる．

表12-1 原始卵胞数の推移

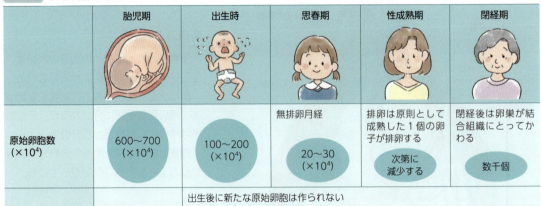

	胎児期	出生時	思春期	性成熟期	閉経期
原始卵胞数 ($\times 10^4$)	$600\sim700$ ($\times 10^4$)	$100\sim200$ ($\times 10^4$)	無排卵月経 $20\sim30$ ($\times 10^4$)	排卵は原則として成熟した1個の卵子が排卵する 次第に減少する	閉経後は卵巣が結合組織にとってかわる 数千個
		出生後に新たな原始卵胞は作られない			

思春期開始のメカニズム

思春期とは，ホルモン分泌が起こる内分泌機能と，排卵が生じる配偶子形成機能が発達し，生殖可能となった時期を意味する．乳腺が発達し，陰毛の発育，その後に初経が起こる．

用語解説 *
ゴナドトロピン放出ホルモン（GnRH）
性腺刺激ホルモン放出ホルモンと同じ．黄体形成ホルモン放出ホルモン（LHRH）とも呼ばれている．

性成長とホルモン分泌

副腎から分泌されるアンドロゲンと下垂体から分泌されるヒト成長ホルモン（hGH），またエストロゲンは，性成長に影響する．

初経の始まる3～4年前から成長は加速し，初経が始まってから2年間で最高に達する．ヒト成長ホルモンが分泌され始めて少し後に，視床下部からゴナドトロピン放出ホルモン（GnRH）*の分泌が始まる．それが卵巣のエストロゲンの分泌を増加させ，さらに下垂体にネガティブフィードバックを生じ，ヒト成長ホルモンの分泌を抑制する．

思春期開始の機構

思春期開始の機構は，まだよくわかっていない．しかし，未成熟のサルに，GnRHをパルス状に注射すると正常な月経が発来し，注射を続ける限り月経周期が維持されることから，視床下部からのGnRHのパルス状分泌が下垂体のゴナドトロピン（性腺刺激ホルモン）を刺激し，それが卵巣に働いて，女性の内分泌の変化が始まることが明らかにされている．8～13歳ごろまでの期間では，なんらかの神経機序により，GnRHの正常なパルス状分泌を抑制しているのではないかと考えられている．

もう一つ，思春期が始まる機構に関わる物質がある．脂肪細胞から分泌される「満腹物質」と呼ばれるレプチンである．思春期発来には，個体の体重が正常な過程を経て，ある一定の値に達することが必要であると長らく考えられてきた．例えば，神経性食欲不振症の患者が食欲を取り戻して体重が増加したとき，月経は再び生じる．しかし，レプチンの思春期発来への関与のしかたについては，まだ明らかになってはいない．

2 管腔系の構造

卵管

①卵管の構造

子宮底部の左右から骨盤壁に向かって延びる，約10cmの筋性の管状構造をもった器官である．腹腔内は卵管を通じて子宮，腟へとつながっていく．卵巣に近い約2/3の部分が卵管膨大部で，通常，受精はこの膨大部で行われる．

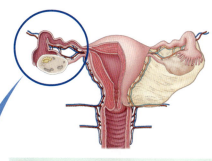

②卵管の機能

1	精子の通過
2	卵子をピックアップ
3	受精・卵割
4	受精卵の輸送

卵管内の精子生存期間は48～72時間，卵子生存期間は8～12時間．

> **plus α**
> **遺伝性乳癌卵巣癌症候群**
>
> 遺伝性乳癌卵巣癌症候群（hereditary breast and ovarian cancer syndrome：HBOC syndrome）において，BRCA1/2の遺伝子変異をもつ患者では，高異型度漿液性癌が卵管采における漿液性卵管上皮内癌（serous tubal intraepithelial carcinoma：STIC）を発生起源としている可能性が指摘されている．このような患者では，リスク低減卵管卵巣摘出術（risk reducing salpingo-oophorectomy：RRSO）が推奨されている（『卵巣がん・卵管癌・腹膜癌治療ガイドライン2020年版』参照）．

③卵管の部位

卵管（fallopian tube）は四つの部位に分けられる．

Ⓐ卵管漏斗部
卵巣から排出された卵子を受け取る，トランペットのような形をした卵管開口部付近を呼ぶ．卵巣に近い部分は卵管采部といわれている．

Ⓑ卵管膨大部
卵管漏斗部につながる卵管の最も太く長い部分で，比較的薄く，弾性に富んでいる．

Ⓒ卵管峡部
直線状で狭く，比較的厚い壁の管状部分である．

Ⓓ卵管間質部
短く，1mmほどの狭い管状構造を経て，子宮へつながる．
卵管内膜は，線毛上皮と粘液産生上皮の半々からなる．

> **異所性妊娠**
>
> 以前は子宮外妊娠といわれていたが，頸管妊娠や子宮間質部妊娠等，子宮外とはいえない部分もあり，異所性妊娠と呼ばれるようになった．卵管妊娠，頸管妊娠，卵巣妊娠，腹膜妊娠の四つに分けられるが，卵管妊娠が98％近くを占めている．そのうち約80％が卵管膨大部である．

図12-5 卵管

子宮

子宮（uterus）は，洋ナシに似た形をした厚い壁をもつ筋性臓器で，直腸と膀胱との間に位置している．前壁と後壁は内腔に張り出し，内腔は逆三角形，子宮全体は円靱帯，基靱帯，仙骨子宮靱帯に支えられる格好になっている．

妊娠していない女性の子宮は長さが平均約9cm，幅は広いところで4cm，重さは40〜60gである．経産婦は，長さと幅で約1.5cmずつ大きくなる．

子宮は子宮体部，子宮峡部，子宮頸部に区分される．

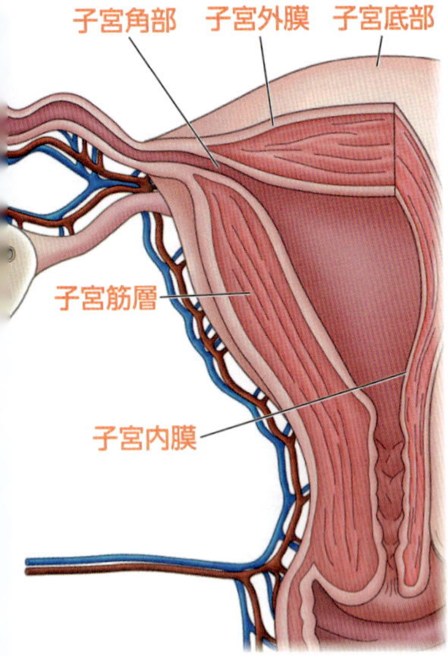

①子宮体部

子宮体部は，卵管への移行部の子宮角部とその上方の子宮底部に分けられる．

子宮壁は内膜・筋層（子宮筋層）・外膜の三つの層で構成される．

筋の外層側は主として縦走する筋組織からなり，内層側はあまり発達していない円周状に走行する筋組織からなっている．

内外の層の間にある一番厚い層は，斜めに走行する互いに重なり合った筋層からなる．

内層は子宮内膜と呼ばれ，腺組織を含む粘膜層からなり，それらの腺構造は結合組織の網状構造からなる間質に入り込んでいる．筋層から，よく発達した血管が子宮内膜に分布している．

図12-6 子宮体部

> **plus α**
> **子宮体癌の進行期分類**
> 2017年7月の子宮体癌取扱い規約 病理編では，骨盤リンパ節陽性はⅢC1期，傍大動脈リンパ節転移があった場合は，ⅢC2期となった．

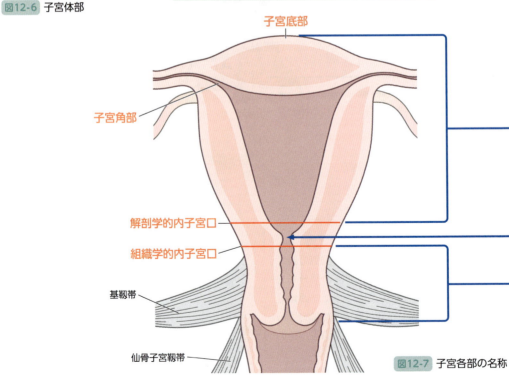

図12-7 子宮各部の名称

②子宮峡部

子宮体部と子宮頸部の間に位置する0.5cmほどの管状構造で、子宮体部に比べて筋層は少なく結合組織*が多い。

子宮体部と子宮峡部の境目を解剖学的内子宮口と呼ぶ。またこれより約1cm下方の、子宮内膜が子宮頸部の内膜に移り変わる部分を組織学的内子宮口と呼ぶ。

> **用語解説** *
> **結合組織**
> 各臓器にある、細胞や組織間を埋める支持組織のこと。

③子宮頸部（頸管）

約3cmの管状構造で、筋層は少なく、子宮頸部の中間付近の筋組織は約10％である。

腟上部の後壁の部分を除く骨盤筋膜で覆われた部分を傍子宮組織といい、子宮頸癌での傍子宮組織への浸潤はstage ⅡBと臨床診断される。子宮頸部の腟に突出する円柱上皮に覆われた部分は、腟の重層扁平上皮につながる。子宮頸部の粘膜は、子宮頸部活樹と呼ばれ、頸管内で樹木のように広がっている。

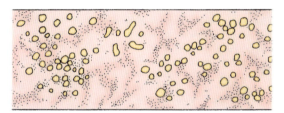

黄体期中ごろ、正常周期

エストロゲン存在下排卵前

図12-8 子宮頸管粘液

Ⓐ 子宮頸管粘液

子宮頸管上皮の頸管腺から分泌される子宮頸管粘液の量や質は、ホルモンによって調節される。排卵期には糸を引くような分泌液が増加する（粘液の1滴が8～12cm、またはそれ以上に伸びる）。この時期の粘液をスライドグラス上に薄く伸ばして乾かすと、シダ状模様を示す。排卵後には、この粘液像はみられない。

排卵期の子宮頸管粘液のシダ状模様

Ⓑ 基靭帯と仙骨子宮靭帯

基靭帯と仙骨子宮靭帯は子宮の大事な支持組織で年齢とともに脆弱になり、高齢者の骨盤臓器脱の原因となっている。

基靭帯と仙骨子宮靭帯ともに子宮頸部から発し、基靭帯は骨盤の内壁に、そして仙骨子宮靭帯は仙骨につながっている。

> **plus α**
> **性器下垂**
> 仙骨子宮靭帯や基靭帯は、高齢者に生じる子宮脱や子宮摘出後の断端脱の主たる重要な要素となる。インテグラル理論（女性の骨盤底の疾患を説明し、治療する上での概念）に基づいた手術療法では、これらの靭帯が弱く子宮や子宮摘出後の断端を維持できないと診断されたときには、ポリプロピレンなど人工素材を編み上げたメッシュがその補強に利用されている。しかし、メッシュ露出やびらん等の術後合併症もあり、近年、注意深い使用が求められている。

- ④血管とリンパ管

子宮動脈は内腸骨動脈から生じ，子宮頸部の約1cm側方で尿管の上を通過する．

骨盤内にあるリンパ管は，大動脈の周囲にあるリンパ管につながっているが，子宮体部のリンパの流れは子宮腟部と異なる．また，骨盤内だけではなく傍大動脈節に流れ込むものもあり，例えば子宮内膜癌の筋層に浸潤した症例では傍大動脈節への転移が指摘され，最近では傍大動脈節のリンパ郭清（かくせい）が治療として追加される報告が多い．

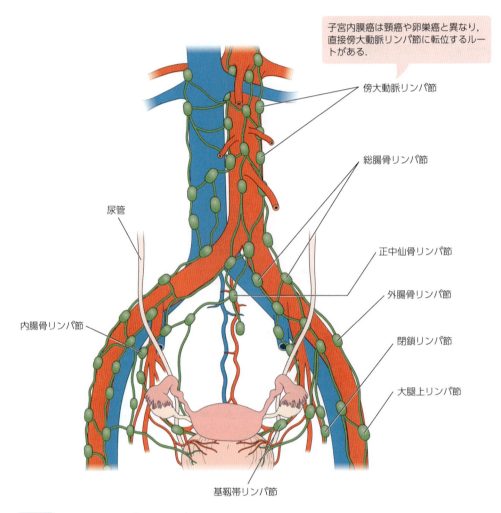

図12-9 生殖器官とリンパ節

腟

①腟の構造

腟（vagina）は，内生殖器と外生殖器をつなぐ約7～9cmの管状器官である．前後に平たい形をしており，前方に膀胱，後方に直腸がある．前壁で約7cm，後壁で約9cmの長さがあり，前壁と後壁を区別している．

子宮腟部に移る直前の後面は，**後腟円蓋**と呼ばれ，腟と腹腔を隔てるダグラス窩（直腸子宮窩）に隣接している．後面の下1/3は会陰体と呼ばれる組織によって直腸と少し離れているが，上部は接触している．

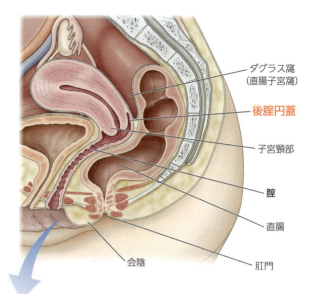

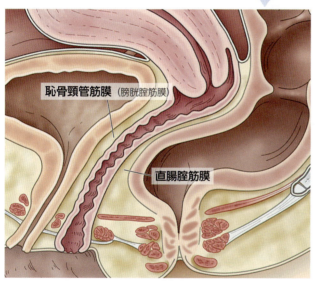

図12-10 恥骨頸管筋膜と直腸腟筋膜

plus α

ダグラス窩

ダグラス窩はしばしば臨床上大切な役割を果たす．異所性妊娠等での腹腔内出血の診断時の穿刺，膿瘍形成した骨盤内腹膜炎（卵巣膿腫や卵管留膿腫）の治療としてのドレナージ，卵巣嚢腫および子宮筋腫摘出のルートとしても使われている．

②恥骨頸管筋膜と直腸腟筋膜

腟壁の筋層の外側は発達した結合組織で覆われ，前壁を**恥骨頸管筋膜**（膀胱腟筋膜），後壁を**直腸腟筋膜**と呼ぶ．これらの結合組織は年齢とともに薄く，そして弱くなることが性器脱や尿失禁などの疾患と大いに関係していると指摘されている．

③腟粘膜

重層扁平上皮で覆われている．上皮と表面の層の細胞はグリコーゲンを蓄えており，これがエストロゲンによって刺激されると，腟内のデーデルライン桿菌という腟常在菌の炭水化物代謝物質として使われる．

発酵した乳酸物質は腟内のpHを低く保ち（正常pH3.5～4.5），デーデルライン桿菌などの正常菌層を安定させているため，結果として病原菌の侵入防止に役立っている．

腟の自浄作用と呼ぶ

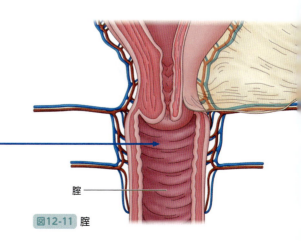

図12-11 腟

3 女性外生殖器の構造

構成器官

外陰部とも呼ばれる女性外生殖器は，外尿道口と腟口の間にある腟前庭と陰核（クリトリス），会陰，それらを取り巻く小陰唇，大陰唇によって構成されている．

①小陰唇

脂肪を含まない平たい結合組織からなる．その上縁には，ペニスに相当する陰核が存在する．この器官はペニスと同様に，性行為中に大きく硬くなる．

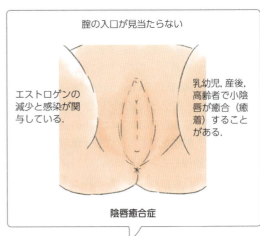

腟の入口が見当たらない

エストロゲンの減少と感染が関与している．

乳幼児，産後，高齢者で小陰唇が癒合（癒着）することがある．

陰唇癒合症

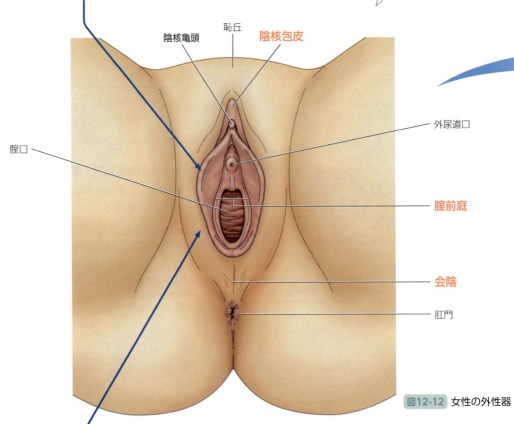

図12-12 女性の外性器

②大陰唇

男性の陰嚢に相当する器官で，子どもや高齢者を除けば，脂肪組織に富んでいる．外側は陰毛に覆われている．

③処女膜

腟口の周りの薄い膜状の器官である．月経血はこの処女膜に囲まれた腟口から体外に流れ出る．

---

plus α 会陰体

肛門と腟の間の会陰にある組織で，分娩時に軟らかくなり，児の通過を容易にする．以前は分娩時に会陰切開が行われることが多かったが，現在では見直されている．

plus α 処女膜と処女性

処女膜は比較的血管の少ない器官で，多くの場合，初めての性行為によって裂傷ができるが，出血してもほとんどすぐに止血する．この膜は「処女性」の診断に使われるものの，それがいつも正確であるとは限らない．なぜなら，性行為によっても裂傷ができないことがあるからだ．

◢ 腺，血管，リンパ管

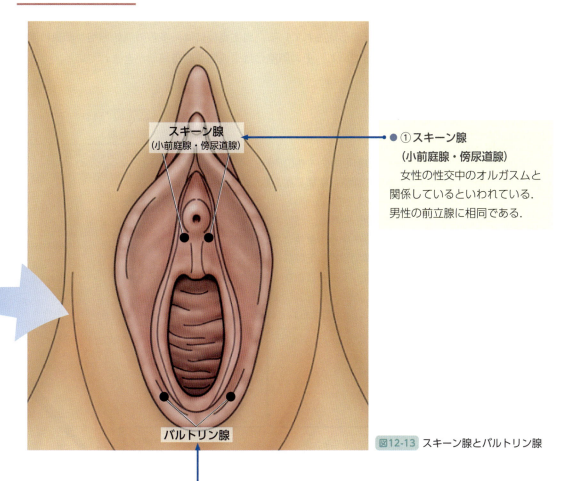

図12-13 スキーン腺とバルトリン腺

● ①スキーン腺
（小前庭腺・傍尿道腺）
女性の性交中のオルガスムと関係しているといわれている．男性の前立腺に相同である．

● ②バルトリン腺
処女膜と後陰唇交連の内側にある粘膜襞の間の両側に開口する2 cmほどの管をもった分泌腺はバルトリン腺と呼ばれる．これは男性の尿道球腺とほぼ同じ機能をもち，性行為中に興奮すると分泌液を排出する．

● ③外生殖器の血管
外腸骨動脈につながる大腿動脈からの外陰部動脈と，内腸骨動脈からの内陰部動脈の枝分かれによって構成される．

● ④リンパ管
リンパ管は，浅部および深部大腿節と陰核からは内腸骨節，腟下1/3と吻合するものは外腸骨節と連なっている．このためバルトリン腺膿瘍などでは，鼠径部のリンパ節が腫れることになる．

◢ バルトリン腺の疾患

バルトリン腺は感染や会陰切開の縫合等で管が詰まったり狭窄した場合，バルトリン腺腫，後陰唇交連の左または右の腫脹や痛みを生じる．そこに感染が生じるとバルトリン腺膿瘍を発症し，炎症所見が強くなり発熱を伴うこともある．

4 性周期

卵巣は胎児のうちに，ある段階まで形成されている．出生直後には，多数の原始卵胞が卵巣被膜に接するように存在するまでに成長している．その**卵胞**には未成熟な卵母細胞が含まれている．

■ 卵巣周期（月経周期）

● ①卵胞期（増殖期）

月経周期*の6日目ごろに一つの卵巣中の1個の卵胞のみが急速に成長し始め，優位卵胞となり，ほかの卵胞は閉鎖卵胞となって退化してしまう．この一連の周期はアポトーシス*による．

原始卵胞の成熟期に当たる卵胞期の時期に，どのように1個の卵胞が選ばれるのかは不明である．だが，外から下垂体ゴナドトロピン（例えば，不妊症患者に使う下垂体性性腺刺激ホルモンなど）を投与すると，卵巣内では多数の卵胞が同時に成長していくことからもわかるように，卵胞の発育に必要な**エストロゲン（卵胞ホルモン）**を産生する能力が卵胞によって異なることが要因ではないかと考えられている．

> **用語解説***
> **月経周期**
> 子宮内膜の壊死・脱落による子宮出血の開始日を第1日目とし，次の月経開始前日までの期間を指す．

> **用語解説***
> **アポトーシス**
> 遺伝子の支配の下に細胞は分裂したり，また一方では死に至り，吸収したり，除去される．この後者の過程は，プログラム細胞死またはアポトーシス（apoptosis）と呼ばれる．ギリシア語で，apoは消失，ptosisは落下を意味する．

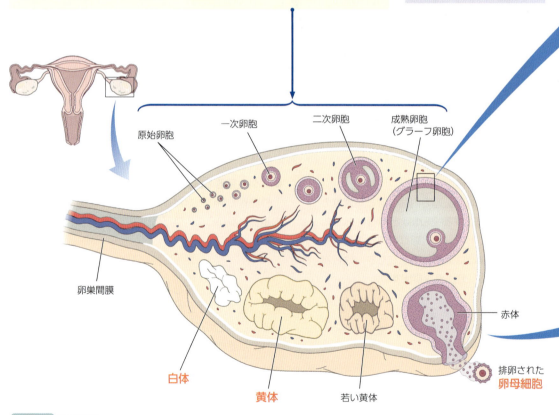

図12-14 卵巣周期

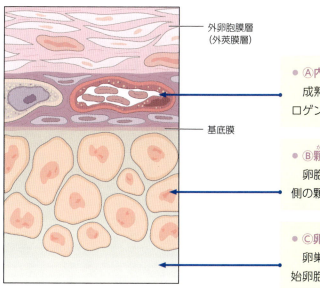

- Ⓐ 内卵胞膜層（内莢膜層）
  成熟卵胞の内卵胞膜層は，血中のエストロゲンを産生する．

- Ⓑ 顆粒膜細胞
  卵胞液のエストロゲンは内卵胞膜層の内側の顆粒膜細胞に由来する．

- Ⓒ 卵胞液
  卵巣内では各月経周期の初めに複数の原始卵胞が大きくなり始め，卵細胞の周りに卵胞液で満たされた腔所（洞）を形成する．

● ②排卵
　月経周期の14日目ごろ，卵胞は破れて卵母細胞（卵子）は腹腔内へ出る．これを**排卵**という．

● Ⓐ卵母細胞
　卵巣から出た卵母細胞は卵管采で拾い上げられ，子宮へ運ばれる．受精が起こらなければ，卵母細胞は腟を経て排出される．
　卵胞は排卵直後，血液で満たされて赤体となる．このとき，出血が腹腔内に流れて腹膜を刺激し，一過性の腹痛を起こす．これを**排卵痛**または中間痛と呼ぶ．

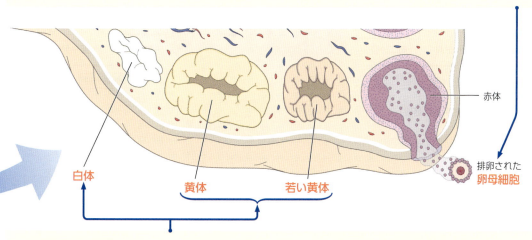

● ③黄体期（分泌期）
　排卵後，卵胞の顆粒膜細胞とその外側の卵胞膜層は急速に増殖し，凝固した血液が黄色い脂質に富む黄体細胞からなる**黄体**に変化する．エストロゲンと**プロゲステロン（黄体ホルモン）**を産生するこの時期を，黄体期という．

● Ⓐ黄体から白体への変化
　妊娠すれば黄体は存続するが，妊娠しなければ，月経周期の24日目または次の月経開始予定の4日前ごろから退化し始め，瘢痕的組織である白体に変化する．

卵子の発生

卵子は減数分裂と呼ばれる特殊な細胞分裂を経て形成される．第一減数分裂の最初の過程を行い，細胞分裂前期で停止したまま思春期を迎えた一次卵母細胞は，排卵の起こる直前に第一減数分裂が完了する．

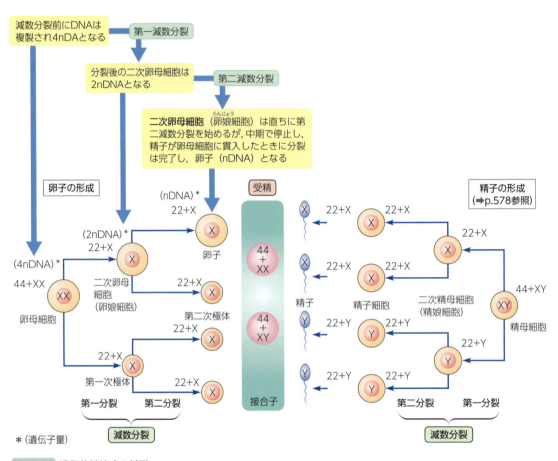

図12-15　遺伝的性決定の基礎

■ 月経

子宮内膜は卵巣と密に関連し合いながら，平均で28日周期の変化を繰り返す．この間に排卵が起こる．

● ①月経血

約75％は動脈血である．月経血は，ホルモン様物質のプロスタグランジンや脱落した組織，そして子宮内膜に由来するかなり多量のフィブリン溶解酵素（プラスミン）を含んでいる．この酵素は凝血を溶かすので，凝血塊が認められる場合は一般に過多月経であることが多い．

表12-2 月経の正常と異常

月経異常	名　称	定　義	正　常
月経量	過少月経	月経量が20mL以下	20～140mL
	過多月経	月経量が140mL以上	
月経持続周期	過短月経	月経日数が2日以内	3～7日間
	過長月経	月経日数が8日以上	
月経周期	頻発月経	24日以内で月経がくる	25～38日間
	稀発月経	39日以上3カ月未満月経	
	無月経	3カ月以上月経なし	

● ②子宮内膜の変化

● Ⓐ月経中

月経時に脱落する子宮内膜表層の2／3は，らせん動脈からなる機能層で，脱落しない深部の層は基底動脈からなる基底層である．多くの場合3～7日間で，個人によって1～8日間の幅がある．

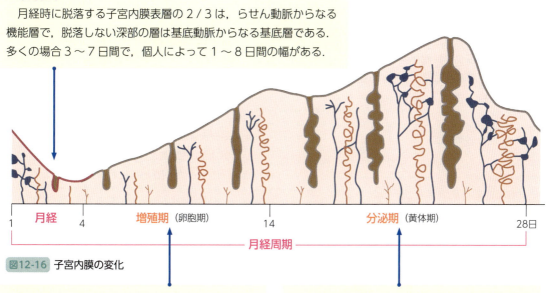

図12-16 子宮内膜の変化

● Ⓑ増殖期

月経によって子宮内膜から脱落した層を回復させるために，基底層から新しい内膜が再生する増殖期（これは子宮内膜変化による分類で，ホルモンの変化からは卵胞期と呼ぶ），増殖期の期間は変動しがちである．

● Ⓒ分泌期

透明な液を分泌する時期（これは子宮内膜変化による分類で，ホルモンの変化からは黄体期と呼ぶ）．分泌期は約14日と安定している．分泌期が受精卵の着床する大事な期間であることと関係している．

● ③ホルモンの視点から

　月経は黄体の退化後，3～4日して生じる．エストロゲンとプロゲステロンの血中濃度の低下は，FSHとLHの分泌を増加させ（ネガティブフィードバック），新たな卵胞を発育させる．

GnRH：ゴナドトロピン放出ホルモン
LH　　：黄体形成ホルモン
FSH　：卵胞刺激ホルモン

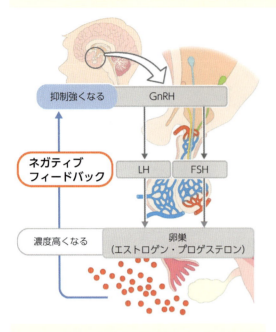

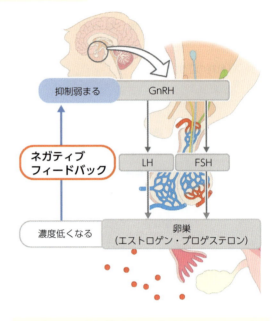

● Ⓐネガティブフィードバック
　エストロゲン濃度が高くなると，ネガティブフィードバックの抑制が強くなり，エストロゲン濃度は正常濃度に戻ろうとする動きになる．

● Ⓑネガティブフィードバック
　エストロゲン濃度が低くなると，ネガティブフィードバックの抑制が弱くなり，エストロゲン濃度は正常濃度に戻ろうとする動きになる．

● Ⓒポジティブフィードバック
　エストロゲン濃度が一定の濃度を超えたとき，LHサージが引き起こされ排卵が起こる．

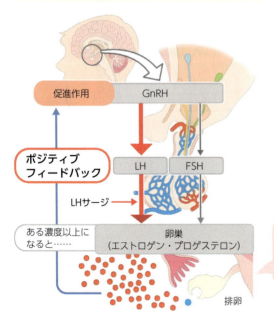

排卵前のエストロゲンの急激な増加は，LH分泌に正のフィードバック効果を及ぼすことで，LHの多量の一過性分泌が起こり，排卵となる．

図12-17　ネガティブフィードバックとポジティブフィードバック

卵巣によるホルモン分泌

思春期を迎えると，卵巣は活発に活動を開始し，卵巣ホルモンの分泌も始まる．卵巣から分泌されるエストロゲンには，いくつかの種類があり，なかでも**エストロン***（E_1），**17β-エストラジオール**（E_2），**エストリオール**（E_3）の三つが重要である．卵胞，黄体，そして胎盤から分泌される．

表12-3 エストロゲンの種類

種類	産生時期	産生部位	活性力
エストロン（E_1）	主として閉経後	脂肪	
17β-エストラジオール（E_2）	性成熟期	卵巣	最も強い
エストリオール（E_3）	妊娠中	胎児副腎と胎盤	最も弱い

> **用語解説***
> **エストロン**
> エストラジオールからエストラジオールデヒドロゲナーゼの作用により転換される．

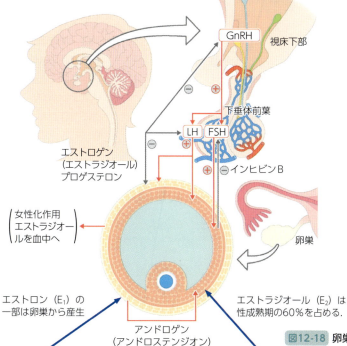

> **用語解説***
> **アンドロステンジオン**
> 男性ホルモンの一つであるテストステロン生合成に関わる重要な中間体．

図12-18 卵巣機能のフィードバック調節

①内莢膜細胞

卵巣内にある卵胞の外側の内莢膜細胞には，多数のLHレセプター（黄体形成ホルモン受容体）がある．ここにLHが働くと，アデノシン環状リン酸（cAMP）を介してコレステロールからアンドロステンジオン*への変換が促される．

アンドロステンジオンの一部はエストラジオール（エストロゲンの一種）となり，血中に入る．内莢膜細胞は顆粒膜細胞へアンドロステンジオンを供給する．そして，そこでもエストラジオールが産生され，卵胞液中に分泌されるといわれている．

②顆粒膜細胞

顆粒膜細胞にはFSHとLHの受容体があり，ともにエストラジオールを産生する．卵巣自体にも，アンドロゲンとエストロゲンを作る能力がある．

3種類のエストロゲンのうち，17β-エストラジオールが一番活性が強く，エストリオールの活性が一番弱い．

3種類のエストロゲンは，肝臓でグルクロン酸や硫酸と抱合される．その後，尿や胆汁中に排出されるが，多くの量が胆汁中に分泌され，再び血中に吸収される（腸肝循環）．

エストロゲンのさまざまな作用

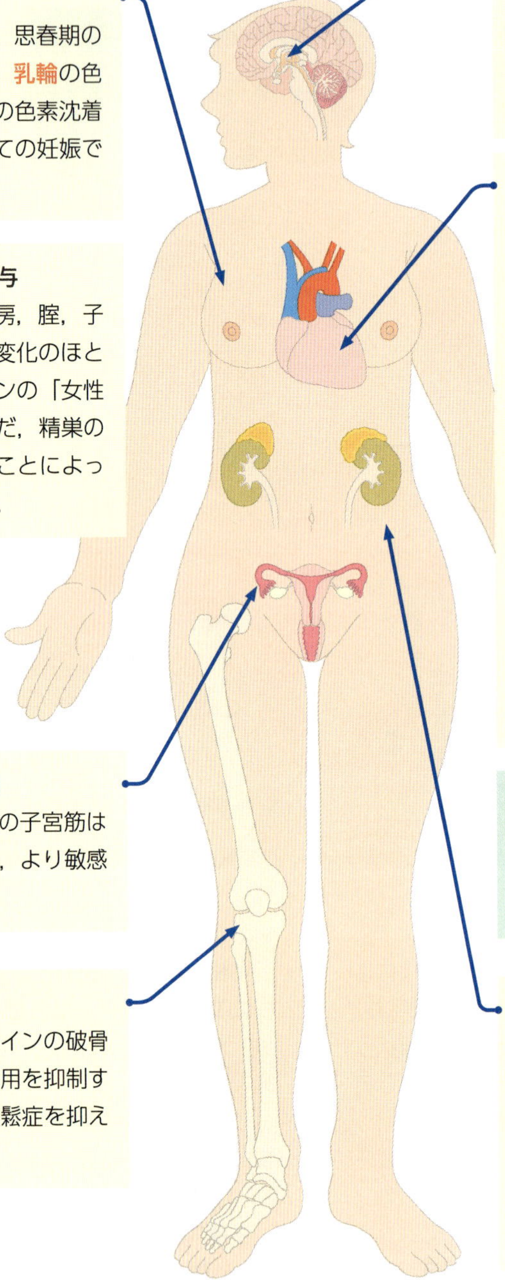

● ①乳房への作用
　乳管の成長を促し, 思春期の乳房発育に作用する. 乳輪の色素沈着を促すが, この色素沈着は思春期よりも初めての妊娠で著しく現れる.

● ②二次性徴への関与
　思春期の女性の乳房, 腟, 子宮, その他の身体的変化のほとんどは, エストロゲンの「女性化作用」による. ただ, 精巣のアンドロゲンがないことによって生じる変化もある.

● ③生殖器への作用
　エストロゲン優位の子宮筋はオキシトシンに対し, より敏感になる.

● ④骨格への作用
　ある種のサイトカインの破骨細胞に及ぼす刺激作用を抑制することにより, 骨粗鬆症を抑える.

● ⑤中枢神経への作用
　ヒトの性欲を高める. 視床下部への直接作用といわれている. アルツハイマー型認知症の進行を遅らせる作用があると報告されている.

● ⑥循環器への作用
　エストロゲンは血漿コレステロールを著しく減少させる. それはLDL（低比重リポタンパク）を低下させ, HDL（高比重リポタンパク）を増加させることにつながる. さらに血管平滑筋に対し, 局所での一酸化窒素（NO）産生により弛緩を生じさせる.
　これらの作用は動脈硬化の形成を抑制する. HDLは, エストロゲン以外にも適度な運動とアルコールを適量たしなむ人では上昇する.

plus α
心筋梗塞とエストロゲン作用
男性より女性が心筋梗塞になりにくいのは, HDLレベルが高いことなどのエストロゲン作用と関係しているといわれている.

● ⑦体液への影響
　塩分と水分の貯留を促す作用をわずかながらもっている. 月経前にはアルドステロンの分泌がわずかに上昇し, 塩分と水分が必要以上にたまり, 体重は一時的に増加する.

図12-19 エストロゲンの作用

プロゲステロンのさまざまな作用

エストロゲンとプロゲステロンは，子宮や腟に対してはお互いに拮抗作用を示すが，乳腺に対して協調的である．

プロゲステロンは黄体，胎盤，また卵胞からも少量分泌される．ステロイド生合成の重要な中間代謝産物であり，少量だが精巣や副腎皮質からも血中へ分泌される．

男性は血漿中プロゲステロン濃度が約0.3ng/mL（1nmol/L）であるのに対し，女性では0.9ng/mL（3nmol/L）と男性より多い．これは卵胞期に，卵胞から少量のプロゲステロンが分泌されるためである．プロゲステロンは卵胞後期に増加し始め，黄体期には約20倍も増加する．

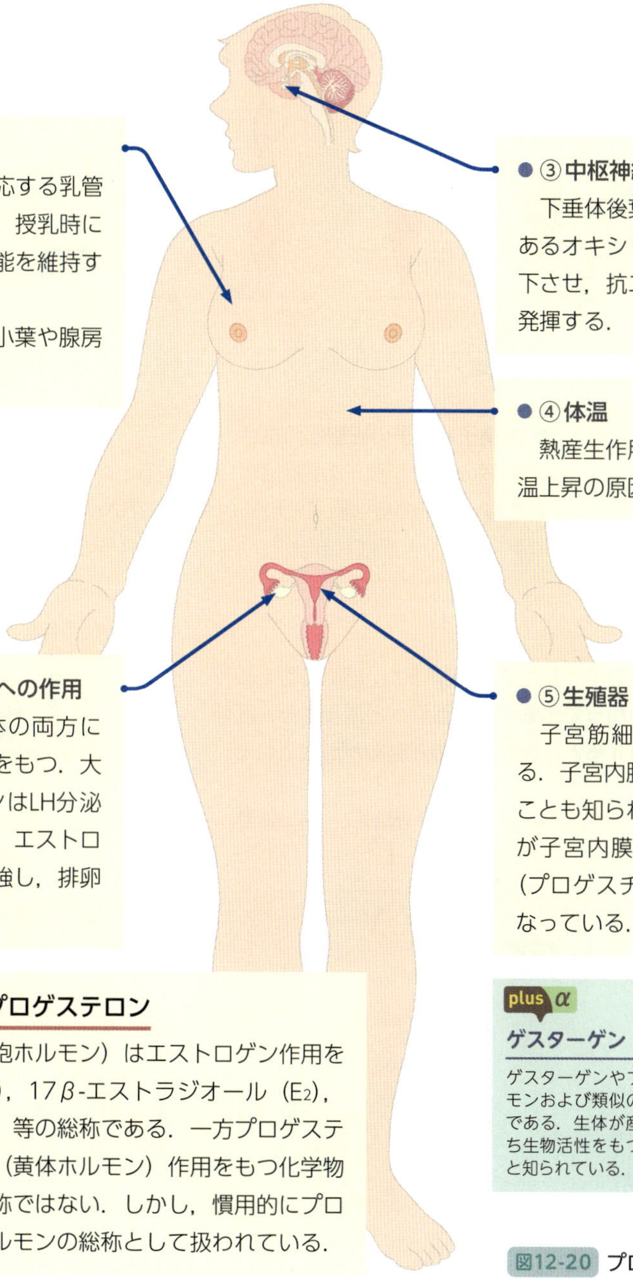

①乳房への作用
エストロゲンに反応する乳管組織の分化を起こし，授乳時における乳腺の分泌機能を維持する．

乳房では乳腺の腺小葉や腺房の発達を刺激する．

③中枢神経への作用
下垂体後葉ホルモンの一つであるオキシトシンの感受性を低下させ，抗エストロゲン作用を発揮する．

④体温
熱産生作用が排卵時の基礎体温上昇の原因となっている．

②生殖器（卵巣）への作用
視床下部と下垂体の両方にフィードバック作用をもつ．大量のプロゲステロンはLH分泌を抑制するとともに，エストロゲンの抑制効果を増強し，排卵を抑える．

⑤生殖器（子宮）への作用
子宮筋細胞の興奮性を下げる．子宮内膜の増殖を抑制することも知られており，このことが子宮内膜症のゲスターゲン（プロゲスチン）療法の根拠となっている．

エストロゲンとプロゲステロン

エストロゲン（卵胞ホルモン）はエストロゲン作用をもつエストロン（E_1），17β-エストラジオール（E_2），エストリオール（E_3）等の総称である．一方プロゲステロンはプロゲスチン（黄体ホルモン）作用をもつ化学物質の一つであって総称ではない．しかし，慣用的にプロゲステロンが黄体ホルモンの総称として扱われている．

plus α
ゲスターゲン・プロゲスチン
ゲスターゲンやプロゲスチンは，黄体ホルモンおよび類似の生物学的作用物質の総称である．生体が産生するゲスターゲンのうち生物活性をもつのはプロゲステロンのみと知られている．

図12-20 プロゲステロンの作用

5 妊娠と出産

▌受精・着床と胎児

●①精子受容体への結合
1回の射精により，数千万を超える精子が腟内に放出される．そのうち，50〜100の精子だけが卵子の誘因物質によって引き寄せられ，精子の頭部が卵子の細胞を取り巻く透明帯へ付着する．そして，ZP3と呼ばれる精子受容体に結合する．

●②タンパク分解酵素の放出
続いて，精子の頭部の先端にある先体に先体反応が生じ，卵子の透明体の貫通を容易にするアクロシンというタンパク分解酵素（プロテアーゼ）を放出する．

plus α
膜電位
細胞の内側と外側との電位差．複数の精子による受精を防いでいるのは，卵子の膜電位の変化による．さらに，これに続く透明帯の構造変化が，後からくる精子の進入を防ぐ重要な役目を果たしている．

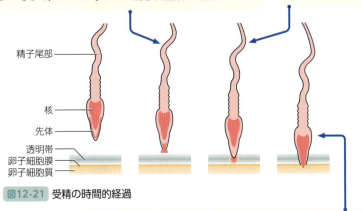

図12-21 受精の時間的経過

●③精子と卵子の細胞膜の融合
1個の精子が卵子の細胞膜に到達すると，精子と卵子の細胞膜の融合が起こり，精子の核は卵子細胞質内へ入っていく．このとき，精子頭部にあるファーチリンと呼ばれる融合タンパクがそれらの融合を促すといわれている．

●④受精
受精は一般に卵管の中で起こる．受精卵は，細胞分裂を繰り返しながら子宮に向かって移動し，胚盤胞へと成長する．胚盤胞が子宮内膜に到達すると，表面二層の細胞層が形成される．

受精卵の栄養
管腔に排出された粘液は，線毛と卵管筋性部分による蠕動運動により，子宮のほうに流される．この液はタンパク質に富み，卵管移動中の受精卵に栄養を提供するのではないかと考えられている．

受精可能な卵子
LHの大量分泌（LHサージ）の約9時間後に排卵が生じる．排卵された卵子は約72時間生きているが，受精可能なのは短期間である．

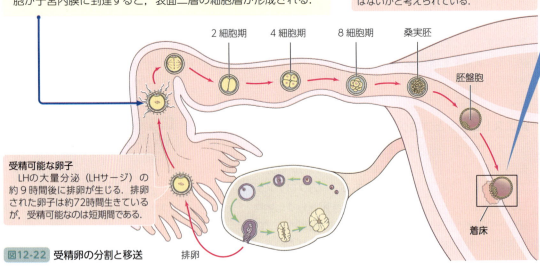

図12-22 受精卵の分割と移送

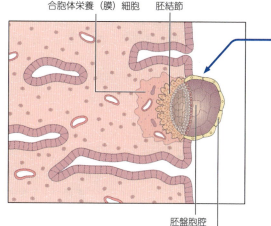

⑤ 着床

外の細胞層は境界のはっきりしない多核の合胞体栄養細胞層で，内層は境界の明らかな栄養膜細胞層からなる．合胞体栄養細胞は子宮内膜を破壊し，胚盤胞はそこから中にもぐり込んで着床する．

着床は通常子宮の背側内壁で起こり，続いて胎盤が形成される．

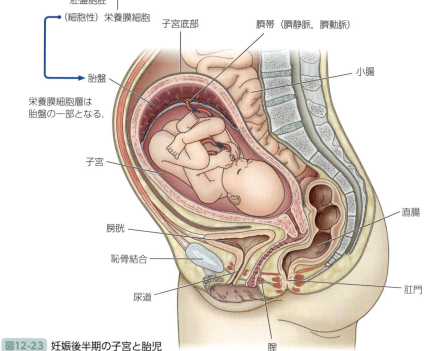

図12-23 妊娠後半期の子宮と胎児

⑥ 内分泌変化

受精後，黄体は肥大し妊娠黄体としてエストロゲン，プロゲステロン，そしてリラキシンと呼ばれるポリペプチドホルモンを分泌する．リラキシンは胎盤や子宮からも分泌され，子宮筋の収縮を抑制し，妊娠を維持する．また恥骨結合の靱帯を緩め，子宮頸部を軟らかくし，娩出を容易にする．

妊娠6週以後は，胎盤から黄体機能を代行できる量のエストロゲンとプロゲステロンを母体および胎児中の前駆物質から生成する．妊娠6週以前の卵巣摘出は流産の恐れがあるが，それ以後なら妊娠は維持される．

胎盤から分泌されるヒト絨毛性ゴナドトロピン（hCG）は，成熟卵胞に作用して排卵を起こさせ，黄体を維持させるが，卵胞刺激ホルモン活性はわずかである．

plus α

腫瘍マーカーとしてのhCG

hCGは妊娠時にだけ現れるのではなく，男女ともにいろいろな腫瘍からも産生され，「腫瘍マーカー」としても用いられる．正常な胎児の肝臓と腎臓でも，少量のhCGを産生しているという．

● ⑦不妊

一般に妊娠を希望して1年間で約80%が妊娠する．1年以上経過しても妊娠しない場合，不妊症と定義される．不妊はさまざまな原因で起こる．一般にその原因の40〜50%は男性側にもあるとされている．原因不明不妊症（機能性不妊症）は，不妊症の10〜15%に当たる．

● Ⓐ妊娠の可能性

排卵2日前が妊娠確率が高く，排卵日から8日以上前，3日以上後の性交では妊娠の可能性は低い．

plus α
クロミフェン
クロミフェンは，内因性エストロゲンと競合して視床下部のエストロゲン受容体に結合する．視床下部はエストロゲンが少ないと認識し，GnRHを分泌する．その結果，LH・FSHの分泌は亢進する．

● Ⓒ体外受精*

体外受精では，成熟卵子を採卵して精子と受精させ，胚盤胞を子宮に移植する．

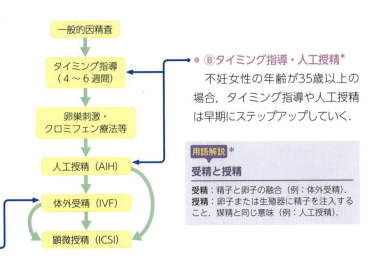

● Ⓑタイミング指導・人工授精*

不妊女性の年齢が35歳以上の場合，タイミング指導や人工授精は早期にステップアップしていく．

用語解説 *
受精と授精
受精：精子と卵子の融合（例：体外受精）．
授精：卵子または生殖器に精子を注入すること．媒精と同じ意味（例：人工授精）．

配偶者間人工授精（artificial insermination with husband semen：AIH）
体外受精—胚移植（in vitro fertilization and embryo transfer：IVF-ET）
卵細胞質内精子注入法（intracytoplasmic sperm injection：ICSI）

図12-24　不妊症に対する基本治療の流れ

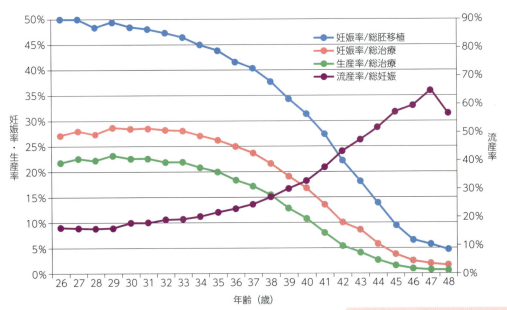

日本産婦人科学会．ARTデータブック．ART妊娠率・生産率・流産率2022．
https://www.jsog.or.jp/activity/art/2022_JSOG-ART.pdf．（参照2024-10-18）より転載．

生殖補助技術/生殖補助医療（assisted reproductive technology：ART）

図12-25　生殖補助技術における妊娠率・生産率・流産率

初期発生と器官形成

発生週数は受精の日から数え始め，妊娠週数は受精前の最終月経から数え始める．

動画でチェック　妊娠初期の発達

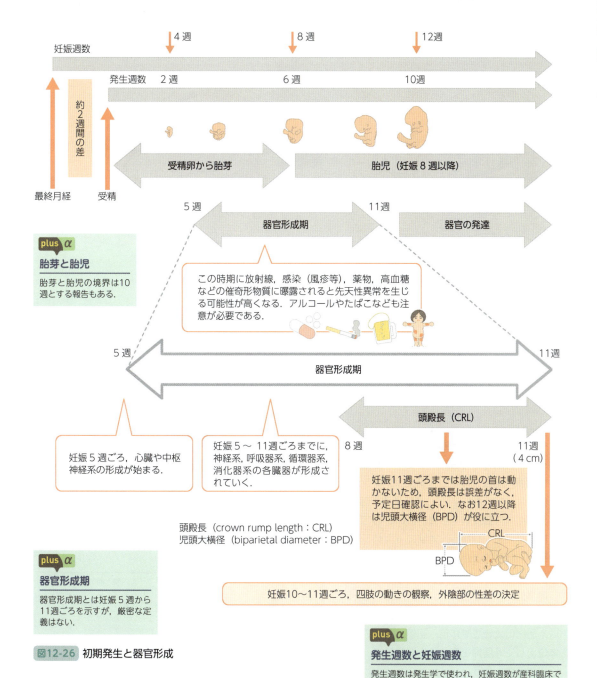

図12-26　初期発生と器官形成

出産

人間の妊娠期間は，受精から数えて平均270日（最終月経から計算して284日）である．妊娠36週ごろには，子宮の不規則な収縮がしばしば起こるようになる．

● ①分娩開始のしくみ

いくつかのメカニズムが考えられている．双胎妊娠や羊水過多症など子宮の過度の伸展は予定日より早く陣痛がくる傾向にある．また感染など子宮内環境が悪化したときも同様である．無脳児は予定日より遅くなる傾向から，胎児の脳がなんらかの影響を与えている可能性が示唆される．

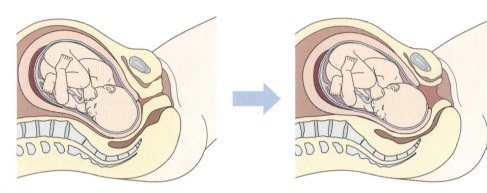

図12-27 分娩の過程

● ②前駆陣痛と陣痛

分娩が近くなると数時間で消失する子宮収縮が深夜になって現れるようになる．これを前駆陣痛と呼ぶ．数日間続くときもあるが，ある夜それは消えることがなくなる．これを陣痛と呼ぶ．

● ③分娩第一期

陣痛開始から子宮口全開大まで．子宮口全開大近くになるといきみ感が出てくる．

オキシトシンによる子宮収縮のメカニズム
①子宮平滑筋細胞に直接作用して収縮を起こす．
②脱落膜（胎盤）のプロスタグランジン生成を促し，プロスタグランジンがオキシトシン*による子宮収縮を増強させる．

分娩中は脊髄反射や意識的にいきむことも娩出を助けることにつながる．しかし，対麻痺（両側下肢麻痺）の妊婦でも分娩が可能なことから，いきみや下垂体後葉からのオキシトシンの反射性分泌は必要不可欠とはいえない．

陣痛開始前の子宮頸管は次第に軟らかくなり，展退*し，そして少しずつ開大し始める．分娩開始後の経過については，胎児の大きさや体位，回旋，陣痛の強さ，産道の状態，体位そして妊産婦を支える人間的サポートなど，さまざまな因子が影響し合う．

用語解説*
オキシトシン

九つのアミノ酸からなり，哺乳類すべての種に同じ形である．近年では子宮収縮以外に，母子関係，男女関係，自閉症や神経性食欲不振症等へのオキシトシンの関与が報告されている．

plus α
脱落膜

月経時に脱落する子宮内膜上層の機能層は，妊娠時に形態が変わり脱落膜となる．分娩時に脱落膜は胎盤母体面に付着して脱落する．

用語解説*
展 退

子宮頸管が出産に備えて管状構造でなくなり，やがて管そのものがなくなる状態．

> **plus α**
> **分娩所要時間**
> 分娩所要時間には個人差があり，さまざまである．2014年，アメリカ産婦人科学会と周産期学会は所要時間に関して，ゆとりをもって対応するように指摘している．

> **plus α**
> **分娩経過に影響する要素**
> 妊産婦のそばにいて分娩を支えるdoula（ドゥーラ．出産を支える経験豊かな女性）の存在がある．2013年のイギリスのCochrane database（コクラン情報システム）は，彼女らの存在が分娩の帝王切開を有意に減少させていると報告している．

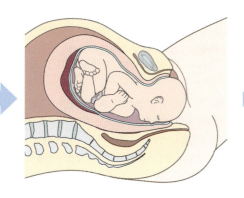

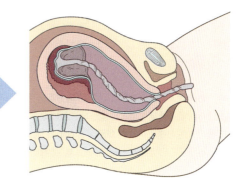

● ④ 分娩第二期
　子宮口全開大から，排臨，発露，そして胎児娩出と進んでいく．

● ⑤ 分娩第三期
　胎児娩出から胎盤娩出まで．子宮収縮が弱い状態による弛緩出血等に注意が必要となる．

分娩体位[1]
　分娩第一期での妊婦の体位による周産期疾病率の増減はなく，体位に関しては妊婦の自由な選択に任せるべきだとしている．
　分娩第二期での体位による分娩時間への影響については，Gardosiらのスクワットの姿勢が時間を短縮させ，会陰裂傷を少なくしたという報告がある．DeJongらは，垂直位の分娩は分娩時間や周産期疾病率に変化を与えなかったが，妊婦の痛みを軽減し満足感をも与えたと報告している．

四つん這い：腰痛の人にお勧め．

スクワット：Russelらは，スクワットの姿勢が骨盤腔を20〜30％広くし，娩出に効果的だと報告している．

マックロバーツ：胎児の肩が出にくいとき．

F.G.Cunningham. et al. Williams Obstetrics. 26th ed. 南江堂，2022を参考に作成．

コラム　産科医療のやりがい

　桜咲くころ，当院でも新たに入職者がきた．その中に，24年前に当院で生まれたという薬剤師になりたての女性がいるということを以前に知らされていた．だから薬剤部の部長から電話があり，その彼女と一緒に私に会いに行きたいと言われたときは二つ返事で彼女を迎えた．すらっとして白衣が似合う女性だった．そして彼女は，母が当院で産んだときのことを語り始めた．アクティブバース（当時自分のお産のプランを前もって考え，それをもってお産に向かう，主体的なお産といった言葉が妊産婦の人たちに流布していた）で産んだこと，当時の助産師さんや私を含め産科医が彼女の母にとても優しかったことなど．

　彼女の母のお産の満足度はかなり高かったようだ．それは育児に現れ，彼女の人生にも影響しているようだった．そして彼女は母のそんな思い出の病院で働こうという気持ちになったという．私は当時を思い描き，たとえ彼女の母の顔は思い出せなくとも，そのときのお産を勝手にイメージしていた．うれしかった．

　その会話の後，病棟に戻ると，廊下の壁にかけてある一枚の色紙を見つめている高齢の患者に会った．それは当院にいた助産師が残していった色紙だった（**写真**）．その患者の横顔はなぜか色紙の言葉に納得したと言わんばかりの表情だった．

　今，お産は，安全と産婦の希望の両方を叶えられるように努力している．安全だけで，産婦の気持ちをわかってあげられず，希望を損なうようなことになったとしたら，その産婦は自分のお産をネガティブにとらえたまま，その後の人生を送る可能性が示唆されており，それが育児にも影響するといわれている．近年，児童虐待が増加しているが，この実態とも無関係とはいえないのではないだろうか．そして子どもの人生はどうなるのだろうか．

　色紙に納得していた高齢の患者も，自分の生まれた病院に勤めるようになった薬剤師の彼女も私には幸せそうに見えた．当院にいた助産師が残していった色紙の中の言葉を皆に見てもらいたい．この世に生まれたとき，幸せになる権利は皆もっていると思う．産科医療者のやりがいをまた感じ入った．

6 乳 腺

乳腺（mammary gland）は，皮膚腺の一種のアポクリン汗腺が変化したと考えられている．乳腺の発達には，多くのホルモンが影響し合っている．前述したが一般に**乳管**の増殖，および発達には主としてエストロゲンが，乳腺小葉と腺房の発達にはプロゲステロンが作用する．思春期の女子にみられる乳房の著しい成長は，エストロゲンの「女性化作用」による．

> **plus α**
> **乳腺組織周囲の組織**
> 乳腺組織の周りの脂肪組織は，内臓脂肪や皮下脂肪と呼ばれている白色脂肪組織である．

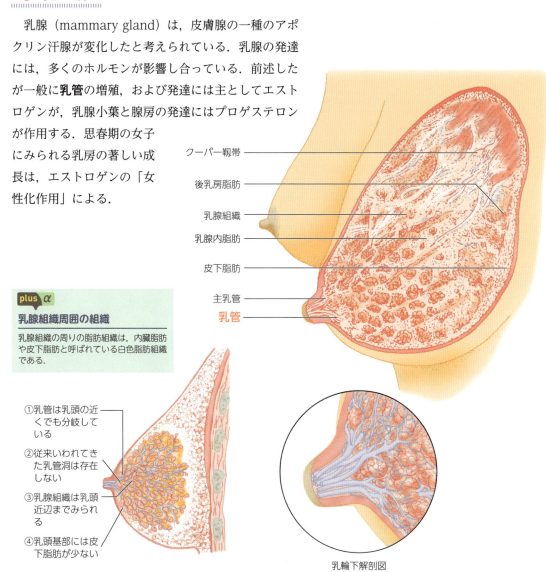

①乳管は乳頭の近くでも分岐している
②従来いわれてきた乳管洞は存在しない
③乳腺組織は乳頭近辺までみられる
④乳頭基部には皮下脂肪が少ない

乳輪下解剖図

図12-28 乳房の構造

Ramsay, DT. et al. Anatomy of the lactating human breast redefined with ultrasound imaging. Journal of Anatomy. 2005, 206（6），p.525-534を参考に作成．

乳癌に関連するホルモン

出産可能年齢の乳癌の約35％は，エストロゲン依存性である．エストロゲン受容体に選択性のあるタモキシフェンやラロキシフェンは乳癌組織のエストロゲンレセプターに対しエストロゲンと競合的に結合し，乳癌手術後の再発予防に使用されている．また，ラロキシフェンは骨密度に対しては有益である．

SERMs

タモキシフェンやラロキシフェンのように選択的エストロゲン受容体アゴニストは，SERMs（selective estrogen receptor modulators）と呼ばれている．これらのエストロゲンは閉経後の自律神経失調症状には効果を認めない．またラロキシフェンはタモキシフェンと異なり，子宮内膜にも増殖作用を及ぼさない．

Tanner scale（タナー法）

性的発育の物理的測定値をもとに定義した指標．思春期の女性にみられる乳房はIIから始まり，10歳代の後半にはVへと変化していく．

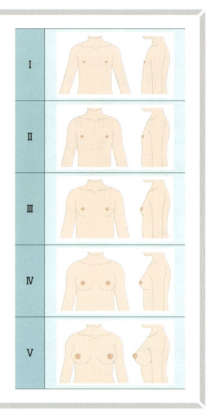

■ 月経周期の乳腺・乳房の変化

乳房は月経周期に伴い変化がみられる．多くの女性は月経終了後10日間に乳管の伸展，充血，乳房の間質組織の浮腫によるものであろう乳房の腫大，知覚過敏，そして自発痛を経験するが，これらは次の月経がくると自然になくなる．ホルモンの影響を受け，月経前の乳房が張りやすいのは，プロゲステロンの作用と考えられている．

■ 妊娠・出産時の乳腺・乳房の変化

● ①妊娠中

エストロゲンとプロゲステロンの増加は，乳腺小葉などの発達を促す．血中のプロラクチン濃度は，分娩時まで上昇し続ける．これらのホルモンにhCGも加わって，乳腺は次第に発達し，乳房は大きくなる．

● ②妊娠5カ月目

すでに少量の乳汁が乳管中に分泌されるが，分娩後の分泌量からすると，ごく少量である．出産後，多くの哺乳動物では1時間以内に乳汁が分泌される．一方ヒトでは，出産後1～3日間を経過してから乳汁の分泌が始まる．

③出産時

　胎盤が娩出されると，血中エストロゲンとプロゲステロンは急激に減少し，血中エストロゲン濃度の低下により乳汁分泌が始まる．エストロゲンとプロラクチンは，ともに乳腺を発達させるが，エストロゲンはプロラクチンの乳汁分泌を抑制する働きもある．

授乳（哺乳）

①授乳時のホルモン分泌

　オキシトシンの反射性分泌と射乳*を起こすだけでなく，プロラクチン分泌を刺激して乳汁分泌を維持し増進すると考えられている．すなわち授乳回数を多くすることは，それだけ多くのプロラクチンを分泌させ，結果として乳汁分泌を高めることになる．

用語解説*
射乳
哺乳による条件反射によって乳汁が出る．

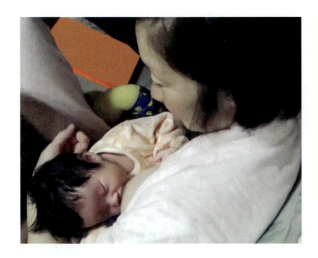

②授乳時のホルモン抑制

　授乳はプロラクチン分泌を刺激し，そのプロラクチンはゴナドトロピン放出ホルモン（GnRH）分泌を抑制し，GnRHの下垂体への作用を抑制し，ゴナドトロピンの卵巣への作用を抑制する．その結果，排卵はなく，エストロゲンとプロゲステロンは抑制される．このため授乳期には妊娠しにくく，わずか5〜10％にのみ妊娠が生じるといわれる．

＊写真はすべて本人（もしくは保護者）の了解を得て掲載しています．

7 女性生殖器の成長と老化

女性の一生は，性機能の視点から，胎生期，小児期，思春期，性成熟期，更年期，老年期に分類される．

ゴナドトロピン放出ホルモン（GnRH）・卵胞刺激ホルモン（FSH）・黄体形成ホルモン（LH）の成長と老化

- ● ①胎生期・小児期
  GnRH，FSH，LHをみてみると，これら三つのホルモンは，いずれも胎生期と小児期で一過性に上昇している．

- ● ②思春期
  思春期が近づくとGnRH，FSHそしてLHの分泌が亢進し，エストロゲンとプロゲステロンの分泌量が増加する．

- ● ③思春期以降
  思春期から上昇してその値をしばらく維持する．性成熟期も同様の状態で，更年期から老年期にかけてさらに上昇し，FSHとLHはそのままそのレベルを維持することになる．

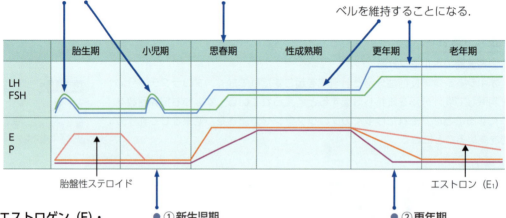

エストロゲン（E）・プロゲステロン（P）の成長と老化

- ● ①新生児期
  子宮内胎児のEとPは母体および胎盤由来のホルモンのため，生後はそのホルモンの消退によって新生児月経様出血が生じる（女性新生児の約1％）．

- ● ②更年期
  更年期に入ると徐々に低下し始める．それと同時に末梢組織（脂肪等）由来のEが多少分泌される．

思春期

思春期は生殖腺の内分泌機能と配偶子形成機能が発達し，初めて生殖が可能となる過渡的な時期を意味する．女性ではこの時期，最初に乳腺が発達し乳房が発育を開始する．続いて陰毛と腋窩毛が発育し，その後に最初の月経である初経が起こる．初めは一般に無排卵性で，規則正しい排卵はおよそ1年後から生じる．

初経

世界的にも平均初経年齢は年々低くなっているが，日本での調査ではここ数年は低年齢化に停滞傾向がみられている．2011（平成23）年の大阪大学大学院による全国調査では，平均12.2歳であった[2]．

閉経

卵巣は加齢に伴い，機能が低下する結果，性周期は消失し，閉経を迎える．個人差が大きく，早い人では40歳台前半，遅い人では50歳台後半に閉経を迎える．平均閉経年齢は次第に高くなっているといわれており，日本人女性の平均は，日本産科婦人科学会によると50歳である．

更年期

閉経前の5年間と閉経後の5年間を併せた10年間を<u>更年期</u>という．更年期になると，FSHやLHに対する反応は低下し始め，次第に卵胞は卵巣から消失し，体内のエストロゲンは急速に低下する．この変化に伴ってFSHやLHは上昇し，閉経直後にピークに達する．

①更年期の症状

エストロゲンの低下からくる二つの主要な更年期症状は，顔や身体が突然に暑く感じるホットフラッシュと，腟の焼け付くような乾燥感や性交痛などである．更年期女性の75％はなんらかの症状を経験している．

ホットフラッシュは，夜間では寝汗を生じ，不眠を引き起こし，翌日の疲労へと続いて，閉経後も数年間悩まされることがある．この症状は末梢血管の拡張を伴い，皮膚温は3℃ほど上昇する．このほかにも関節痛，めまい，頭痛，動悸，集中力低下，不安感，うつ状態等の精神的・身体的症状が現れることがある．

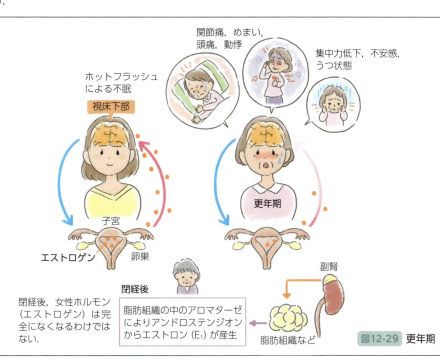

図12-29　更年期

②乳癌と合成エストロゲン

エストラジオールは，顔面や身体のほてり（ホットフラッシュ）等の自律神経失調症状，骨粗鬆症，動脈硬化，狭心症，脳血管障害等，閉経後に現れる不定愁訴を抑える作用があると考えられている．しかし一方では，エストロゲン補充療法は少量でも，乳腺組織や子宮内膜に対してがんの発症を促す可能性が示唆されているため，閉経後の女性のエストロゲンによる治療は最優先の選択ではなくなってきている．

③エストロゲンの低下

女性の一生でエストロゲンが低下する時期は3回訪れ，最初の胎生期から小児期，そして更年期から老年期，あと一つは性成熟期で分娩した後の授乳期である．この時期，乳汁産生するホルモンであるプロラクチンはGnRHの分泌を抑制し，結果的にエストロゲン分泌は低下する．

エストロゲンが低下している時期は性器の萎縮が生じ，萎縮性腟炎等がみられる．しかし小児期ではまれであり，老化に伴うものが一般的である．症状は腟の乾燥感や性交困難症などである．

2 男性生殖器

1 男性生殖器の構造

精路

精子（精液）を体外に導く管を**精路**といい，精巣輸出管・精巣上体管・精管・尿道からなる．
精巣輸出管と精巣上体管は**精巣上体**をつくり，**精管**に付随して，**精嚢**，**前立腺**，**尿道球腺**などの腺があり，これらと外生殖器（陰茎体・陰嚢）を合わせて男性生殖器という．

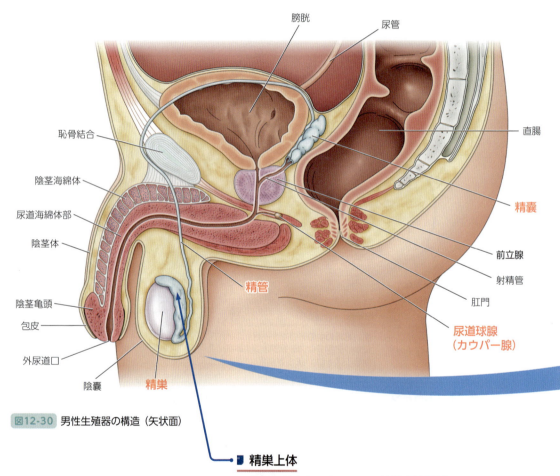

図12-30 男性生殖器の構造（矢状面）

精巣上体

精巣の前上方の太い部分を**精巣上体頭部**，後下方の細い部分を**精巣上体尾部**，中間の部分を**精巣上体体部**という．頭部は主に精巣輸出管で，体部と尾部は主に精巣上体管でできている．

精子は，全長約4mの曲がりくねった精巣上体管を通過する間に，成熟し，**運動能**と**受精能**（妊孕性）を獲得する．精巣上体尾部と精管は精子の貯蔵庫も担う．

精巣

①精巣の働き

精巣（testicle，睾丸）には，①精子を作る**外分泌腺**としての働き，②男性ホルモンを産生する内分泌腺としての働きの二つの働きがある．

> **plus α**
> **停留精巣**
> 出生時，陰嚢内に精巣がない状態を意味する．多くは鼠径部，一部は腹腔内にある．放置すると精子形成障害を生じ男性不妊症を来す恐れがあるため，治療が必要である．

②精巣の構造

精巣は陰嚢内にある左右一対の楕円形の臓器で，それぞれ長さ4cm，幅2.5cmほどである．その表面は，**白膜**という強靭な線維性結合組織で包まれ，白膜から入り込んでいる**精巣縦隔**という結合組織によって，精巣の内部は多数の小葉に分かれている．その隔壁を**精巣中隔**という．

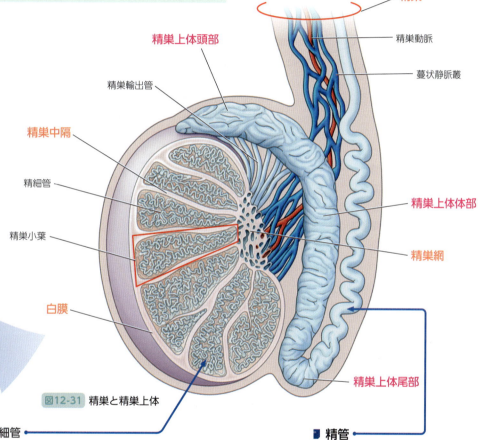

図12-31 精巣と精巣上体

③精細管

各小葉には複雑に折れ曲がった**精細管**があり，この中で精子が作られる．精子は精巣縦隔の中にある**精巣網**に集められ，精巣輸出管を通って，精巣の表面にある**精巣上体**に入る．

精細管上皮は精細胞と支持細胞（セルトリ細胞）に分かれる．前者は思春期になると分裂変態して精子になり，後者は精細胞に栄養補給を行う．

精細管の間にある疎性結合組織には，**間質細胞（ライディッヒ細胞）**があり，男性ホルモンを分泌する．その中で最も重要なのがテストステロンである．

精管

精管は精巣上体尾部から鼠径管を経て骨盤腔に入り，膀胱の後ろ側に至る全長約40cmの管で，さらに精嚢の導管と合流した後，**射精管**となり，前立腺を通過して尿道後部に開口する．

精管は精巣に出入する動静脈や神経とともに結合組織に包まれ，**精索**を形成する．

付属生殖腺と精液

●①精囊

●Ⓐ精囊の位置
膀胱の後ろ側にある一対の分泌器官である．

●Ⓑ精囊の働き
分泌物には果糖やビタミンC，プロスタグランジンなどが含まれる．射精時に射精管に分泌されるこれらの成分は，精子に栄養を与え，活性化する．

●②前立腺

●Ⓐ前立腺の構造
前立腺（prostate gland）は，膀胱頸の直下にある，クリの実のような形と大きさをした1個の腺で，尿道前立腺部を取り囲む．前立腺管は尿道に開口する．

●Ⓑ前立腺の働き
射精時には，クリの花のにおいに似たアルカリ性の液体を分泌する．この液には精子を活性化する作用がある．前立腺は直腸の前面にあるため，直腸を指診することで，大きさ，硬さ，表面の性状などを知ることができる．

●③尿道球腺（カウパー腺）
前立腺の下方にある，エンドウ豆ほどの大きさの腺である．尿道海綿体部に開口し，性的興奮時に無色透明な粘液を分泌する．

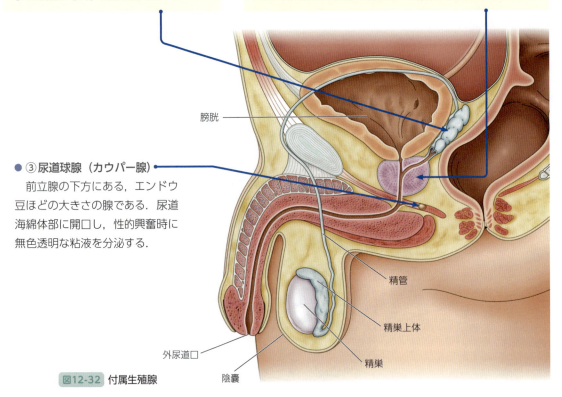

図12-32 付属生殖腺

●④精液
精液は，精子と①精囊，②前立腺，③尿道球腺からの分泌物を含み，オルガスムのとき，外尿道口から射出される（射精➡p.580参照）．

精液の60％は精囊からの，20％は前立腺からの分泌物である．pHは7.5で，酸性（pH3.5〜4）の腟内で精子を保護する．数日間の禁欲後に射出される量は2.5〜3.5mLであり，1mL当たり1億ほどの精子を含む．1個の卵子と受精する精子は1個だけだが，1mL当たり2千万以上の精子がないと受精しない．

精子は1分間に3mmの速度で移動し，性交後30〜60分で卵管に到達する．精子は酸性（pH6以下）環境下では運動能力が低下し，射精後は女性の体内で24〜48時間しか生存できない．

> **plusα**
>
> **正常精液**
>
> 量：2mL以上
> 精子濃度：2,000万/mL以上
> 運動率：50％以上
> 奇形率：50％以下

2 男性外生殖器の構造

陰嚢

精巣，精巣上体，および精索の下部を包み込む袋状の皮膚である．中央部に暗褐色の**陰嚢縫線**があり，その線で内部は二つに分かれる．

真皮の直下に平滑筋層があるが，脂肪組織が少ないので，しわが多い．普段は垂れ下がり，外気温が下がると収縮するため，陰嚢内は体温よりも低温に保たれ，これが精子産生に適している．

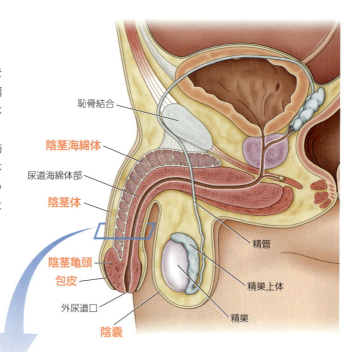

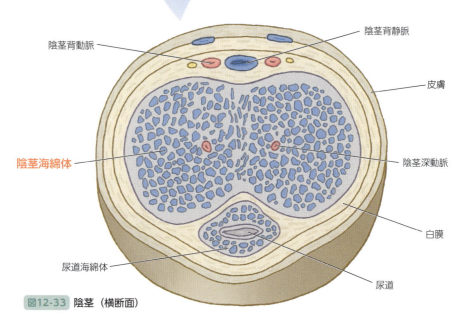

図12-33 陰茎（横断面）

陰茎

突出部を**陰茎体**，陰茎体の先端部を**陰茎亀頭**，陰茎の皮膚で亀頭を覆う部分を**包皮**と呼ぶ．

陰茎体内下方に尿道があり，周囲を尿道海綿体が取り囲む．尿道海綿体の上方には左右一対の**陰茎海綿体**がある．これらの海綿体は白膜という厚い結合組織で包まれる．陰茎海綿体はスポンジ状の特殊な静脈（海綿体洞）で，陰茎深動脈から分岐するらせん動脈は直接静脈洞に開いて動静脈吻合をつくる．

> **plus α**
> **包茎**
>
> 亀頭を包む包皮の先端（包皮輪）が狭小で，包皮を反転して亀頭を露出できない状態を真性包茎といい，手術が必要である．亀頭を露出できる場合を仮性包茎といい，必ずしも手術を必要としない．

3 男性の生殖機能

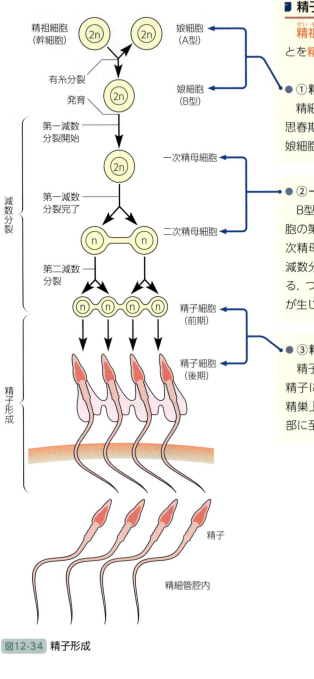

図12-34 精子形成

■ 精子形成

精祖細胞から成熟精子になるまでの過程のことを**精子形成**という．

● ①精祖細胞～娘細胞

精細管の基底膜に接して存在する精祖細胞は，思春期になると成熟し分裂してA型娘細胞とB型娘細胞をつくる．

● ②一次精母細胞～二次精母細胞

B型娘細胞は**一次精母細胞**になる．一次精母細胞の第一減数分裂により，染色体数が23個の二次精母細胞が二つ生じる．二次精母細胞は第二減数分裂によりおのおのが二つの**精子細胞**になる．つまり，1個の精母細胞から4個の精子細胞が生じることになる（➡p.556 図12-15も参照）．

● ③精子細胞

精子細胞はセルトリ細胞のひだの中で成熟し，精子になる．この段階ではまだ受精能はなく，精巣上体の中でさらに成熟を続けて精巣上体尾部に至るころ，運動能と受精能を得る．

■ 精子の構造

精子は運動性細胞であり，頭部・中部・尾部の三つに分かれる．精子は燃料タンクのないロケットのようなものでエンジン（ミトコンドリア）に精囊から分泌される果糖が注入されて，はじめてエネルギーを産出し，尾部を運動させうる．

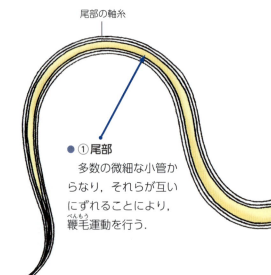

● ①尾部

多数の微細な小管からなり，それらが互いにずれることにより，鞭毛運動を行う．

■ テストステロンの分泌

精巣のライディッヒ細胞*でコレステロールから合成される男性ホルモンの一種で，**テストステロン**はLH（黄体形成ホルモン）により制御される．

テストステロンの主な作用は，以下の通りである．
①男性の生殖腺の発達を促す（第一次性徴）
②男性の**第二次性徴**を生じさせる
③精子形成促進（卵胞刺激ホルモン〔FSH〕との共同作業）
④タンパク同化作用と成長促進

用語解説*
ライディッヒ細胞
精巣の精細管の間質にある多角形の細胞．男性ホルモンの一つテストステロンを分泌する．

表12-4　思春期の男性にみられる変化（男性第二次性徴）

外性器	陰茎が太く長くなる．陰嚢に色素が沈着し，ひだが多くなる．
内性器	精嚢は大きくなり，分泌と果糖の生成を始める．前立腺と尿道球腺が大きくなり，分泌を始める．
音声	喉頭が大きくなり，声帯の長さと厚さが増し，声が低音になる．
毛の成長	ひげと腋毛が生え始める．頭髪の前額部の生え際が後退する．男性型（頂点が上方の三角形）の陰毛が生える．胸部・肛門周囲の発毛，体毛が全体に増加する．
皮膚	皮脂腺の分泌液が濃くなり，量が増加する．
身体外形	筋肉が発達し，肩幅が増大する．
精神面	より攻撃的で活動的になり，異性に対する興味をもつようになる．

● ②中部

中部はミトコンドリアを含むさやで包まれ，精嚢から分泌される果糖を利用し，尾部の鞭毛運動のエネルギーに必要なATP（➡p.44参照）を供給する．

● ③頭部

頭部はほとんどがDNAを含む核で構成され，先体によって帽子のように取り囲まれている．

先体はリソソーム*様の器官で，大量の酵素を含み，精子が卵子内に入り受精するのを助ける．

用語解説*
リソソーム
動植物の細胞に含まれる微細な物質で，外部から取り入れた物質を消化したり，自らの細胞を溶かす場合もある（➡p.47参照）．

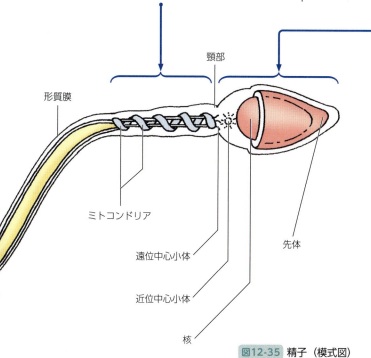

図12-35　精子（模式図）

勃起と射精

①勃起

性的刺激（触覚，視覚，聴覚，空想など）を受けると視床下部を経て脊髄神経（副交感神経）が陰茎海綿体やらせん動脈の平滑筋を弛緩させ，静脈洞に血液が一気に流入し，陰茎の太さと長さを増大させる．さらに陰茎背静脈が海綿体と薄膜の間で圧迫され，血液の流出が阻害されて陰茎体が硬くなる．これを**勃起**という．

この副交感神経は骨盤内臓神経（勃起神経）に含まれ，神経伝達物質としてアドレナリンやコリン作動性でなく，強力な血管拡張作用をもつ一酸化窒素（NO）の生成を促す一酸化窒素合成酵素を多量に含む線維が存在する．

勃起障害（ED）

器質性と機能（心因）性がある．前者には，直腸や膀胱などの癌に対する手術の際，リンパ節郭清術により自律神経を切除した場合も含まれる．

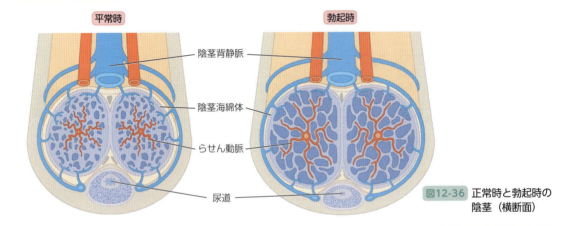

図12-36 正常時と勃起時の陰茎（横断面）

②射精

精液を急速に体外に排出する**射精**は，大脳から強い刺激を受けるが，①主に陰茎亀頭からの刺激が陰部神経を介して脊髄反射を起こし，精管膨大部の収縮により精液を射精管に運び，前立腺の分泌と精嚢平滑筋の収縮により後部尿道へ精液が排出される過程（emission；**射出**）と②球海綿体筋の収縮により陰茎から放出される（ejaculation；**射精**）の二つの段階に分けられる．

①射出は交感神経性反応であり，②射精は陰部神経を経由する遠心性運動神経による．この際，膀胱頸部は閉鎖され精液が膀胱内に流入するのは防止される．

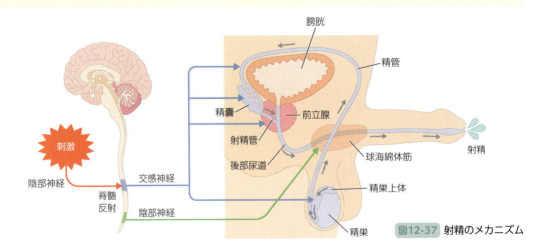

図12-37 射精のメカニズム

4 男性生殖器の成長と老化

精巣

胎生3〜4週ごろに出現する原始生殖細胞は，6週ごろには生殖堤に移動し，未分化性腺が形成される．性染色体にYが含まれていると，未分化性腺より精巣が形成される．第8週までに精巣の間質細胞からテストステロンが分泌され，外生殖器の男性化分化を誘導する．

内生殖器

男性の内生殖器は，ウォルフ管と尿生殖洞から形成される．ウォルフ管の大部分は精管となり，頭側端部が精巣上体になる．尾側端から射精管が，尿生殖洞（後部尿道）から前立腺が形成される．

外生殖器

胎児精巣から分泌されるテストステロンにより，包皮，陰茎海綿体，尿道海綿体が形成され，15〜16週に陰茎が形成される．

思春期と老化

テストステロンの血中濃度上昇により，二次性徴が始まり，勃起や夢精を経験する．成熟した精子が精液中に存在する状態は，老年期まで続く．テストステロン分泌は加齢とともに減少するが，男性では個人差が大きく女性の閉経期に相当する状態は判然としない．高齢者では，前立腺に肥大症や癌腫が生じやすく，ともに排尿困難を生じる．

> **plus α**
> **精通と夢精**
> 男性が性的に成熟し，初めて射精を経験するのが精通で，女性の初経に相当する．それが睡眠中に性的な夢を見て起こるのが夢精である．普通オルガスムを伴う．精嚢腺や前立腺が分泌物を大量に産生し，自律神経を介する射精反応が起こると考えられている．

> **plus α**
> **男性更年期障害**
> 40歳以上の男性で以下の症状を訴える場合，男性更年期障害とみなす場合がある．
> ①うつ，不安などの精神症状．
> ②筋肉，体毛減少などの身体症状．
> ③性欲低下，勃起障害などの性機能関連症状．

臨床場面で考えてみよう

1. 産後6カ月の26歳の女性，現在授乳している．「産婦が授乳中は妊娠しないと聞いていますが，避妊はしなくてもいいですか？」と助産師に質問してきた．どう答えるか．
2. 微熱と右下腹部痛で来院した29歳の女性．月経が5日間遅れている．基礎体温表では高温相が19日間続いている．医師は虫垂炎を疑っているが，もう一つ除外診断するとしたら，あなたは最初に何を考えるか．
3. 68歳の男性が「昨日，夕方からおしっこがほとんど出なくて，下腹が張って苦しい」と訴え，明け方救急外来を受診した．医師は直腸診の後，導尿の準備を始めた．どのような疾患が疑われ，なぜ直腸診をしたのか説明しよう．

引用・参考文献

1) F.G.Cunningham. et al. Williams Obstetrics. 26th ed, 南江堂, 2022.
2) 日野林俊彦ほか. 発達加速現象に関する進化発達心理学的研究. 科学研究費助成事業（科学研究費補助金）研究成果報告書. 2013.
3) 岡井崇ほか編. 標準産科婦人科学. 第4版, 医学書院, 2011, 648p.
4) 飯田信保. 思春期前後における乳房発育に関する研究. 北関東医学. 1960, 10（1）, p.92-115.

重要用語

卵巣	分娩	精液
卵管	授乳	陰嚢
子宮	精巣	陰茎
エストロゲン	精子	尿道海綿体
プロゲステロン	間質細胞（ライディッヒ細胞）	陰茎海綿体
FSH	精巣上体	精子形成
LH	精管	テストステロン
不妊	精嚢	勃起
思春期	前立腺	射精
妊娠	尿道球腺	

学習達成チェック

- ☐ 卵巣の機能を述べることができる．
- ☐ 卵管，子宮，腟と膀胱，直腸との位置関係を説明できる．
- ☐ 卵胞，黄体，卵子発生を説明できる．
- ☐ 排卵の時期を述べることができる．
- ☐ 月経周期に伴う子宮内膜の変化，下垂体前葉ホルモンおよび卵巣ホルモンの変化を述べることができる．
- ☐ 基礎体温表から排卵日を示すことができる．
- ☐ 受精と受精卵の着床を説明できる．
- ☐ 妊娠による母体の変化を述べることができる．
- ☐ 分娩予定日の決め方と正期産の期間を説明できる．
- ☐ オキシトシンの作用を説明できる．
- ☐ 分娩の開始から終了までを三期に分けて説明できる．
- ☐ 分娩時の変化である，子宮口全開大，排臨，発露の順番を述べることができる．
- ☐ 精子の産生後，射精されるまでの経路を述べることができる．
- ☐ 精巣の特殊な細胞の名称を挙げ，それらの機能を述べることができる．
- ☐ 男性の付属生殖腺の名称，開口部，および分泌物の役割を説明できる．
- ☐ 陰嚢が精巣の温度調節において果たす役割とそのために必要な機能を述べることができる．
- ☐ 陰茎の構造を説明できる．
- ☐ 精子の形成過程を説明できる．
- ☐ 男性ホルモンの機能を述べることができる．

解剖生理学が臨床につながる!

28歳女性，Pさんは，右下腹部痛で救急外来を受診した．睡眠中に急に右下腹部が痛くなり，非ステロイド性消炎鎮痛薬（ロキソニン®）を服用したものの改善しないため受診したという．あなたは，そのほかに症状がないか確認したところ，「吐き気（悪心）と微熱がある」とのことだった．血液検査では炎症値（白血球とCRP）の上昇と軽度の貧血を認めた．

Pさんは夕食にお寿司を食べたと話しており，血圧は100/60 mmHg，脈拍は100回/分，体温は36.7℃で，呼吸回数20回/分，経皮的動脈血酸素飽和度は98％であった．バイタルサインは安定していたので，生ものを食べたこと，悪心があることから，胃腸炎の疑いで整腸剤を処方され帰宅となった．ところが，翌日に子宮外妊娠の破裂で緊急搬送され，手術となったことがわかった．どうしたら，もう少し早く子宮外妊娠がわかっただろうか．

❶ 妊娠可能な年齢の女性の腹痛では子宮・卵巣の異常を考える

女性の腹痛では，腸・尿路（腎臓・尿管）の異常に加えて，子宮や卵巣の異常を考える必要がある．特に子宮や卵巣の異常で多いのが次の四つである．

❶**異所性妊娠**：子宮外妊娠と一般に呼ばれている．
❷**卵巣囊腫茎捻転**：片方の卵巣が腫れていて，何かがきっかけでねじれてしまうもの．
❸**卵巣出血**：卵巣から排卵するときに一時的に出血するもの．
❹**骨盤内炎症性疾患**：性行為等がきっかけで腟からお腹の中に炎症や感染が起きるもの．

この中でも異所性妊娠と卵巣囊腫茎捻転は緊急手術が必要になることがあり，早めに診断する必要がある．

❷ 悪心や微熱は妊娠の可能性を考える

異所性妊娠は子宮体部の内膜以外に受精卵が着床した状態で，すべての妊娠の約1～2％に起こる．**卵管妊娠**（①漏斗部，②膨大部，③峡部，④間質部），**卵巣妊娠**，**腹腔妊娠**，**頸管妊娠**などの種類があり，最も多いのが卵管妊娠である（図12-38）．異所性妊娠の治療は，妊娠細胞から産生されるhCG（ヒト絨毛性ゴナドトロピン）の値と患者の状態から，①手術，②薬物療法（メトトレキサート投与），③自然流産待機の中で選択する．

妊娠すると高温期が続くため微熱と勘違いしたり，つわりを胃腸炎と間違えることがある．女性の腹痛，悪心，微熱（発熱）では，妊娠や尿路の疾患を除外するためにも，一般的な検尿（尿細菌・潜血・尿白血球）に加えて尿による妊娠検査を推奨する．

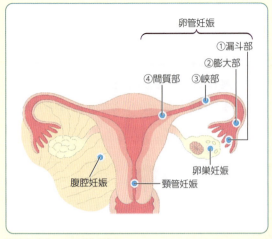

図12-38　異所性妊娠

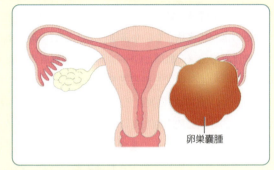

図12-39　卵巣嚢腫

③ 片方の腹痛では卵巣・卵管の痛みを考える

　腹部の片側の痛みでは，卵巣や卵管の痛みを考える必要がある．**卵巣嚢腫茎捻転**は，腫れた卵巣嚢腫が原因で卵巣固有靱帯と卵巣提索（卵巣動静脈）が捻転してしまう疾患で，まれに正常卵巣でも起こる（図12-39）．卵巣に血液が届かなくなり，急激な痛みが出てくるため，緊急手術をして捻転を治すことが必要である．卵巣がなんらかの原因で腫れたものを**卵巣腫瘍**と呼ぶが，その中で腫れた部分が袋状になっているものを卵巣嚢腫とよぶ．卵巣嚢腫の90％は良性である．

◆ 学習参考文献

❶ 日本解剖学会解剖学用語委員会編．解剖学用語．改訂13版，医学書院，2007．
　日本語解剖学用語の英語およびラテン語による表記がわかる．

❷ 日本生理学会編．生理学用語集．改訂第5版，南江堂，1998．
　日本語生理学術用語とその簡単な解説が記されている．

❸ 藤田恒夫．入門人体解剖学．改訂第5版，南江堂，2012．
　丁寧な解説と見事な図版が豊富に用意され，平易ながら的を射た記述がなされている良書である．
　図がとてもわかりやすく簡潔にまとめられている．

❹ エレイン・N・マリーブ．人体の構造と機能．第4版，林正健二ほか訳．医学書院，2015．
　解剖学と生理学のつながりをわかりやすく解説し，看護領域に役立つよう代表的な疾患や症状との関連も説明されたテキスト．
　臨床を意識した解剖生理が図とともにわかりやすく解説されている．
　臨床とのつながりを意識しながら，解剖生理学を極めたい人が深く学べる書．医学部教育でも活用されている．

❺ 菱沼典子．看護形態機能学：生活行動からみるからだ．第4版，日本看護協会出版会，2017．
　生活行動の枠組みから「からだ」が解説されており，からだのつくりと営みがわかりやすい．かなり簡略化された図には注意が必要である．

❻ 松村讓兒．イラスト解剖学．第10版，中外医学社，2021．
　豊富なイラストと簡潔な説明で，解剖学の要点をわかりやすく解説してある．

❼ ウィリアム・F・ギャノング．ギャノング生理学．原書26版，岡田泰伸監修．丸善出版，2022．
　アメリカで定評のある医学生用教科書．参考書としてわからない箇所を調べるときに役立つ．

❽ 金子丑之助ほか．日本人体解剖学：上巻．第19版，南山堂，1999．
　骨格，筋，神経系について，人体の解剖を細かく説明している．下巻は内臓，呼吸器，循環器を説明している．

❾ 坂井建雄ほか監訳．プロメテウス解剖学アトラス：解剖学総論／運動器系．第3版，医学書院，2017．
　説明の少ないあるいは説明なしの図は提供しないという原則に基づいた内容は，初心者にわかりやすい．本書が読めれば，胸部／腹部・骨盤部，頭頸部・神経解剖，口腔・頭頸部も利用できる．

❿ 藤田尚男ほか．標準組織学総論．第5版，医学書院，2015．

⓫ 藤田尚男ほか．標準組織学各論．第5版，医学書院，2017．
　組織について詳細に解説されている．専門的であるが，文は平易である．
　各臓器を構成する組織が丁寧に解説されている．

⓬ 中村桂子ほか監訳．Essential細胞生物学．原書第5版，南江堂，2021．

⓭ 内山安男ほか監訳．Ross組織学．原書第7版，南江堂，2019．

⓮ Kapandji.A.I．次世代へのメッセージ カパンジー生体力学の世界．塩田悦仁訳．医歯薬出版，2014．
　骨，関節，筋の動きや姿勢に関するバイオメカニズムが解説されている．

⓯ 医療情報科学研究所編．血液．第2版，メディックメディア，2017，（病気がみえる，vol.5）．
　血液の生理から疾患の病態まで，イラストを多く用いてわかりやすく解説している．医学部の学生やコメディカル向き．

⓰ 須永真司．みるみるナットク血液疾患：病態生理がわかればケアがわかる．文光堂，2011．
　血液の生理から疾患の病態まで，イラストを多く用いてわかりやすく解説している．コメディカル向き．

⓱ 河本宏．もっとよくわかる！免疫学．羊土社，2011．
　難しい免疫学を筆者独自のイラストを多く入れてわかりやすく解説しているが，内容はレベルが高い．

⓲ H. Franklin Bunn．ハーバード大学テキスト 血液疾患の病態生理．奈良信雄訳．メディカル・サイエンス・インターナショナル，2012．
　血液の生理から病態生理まで詳細に記述している．医学生向きで少々難易度が高い．

⓳ 小澤敬也ほか編．講義録：血液・造血器疾患学．メジカルビュー社，2008．
　大学の講義ノートで，内容も詳細に記述されている．医学生向きで少々難易度が高い．

⓴ 林正健二ほか編．疾病と治療．第3版，メディカ出版，2018，（ナーシング・グラフィカ健康の回復と看護，7）．
　解剖学や生理学の勉強で疾病の名前に遭遇したときに，その項目を索引で調べて読むと将来のつながり感じられ，楽しく学べて臨床を身近に感じられるようになる．

㉑ 武田裕子．看護師特定行為研修 共通科目テキストブック：フィジカルアセスメント．メディカルレビュー社，2019．
症状や徴候，身体所見の用語が出てきたときに参考になる．看護師として臨床に出てから求められるフィジカルアセスメントが，解剖生理学をもとにしていることを理解できる．

㉒ 伊藤隆．解剖学講義．第3版，南山堂，2012．
解剖学と臨床との接点を平易な文章で解説している．

㉓ 坂井建雄監訳．プロメテウス解剖学 コア アトラス．第3版，医学書院，2019．
カラフルなイラストでわかりやすく書かれている．詳細な部分まで知ることができる．

㉔ 本間研一監修．標準生理学．大森治紀ほか総編集．第9版．医学書院，2019．
イラストが豊富で，解説も基礎的なことから最新の内容まで網羅されている．詳しく知りたいときにはとても役立つ．
生理学の内容が詳しく書かれている．

㉕ 大川淳ほか監訳．ポケットチューター体表からわかる人体解剖学．原書第2版，南江堂，2021．
体表から体内の解剖について学ぶことができるため，フィジカルアセスメントやベッドサイドの看護場面で役立つ．

㉖ 内田さえほか編．人体の構造と機能．第5版，医歯薬出版，2019．
看護学生が解剖学と生理学を学ぶ上で，要点をコンパクトにまとめているテキスト．ミニマムエッセンスをおさえるのであればお薦め．

㉗ 佐伯由香ほか編訳．トートラ人体解剖生理学．原書11版，丸善出版，2020．
医療従事者が人の身体の構造や機能を学ぶのに適したテキスト．解剖生理学の知識を疾患や臨床に結びつけ，応用力が養えるような構成になっている．

㉘ 桑木共之ほか編訳．トートラ人体の構造と機能．第5版（原著15版），丸善出版，2019．
解剖体の写真やイラストが多用され，わかりやすく解説されている．
訳本ではあるが，図表が多く掲載されている．

㉙ 熊ノ郷淳ほか編．免疫ペディア：101のイラストで免疫学・臨床免疫学に強くなる！ 羊土社，2017．
豊富なイラストを用いて，免疫学が体系的に解説されている．免疫学の基礎から臨床免疫学にいたるまで，種々のキーワードが網羅されている．

㉚ 河本宏．マンガでわかる免疫学．オーム社，2014．
大学院生が免疫学の研究室で学んでいくという設定のマンガを読みながら，わかりにくい免疫系の内容を学び進めることができる．マンガならではの豊富なイラストで，免疫系因子の働きや結合の様子などがイメージしやすい．

㉛ 井上泰監訳．身体が見える・疾患を学ぶ解剖アトラス：ソボッタの解剖図に秘められた人体の世界．メディカ出版，2014．
ドイツh.f.ullmann社のSobottaの図版を用いた『Atlas der Anqtomie』英語版の日本語訳．人体深部内臓器の体系化された手描きイラストが秀逸．

㉜ 大地陸男．生理学テキスト．第8版，文光堂，2017．
もう少し詳しい内容を知りたいときに便利である．図表も多く書かれている．

㉝ 堺章．目でみるからだのメカニズム．第2版，医学書院，2016．
イラストが多く，見開きでわかりやすく説明されている．

㉞ 松尾理編．QUICK生理学・解剖学：人体の構造と機能・病態生理．羊土社，2022．
要点が整理されており，情報量が多すぎないため概観するのに適している．

㉟ 医療情報科学研究所編．婦人科・乳腺外科．第4版，メディックメディア，2018，（病気がみえる，vol.9）．

㊱ 医療情報科学研究所編．産科．第4版，メディックメディア，2018，（病気がみえる，vol.10）．
産婦人科の基礎と臨床が豊富な図でわかりやすく解説されている．

㊲ 女性医学学会編．女性医学ガイドブック：思春期・性成熟期編 2016年度版．金原出版，2016．

㊳ 女性医学学会編．女性医学ガイドブック：更年期医療編 2019年度版．第2版，金原出版，2019．
思春期・性成熟期に関する専門医療者向け女性医学ガイドブック．基礎から標準治療まで知ることができる．

㊴ 日本女性医学学会．更年期・基礎知識．2019, https://www.youtube.com/watch?v=zHuKeKq5FJY&t=16s，(参照2024-10-18)．
日本女性医学学会編集の更年期のわかりやすい説明動画．

人体の構造と機能① 解剖生理学
看護師国家試験出題基準（令和5年版）対照表

※以下に掲載のない出題基準項目は，他巻にて対応しています．

必修問題

目標Ⅲ．看護に必要な人体の構造と機能および健康障害と回復について基本的な知識を問う．

大項目	中項目（出題範囲）	小項目（キーワード）	本書該当ページ
10．人体の構造と機能	A．人体の基本的な構造と正常な機能	内部環境の恒常性	p.30
		神経系	p.348-395
		運動系	p.92-144
		感覚器系	p.406-435
		循環器系	p.173-205
		血液，体液	p.154-172，258-265
		免疫系	p.464-487
		呼吸器系	p.214-253
		消化器系	p.296-338
		泌尿器系	p.272-289
		体温調節	p.488-496
		内分泌系	p.508-535
		性と生殖器系	p.544-561，572-581
		妊娠・分娩・産褥の経過	p.562-571
		遺伝	p.54-59

人体の構造と機能

目標Ⅰ．正常な人体の構造と機能について基本的な理解を問う．
目標Ⅱ．フィジカルアセスメントおよび日常生活の営みを支える看護に必要な人体の構造と機能について基本的な理解を問う．
目標Ⅲ．疾病の成り立ちとの関連において，人体の構造と機能について基本的な理解を問う．

大項目	中項目（出題範囲）	小項目（キーワード）	本書該当ページ
1．細胞と組織	A．細胞の構造	細胞膜と細胞質	p.42-43
		核	p.39-41
		細胞小器官と細胞骨格	p.44-49
	B．遺伝子と遺伝情報	ゲノムと遺伝子	p.54-59
	C．細胞分裂	染色体の複製と有糸分裂	p.54-57
		減数分裂	p.58-59
	D．組織	上皮組織	p.64-68
		支持組織	p.69-74
		筋組織	p.75
		神経組織	p.76-82
2．生体リズムと内部環境の恒常性	A．生体リズム	概日リズム＜サーカディアンリズム＞	p.378
		体内時計	p.516
	B．内部環境の恒常性維持機構	細胞外液	p.30
		体温	p.30

3．神経系	A．神経細胞と神経組織	神経細胞＜ニューロン＞と情報伝達	p.351-356
		神経膠細胞	p.350
	B．中枢神経系の構造と機能	大脳	p.360-365
		視床，視床下部	p.366-367
		中脳，橋，延髄	p.367
		小脳	p.368
		脊髄	p.368-369
		反射	p.357-358
		髄膜と脳室	p.370-371
		脳脊髄液の循環	p.371
		感覚と運動の伝導路	p.374-375
		覚醒と睡眠	p.376-377
	C．末梢神経系の構造と機能	脳神経	p.384-385
		脊髄神経	p.386-389
		体性神経	p.388-389
		自律神経	p.390-393
4．運動器系	A．骨と骨格	骨の構造と機能	p.92-97
		軟骨の構造	p.96, 113
		全身の骨	p.92-93, 98-115
	B．関節の構造と機能	関節の構造と動き	p.116-119
		全身の関節	p.118
	C．骨格筋の構造と機能	骨格筋の構造	p.122-123
		筋収縮の機構	p.126-129
		全身の骨格筋	p.133-141
5．感覚器系	A．体性感覚	刺激と感覚受容	p.406-407
		表在感覚	p.429-430
		深部感覚	p.431
	B．視覚	眼球と眼球付属器の構造	p.408-413
		視力と視野	p.414
		明暗覚，色覚	p.416-417
		視覚の伝導路	p.414
		眼球運動	p.413
		眼の反射と調節機能	p.415-417
	C．聴覚	外耳・中耳・内耳の構造	p.418-421
		音の伝播	p.422
		聴力	p.423
	D．平衡感覚	平衡器官の構造	p.424-425
		平衡覚とその伝導路	p.424-425
	E．味覚	味蕾の構造と機能	p.427-428
		味覚の伝導路	p.428
	F．嗅覚	嗅上皮	p.426
		嗅覚の伝導路	p.427
	G．内臓感覚	内臓感覚の受容器と機能	p.433

6．循環器系	A．心臓の構造と機能	心臓の構造	p.173-175
		刺激伝導系	p.180-181，184
		心周期	p.182-184
		心機能の調節	p.185
	B．血管系の構造と機能	動脈，静脈，毛細血管	p.186-194
		血圧と血圧調節	p.198-199
		門脈系	p.195
		肺循環と体循環	p.176
		冠循環	p.178-179
		脳循環	p.192-193
		胎児・胎盤の血液循環	p.196
		末梢循環の調節	p.200-201
	C．リンパ系の構造と機能	リンパ液，リンパ管，リンパ節	p.204-205
		胸管	p.204
7．血液	A．血液の成分と機能	血液の成分（血球，血漿，血清）	p.156-159
		赤血球の働き	p.162-163
		血液の物理化学的特性	p.157-158
		造血と造血因子	p.159-161
	B．止血機構	血液凝固	p.168-169
		線維素溶解	p.169
	C．血液型	ABO式，Rh式	p.170-171
8．体液	A．体液の構成	体液の区分	p.258
		体液の組成	p.258-259
	B．体液の調節	電解質バランス	p.259-260
		酸塩基平衡	p.262-265
		浸透圧調節	p.261
9．生体の防御機構	A．非特異的生体防御機構	皮膚の構造と防御機構	p.452-461
		粘膜の構造と防御機構	p.447-449
		食細胞とサイトカイン	p.476
	B．特異的生体防御反応（免疫系）	免疫系の細胞	p.464
		胸腺，脾臓，リンパ組織	p.466
		抗原と抗体	p.468-474
		補体	p.471
		液性免疫	p.479
		細胞性免疫	p.479
		アレルギー反応	p.482-484
		組織適合性抗原＜HLA＞	p.172，469，481
10．呼吸器系	A．気道の構造と機能	鼻腔，咽頭，喉頭，気管，気管支	p.215-223
		発声	p.222
	B．肺の構造	肺	p.226-233
		胸膜	p.227
	C．縦隔	縦隔の区分	p.234
		縦隔に含まれる器官	p.234
	D．呼吸	呼吸筋	p.250
		換気	p.236-241
		ガス交換	p.242-246
		呼吸運動	p.247-250
		呼吸調節	p.247-250

11. 消化器系	A. 咀嚼・嚥下	歯・口腔・唾液腺の構造と機能	p.298-304
		咽頭・喉頭の構造と機能	p.305-307
		食道の構造と機能	p.308-309
		咀嚼	p.298-304
		嚥下	p.305-309
	B. 消化と吸収	胃の構造と機能	p.310-313
		小腸の構造と機能	p.314-317
		大腸の構造と機能	p.334-337
		排便反射	p.338
		肝臓・胆道の構造と機能	p.318-325
		膵臓の構造と機能	p.326-329
		三大栄養素の消化と吸収	p.330-332
		消化管運動と反射	p.307，338
		消化管ホルモン	p.330-332
13. 泌尿器系	A. 尿の生成	腎臓の構造	p.272-275
		糸球体濾過	p.278-279
		尿細管における再吸収と分泌	p.280-281
	B. 体液量の調節	抗利尿ホルモンの作用	p.280，515
		レニン－アンジオテンシン－アルドステロン系	p.276
	C. 排尿	尿管と膀胱の構造と機能	p.283-284
		尿道の構造と機能	p.285
		排尿反射	p.286-287
14. 体温調節	A. 体温	核心温度と外殻温度	p.488-490
	B. 体温の調節	熱放散と熱産生	p.491-493
		体温調節中枢	p.494-495
15. 内分泌系	A. ホルモンの種類	ホルモンの化学的性質	p.511
		ホルモンの受容体	p.511
	B. ホルモン分泌の調節	フィードバック機構	p.510
	C. 内分泌器官の構造とホルモンの機能	視床下部	p.512-514
		下垂体	p.512-515
		松果体	p.516
		甲状腺	p.517-519
		副甲状腺＜上皮小体＞	p.520
		膵島	p.521-523
		副腎皮質	p.525-527
		副腎髄質	p.525-527
		腎臓	p.530-531
		性腺	p.528-529

16. 生殖器系	A. 女性の生殖器系の構造と機能	卵巣	p.544-546
		卵管, 子宮, 腟	p.547-551
		外陰部・会陰の構造	p.552-553
		性周期	p.554-561
		妊娠, 分娩, 産褥	p.562-567
		妊娠・分娩に伴う変化	p.570-571
		乳房	p.569-570
	B. 男性の生殖器系の構造と機能	精巣と精路	p.574-575
		精子の形成	p.578-579
		精巣上体, 精管, 精嚢, 前立腺, 陰茎	p.574, 576-577
	C. 受精と発生	受精	p.562
		着床	p.563
		初期発生と器官形成	p.565
		胎児の発生	p.565
17. 成長	A. 成長による変化	成長による組織・臓器の形態的変化	p.60-61, 97, 121, 144, 203, 253, 394, 289, 308, 310, 315, 394, 434-435, 462, 533-534, 544, 581
		成長による臓器の機能的変化	p.60-61, 97, 121, 144, 203, 253, 394, 289, 308, 394, 434-435, 462, 481, 533-534, 572-573, 581

INDEX

解剖生理学

▶数字，A－Z

1回換気量	238
1回拍出量	185
1秒間努力呼気容量	239
1秒率	239
Ⅰ型アレルギー	440, 482
2, 3-DPG	245
Ⅱ型アレルギー	484
Ⅲ型アレルギー	484
Ⅳ型アレルギー	484
9の法則	457
ABO式血液型	170
ABR	435
ACh	356, 390
ANP	506, 532
ATP	127
BNP	506, 532
B細胞	167, 439, 464
B細胞レセプター	467
Ca^{2+}	91
CD（分化抗原クラスター）	464
CO_2ナルコーシス	248
DNA	55
Fab部位	472
Fc部位	472
FEV_1%	239
FSH	528, 538
GnRH	538
GVHD	484
HLA	172, 440, 469, 481
IgA	474
IgD	474
IgE	474
IgG	473
IgM	473
J受容器	249
LH	528, 538
LHサージ	539
Lund＆Browderの法則	457
MHC	440, 469, 481
NK細胞	464, 476
Rh式血液型	171
Rh式血液型不適合妊娠	171
SERMs	569
S状結腸	335
T_3	517
T_4	517
Tanner scale	570
Th1	167, 475
T細胞	167, 464, 475
T細胞レセプター	467
γグロブリン	158

▶あ

アキレス腱	90, 115
アキレス腱断裂	143
アクチンフィラメント	75, 91, 123, 126
アシドーシス	264
アストロサイト	81, 350
アセチルコリン	91, 128, 390
圧覚	429
圧受容器	153, 192
アディポカイン	533
アデノイド顔貌	219
アデノシン三リン酸	44, 52, 127
アドレナリン	506, 525
アナフィラキシー型	482
アナフィラキシーショック	483
アブミ骨	419
アポクリン汗腺	461
アポクリン分泌	68
アポトーシス	554
アランチウス管	197
アルカローシス	264
アルツハイマー型認知症	394
アルドステロン	276, 506
アルブミン	158
アレルギー	482
アレルゲン	482
鞍関節	118
アンジオテンシンⅠ	276
アンジオテンシンⅡ	276
アンドロゲン	525

▶い

胃	293, 310
胃液	294, 312
イオドプシン	410
胃下垂	313
閾刺激	354
閾値	406
移行上皮	66
意識レベル	379
胃小窩	311
移植片対宿主病	484
異所性妊娠	547
胃腺	311
異染色質	40
胃体部	310
一次運動野	362
一次感覚野	362
一次止血	168
一次精母細胞	578
一次リソソーム	47
一次リンパ組織	466
胃底部	310
遺伝子	39
遺伝情報	54
胃粘膜	311
胃壁	311
イムノグロブリン	472
胃瘻	446
陰核	552
陰茎	577
陰茎海綿体	577
陰茎亀頭	577
飲作用	53
陰唇癒合症	552
インスリン	506, 522
インスリン様成長因子	514, 519
インターフェロン	159, 476
インターロイキン	159, 476
咽頭	218, 293, 305
咽頭喉頭部	218, 305
咽頭口部	218, 305
咽頭食道相	306
咽頭鼻部	218, 305

咽頭扁桃	293, 305
陰嚢	577
陰嚢縫線	577
インパルス	128, 181
陰部神経	286

▶う

ウィリス動脈輪	193
ウェルニッケ野	363
烏口突起	107
右心系	151, 175
右心室	151, 175
右心房	151, 175
右大脳半球	360
内がえし	119
うつ熱	496
右葉	292, 318
ウラ試験	170
運動機能	348
運動神経	131, 349, 382
運動性言語中枢	362
運動前野	362
運動単位	128
運動ニューロン	128

▶え

永久血栓	168
永久歯	292, 303
腋窩神経	386
腋窩動脈	190
液性調節	153, 201
液性免疫	439, 479
エキソサイトーシス	53
エクリン汗腺	461
エクリン分泌	68
エストラジオール	539
エストロゲン	506, 528, 538, 559, 560
エリスロポエチン	270, 277, 531
遠位	24
遠位尿細管	269, 274
遠近調節	401, 415
嚥下	218, 306
嚥下反射	307
遠視	415

遠心性神経	271, 286, 349
遠心路	30
延髄	344, 367
円柱上皮	65
エンドサイトーシス	53

▶お

横隔神経	234, 386
横隔神経麻痺	389
横隔膜	135
横行結腸	335
黄色骨髄	95
黄色靱帯	102
黄体	555
黄体期	555
黄体形成ホルモン	528, 538
黄体形成ホルモン放出ホルモン	546
黄疸	323
横突起	102
黄斑	410
横紋筋	75, 89, 122
オキシトシン	505, 515, 566
オキシヘモグロビン	243
悪心	433
オステオン	86, 95
オートクリン	509
オプソニン化	471
オプソニン効果	166
オモテ試験	170
オリゴデンドロサイト	81, 350
温覚	430
温度受容器	494
温熱性発汗	493

▶か

外陰部	288, 552
下位運動ニューロン	395
外果	113, 115
回外	119
外殻温度	488
外核膜	39
外眼筋	413
外頸動脈	192
開口分泌	68

外肛門括約筋	335, 338
外呼吸	235, 242
介在ニューロン	358
外耳	418
概日リズム	378, 490
外耳道	418
外旋	119
回旋枝	151, 178
咳嗽反射	225
外側	24
外側膝状体	414
外側上顆	108
外側直筋	413
外側翼突筋	304
回腸	315
外腸骨動脈	191
外転	119
外転神経	385
外套細胞	82, 350
回内	119
外尿道括約筋	285
外尿道口	285
海馬	364
灰白交連	369
灰白質	369
外反	119
外反母趾	115
外鼻孔	215
外分泌腺	67, 327
解剖学的嗅ぎたばこ窩	138
解剖学的正常位	22
解剖頸	108
外膜	186
海綿質	86, 94
海綿体部尿道	285
回盲弁	334
外リンパ	421
下咽頭	218
カウパー腺	576
加温	224
下顎骨	99
化学受容器	153, 192, 433
化学的感覚	404, 426
化学的緩衝作用	262
蝸牛	403, 419, 420

593

芽球	164
蝸牛管	420
核	39
角化	453
顎下腺	300
角加速度	419
拡散	50
拡散能	242
核質	40
角質層	452
核小体	40
核心温度	488
拡張期	182
拡張期血圧	198
獲得免疫系	464, 465, 467
核膜	39
角膜	408
角膜反射	417
隔膜部尿道	285
下行結腸	335
下行路	374
下肢	23
加湿	224
下斜筋	413
顆状関節	118
下垂指	389
下垂手	389
下垂足	140, 389
下垂体後葉	515
下垂体前葉	512
下垂体ホルモン	512
下垂体門脈	513
加水分解	330
ガス交換	212, 242
ガストリン	530
ガスの運搬	235
下腿三頭筋	140
下腿三頭筋肉離れ	143
下大静脈	176, 188, 194
肩関節	106, 107
下直筋	413
滑液	450
滑液鞘	450
滑液包	124, 450
滑車神経	385

活動電位	128, 343
滑膜	450
滑面小胞体	45
可動関節	88, 117
下鼻甲介	99
下腹神経	286
過分極	343, 353
可変領域	472
下方	24
ガラクトース	330
顆粒球	164, 464
顆粒層	453
顆粒膜細胞	555, 559
カルシウムイオン	91, 129
カルシウム代謝	93
カルシトニン	519
カルシトリオール	531
カルバミノ化合物	243
カルボキシペプチダーゼ	332
感音難聴	423
感覚機能	348
感覚上皮	66
感覚情報の流れ	407
感覚神経	349, 382
感覚性言語中枢	363
肝鎌状間膜	292, 318
換気	235
含気骨	96
眼球運動	385, 413
眼球外膜	408
眼球中膜	409
眼球内膜	410
眼瞼	412
寛骨	111
肝細胞	319
間質液	256, 258
間質細胞	575
桿状核球	164
緩衝作用	262
冠状静脈洞	179
冠状縫合	99, 117
冠状面	25
肝小葉	319
関節軟骨	86, 113, 116
間接法	199

関節リウマチ	116, 120, 486
汗腺	461
完全骨折	87
感染症	480
肝臓	292, 318
杆体	410
環椎	103
肝動脈	195
間脳	344
瞼板腺	412
眼房水	411
顔面筋	133
顔面神経	384
顔面頭蓋	99
肝門	318
眼輪筋	133
関連痛	432

▶ き

記憶細胞	470
機械受容器	433
気化熱	461
器官	28
気管	223
器官系	28
器官形成	565
気管支	211
気管軟骨	223
気管分岐部	210
起始	125
基質腔	44
偽重層	65
キシリトール	303
基靱帯	549
基節骨	110, 114
基礎体温	490
基礎体温表	539
偽単極性神経細胞	79
拮抗筋	90, 132
拮抗支配	391
基底陥入	42
基底層	453
基底板	421
希突起膠細胞	350
キヌタ骨	419

機能 … 18	胸椎 … 103, 105	九分の一区画 … 27
機能的残気量 … 238	協同筋 … 90	くも膜 … 370
機能的終動脈 … 189	強膜 … 408	くも膜下腔 … 370
基本味 … 427	胸膜 … 443	くも膜下出血 … 373
キモトリプシン … 332	胸膜腔 … 213, 227	クラス … 472
ギャップ結合 … 181	強膜静脈洞 … 411	グラスゴー・コーマ・スケール … 379
嗅覚 … 404, 426	巨核球 … 160	クラススイッチ … 473, 474
嗅覚伝導路 … 427	棘下筋 … 137	グリア細胞 … 76, 350
球関節 … 118	棘上筋 … 137	クリスタ … 44
嗅球 … 216, 426	局所性調節 … 153	グルカゴン … 506, 522
球形嚢 … 424	局所ホルモン … 509	グルカゴン様ペプチド … 530
嗅細胞 … 426	棘突起 … 102	グルコース … 330
吸収上皮 … 66	距骨 … 114	グルコース依存性インスリン分泌刺激ペプチド … 530
弓状静脈 … 273	キラーT細胞 … 439, 465, 475	グルココルチコイド … 525
弓状動脈 … 273	ギラン・バレー症候群 … 395	グレリン … 530
嗅上皮 … 426	近位 … 24	クロスマッチテスト … 172
嗅神経 … 384, 426	近位尿細管 … 269, 274	クロマチン … 40
求心性神経 … 271, 286, 349	筋原線維 … 123	クローンの増大 … 468, 470
求心路 … 30	近視 … 415	
嗅腺 … 426	筋ジストロフィー … 143	▶け
吸息 … 213, 236	筋収縮 … 126	
球部 … 285	筋鞘 … 123	毛 … 458
嗅部 … 216	筋節 … 123	脛骨 … 113
橋 … 344, 367	筋線維 … 123, 131	軽鎖 … 472
胸郭 … 98	筋線維鞘 … 123	形質細胞 … 439, 465
胸管 … 204	筋組織 … 37, 75	形質膜 … 42
頬筋 … 133	緊張性活動 … 391	茎状突起 … 99
胸腔 … 26, 443	筋電図 … 126	頸神経 … 386
胸腔内圧 … 237	筋疲労 … 130	頸椎 … 103
凝固因子 … 169	筋紡錘 … 431	頸動脈小体 … 192, 249
胸骨 … 105	筋膜 … 124, 451	頸動脈洞 … 192
頬骨 … 99		頸膨大 … 369
頬骨筋 … 133	▶く	外科頸 … 108
胸骨体 … 105		血圧 … 153, 198
胸骨柄 … 105	区域気管支 … 228	血圧調節 … 199
凝固反応カスケード … 169	区域気管支枝 … 228	血液脳関門 … 372
胸鎖関節 … 106	空気伝導 … 422	血管壁 … 258
胸鎖乳突筋 … 134	空腸 … 315	血管裂孔 … 191
胸式呼吸 … 236	空腹感 … 433	血球 … 159
凝集 … 168	クスマウル呼吸 … 251	月経 … 557
強縮 … 129	屈曲 … 119, 132	月経血 … 557
胸神経 … 386	屈曲反射 … 358	月経周期 … 554
胸水 … 445	屈折異常 … 415	結合組織 … 69
胸腺 … 205, 466	クッパー星細胞 … 321	結合組織性の膜 … 439
胸大動脈 … 191	首下がり症 … 144	
	クプラ … 425	

血漿	157, 256
楔状骨	114
月状骨	110
血小板	149, 168
血漿分画	158
血清	157, 170
結腸	335
血糖	522
血餅	157
結膜円蓋	412
ケトアシドーシス	523
解熱	495
ケラチン	453
ケルニッヒ徴候	373
減感作療法	483
腱器官	431
肩甲下筋	136
肩甲挙筋	135
肩甲骨	106, 107
肩鎖関節	106
腱索	177
腱鞘	124
腱鞘炎	130
剣状突起	105
減数分裂	58, 556
原尿	278
腱板	137
腱紡錘	431

▶こ

好塩基球	164, 166, 464
高温期	539
口蓋骨	99
口蓋垂	298
口蓋扁桃	293, 305
効果器	30, 247
口角	298
後角	369
口渇	433
睾丸	575
交感神経	347
交感神経系	390, 392
交感神経反応	527
後眼房	411
咬筋	133, 304

口腔	298
口腔咽頭相	306
口腔前庭	298
広頸筋	134
後脛骨動脈	191
高血圧	198
抗原	465, 469
抗原抗体反応	471
膠原線維	70
抗原提示	440, 467
抗原特異性	468
抗原レセプター	468
硬口蓋	298
後交通動脈	193
後骨髄球	164
後根	386
交叉	58
虹彩	409
後索−内側毛帯路	375, 432
交差適合試験	172
交叉部	283
好酸球	164, 166, 464
鉱質コルチコイド	525
膠質浸透圧	202, 261
後十字靱帯	113
後縦靱帯	102
甲状腺	517
甲状腺刺激ホルモン	514
甲状腺ホルモン	518
甲状軟骨	221
口唇	298
拘束性換気障害	240
後側頭泉門	100
抗体	439, 465, 471
高体温	496
後大脳動脈	193
後腟円蓋	551
好中球	164, 166, 464
高張	261
高張液	51
喉頭	221, 293
喉頭蓋	221, 293, 306
後頭骨	98
喉頭軟骨	221
後頭葉	361

更年期	573
広背筋	135
後腹膜	444
後方	24
合胞体	124
硬膜	370
肛門管	335
膠様組織	72
抗利尿ホルモン	515
口輪筋	133
後弯症	104
声変わり	222
誤嚥	218, 307
誤嚥性肺炎	219, 307
股関節	112
呼吸	214, 218, 235
呼吸曲線	238
呼吸筋	250
呼吸細気管支	229
呼吸上皮	66
呼吸性	265
呼吸性アシドーシス	257, 265
呼吸性アルカローシス	257, 265
呼吸中枢	247, 250
呼吸調節中枢	250
呼吸補助筋	250
呼吸膜	233
黒質（中脳）−線条体線維	365
鼓室	419
鼓室階	420
呼息	213, 236
骨改変	97
骨格筋	75, 89, 122
骨格筋細胞	123
骨芽細胞	74, 86, 97
骨幹	94
骨基質	94
骨吸収	86, 97
骨形成	86, 97
骨細胞	74, 94
骨質	94
骨小腔	95
骨髄	95, 466
骨髄球	164
骨性連結	88, 117

骨組織	74
骨粗鬆症	97
骨端	94
骨単位	95
骨端軟骨	96
骨伝導	422
骨盤	110
骨盤隔膜	288
骨盤腔	26
骨盤神経	286
骨盤底筋群	288
骨膜	94
骨迷路	419
ゴナドトロピン放出ホルモン	538
鼓膜	419
固有肝動脈	318
固有口腔	298
ゴルジ小嚢	46
ゴルジ装置	46
コルチ器	402, 421
コルチゾール	506
コレシストキニン	530
コロトコフ音	199
混合神経	382
コンプライアンス	241

▶さ

細気管支	229
再吸収	280
細静脈	187
臍静脈	197
再生医療	62
最大吸気量	238
細動脈	186
臍動脈	197
サイトカイン	159, 476
サイトゾル	43
再分極	343, 353
細胞	34, 38
細胞外液	256, 258
細胞外基質	69
細胞外マトリックス	69
細胞骨格	48, 77
細胞質	38, 77
細胞質ゾル	43

細胞周期	57
細胞性呼吸	235
細胞成分	157
細胞性免疫	439, 479
細胞増殖	60
細胞体	351
細胞内液	256, 258
細胞内小器官	44
細胞内輸送	45, 48
細胞分裂	56
細胞膜	34, 42, 258
細網線維	70
細網組織	72
サイロキシン	504, 517
サイログロブリン	518
杯細胞	65
サーカディアンリズム	378, 490
鎖骨	106, 107
坐骨	111
鎖骨下静脈	194, 204
鎖骨下動脈	191
左心系	151, 175
左心室	151, 175
左心房	151, 175
嗄声	222
左大脳半球	360
刷子縁	42
サーファクタント	232
左房室弁	177
左葉	292, 318
サルコペニア	144
酸塩基平衡	245, 262
三角筋	136
三角骨	110
残気量	238
三叉神経	385
三叉神経視床路	432
三尖弁	177
酸素解離曲線	163, 244
酸素飽和度	163, 244
散瞳	416

▶し

耳介	418
視覚	400, 408

視覚野	363
視覚連合野	363
耳下腺	300
歯冠	302
耳管	293, 419
色覚	417
色覚多様性	417
色素沈着	454
子宮	548
子宮角部	548
子宮峡部	549
子宮筋層	548
子宮頸管粘液	549
子宮頸部	549
子宮収縮	566
糸球体	274
糸球体嚢	274
子宮体部	548
糸球体濾過	278
子宮底部	548
子宮動脈	545
子宮動脈塞栓	545
子宮内膜	557
軸索	78, 351
軸索終末部	351
軸索輸送	78
軸椎	103
刺激受容器	249
刺激伝導系	152, 181
止血	168
耳垢	418
視交叉	414
視交叉上核	378
自己寛容	469
自己抗原	469
篩骨	98
篩骨洞	217
自己免疫疾患	485
歯根	302
歯根膜	302
視索上核	513
支持組織	36, 69
思春期	546, 572
視床	344, 366
視床下部	344, 366, 494

耳小骨 ……………………… 419	射乳 ……………………………… 571	上顎洞 ……………………… 217
糸状乳頭 …………………… 427	ジャパン・コーマ・スケール …… 379	松果体 ……………………… 367
茸状乳頭 …………………… 427	縦隔 ………………………… 234	上眼瞼挙筋 ………………… 413
矢状縫合 …………………… 98	集合管 …………… 268, 269, 274	掌屈 ………………………… 136
矢状面 ……………………… 25	重鎖 ………………………… 472	上行結腸 …………………… 335
視神経 ………………… 384, 410	収縮期 ……………………… 182	小膠細胞 …………………… 350
視神経円板 ………………… 410	収縮期血圧 ………………… 198	上行性伝導路 ……………… 432
歯髄腔 ……………………… 302	重症筋無力症 …… 131, 143, 486	上行性網様体賦活系 ……… 366
姿勢反射 …………………… 425	舟状骨 ………………… 110, 114	上行路 ……………………… 375
耳石 ………………………… 424	自由神経終末 ………… 429, 430	踵骨 ………………………… 114
耳石器 ……………………… 424	重層円柱上皮 ……………… 66	娘細胞 ……………………… 578
指節骨 ………………… 110, 114	重層扁平上皮 …………… 66, 309	娘染色体 …………………… 56
趾節骨 ……………………… 114	重層立方上皮 ……………… 66	上肢 ………………………… 23
脂腺 ………………………… 459	終動脈 ……………………… 189	小指球筋 …………………… 138
自然免疫系 ……… 464, 465, 476	十二指腸 ……………… 293, 315	硝子体 ……………………… 411
歯槽 ………………………… 302	終末細気管支 ……………… 229	硝子軟骨 …………………… 73
舌 ………………… 292, 299, 427	絨毛 ………………………… 316	上斜筋 ……………………… 413
膝窩 ………………………… 22	主気管支 …………………… 223	脂溶性ホルモン …………… 511
膝蓋腱反射 ………………… 389	縮瞳 ………………………… 416	小泉門 ……………………… 100
膝蓋骨 ……………………… 112	手根骨 ……………………… 110	掌側骨間筋 ………………… 138
膝蓋大腿関節 ……………… 112	樹状細胞 …………………… 467	上大静脈 …………………… 176
膝窩動脈 …………………… 191	樹状突起 ………………… 78, 351	小唾液腺 …………………… 300
膝関節 ……………………… 113	手掌法 ……………………… 457	小腸 …………………… 293, 314
室傍核 ……………………… 513	主膵管 ……………………… 326	小腸壁 ……………………… 316
耳道腺 ……………………… 418	受精 …………………… 541, 562	上直筋 ……………………… 413
シナプス …………… 78, 342, 355	受精卵 ……………………… 562	小殿筋 ……………………… 141
シナプス間隙 …… 91, 128, 355	踵足 ………………………… 389	小転子 ……………………… 112
シナプス伝達 ……………… 78	出産 ………………………… 566	上橈尺関節 ………………… 109
歯肉 ………………………… 302	主働筋 …………………… 90, 132	小脳 …………………… 344, 368
篩板 ………………………… 426	受動輸送 …………………… 50	蒸発 ………………………… 493
指鼻試験 …………………… 368	授乳 ………………………… 571	小皮縁 ……………………… 42
ジペプチド ………………… 332	受容器 ………………… 30, 247, 406	上鼻甲介 …………………… 216
脂肪 ………………………… 331	主要組織適合遺伝子複合体 …… 469	上皮小体 …………………… 520
視放線 ……………………… 414	シュレム管 ………………… 411	上皮組織 ………………… 36, 64
脂肪組織 …………………… 72	シュワン細胞 ………… 82, 350	上部食道括約筋 …………… 308
脂肪代謝 …………………… 320	循環ホルモン ……………… 509	上方 ………………………… 24
脂肪滴 ……………………… 49	順応 ………………………… 407	小胞体 ……………………… 45
脂肪被膜 …………………… 272	瞬目反射 …………………… 417	小胞輸送 …………………… 53
視野 …………………… 401, 414	上位運動ニューロン ……… 395	漿膜 ………… 227, 439, 443, 446
視野欠損 ……………… 384, 414	上衣細胞 ………………… 81, 350	漿膜下組織 ………………… 446
車軸関節 …………………… 118	小陰唇 ……………………… 552	漿膜腔 ……………………… 443
射精 …………………… 541, 580	上咽頭 ……………………… 218	漿膜上皮 …………………… 446
尺骨 ………………………… 108	漿液 ………………………… 446	静脈 ………………………… 187
尺骨神経 …………………… 386	消化 …………………… 294, 310	静脈管 ……………………… 197
尺骨動脈 …………………… 190	上顎骨 ……………………… 99	静脈血 ………………… 152, 188

静脈弁 … 187	神経周膜 … 382	心房 … 175
小葉間静脈 … 273, 319	神経上膜 … 382	心房性ナトリウム利尿ペプチド … 532
小葉間胆管 … 319	神経性機序 … 317	心房中隔 … 175
小葉間動脈 … 273, 319	神経性調節 … 153, 200	心膜腔 … 174
小菱形骨 … 110	神経線維 … 351, 382	親和性成熟 … 472
小弯 … 310	神経叢 … 387	
上腕骨 … 108	神経束 … 382	▶す
上腕骨近位端骨折 … 109	神経組織 … 37	膵アミラーゼ … 330
上腕三頭筋 … 136	神経伝達物質 … 356, 390	膵液 … 294, 328
上腕動脈 … 190	神経内膜 … 382	膵管 … 327
上腕二頭筋 … 136	人工授精 … 564	髄質 … 272
初期発生 … 565	心室 … 175	髄鞘 … 351
食塊 … 298	心室中隔 … 175	水晶体 … 411
食細胞 … 465, 476	心周期 … 182	膵臓 … 326
食事誘発性熱産生 … 491	腎小体 … 274	錐体 … 410, 417
褥瘡 … 457	腎静脈 … 273	錐体外路 … 374
食道 … 293, 308	親水性 … 43	膵体部 … 326
食道括約筋 … 308	腎錐体 … 272	錐体路 … 374
食道相 … 307	新生児呼吸促迫症候群 … 232, 241	出納 … 260
食道壁 … 309	新生児循環 … 197	膵島 … 292, 327, 521
食道裂孔 … 524	心尖 … 178	膵島細胞 … 521
食欲 … 296	腎臓 … 272	水頭症 … 371
初経 … 572	心臓血管中枢 … 200	膵頭部 … 326
鋤骨 … 99	身体的活動 … 491	膵尾部 … 326
処女膜 … 552	腎柱 … 272	水平面 … 25
触覚 … 429	伸張反射 … 431	髄膜 … 370, 451
自律神経系 … 342, 347, 349, 383, 390	陣痛 … 543, 566	髄膜炎 … 372
自律性支配 … 391	伸展 … 119, 132	睡眠 … 377
視力 … 401, 414	浸透 … 51, 261	水溶性ホルモン … 511
腎盂 … 272	浸透圧 … 51, 261	膵リパーゼ … 331
腎盂尿管移行部 … 283	腎動脈 … 273	スキーン腺 … 553
心音 … 182	心内圧 … 182	ステロイドホルモン … 527
侵害刺激 … 406, 430	心内膜 … 174	ストレス反応 … 526
心外膜 … 174	腎乳頭 … 272	スパイログラム … 238
新型コロナウイルス感染症 … 252	心嚢 … 174, 443	スパイロメーター … 238
心筋 … 75, 89, 122, 124	心嚢液 … 445	
心筋細胞 … 181	心嚢膜 … 443	▶せ
心筋層 … 174	心拍出量 … 153, 185, 199	精液 … 576
神経インパルス … 78, 348, 352, 406	心拍数 … 185	精管 … 575
神経筋接合部 … 91	腎盤 … 268, 272	精器 … 540
神経膠細胞 … 76, 342, 350	真皮 … 453	制御性T細胞 … 475
神経細胞 … 76, 342, 351	腎被膜 … 272	精細管 … 575
神経細胞体 … 77	深部 … 24	精索 … 575
	深部感覚 … 405, 429, 431	正視 … 415
	深部痛覚 … 431	

599

精子 …………………… 541, 578	舌骨 …………………… 100	前庭階 …………………… 420
精子形成 ………………… 578	舌根 …………………… 299	前庭反射 ………………… 425
精子細胞 ………………… 578	摂食行動 ………………… 296	蠕動運動 ………… 294, 309, 313
静止電位 …………… 343, 352	摂食中枢 …………… 293, 297	前頭筋 …………………… 133
正常血圧 ………………… 198	摂食調節中枢 …………… 367	前頭骨 …………………… 98
星状膠細胞 ……………… 350	舌尖 …………………… 299	前頭前野 ………………… 362
正常高値血圧 …………… 198	節前線維 ………………… 390	前頭洞 …………………… 217
生殖細胞 ………………… 58	舌苔 …………………… 299	前頭面 …………………… 25
精神性発汗 ……………… 493	舌体 …………………… 299	前頭葉 …………………… 361
性成長 …………………… 546	セルトリ細胞 ……… 529, 575	全肺気量 ………………… 238
性腺刺激ホルモン ……… 514	腺 …………………… 64, 67	浅部 …………………… 24
正染色質 ………………… 40	線維芽細胞 ……… 70, 277, 487	全分泌 …………………… 68
精巣縦隔 ………………… 575	線維性連結 ………… 88, 117	腺房 …………………… 327
精巣上体 …………… 574, 575	線維軟骨 ………………… 73	前方 …………………… 24
精巣中隔 ………………… 575	遷延性意識障害 ………… 379	腺房細胞 ………………… 327
精巣網 …………………… 575	前角 …………………… 369	全末梢血管抵抗 …… 153, 199
精祖細胞 ………………… 578	前下行枝 …………… 151, 178	線毛 …………………… 49, 65, 224
声帯 …………………… 222	全か無かの法則 …… 129, 355	線毛運動 ………………… 224
正中神経 ………………… 386	前眼房 …………………… 411	泉門 …………………… 100
正中神経麻痺 …………… 389	前駆陣痛 ………………… 566	線溶 …………………… 169
成長ホルモン …………… 514	前脛骨筋 ………………… 140	前立腺 ………… 284, 574, 576
精嚢 ……………… 574, 576	前脛骨動脈 ……………… 191	前立腺部尿道 …………… 285
声門 …………………… 222	前交通動脈 ……………… 193	前弯症 …………………… 104
生理的緩衝作用 ………… 263	仙骨 …………………… 103	
生理的狭窄部 …… 283, 293, 309	仙骨子宮靱帯 …………… 549	▶そ
精路 …………………… 574	仙骨神経 ………………… 386	爪郭 …………………… 460
赤筋 …………………… 122	前骨髄球 ………………… 164	臓器感覚 …………… 405, 433
赤色骨髄 ………………… 95	前根 …………………… 386	双極神経細胞 …………… 79
脊髄 …………………… 368	腺細胞 …………………… 64	造血 …………………… 93
脊髄視床路 ………… 375, 432	前十字靱帯 ……………… 113	造血幹細胞 ……………… 160
脊髄上行路 ……………… 375	前縦靱帯 ………………… 102	爪根 …………………… 460
脊髄神経 …………… 346, 386	腺上皮 …………………… 66	爪床 …………………… 460
脊髄排便反射 …………… 338	染色質 …………………… 40	増殖期 …………………… 557
脊髄反射 ………………… 131	染色体 …………………… 41	臓側胸膜 …………… 213, 227
脊髄網様体路 …………… 375	染色体糸 ………………… 56	臓側漿膜 ………………… 444
脊柱 …………………… 101	染色分体 …………… 41, 55	臓側心膜 ………………… 174
脊柱管 …………………… 26	全身性エリテマトーデス … 486	総胆管 …………………… 324
脊柱起立筋 ……………… 135	腺性下垂体 ……………… 512	爪母 …………………… 460
赤緑色覚異常 …………… 417	尖足 …………………… 140	僧帽筋 …………………… 135
セクレチン ……………… 530	前側頭泉門 ……………… 100	僧帽弁 …………………… 177
舌咽神経 ………………… 384	腺組織 …………………… 64	側角 …………………… 369
舌下神経 ………………… 384	前大脳動脈 ……………… 193	足関節 …………………… 114
舌下腺 …………………… 300	仙腸関節 ………………… 112	足根骨 …………………… 114
赤血球 ……………… 149, 162	疝痛 …………………… 283	足細胞 …………………… 274
節後線維 …………… 390, 391	前庭 …………………… 419, 424	即時型過敏症 …………… 482

促進拡散	51
側柱	369
側頭筋	133, 304
側頭骨	98
側頭葉	361
側腹筋	134
側副血行路	189
側副靭帯	113
側弯症	104
鼠径部	27
組織	36, 64
組織間液	258
組織適合性抗原	440
咀嚼	292, 298, 304
咀嚼筋	133, 304
疎水性	43
疎性結合組織	71
外がえし	119
ソマトスタチン	530
粗面小胞体	45
ゾル	69

▶た

大陰唇	552
体液性機序	317
体温	441
体温測定	489
体温調節	441, 489, 494
体温調節中枢	494
体外受精	564
大胸筋	134
大後頭孔	99
対光反射	401, 416
第三脳室	371
胎児	563
胎児循環	196
代謝性	265
代謝性アシドーシス	257, 265
代謝性アルカローシス	257, 265
大十二指腸乳頭	314
体循環	176
体静脈系	194
大食細胞	47, 167, 465
体性感覚	400, 405, 406, 429, 432

体性感覚の連合野	363
体性感覚野	362
体性神経系	342, 349, 383, 388
大泉門	100
大腿骨	112
大腿骨頸	112
大腿四頭筋	140
大腿神経	386
大腿直筋	140
大腿動脈	191
大腿二頭筋	140
大腸	334
大殿筋	141
大転子	112
大動脈弓	191
大動脈小体	249
大動脈弁	177
体内の腔	442
体内の膜	442
第二次性徴	529
大脳	344
大脳基底核	344, 364
大脳動脈輪	193
大脳皮質	344, 344, 361
大脳辺縁系	344, 364
大網	310, 445
大腰筋	140
対流	492
大菱形骨	110
大弯	310
唾液	294
唾液腺	292, 300
楕円関節	118
多極性神経細胞	79
ダグラス窩	551
脱臼	120, 130
脱髄疾患	395
脱分極	343, 353
タナー法	570
多尿	279
多発性硬化症	395
多様性	440, 468
多列	65
多列円柱上皮	65
多列上皮	65

多列線毛上皮	65
単球	164, 167, 464
単極神経細胞	79
短骨	96
胆汁	294, 322, 325
胆汁酸塩	322
単収縮	129
単純拡散	50
胆膵管膨大部括約筋	315
弾性軟骨	73
単層円柱上皮	65
単層扁平上皮	65
単層立方上皮	65
胆嚢	292, 324
胆嚢管	324
タンパク質	332
タンパク代謝	321
タンパク尿	278
タンパク分画	158
淡明層	453

▶ち

チェーン・ストークス呼吸	251
逐次伝導	354
恥骨	111
恥骨頸管筋膜	551
智歯	303
腟	551
腟前庭	552
腟粘膜	551
緻密質	86, 94
チモシン	532
着床	542, 563
中咽頭	218
中隔	175
中間径フィラメント	48
肘関節	109
中耳	419
中手筋	138
中手骨	110
中心窩	410, 414
中心管	86, 95
中心子	49
中心体	49
虫垂	335

中枢温度受容器	494	
中枢化学受容器	212, 248	
中枢神経系	342, 344, 348, 350	
中節骨	110, 114	
中足骨	114	
中殿筋	141	
肘頭骨折	109	
中脳	344, 367	
中皮	65	
虫部	368	
中膜	186	
虫様筋	138	
中和	471	
腸液	295, 317	
聴覚	402, 418	
聴覚受容器	402	
聴覚伝導路	422	
聴覚野	362	
聴覚連合野	362	
腸肝循環	322, 559	
腸間膜	315	
蝶形骨	98	
蝶形骨洞	217	
腸骨	111	
長骨	96	
腸骨筋	140	
腸骨稜	111	
聴性脳幹反応	435	
調節中枢	30	
蝶番関節	118	
張度	261	
腸内細菌	337	
長内転筋	140	
長母指外転筋	137	
長母指屈筋	136	
長母趾伸筋	140	
跳躍伝導	354	
腸腰筋	140	
聴力	423	
直接法	199	
直腸	335	
直腸腟筋膜	551	
直腸内反射	338	

▶つ

椎間板	102
椎間板ヘルニア	104
椎弓	102
対合	58
椎骨	102
椎骨動脈	190
椎体	102
痛覚	430
ツチ骨	419
ツベルクリン反応	484
爪	460

▶て

低温期	539
底屈	119
抵抗反応	526
停止	125
定常領域	472
低体温	496
低張	261
低張液	51
デオキシリボ核酸	39
適刺激	406
テストステロン	504, 529, 579
テベシウス静脈	179
デルマトーム	432
伝音難聴	423
電解質	257, 259
展退	566
伝導	492

▶と

糖衣	42
頭蓋	23, 98
頭蓋腔	26
導管	327
導管細胞	327
動眼神経	385
瞳孔	409
瞳孔括約筋	416
統合機能	348
瞳孔散大筋	416
橈骨	108
橈骨遠位端骨折	108

橈骨神経	386
橈骨動脈	190
糖質	330
糖質コルチコイド	525
糖質代謝	320
橈尺関節	108
等尺性運動	126
等尺性収縮	126
透出分泌	68
豆状骨	110
動静脈吻合	189
橈側手根伸筋	136
等張	261
等張液	51
頭頂骨	98
等張性収縮	126
頭頂葉	361
糖尿病	523
洞房結節	181
動脈	186
動脈血	152, 188
動脈弁	177
洞様毛細血管	319
特殊感覚	400, 406
トライツ靱帯	293
トリプシン	332
トリペプチド	332
トリヨードサイロニン	504, 517
努力呼出曲線	239
貪食	465

▶な

内果	113, 115
内莢膜細胞	559
内莢膜層	555
内頸動脈	192
内肛門括約筋	335
内呼吸	235, 246
内耳	419
内耳神経	384
内旋	119
内臓感覚	400, 405, 406, 433
内臓痛覚	405, 433
内側	24
内側広筋	140

内側上顆 108, 109	尿生殖隔膜 288	**は**
内側直筋 413	尿生成 269	歯 292
内側翼突筋 304	尿道 285	肺 226
内腸骨動脈 191, 545	尿道球腺 574, 576	パイエル板 205, 466
内転 119	尿閉 279	肺活量 238
内転筋群 140	尿崩症 279	肺気腫 231
内反 119		肺胸膜 213
内分泌腺 68, 327, 509	**ぬ**	肺気量分画 238
内膜 44, 186	ヌクレオチド 54	肺区域 230
内卵胞膜層 555		背屈 119
内リンパ 421	**ね**	肺循環 176
ナチュラルキラー細胞 464	ネガティブフィードバック	肺静脈系 194
ナトリウム−カリウムポンプ	31, 507, 510, 558	肺小葉 228
52, 353	熱産生 491	肺伸展受容器 249
ナトリウム利尿ペプチド 532	熱傷 457	背側腔 26
軟口蓋 293, 306	熱中症 260, 496	背側骨間筋 138
軟骨性連結 88, 117	熱放散 492	肺動脈弁 177
軟骨組織 73	ネフロン 269, 273, 275	排尿 287
難聴 423	粘液腺 316	排便 338
軟膜 370	捻挫 120, 130	排便反射 338
	粘膜 438, 447	肺胞 211, 231
に	粘膜筋板 448	肺胞腔 232
におい 216	粘膜上皮 448	肺胞上皮 212
肉眼的血尿 279		肺胞上皮細胞 232
肉離れ 130	**の**	肺胞中隔 212, 232
二次止血 168	脳 344	肺毛細血管近傍受容器 249
二次精母細胞 578	脳回（大脳回） 361	肺門 226
二次免疫応答 474	脳幹 344, 367	肺葉 227
二重支配 391	脳溝 361	排卵 541, 555
二次リソソーム 47	脳室 371	排卵痛 555
二次リンパ組織 466	脳循環 193	排臨 543
乳管 569	脳神経 345	パーキンソン病 365
乳癌 569	脳性ナトリウム利尿ペプチド 532	白筋 122
乳歯 292, 302	脳脊髄液 371	白質 369
乳腺 569, 570	脳底動脈 192	白体 555
乳糖 330	脳電図 376	白内障 411, 434
乳頭 299, 427	脳頭蓋 98	破骨細胞 74, 86, 97
乳頭管 268	能動輸送 52	バセドウ病 486
乳頭層 453	濃度勾配 50	バソプレシン 505, 515
乳房 569, 570	脳波 376	パチニ小体 429
ニューロン 351	脳梁 360	発汗 493
尿意 433	ノルアドレナリン 506, 525	白血球 149, 164, 439
尿管 268, 283	ノンレム睡眠 377	発声 222
尿管膀胱移行部 283		発熱 495
尿細管 275		バッファー 262

発露		543
鼻		215
ハバース管		95
馬尾		369
バビンスキー反射		374
バフィーコート		157
パラクリン		509
パラソルモン		520
バルトリン腺		553
反回神経		517
半関節		118
半規管		419, 425
半月板		113
半月弁		177
半腱様筋		140
反射		131, 407
反射弓		357
反射中枢		357
半膜様筋		140

▶ひ

ビオー呼吸		251
被蓋上皮		66
皮下脂肪		453
皮下組織		453
光の屈折		415
光の三原色		417
鼻腔		215
尾骨		103
腓骨		113
鼻骨		99
尾骨神経		386
腓骨動脈		191
微細管		48
皮質		272, 275
皮質脊髄路		374
皮質ネフロン		275
微絨毛		42
糜粥		293, 312
微小管		48
微小循環		202
ヒス角		309
ヒス束		181
鼻前庭		215
脾臓		205, 466

ビタミン		333
ビタミンA欠乏症		416
ビタミンD		270
左冠状動脈		151, 178
左総頸動脈		191
鼻中隔		216
ヒト組織適合性白血球抗原		
		172, 469
鼻粘膜		216
ピノサイトーシス		53
皮膚		438, 452
皮膚潰瘍		457
皮膚感覚		405, 429
皮膚分節		388, 432
非ふるえ熱産生		491
肥満細胞		474
鼻毛		216
表在感覚		429
標的細胞		509
表皮		452
表皮細胞		453
ビリルビン		323
鼻涙管		216, 412
披裂軟骨		222
疲労消耗		527

▶ふ

ファゴサイトーシス		53
ファーター乳頭		315
フィードバック		31
不応期		353
フォルクマン管		86, 95
不感蒸泄		493
腹腔		26, 443
腹腔動脈		191
副交感神経		347
副交感神経系		390, 392
副甲状腺ホルモン		504, 520
腹式呼吸		236
副神経		385
副腎髄質ホルモン		525
副腎皮質刺激ホルモン		514
副腎皮質ホルモン		525
腹水		445
輻輳反射		417

腹大動脈		191
腹直筋		134
副鼻腔		217
副鼻腔炎		217
腹膜		443
腹膜透析		446
不整脈		181
不全骨折		87
付着リボソーム		46
物質交換		202
不動関節		88, 117
ぶどう膜		409
不妊		564
負のフィードバック		31
フランク・スターリングの法則		
		185
フリー・エアー		444
ふるえ		491
プルキンエ線維		180
フルクトース		330
ブローカ野		362
プロゲステロン		
	506, 528, 539, 561
プロスタグランジン		533
ブロードマンの脳地図		361
フローボリューム曲線		240
プロラクチン		505, 514
分化		60
吻合		189
粉砕骨折		87
分泌		281
分泌期		557
分娩		543, 566
分娩体位		567
噴門		293, 310
分葉核球		164
分裂		56
分裂間期		57

▶へ

平滑筋		75, 89, 122, 124
閉経		572
平衡覚		402, 424
平衡覚受容器		403
平衡斑		403, 424

閉塞性換気障害 240	勃起 580	脈管機能 321
平面関節 118	ホットフラッシュ 573	脈拍 180, 201
壁側胸膜 213, 227	哺乳 571	脈絡膜 409
壁側漿膜 444	ボーマン嚢 274	味蕾 292, 404, 427, 428
壁側心膜 174	ホメオスタシス 19, 30	
ヘム 162	ポリペプチド 332	▶ む
ヘモグロビン 162, 243	ホールデン効果 243	無酸素運動 127
ヘルパーT細胞 439, 475		無髄神経 351
便 295, 336	▶ ま	無尿 279
便意 433	マイクロフィラメント 48	
変形性関節症 120	マイスネル小体 429	▶ め
扁桃 205, 466	マイボーム腺 412	明暗順応 416
便秘 337	膜タンパク 42	迷走神経 385
扁平骨 96	膜電位 562	メサンギウム細胞 274
扁平上皮 65	膜 442	メモリー細胞 470
鞭毛 578	膜迷路 419	メラトニン 506, 516
ヘンレ係蹄 269, 274	マクロファージ 464	メラニン細胞 453
	末梢温度受容器 494	メラニン色素 454
▶ ほ	末梢化学受容器 212, 249	メラノーマ 454
ボーア効果 245	末梢神経系 342, 345, 348	メルケル盤 429
縫合 98	末節骨 110, 114	免疫寛容（免疫トレランス） 469
膀胱 268, 284	麻痺 395	免疫記憶 470
縫工筋 140	慢性硬膜下血腫 373	免疫グロブリン 472
膀胱頸 285	慢性閉塞性肺疾患 240	免疫細胞 439
膀胱三角 284	満腹中枢 293, 297	
傍子宮組織 549		▶ も
傍糸球体細胞 274	▶ み	毛幹 458
傍糸球体装置 274	ミエリン 82	毛球 458
房室結節 181	ミオシンフィラメント	毛根 458
房室束 181	75, 91, 123, 126	毛細血管 187, 202
房室弁 177	味覚 404, 427	網状層 453
放射 492	味覚性発汗 493	網赤血球 161
紡錘糸 56	味覚伝導路 428	盲腸 335
傍髄質ネフロン 275	味覚野 362	盲点 410
膨大部 425	右冠状動脈 151, 178	毛包 458
膨大部稜 403, 425	右総頸動脈 191	毛包受容器 429, 459
乏尿 279	右リンパ本幹 204	網膜 410
包皮 577	ミクログリア 80, 350	網膜中心動脈 411
ボウマン腺 426	味孔 428	毛様体 409
母指球筋 138	味細胞 428	毛様体筋 409
ポジティブフィードバック	ミセル 331	モノグリセリド 331
31, 507, 510, 558	密性結合組織 71	門 444
補足運動野 362	ミトコンドリア 44	門脈 195, 292, 318
補体 439	ミネラルコルチコイド 525	門脈系 195
補体活性化 471	味毛 428	

▶ゆ

有郭乳頭	427
有棘層	453
有鉤骨	110
有酸素運動	127
有糸分裂	54
有髄神経	351
有頭骨	110
幽門	293, 310
幽門前庭部	310
遊離脂肪酸	331
遊離リボソーム	46
輸出細動脈	278
輸出リンパ管	205
輸入細動脈	278
輸入リンパ管	205

▶よ

ヨウ化物イオン	518
葉間静脈	273
葉間動脈	273
葉気管支	223, 228
腰筋	140
溶血性貧血	162
溶質ポンプ輸送	52
葉状乳頭	427
腰神経	386
謡人結節	222
腰椎	103
腰椎穿刺	372
腰部脊柱管狭窄症	104
予備吸気量	238
予備呼気量	238
四分の一区画	27

▶ら

ラクトース	330
ランヴィエの絞輪	351
卵円孔	196
卵管	547
卵管間質部	547
卵管峡部	547
卵管膨大部	547
卵管漏斗部	547
卵形嚢	424

ランゲルハンス細胞	453
ランゲルハンス島	521
乱視	415
卵子形成	546
卵巣	544
卵巣周期	554
ランド・ブローダーの法則	457
ランドルト環	414
卵胞	554
卵胞液	555
卵胞期	554
卵胞刺激ホルモン	528, 538
卵胞ホルモン	538
卵母細胞	555

▶り

離出分泌	68
リソソーム	47
リゾチーム	412
立方骨	114
立毛筋	459
リボソーム	46
リポタンパク	320
リモデリング	86
隆椎	103
菱形筋	135
緑内障	434
リン脂質	42
輪状軟骨	221
輪状ひだ	316
リンパ	204
リンパ液	204
リンパ管	204, 553
リンパ球	164, 167, 464
リンパ小節	205
リンパ性器官	205
リンパ節	205, 466

▶る

涙器	412
涙骨	99
涙腺	412
ルフィニ小体	429

▶れ

冷覚	430
レニン	270, 276, 531
レニン-アンジオテンシン-アルドステロン系	276
レプチン	533
レム睡眠	377
連合野	362

▶ろ

ロイコトリエン	533
老視	415, 434
漏出分泌	68
漏斗核	513
濾過	224
濾過圧	278
肋間筋	134
肋間神経	387
肋骨	105
肋骨骨折	105
ローテーターカフ	137
ロドプシン	410, 416
濾胞傍細胞	518

▶わ

鷲手変形	389
ワルダイエル扁桃輪	219
腕尺関節	109
腕神経叢	387
腕橈関節	109
腕頭動脈	191

表紙デザイン：株式会社金木犀舎

本文デザイン：クニメディア株式会社

図版・解剖図イラストレーション・イラスト：
浅野仁志／K's Design／有限会社彩考／佐沙木彩乃
スタジオ・エイト／有限会社デザインスタジオEX／はやしろみ
ホンマヨウヘイ／八代映子

CG素材提供：株式会社メタ・コーポレーション・ジャパン

ナーシング・グラフィカの内容に関する「更新情報・正誤表」「看護師国家試験出題基準対照表」は下記のウェブページでご覧いただくことができます。

更新情報・正誤表
https://store.medica.co.jp/n-graphicus.html
教科書のタイトルをクリックするとご覧いただけます。

看護師国家試験出題基準対照表
https://ml.medica.co.jp/rapport/#tests

- 本書の複製及び公衆送信は、「著作権者の利益を不当に害すること」となり，著作権法第35条（学校その他の教育機関における複製等）で禁じられています．
- 学校教育上におかれましても、弊社の許可なく、著作権法上必要と認められる範囲を超えた複製や公衆送信は、ご遠慮願います．
- 授業目的公衆送信補償金制度における公衆送信も、医学系・看護系教育機関においては、対象外となります．

ナーシング・グラフィカ 人体の構造(こうぞう)と機能(きのう)①

解剖生理学(かいぼうせいりがく)

2004年3月15日発行	第1版第1刷
2008年2月10日発行	第2版第1刷
2013年1月20日発行	第3版第1刷
2016年1月15日発行	第4版第1刷
2023年1月15日発行	第5版第1刷ⓒ
2025年1月20日発行	第5版第3刷

編 者　武田(たけだ) 裕子(ゆうこ)　林(りんしょう) 正健二(けんじ)
発行者　長谷川 翔
発行所　株式会社メディカ出版
　　　　〒532-8588
　　　　大阪市淀川区宮原3-4-30
　　　　ニッセイ新大阪ビル16F
　　　　電話　06-6398-5045（編集）
　　　　　　　0120-276-115（お客様センター）
　　　　https://store.medica.co.jp/n-graphicus.html
印刷・製本　株式会社広済堂ネクスト

本書の複製権・翻訳権・翻案権・上映権・譲渡権・公衆送信権（送信可能化権を含む）は，（株）メディカ出版が保有します．

売上の一部は，各種団体への寄付を通じて，社会貢献活動に活用されています．
落丁・乱丁はお取り替えいたします．　　　　　　　　　　　　　　Printed and bound in Japan
ISBN978-4-8404-7831-1

「ナーシング・グラフィカ」で学ぶ、自信

看護学の新スタンダード
NURSINGRAPHICUS

独自の視点で構成する「これからの看護師」を育てるテキスト

人体の構造と機能
- ① 解剖生理学
- ② 臨床生化学

疾病の成り立ちと回復の促進
- ① 病態生理学
- ② 臨床薬理学
- ③ 臨床微生物・医動物
- ④ 臨床栄養学

健康支援と社会保障
- ① 健康と社会・生活
- ② 公衆衛生
- ③ 社会福祉と社会保障
- ④ 看護をめぐる法と制度

基礎看護学
- ① 看護学概論
- ② 基礎看護技術Ⅰ
  コミュニケーション／看護の展開／ヘルスアセスメント
- ③ 基礎看護技術Ⅱ
  看護実践のための援助技術
- ④ 看護研究
- ⑤ 臨床看護総論

地域・在宅看護論
- ① 地域療養を支えるケア
- ② 在宅療養を支える技術

成人看護学
- ① 成人看護学概論
- ② 健康危機状況／セルフケアの再獲得
- ③ セルフマネジメント
- ④ 周術期看護
- ⑤ リハビリテーション看護
- ⑥ 緩和ケア

老年看護学
- ① 高齢者の健康と障害
- ② 高齢者看護の実践

小児看護学
- ① 小児の発達と看護
- ② 小児看護技術
- ③ 小児の疾患と看護

母性看護学
- ① 概論・リプロダクティブヘルスと看護
- ② 母性看護の実践
- ③ 母性看護技術

精神看護学
- ① 情緒発達と精神看護の基本
- ② 精神障害と看護の実践

看護の統合と実践
- ① 看護管理
- ② 医療安全
- ③ 災害看護
- ④ 国際化と看護

疾患と看護 （NURSINGRAPHICUS EX）
- ① 呼吸器
- ② 循環器
- ③ 消化器
- ④ 血液／アレルギー・膠原病／感染症
- ⑤ 脳・神経
- ⑥ 眼／耳鼻咽喉／歯・口腔／皮膚
- ⑦ 運動器
- ⑧ 腎／泌尿器／内分泌・代謝
- ⑨ 女性生殖器

グラフィカ編集部SNS
@nsgraphicus_mc
ぜひチェックしてみてください！

X（旧Twitter）

最新情報はこちら ▶▶▶ ●「ナーシング・グラフィカ」オフィシャルサイト●
https://store.medica.co.jp/n-graphicus.html